UMA CERTA
IDEIA DE BRASIL

Pedro Malan

UMA CERTA IDEIA DE BRASIL
Entre passado e futuro
2003-2018

Copyright © 2018 by Pedro Malan

PREPARAÇÃO
Kathia Ferreira

REVISÃO
Laís Curvão
Juliana Pitanga

CHEGAGEM DAS LINHAS DO TEMPO
Rosana Agrella da Silveira

PESQUISA PARA LINHAS DO TEMPO
Thadeu Santos

DIAGRAMAÇÃO
Ilustrarte Design e Produção Editorial

CAPA
Victor Burton

CIP-BRASIL. CATALOGAÇÃO NA PUBLICAÇÃO
SINDICATO NACIONAL DOS EDITORES DE LIVROS, RJ

M197c

    Malan, Pedro, 1943-
        Uma certa ideia de Brasil / Pedro Malan. - 1. ed. - Rio de Janeiro : Intrínseca, 2018.
        512 p. ; 23 cm.
        ISBN 978-85-510-0379-4

        1. Brasil - Política e governo. 2. Brasil - Política econômica. 3. Brasil - Condições econômicas. I. Título.

18-50653   CDD: 320.981
                                                    CDU: 32(81)

[2018]
Todos os direitos desta edição reservados à
EDITORA INTRÍNSECA LTDA
Rua Marquês de São Vicente, 99, 3º andar
22451-041 – Gávea
Rio de Janeiro – RJ
Tel./Fax: (21) 3206-7400
www.intrinseca.com.br

Para Catarina, Diogo, Cecilia, Pedro e Fernanda.

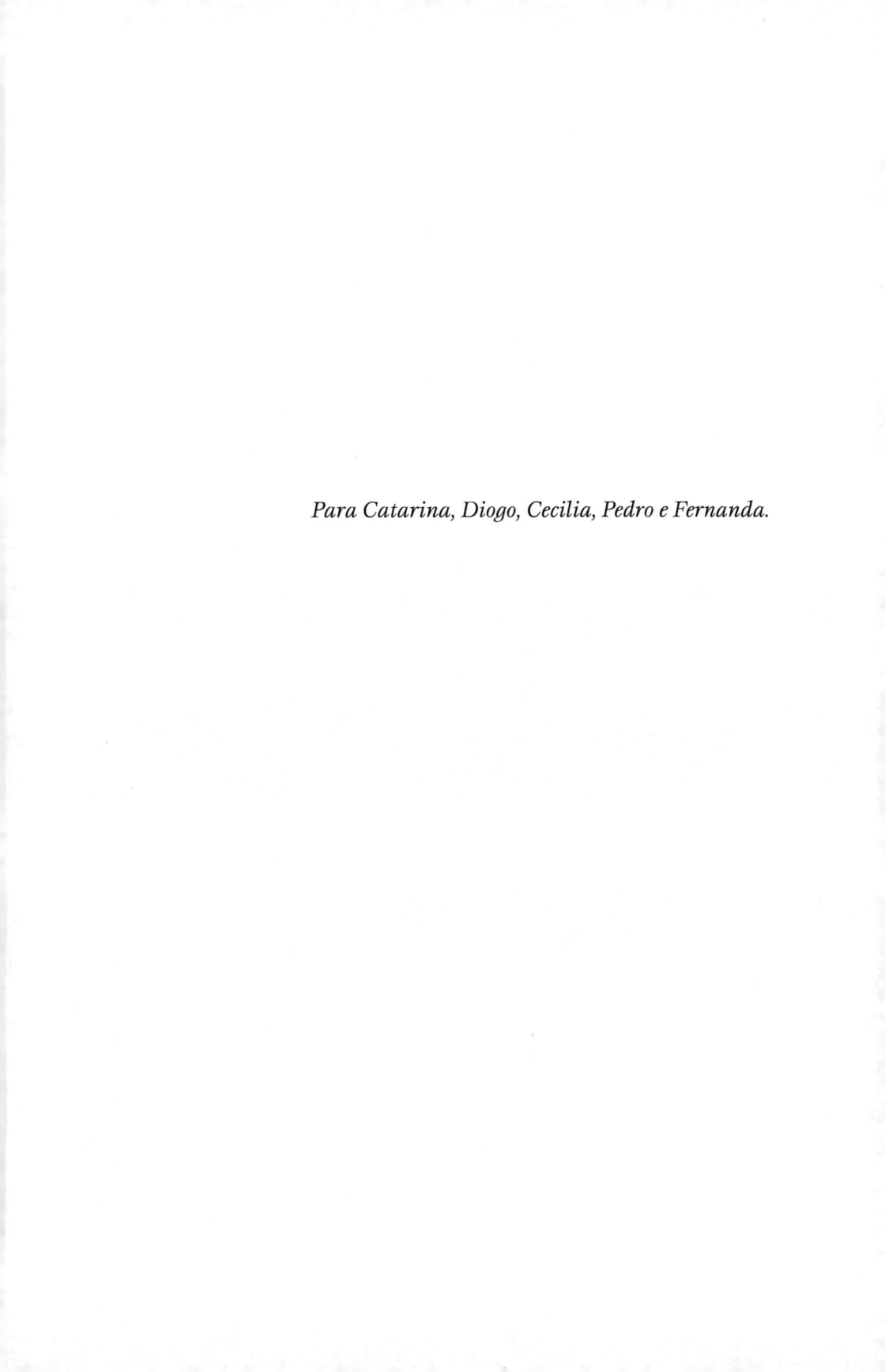

SUMÁRIO

Apresentação — Edmar Bacha   13
Prefácio do autor   17

2003

Falsos dilemas, difíceis escolhas...   31
Credibilidade, confiança e crescimento   34
Esperança, mudança, incerteza e risco   37
Controvérsias, dissensos e convergências   41
O debate sobre crescimento   44
Dois livros e um discurso   47
Feliz triênio novo   50

2004

A banalidade do não   59
Quatrocentos dias   62
Vulnerabilidades construídas   65
Bom governo ou mudança histórica?   69
A ousadia da responsabilidade   72
Heranças, ambiguidades e esquizofrenias   75
Os ciclos do Millôr e o infindável diálogo   77
Assim é se lhe parece   81
Aprendizado coletivo   84
Memórias dos próximos dois anos   87
2005, o ano que começou mais cedo   90
A necessidade de perspectiva   93

2005

O país e sua circunstância	103
Entreatos: Porto Alegre, Davos e 2006	106
Idos de muitos marços	109
As águas de abril	112
Jogo já jogado?	115
A microfísica do poder e a economia	118
Vida dura	120
Desencontros marcados	123
Mil e uma noites	126
Visões do paraíso, versão 2006	129
O atroz encanto de ser brasileiro	132
Estilhaços de 2005 no balanço de 2006	135

2006

2006 — Ano IV de uma nova era?	143
Convergências possíveis?	146
O PT e o discurso da mudança	149
Insensata esperança?	151
Faltam 140 dias	154
Miúdo regozijo	157
Lula, o PT e suas heranças: 2002 e 2006	160
Elusivo "quase consenso"	162
A importância de ser não cínico	165
Prezado Lula, ou recordar é viver	168
Desmontando palanques	171
Transição turbulenta e espaço para errar	173

2007

Riscos de excessiva complacência	183
Economia global, política doméstica	186
Novo governo, velhos mitos	188

Tempo de semear, tempo de colher	191
Pecados históricos, pecados sociais	194
Descolamentos preocupantes	197
O mais cruel dos meses?	200
Economia imune à política?	202
A importância dos próximos três anos	205
Ilusões perdidas e o futuro de uma ilusão	208
Metamorfoses	211

2008

Escrevendo ao sucessor	221
Nonada?	224
Heranças	226
Grau de confiança, grau de respeito	229
Efeito voracidade	232
Voz do povo, voz de Deus, voz do mundo	235
Novas vertentes do "nunca antes"	238
Anos turbulentos pela frente	240
Onde se lê 2008-2009, leia-se 2009-2010	243

2009

Respostas à crise e o crescimento	251
Respostas à crise: o uso de Keynes	254
Respostas à crise: usos do PAC	257
Respostas à crise: nós e os outros	260
Respostas à crise: economia e política	263
Respostas à crise: melhorar o debate?	265
Respostas à crise: mais além de 2010	268
Mundo e Brasil: pós-crise e pós-Lula	271
Os próximos 12 meses muito dirão	274
Complexa transição	276

2010

Equilibrado delírio?	285
Lula, o PT e suas heranças: 2002 e 2006	288
Fatos, versões e bravatas	291
Confiança e credibilidade	293
O que temos a ver com gregos e outros?	296
A sexta campanha de Lula	299
Diálogo de surdos?	302
Recôndita (des)harmonia?	304

2011

O correr da vida...	313
Dilma, lidando com o "pós-Lula"	316
O primeiro inverno do governo Dilma	318
Lições da beira do abismo?	321
Ousadia e responsabilidade	324
Encruzilhadas, nossas e de outros	327
Ritmos da política e da economia	330

2012

Vivendo e aprendendo	337
Em busca do tempo perdido	340
Fatalidades e voluntarismos	342
Europa e Brasil, urgências no gradualismo	345
A maioridade do real e os próximos 18 anos	348
Europa e Brasil, algo a ver?	350
Interesse nacional, soberania e democracia	353
A decisiva segunda metade	356

2013

O tempo dirá. Ou não	363
Marcados descompassos	366

Difícil travessia	368
O futuro da "nova era"	371
Sob o império da retórica eleitoral	374

2014

Nem mínimo nem máximo, só mais eficiente	381
Armadilhas por destravar	384
Vinte anos do real: significado e futuro	386
Reduzido espaço de manobra	389
Mais do mesmo?	392
A precária retórica dos 12 x 8 anos	395
Fazendo o diabo	398
Jogando agora os próximos quatro anos	400
Quadriênios, velhos e novos	403

2015

A força da realidade	411
A força da realidade 2	414
Tudo muito pouco usual	417
Narrativas — Modos de usar	419
Verdadeiro, falso e fictício	422
Transição, travessia: para...	425
O ocaso de uma narrativa	428

2016

O décimo quarto ano do lulopetismo no poder	437
O tempo é curto	440
Os dois gumes da lâmina	442
Heranças e futuros: modos de usar	445
Herança não reconhecida	448
Alvoroço — Mundo e Brasil	451

2017

2017-2018: um biênio crucial	459
Pressão estrutural por gastos públicos (1)	462
Pressão estrutural por gastos públicos (2)	465
Pressão estrutural por gastos públicos (3)	468
Diálogos não impossíveis?	470
Entre o inconcebível e o inevitável	473
Limites do autoengano?	476
Previdência e segurança — O peso do passado	479

2018

2018, ano crucial para 2019-2022 e muito além	487
Paralisia (in)decisória?	490
Do querer ser ao crer que já se é	492
Disputar é uma coisa, governar é outra	495
Como nos vemos? Como somos vistos?	498

Apêndices 501

- Tabela crescimento comparado e diferencial Brasil e mundo em desenvolvimento (1995-2002); (2003-2010); (2011-2017); (1995-2017)
- Taxa de câmbio nominal R$/US$
- Taxa de câmbio real R$/US$ (em reais constantes de abril de 2018)
- Taxa de desemprego
- Crescimento PIB
- PIB
- Taxa Selic
- IPCA

Índice onomástico 506

Sobre o autor 511

APRESENTAÇÃO

Edmar Bacha

Em junho de 1991, o ministro da Fazenda, Marcílio Marques Moreira, nomeou Pedro Malan negociador-chefe para assuntos da dívida externa. Malan tornou-se então responsável pela renegociação da dívida externa do país. Executou essa tarefa com enorme argúcia e extraordinário sucesso até 1993, quando a dívida externa brasileira finalmente foi reestruturada.

Em agosto de 1993, Pedro Malan foi nomeado presidente do Banco Central quando Fernando Henrique Cardoso era ministro da Fazenda. Exerceu essa função até dezembro de 1994, participando ativamente da elaboração, do lançamento e da implantação do Plano Real.

Assumiu o Ministério da Fazenda em 1º de janeiro de 1995, cargo que ocupou por oito anos, durante os dois mandatos de Fernando Henrique Cardoso como presidente da República. Em sua gestão no Ministério da Fazenda foram adotadas medidas críticas para a consolidação do Plano Real. Entre elas, a renegociação das dívidas estaduais e municipais com a União; a reestruturação dos sistemas bancários público e privado; a reforma administrativa do aparato governamental; e a sanção da Lei de Responsabilidade Fiscal.

Em fins de 1998, Malan levou a bom termo uma crise profunda do balanço de pagamentos. Foi instituído, então, o tripé da política econômica que está em vigor até hoje: superávit fiscal primário, metas de inflação e taxa de câmbio flutuante.

Em meio ao tumulto financeiro provocado pelo resultado da eleição de Lula para presidente da República em outubro de 2002, Malan desempenhou um papel-chave na garantia de uma transição ordeira. Empenhou-se junto ao futuro ministro da Fazenda, Antonio Palocci, para que Lula escrevesse a "Carta ao povo brasileiro", em que se comprometia a seguir uma política econômica responsável na Presidência.

Os êxitos dessa carreira pública exemplar foram exaltados por Larry Summers, ex-secretário do Tesouro dos Estados Unidos, e Stanley Fischer, então vice-presidente do banco central dos Estados Unidos, em homenagem na Casa das Garças, no Rio de Janeiro, nos 70 anos de Pedro Malan. Nesse seminário, Summers e Fischer fizeram questão de assinalar que fora pela liderança de Malan na área econômica que o Brasil conseguira superar problemas graves herdados de décadas anteriores, como o calote da dívida externa e a hiperinflação.[1]

Nem por isso eram menos complicados os desafios que o país enfrentava em 2003. Dando continuidade a seu empenho de vida inteira em transformar o Brasil numa sociedade melhor, a partir de junho daquele ano Pedro Malan começou a escrever as colunas no *O Estado de S. Paulo* coletadas neste volume. O objetivo, em suas palavras, era "analisar a economia em suas relações com a política", ou, diria eu, zelar para que a racionalidade continuasse a prevalecer na política econômica do país.

Infelizmente, não foi isso o que ocorreu. A princípio parecia que sim. Dando curso ao compromisso firmado na "Carta ao povo brasileiro", Lula nomeou Antonio Palocci para o Ministério da Fazenda e Henrique Meirelles para a presidência do Banco Central. Eles montaram equipes de alto nível e adotaram medidas de austeridade desde o início de 2003. Em consequência, os mercados se tranquilizaram.

As primeiras colunas de Malan retratam esse otimismo inicial. "Nos últimos 12 meses" — escreve ele em 8 de junho de 2003 — "o Brasil mostrou ao mundo que continua avançando em termos de maturidade política e nível do debate econômico."

Sobrevieram então a crise do Mensalão, a queda de Palocci, a ascensão de Guido Mantega. Internacionalmente, estava em curso "o mais longo, o mais forte e o mais amplamente disseminado ciclo de expansão da época moderna", na síntese de Kenneth Rogoff para o período de 2003 a 2008. A guinada de Lula da responsabilidade fiscal para o social-desenvolvimentismo foi bem expressa pela nova chefe da Casa Civil, Dilma Rousseff: "Gasto é vida."

---

[1] Cf. intervenções de Larry Summers e Stanley Fischer em: E. Bacha et al., *Estado da economia mundial: seminário em homenagem a Pedro S. Malan*. Rio de Janeiro: LTC, 2015, pp. 133-150.

As colunas de Malan em 2006 retratam sua preocupação com essas mudanças, terminando o ano com a reprodução de sua indignada carta pública a Lula de abril de 2002 e o espancamento dos "discursos grandiloquentes sobre inéditos modelos nunca antes imaginados".

Lula é reeleito, mas o palanque se mantém. Os títulos das colunas de Malan em 2007 refletem sua inquietação com a pirotecnia: "Riscos de excessiva complacência", "Novo governo, velhos mitos", "Pecados históricos, pecados sociais", "Descolamentos preocupantes", "Ilusões perdidas e o futuro de uma ilusão".

O ano de 2008 se abre com Malan prevendo duros testes da cena internacional; é a maior crise financeira mundial desde 1930 que se avizinha. Em 2009 Malan expressa sua preocupação com as respostas adequadas à crise internacional. Apela para "o destravamento da agenda regulatória, concorrencial e de redução das incertezas jurídicas", não devendo o governo limitar-se a um uso indevido de Keynes e um endeusamento do PAC (Programa de Aceleração do Crescimento).

Lula, entretanto, sustenta que tudo não passa de uma "marolinha" e elege Dilma Rousseff sua sucessora. Malan manifesta alguma esperança com o discurso de posse da nova presidente, e a ela deseja boa sorte em lidar com a voracidade de sua base de apoio no Congresso.

A partir do final de 2011, fica claro que a opção de Dilma não é pelo ajuste, e sim pela expansão da demanda e o controle de preços. Malan acompanha esse processo com desânimo, pois a retórica petista continua apostando numa proposta econômica falida mas generosa em termos de resultados eleitorais positivos.

Dilma se reelege em outubro de 2014 e Malan, em sua elegância habitual, continua a lhe desejar boa sorte. Porém a "força da realidade" (tema de colunas anteriores e título das duas primeiras colunas de 2015) logo se impõe. Dilma tenta uma guinada conservadora, substituindo Guido Mantega por Joaquim Levy no Ministério da Fazenda, mas o fogo amigo logo demonstra que uma andorinha só não faz verão.

"O ocaso de uma narrativa" é o título da coluna de outubro de 2015. É a primeira de uma série de textos que acompanha o desenlace do segundo mandato de Dilma Rousseff.

Em 2017 e 2018, Malan se permite um olhar histórico e discorre sobre as dificuldades de superação do atraso no Brasil, no contexto de uma pressão contínua por maiores gastos públicos, em parte derivada da expectativa de que o Estado tudo pode.

Os textos de Malan são leitura essencial para quem quiser entender a política econômica brasileira dos últimos 15 anos. Mas principalmente para entender como o país poderia estar hoje tão melhor do que está, se os governos do PT tivessem prestado alguma atenção às suas ponderadas e criteriosas análises e sugestões. Fica a esperança de que a partir de 2019 o Brasil possa ter o bom governo que bem merece e pelo qual Malan tanto lutou — e continua a lutar.

Edmar Bacha é sócio fundador e diretor do Instituto de Estudos de Política Econômica/Casa das Garças. Membro da Academia Brasileira de Ciências e da Academia Brasileira de Letras.

PREFÁCIO DO AUTOR

> A memória só conta realmente — para os indivíduos, as coletividades, as civilizações — se mantiver juntos a marca do passado e o projeto do futuro; se permitir fazer sem esquecer aquilo que se pretendia fazer; tornar-se sem deixar de ser; ser sem deixar de tornar-se.
>
> ITALO CALVINO (1975)

"Uma certa ideia" de um país — essa expressão sempre me pareceu um achado instigante desde que dela tomei conhecimento, décadas atrás. Foi tornada mundialmente famosa pelo general Charles de Gaulle, que a teve como mantra, moto e norte ao longo da vida. O primeiro parágrafo de suas memórias abre com a frase, numerosas vezes reiterada: *"Toute ma vie, je me suis fait une certaine idée de la France"* (Toda a minha vida eu tive para mim uma certa ideia da França). Para De Gaulle, fica evidente que a expressão designava uma certa ideia, mas de grandeza (*grandeur*) da França, de seu destino manifesto, da excepcionalidade francesa, do direito de estar entre os grandes do mundo — direito que lhe confeririam seu passado e seu destino.

A *certa ideia* a que se refere o título que dei a este livro tem a ver com algo bem mais modesto, porém não menos relevante: nós, brasileiros, precisamos ter uma certa ideia de como nos vemos como país; de nosso passado, nosso presente e nosso futuro. Ideia precária que seja, sempre aberta a diálogo com ideias outras que possa haver entre nós sobre nossos problemas fundamentais; mas ainda assim uma certa ideia, mais ou menos compartilhada. Não um consenso, essa palavra sempre elusiva, e sim um grau de convergência sobre questões fundamentais maior do que aquele que conseguimos alcançar até o momento.

Os textos reunidos neste livro foram publicados ao longo dos últimos 15 anos — entre junho de 2003 e maio de 2018 — e atravessaram cinco mandatos presidenciais. Os 15 anos tratados aqui devem ser vistos como um breve período de continuidades e mudanças afetados, ambos, pelo peso de nosso passado e pelas esperanças, sonhos e temores que temos sobre nosso futuro. É o que justifica o subtítulo aqui adotado — "Entre passado e futuro", que tomo de empréstimo ao título de conhecida obra de Hannah Arendt.

Já há muito tempo é conhecido o chiste de Ivan Lessa: "A cada 15 anos, o Brasil esquece tudo o que aconteceu nos últimos quinze anos." O Brasil está a decidir neste momento se esquece, ou como esquece, o que aconteceu nos últimos 15 anos. Ou se aguarda o início dos anos 2030 para então esquecer o que teria acontecido no período 2018-2033. Ou se esquece a brincadeira de Ivan Lessa e se decide a não mais incorrer em tão longos intervalos de esquecimento.

Afinal, para muitos, 2019 é um ano-chave, que corresponde ao momento em que uma nova administração, com a legitimidade que o voto popular possa lhe conferir, e com a base de sustentação parlamentar que possa ter formado, dirá a que veio. No entanto, para que 2019 e o próximo quadriênio sejam anos-chave é preciso que 2018 também tenha sido.

O autor dos textos aqui reunidos está convencido de que para compreender a importância do biênio 2018-2019 — o que inclui ter clareza sobre o teor dos discursos, das narrativas e promessas dos principais candidatos e sobre as consequências do resultado das eleições — ajudaria muito compreender a experiência dos últimos 15 anos, colocados em perspectiva. Esse exercício permitirá ao leitor formar sua própria avaliação sobre nossos futuros possíveis nos próximos 15 anos — que serão decididos na próxima meia década.

Os textos deste livro atendem a cinco grandes eixos temáticos. Primeiro, a necessidade de *perspectiva* que vá além da conjuntura e a importância de ver a *história* como infindável diálogo entre passado e futuro. O *passado* como terra estrangeira, que cada geração visita, à luz de exigências do presente e de sonhos e temores sobre o futuro. Um *futuro* que realiza ensaios que assumem a forma de planos, desejos, sonhos e intenções, os quais, quer se materializem quer não, constituem a memória do futuro. Como escreveu Italo Calvino no trecho reproduzido na abertura deste Prefácio, a *memória* só conta realmente — para os indivíduos e as sociedades — se mantiver juntos a marca do passado e o projeto do futuro; se permitir fazer sem esquecer aquilo que se pretendia fazer; tornar-se sem deixar de ser; ser sem deixar de tornar-se.

Segundo, as inexoráveis interações entre economia e política — que nunca deixaram de existir, mas que foram subestimadas ao longo do período de euforia que antecedeu a crise de 2008 e que desde então voltaram a assumir, no mundo como no Brasil, crescente importância. Durante os últimos 15 anos, o Brasil experimentou momentos decisivos e grandes inflexões. Aqui estão tratadas, na ordem cronológica em que foram escritas, a transição do governo FHC para o primeiro governo Lula (2002-2003); reflexões sobre Lula I; a importância da inflexão desenvolvimentista, clara logo após abril de 2006; reflexões sobre Lula II; o superaquecimento e as eleições de 2010; o governo Dilma I e as consequências da forma como se deu sua reeleição em 2014, em seus desdobramentos até o *impeachment*. Há ainda 16 artigos escritos na vigência do governo Michel Temer, sempre a procurar ligar passado, presente e futuro.

Terceiro, processos de mudança em democracias de massas urbanas, caso do Brasil, exigem um informado debate público e uma imprensa livre e independente. Esse debate permite que pessoas e grupos formem ou mudem sua opinião à luz de novas evidências. Permite também compreender por que em sociedades complexas é crescente o número de problemas cuja solução requer lideranças políticas e contribuição expressiva de competências técnicas. Aprender com experiências passadas, nossas e de outros, depende da existência de arcabouços conceituais coerentes e minimamente compartilhados de forma consistente, que possam estruturar a discussão sobre as lições a serem aprendidas sobre velhos erros; bem como sobre novos erros a evitar. As discussões relevantes não são sobre a identificação dos objetivos meritórios a perseguir; mas sim — uma vez alcançada certa convergência sobre os grandes desafios — sobre as políticas públicas mais aptas a permitir que os objetivos possam ser alcançados.

Quarto, as discussões relevantes sobre a teoria e a prática da política macroeconômica em economias abertas voltaram a ficar interessantes intelectualmente, tanto no mundo como no Brasil. Nosso país já viveu momentos de grande incerteza econômica e também de grande incerteza política. Viveu momentos em que ambos ocorreram simultaneamente. Mas nunca experimentou a combinação de incertezas política e econômica com uma crise de valores e um processo de investigação e justiça com a profundidade e amplitude do processo em curso desde março de 2014. Desse momento data o início da Operação Lava-Jato, que vem mudando o Brasil, que, nessa área, nunca mais voltará a ser o de antes, apesar de aparências em contrário.

Quinto, mas não menos importante, está a preocupação com o que chamo de pressão "estrutural" por maiores gastos públicos no Brasil. Há raízes históricas para tal, associadas ao nosso extraordinário processo de transição demográfica e de urbanização, que nos levou em 65 anos à condição de terceira maior democracia de massas urbanas do mundo (após Índia e Estados Unidos). As demandas por maior e melhor infraestrutura "física" (energia, transporte, telecomunicações, portos) e infraestrutura "humana" (educação, saúde, segurança, saneamento), além de demandas por melhor distribuição de renda, riqueza e oportunidades, exigem respostas por parte de governos, sejam centralizadores/autoritários (como nos períodos 1930-1945 e 1964-1985), sejam democráticos (como 1946-1964 e 1985 ao presente). Essas pressões — e a necessidade de respostas em termos de políticas públicas — marcaram as décadas passadas, e continuarão, inexoravelmente, a marcar décadas futuras.

Subjacente a praticamente todos os textos aqui reunidos há uma visão do que seria uma sociedade na qual eu gostaria que meus filhos e netos pudessem viver no futuro; na verdade, todos os filhos e netos de brasileiros. Minha utopia é uma sociedade que tente compatibilizar, da melhor forma possível, quatro grandes características:
- Liberdades individuais: de opinião, de expressão, de associação, liberdade de imprensa, liberdade de empreender, liberdade de desenvolver potencialidades como ser humano. Direitos civis assegurados a todos.

- Maior justiça social: isto é, igualdade perante a lei e menor desigualdade na distribuição de renda e de oportunidades, o que exige intervenções onde realmente importa: nos anos iniciais de formação da criança e do jovem, com foco no seu inviolável direito à aprendizagem. Aprendizagem nas idades certas, o que inclui leitura, escrita e noções básicas de matemática no máximo aos 6/7 anos de idade.
- Atenção à eficiência e à eficácia operacional nas atividades do setor público: uma sistemática avaliação dos custos e benefícios de sua miríade de programas, nos três níveis de governo. Assim também com relação à produtividade e à competitividade internacional de empresas privadas — condições indispensáveis para que possamos vir a ter um crescimento econômico sustentado no longo prazo.
- Mais amplo reconhecimento de um paradoxo fundamental: o que Schumpeter denominava "a máquina capitalista" e seu "elemento essencial" — a "destruição criativa" via avanços tecnológicos e inovações disruptivas — mostrou-se imbatível na produção de riqueza e na disseminação de acesso a produtos de consumo de massa. Mas ela não é, por si só, capaz de distribuir riqueza, renda e oportunidades de forma a atender aos desejos de menor injustiça social. É preciso que uma sociedade disponha de capital cívico, pessoas de espírito público, capacidade de cooperação e exercício constante de cidadania para que um Estado razoavelmente eficiente possa desenvolver políticas públicas capazes de assegurar um mínimo sentido de maior justiça social, em uma sociedade de massas que se queira mais moderna e mais civilizada.

Para além das observações já apresentadas, talvez seja devida ao leitor uma explicação que justifique a reunião em livro de artigos publicados ao longo do tempo. Valho-me para tanto da justificativa dada por três célebres autores para coletâneas de artigos de sua autoria.

Raymond Aron, o mais brilhante espectador engajado francês de sua geração, assim se referiu a seu *Estudos políticos* (1972): "Os trabalhos reunidos neste livro só têm uma unidade: a que lhes dá o meu interesse." Essa não é minha justificativa.

Já o italiano Norberto Bobbio, espectador engajado não menos famoso que Aron, ao reunir artigos de sua autoria no livro *As ideologias e o poder em crise* (1982), descreveu sua decisão como um "ato discutível", que justificou desta forma: "Tenho uma única atenuante: quase sempre me esforcei por ligar o problema que tratava a um tema mais geral; (...). Não é preciso lembrar que os (cinco) anos em que apareceram estes artigos, de fins de 1976 a fins de 1980, foram anos de permanente e sucessivo agravamento da instabilidade política na Itália." Essa justificativa é melhor, mas ainda não é a minha.

José Murilo de Carvalho reuniu no belíssimo livro intitulado *O pecado original da República* (2017), vários textos seus publicados ao longo dos 10, 15 anos anteriores. O subtítulo do livro dá ideia de sua diversidade e da justificativa que o anima: "Debates, personagens e eventos *para compreender o Brasil*" (ênfase minha). Essa última expressão é chave, e talvez seja a melhor justificativa para o presente livro, que talvez pudesse ser descrito como uma tentativa, quem sabe, de ajudar o leitor a compreender um pouco mais o processo através do qual, ao longo dos últimos 15 anos, chegamos a este final da segunda década do século XXI.

E olharmos à frente, para os próximos 15 anos, com certa confiança em nossa capacidade de nos erguermos, como sociedade, à altura de nossos enormes desafios. Já o fizemos no passado. Não temos alternativa a não ser apostar no poder da perseverança. E de uma certa ideia de um Brasil decente, politicamente democrata e republicano, socialmente progressista e inclusivo, além de economicamente responsável, em particular na gestão das finanças públicas. Esta última não constitui um fim em si mesma, mas sem ela não haverá como o Brasil alcançar as taxas de crescimento da renda e do emprego que constituem o nada obscuro objeto de desejo da maioria dos brasileiros.

Os textos aqui reunidos foram publicados ao longo dos últimos 15 anos (junho de 2003 a maio de 2018) na página 2 do jornal O Estado de S. Paulo, *que generosamente permitiu a publicação na forma de livro.*

2003

2002

Taxa de crescimento no ano	3,1 %
Taxa de inflação no ano	12,5 %
Taxa de câmbio no final do ano	R$ 3,54
Mín. R$ 2,27 Máx. R$ 3,95	
Taxa de juros no final do ano	25 %
Mín. 18 % Máx. 25 %	

JANEIRO

Documento intitulado "A ruptura necessária", aprovado no encontro nacional do PT realizado em dezembro de 2001, em Olinda (PE), é apresentado como base do programa de um eventual futuro governo do partido.

O prefeito de Santo André (SP), Celso Daniel, escolhido por Lula em 2001 como coordenador do programa de governo do PT, é sequestrado e assassinado em circunstâncias não esclarecidas.

FEVEREIRO

FHC anuncia que o programa para a energia implementado em maio de 2001, sob a coordenação de Pedro Parente, permitiu a superação da crise no setor.

Antonio Palocci é designado por Lula o novo responsável pela elaboração do programa de governo do PT.

ABRIL

O governo FHC define limites para a sua participação no processo eleitoral e prepara a transição para o governo seguinte, a ser escolhido nas urnas em outubro.

JUNHO

A taxa de câmbio reflete incertezas. O câmbio, que havia oscilado entre R$ 2,41 e R$ 2,33 por dólar no primeiro quadrimestre do ano, sobe para R$ 2,82. Uma desvalorização de 19,5% em relação à média de janeiro-abril (R$ 2,36).

Início de conversações informais com o FMI.

Lançada no dia 22, a "Carta ao povo brasileiro" — na qual Lula se compromete a fazer o esforço fiscal necessário para estabilizar a relação dívida/PIB, preservar a inflação sob controle e respeitar contratos — visa acalmar os mercados, entre outros objetivos.

JULHO

O governo chega a um acordo preliminar com o FMI, a ser submetido ainda ao *board* da instituição.

AGOSTO

O governo convida os principais candidatos à Presidência para uma reunião no Palácio do Planalto em que será explicado por que foi fechado um acordo com o FMI no valor inédito de US$ 30 bilhões, dos quais mais de 80% estariam disponibilizados para o futuro governo. Compareceram para reuniões separadas, ao lado de assessores econômicos e políticos, Lula (PT), José Serra (PSDB), Ciro Gomes (PPS) e Garotinho (PSB).

SETEMBRO

Lula aumenta sua vantagem nas pesquisas de intenção de voto.

O câmbio chega a R$ 3,74 por dólar, uma desvalorização de 58,5% em relação à média do primeiro quadrimestre (R$ 2,36).

OUTUBRO

Lula vence sua quarta disputa presidencial em segundo turno, com 61% dos votos válidos. Havia disputado as eleições de 1989, 1994 e 1998, indo ao segundo turno contra Collor em 1989 e perdendo no primeiro turno para FHC em 1994 e 1998.

O câmbio chega a bater R$ 4 por dólar em outubro, o equivalente a cerca de R$ 7 (a preços de abril de 2018).

NOVEMBRO

Antonio Palocci é designado ministro da Fazenda. Diálogos construtivos com o governo FHC, em particular na área econômica.

DEZEMBRO

Antonio Palocci anuncia sua equipe, na qual se incluem Marcos Lisboa, secretário de Política Econômica, e Joaquim Levy, secretário do Tesouro.

No Banco Central, Henrique Meirelles mantém vários nomes da diretoria de Armínio Fraga na fase de transição para 2003.

Ano termina com taxa de câmbio em R$ 3,54 por dólar.

2003

Taxa de crescimento no ano	1,1 %
Taxa de inflação no ano	9,3 %
Taxa de câmbio no final do ano Mín. R$ 2,82 Máx. R$ 3,67	R$ 2,89
Taxa de juros no final do ano Mín. 16,50 % Máx. 26,50 %	16,50 %

JANEIRO

Lula toma posse no dia 1º como presidente do Brasil.

Antonio Palocci é nomeado ministro da Fazenda. Henrique Meirelles assume a presidência do Banco Central.

O programa social Fome Zero é lançado pelo Ministério do Desenvolvimento Social e Agrário, buscando conferir conteúdo operacional ao direito do cidadão a alimentos básicos.

O Banco Central amplia para 8,5 % o teto da inflação para o ano.

FEVEREIRO

José Sarney (PMDB-AP) é eleito presidente do Senado, e João Paulo Cunha (PT-SP), presidente da Câmara dos Deputados.

ABRIL

Lula anuncia aumento de 20 % para o salário mínimo, que passa a R$ 240. O salário mínimo legado a Lula por FHC era de R$ 200 (comparado com R$ 70 em 1º de janeiro de 1995, início de seu mandato).

JUNHO

O FED (banco central norte-americano) reduz a taxa de juros a 1% ao ano, vindo de 6,5% no início de 2001.

AGOSTO

Em seu segundo pronunciamento em cadeia nacional de rádio e televisão, Lula diz que não há "mágicas" para o crescimento econômico e que "o pior já passou". Esse posicionamento cauteloso contrasta com o discurso anterior, quando anunciou o início do "espetáculo do crescimento".

OUTUBRO

Após dez meses de dificuldades para operacionalizar o Fome Zero, o governo Lula cria o Bolsa-Família, consolidando os vários programas de transferência direta de renda herdados da administração FHC.

O jornalista e deputado federal Fernando Gabeira (PT-RJ) anuncia sua saída do PT em discurso na Câmara: "Sonhei o sonho errado."

DEZEMBRO

Início de uma fase de expansão da economia global que se estenderá até o terceiro trimestre de 2008.

FALSOS DILEMAS, DIFÍCEIS ESCOLHAS...

8 de junho de 2003

Nos últimos 12 meses, o Brasil mostrou ao mundo que continua avançando em termos de maturidade política e nível do debate econômico — apesar das aparências em contrário.

Foi revertido o clima negativo, beirando o quase pânico, que se instaurou a partir de abril/maio de 2002 em mercados movidos, como sempre, por expectativas quanto ao curso futuro dos eventos. Expectativas à época afetadas por um cenário internacional adverso, por presumidas "vulnerabilidades" nossas e por incertezas sobre o que poderiam vir a ser as políticas do futuro governo.

Essa reversão foi o resultado de uma combinação de fatores: uma gradual mudança na postura e no discurso do então principal partido oposicionista desde junho de 2002; uma inédita e exemplar transição pós-eleitoral entre a administração que terminava e a que assumia; uma firme e coerente condução da política macroeconômica pelo novo governo desde sua posse, reafirmando, agora na prática, compromissos com a estabilidade e recusando voluntarismos e efeitos especiais. E uma determinada mobilização do novo governo, em relação ao Congresso, pelo encaminhamento da agenda de reformas que as oposições, pelas razões hoje conhecidas, não haviam apoiado durante o governo anterior.

Esse sucesso na reversão do clima que marcou boa parte do ano de 2002 não deve ser subestimado. Na verdade, foi fundamental para o país. O Brasil, mais uma vez, surpreendeu os céticos e os derrotistas, evitando um rumo por muitos erroneamente antecipado. O fato de esse resultado positivo ter sido possível por avanços alcançados pela sociedade brasileira ao longo dos últimos anos não diminui, de forma alguma, os méritos do atual governo, que até o momento, na área macroeconômica, mostrou serenidade, pragmatismo e visão.

Entretanto, a condução da política econômica nestes primeiros cinco meses do novo governo vem sendo questionada e apresentada como uma simples — e indesejável — extensão da política econômica do governo anterior. A crítica é equivocada. Tem razão o ministro Antonio Palocci quando diz que na maioria dos países de alguma expressão econômica "ninguém mais questiona" se um governo, independentemente de sua coloração político-partidária, deve ou não ser fiscalmente responsável, preservar a inflação sob controle e respeitar contratos e acordos. Essas são algumas das responsabilidades básicas de qualquer governo que exerça de forma responsável a gestão da coisa pública. Como foram os governos de esquerda na Espanha (Felipe González), na França (Mitterrand e Jospin), na Itália (D'Alema), como é o governo da concertação socialista do Chile (Lagos). Como vem sendo, até agora, o governo Lula.

À primeira vista, poderia parecer, portanto, que esse é um debate superado ou em vias de superação no Brasil. Mas o fato é que a imprensa registra um número crescente de vozes, inclusive do próprio governo, que vêm se referindo à política de reafirmação do compromisso com a estabilidade nos últimos cinco meses como uma espécie de "plano A" ou uma curta "fase de transição" prestes a ser concluída, quando então — e só então — começaria de fato o "verdadeiro" governo Lula. Este, sim, voltado para o crescimento da atividade econômica, do investimento, do emprego, da renda e da justiça social no país. Objetivos que, assim formulados, não têm um só opositor entre os 175 milhões de brasileiros.

É incorreta a percepção de que é preciso escolher, no tempo, entre estabilidade e crescimento econômico. "Falso dilema" é o título de um artigo clássico do economista Raúl Prebisch sobre essa escolha, publicado há mais de 40 anos — e há centenas de outros, desde então, com o mesmo argumento. Não existe um período no qual se conquiste a estabilidade de forma definitiva e dela se possa esquecer nos períodos seguintes, na suposição de que a instabilidade não voltará, independentemente das outras decisões do governo. A estabilidade macroeconômica não é algo que um país, um dia, incorpore definitivamente a seu patrimônio histórico-cultural, ao DNA de sua sociedade, e passe a tratar de outros assuntos mais interessantes. Ela tem de ser preservada continuamente. Não é um objetivo em si mesmo, tampouco condição suficiente para o desenvolvimento econômico e social. Mas é, seguramente, uma condição necessária, porque sem a estabilidade o crescimento econômico não se sustenta ao longo do tempo. Assim como sem crescimento a estabilidade não se consolida.

Certamente é possível, desejável e imprescindível continuar avançando na construção das bases para o crescimento sustentado, mesmo enquanto se está lidando com desequilíbrios e instabilidades macroeconômicas. Na verdade, fez-se isso no período 1993-2002, que não foi, à diferença do que pensam alguns, uma década perdida do ponto de vista do desenvolvimento econômico e social do país. O Brasil mudou, tanto do ponto de vista quantitativo quanto do qualitativo, nos últimos dez anos. E os inúmeros indicadores econômicos e sociais disponíveis mostram que não foi para pior.

O agronegócio brasileiro teve um desempenho extraordinário recentemente, baseado em aumento de produtividade e incorporação de progresso técnico. Inúmeros setores da indústria são hoje bastante competitivos na disputa por mercados externos. Outros o são na competição com produtos importados. O mesmo vale para serviços. A infraestrutura brasileira, apesar de ainda precária, é melhor do que era. E, extremamente importante, o setor *tradeable* (produção exportável e produção doméstica competitiva com importações) vem aumentando a sua participação no produto interno bruto, o PIB. Essa mudança estrutural é a principal responsável pela redução da chamada vulnerabilidade externa da economia brasileira.

Em resumo, não há nada de essencialmente errado com o potencial de crescimento da economia brasileira, que pode crescer a taxas bem mais altas que as atuais. A depender do contexto internacional, da confiança do setor privado, da estabilidade econômica e político-institucional e de ações governamentais voltadas para estimular a eficiência e a produtividade da economia, sem as quais não existe crescimento sustentado.

A tarefa é complexa e exige não só o abandono de voluntarismos como uma visão de médio e longo prazos. Nesse sentido, estava certo o ministro Palocci ao criticar "histerias" às vésperas de cada reunião do Copom (Comitê de Política Monetária) e propor a "não ideologização" dos legítimos e importantes debates sobre política monetária e sobre o papel do Banco Central (revista *Veja*, 28/5/03). O Brasil não dará um salto automático na direção do desenvolvimento econômico porque o Copom, em algum momento — que haverá de chegar —, reduziu a taxa básica de juros. Como parecem supor os que advogam a necessidade de "pressão política" sobre a instituição.

Não estamos começando do zero um processo de criação das bases para um sustentado crescimento com mudança estrutural e aumento de produtividade. Esse processo já vem ocorrendo há muitos anos e é importante que se lhe dê continuidade. O mesmo se aplica ao desenvolvimento social. Em outras palavras, o que é legítimo e razoável esperar do governo Lula é que possa entregar a seu sucessor um país melhor do que aquele que recebeu. Como fez o governo FHC.

CREDIBILIDADE, CONFIANÇA E CRESCIMENTO
13 de julho de 2003

O Brasil é um país extraordinário, mas complexo e difícil de governar, como cedo descobrem aqueles que se propõem a fazê-lo, combinando as éticas da convicção e as da responsabilidade.

Uma coisa é a eloquência dos discursos eleitorais, marcados por certezas, promessas e propostas de soluções para todo tipo de problema. Outra coisa, à qual o discurso eleitoral precisa (por vezes penosamente) se adequar, é o pragmatismo responsável a que estão obrigados aqueles que, no exercício do governo, têm de lidar com recursos escassos, com inevitáveis conflitos de interesse e, no dia a dia, com as incertezas, os riscos e as consequências de suas inescapáveis decisões — e não apenas as operacionais.

Com efeito, numa democracia de massas a sociedade civil é uma inesgotável fonte de demandas dirigidas ao governo — que é obrigado a tentar lhes dar respostas. A quantidade e a rapidez com que emergem essas demandas — e as expectativas de que sejam atendidas — são de tal ordem que poucos sistemas políticos podem a elas responder adequadamente, pelo menos nos prazos esperados pelos demandantes.

Norberto Bobbio sintetizou bem a questão: a democracia tem a demanda fácil e a resposta difícil; a autocracia, ao contrário, não só está em condições de controlar a demanda e torná-la mais difícil (por sufocar a sociedade civil), como é, efetivamente, muito mais rápida nas respostas (por não ter de observar os complexos procedimentos decisórios próprios de um regime democrático).

Esse é o grande desafio de qualquer governo democrático. E o desafio é maior no Brasil, por duas razões. Primeiro, porque somos uma sociedade ainda injusta, com carências e mazelas sociais que são ética e politicamente incompatíveis com o grau de civilização que acreditamos haver alcançado. Segundo, porque o próprio governo atual, no curso de sua longa (e, afinal, bem-sucedida) caminhada para chegar ao poder, alimentou e exacerbou muitas dessas demandas, gerando a expectativa de que seriam atendidas no espaço de sua gestão. Essa observação não é uma crítica a um legítimo procedimento democrático. É a constatação de uma situação objetiva que o novo governo está sendo obrigado a enfrentar. As mudanças, as reformas, o desenvolvimento econômico e social, que pareciam — no discurso — simples consequências do exercício de "vontade política", parecem — na prática — muito mais complexos, dados os reais conflitos de interesse envolvidos e a capacidade de vocalização dos setores mais organizados da sociedade civil — que nem sempre representam a desorganizada e esperançosa maioria.

No entanto, é assim que o país avança. Meu velho mestre e querido amigo Albert O. Hirschman tem uma pertinente observação sobre esse processo: "(...) um genuíno processo político democrático significa que muitos dos que dele participam têm apenas uma opinião inicial aproximada e um tanto incerta sobre várias questões da política pública. Não obstante o ar de certeza com que anunciam as suas posições, as posturas mais definidas de muitos emergem apenas no curso dos debates e deliberações sobre o tema (...). A principal função desses debates é a de desenvolver novas informações e novos argumentos. Como resultado, posições finais podem, eventualmente, ficar a alguma distância daquelas inicialmente mantidas — e não apenas como resultado de compromisso político com forças opostas."

Quero crer que esse processo esteja em curso no Brasil. Alguém já o disse: ainda não sabemos se, como e em que extensão o governo do PT vai mudar o país; mas já sabemos uma coisa: o Brasil mudou e vem mudando o PT ou, pelo menos, parte dele. Como eu acho que, no geral, o Brasil não vem mudando para pior e que, apesar de seus inúmeros e inegáveis problemas, tende a melhorar, o que foi escrito acima deve ser visto como expressão de cautelosa confiança no futuro.

De fato, em artigo anterior, publicado neste mesmo espaço, procurei fazer justiça à condução pragmática e responsável da política macroeconômica por parte do novo governo em seus primeiros seis meses, confirmando um processo de mudança de postura que tem se tornado mais claro desde junho do ano passado e tem continuado durante a transição.

Ao mesmo tempo, e no mesmo artigo, expressei preocupação com a intensidade de algumas interpretações correntes, inclusive de dentro do governo, sobre a transitoriedade dessa fase inicial, que estaria prestes a ser concluída, quando, então, o governo Lula assumiria ou mostraria sua "verdadeira face".

O próprio presidente pareceu endossar essa ideia ao anunciar, para o mês de julho, em famoso improviso, o início do "espetáculo do crescimento". Felizmente, o realista texto lido pelo presidente em São Paulo, no dia 4 de julho, menciona a "reativação gradativa da economia rumo à retomada do crescimento sustentado", enfatizando que "não há mágicas, não há sustos, não há coelhos a tirar da cartola"; que "o crescimento exige muito trabalho e seriedade"; e que a estabilidade macroeconômica "reconquistada é o nosso alicerce", sobre o qual "vamos construir o edifício do desenvolvimento". Registro a ponderação dessas palavras lidas, porque a credibilidade do governo e a confiança nele são alicerces indispensáveis em qualquer processo sustentado de desenvolvimento econômico e social. Não são os únicos.

O Brasil é um país em construção. Uma construção que não se inicia agora, e que não estará "concluída" em uma geração, muito menos em uma administração. Uma construção que precisa de alguns pilares imprescindíveis, além da credibilidade e da confiança iniciais que possa inspirar. Na verdade, a preservação da credibilidade e da confiança depende de avanços na consolidação de quatro processos principais:

- estabilidade macroeconômica, que, vale repetir, não é e nunca foi um fim em si mesmo;
- estabilidade político-institucional, administrativa e jurídica;
- políticas setoriais para o setor produtivo, focadas no aumento da produtividade, da competição e da eficiência dos marcos regulatórios, com a necessária clareza e previsibilidade de regras que permitam um clima favorável ao investimento privado e público;
- e eficiência operacional do Estado (nos três níveis de governo) na utilização de recursos públicos e na mobilização da sociedade civil para alcançar, ao longo do tempo, objetivos sociais em relação aos quais há hoje unanimidade no Brasil, pelo menos no nível de generalidade com que são usualmente formulados.

É fácil falar e escrever. É difícil fazer. Mas não há alternativa senão tentar. E só não erra quem não faz, não tenta e não decide. Todo e qualquer governo, em qualquer parte do mundo, tem suas cotas de acertos e desacertos. O governo Lula não é — e não será — exceção.

ESPERANÇA, MUDANÇA, INCERTEZA E RISCO

10 de agosto de 2003

O tamanho de minha esperança é o título de um dos primeiros livros publicados por Jorge Luis Borges, esse incomparável cultivador de paradoxos, metáforas e labirintos. Para o então jovem Borges, o futuro, antes de se converter em presente e passado, realizaria ensaios. Esses ensaios se expressariam sob a forma de sonhos, desejos, esperanças, projetos e expectativas de mudança, os quais, quer se realizassem, quer não, constituiriam a memória do futuro. Em suas palavras, o belo paradoxo: "Bendita sejas, esperança, memória do futuro."

De fato, sonhos e esperanças, vistos ou sentidos como vislumbres de um futuro desejável, ou, pelo menos, não impossível, tiveram e têm profundo significado na vida do único animal esperançoso, que é o ser humano. O melhor da literatura universal dos gregos a nossos dias tratou, de uma forma ou de outra, desse conflito fundamental entre paixões e interesses, ou entre as expectativas subjetivas e as objetivas dificuldades e os reais conflitos que caracterizam a dura realidade do mundo.

Na política, por mais importante que seja a reafirmação da esperança como expectativa de mudança na direção de um futuro melhor, isso não significa que qualquer futuro possa ser construído porque sonhado, ou que outro mundo possível possa ser alcançado porque desejável.

É claro que sempre haverá espaço para a ação humana, para as peripécias insondáveis da história, para as combinações entre "fortuna" e *"virtù"*. Mas há desafios não triviais a enfrentar nesse conturbado espaço que se situa entre o mundo existente e o outro sobre o qual se afirma ser possível. Afinal, uma das definições correntes da política não é exatamente a de que ela é a arte de tentar tornar possível amanhã aquilo que parece difícil ou impossível hoje? Essa arte precisa lidar adequadamente com cinco grandes desafios.

Primeiro, o peso do passado: como notou Marx há cerca de 150 anos, os homens fazem a própria história, não como bem entendem, mas à luz de circunstâncias, restrições e, por suposto, oportunidades configuradas pelo passado. É sabido que a história é um infindável diálogo entre passado e futuro e que, portanto, a "memória do futuro" exige a memória do passado. Sob pena de descobrirmos com atraso aquilo que tínhamos quando éramos considerados atrasados — como disse, em outro contexto, Boaventura de Sousa Santos, recentemente lembrado por Geraldo Prado.

Segundo, a necessidade de combinar os sonhos com alianças e ações eficazes para tentar realizá-los. Há exatos 40 anos, San Tiago Dantas proferiu o famoso discurso em que distinguia "esquerda positiva" de "esquerda negativa", afirmando a urgência de um novo sonho e uma nova aliança e lembrando que sonho sem aliança e sem ação eficaz que o sustentem é devaneio. E que aliança sem sonho e sem ação eficaz se dissolve rapidamente no ar, como tudo o que é apenas aparentemente sólido.

Terceiro, é fundamental reconhecer a dimensão intertemporal. Processos de mudança demandam tempo. Entre o enunciado de um princípio tido como desejável ou entre a declaração sobre a importância de um direito e sua efetivação na política pode decorrer um longo lapso de tempo. O livro de José Murilo de Carvalho *Cidadania no Brasil: o longo caminho* merece ser lido e relido. É claro que é possível tentar apressar o passo. Mas o espaço para voluntarismos em sociedades complexas é extremamente reduzido. Já o espaço para a vontade política não o é, desde que haja consciência da dimensão temporal. Daí a importância de persistência, determinação, sentido de rumo e de consolidação de avanços.

Quarto, processos de mudança em democracias envolvem necessariamente um informado debate público. A experiência histórica, no mundo como no Brasil, mostra que por meio desse debate pessoas e grupos mudam de opinião durante o processo, já que novos dados e novos argumentos podem tornar a discussão mais informada e mais clara a natureza dos desafios a enfrentar. Evidencia também que, em sociedades complexas, aumentam os problemas políticos que requerem a contribuição de competências técnicas para sua solução.

Quinto, na tentativa de converter sonhos e esperanças em realidades, é preciso olhar não apenas o país em questão, mas o mundo em geral e, fundamentalmente, as formas e os mecanismos de inserção desse país no mundo, o que impõe restrições, mas também oferece oportunidades. Isso exige aprender com as experiências de outros países — erros e acertos — nas suas respectivas buscas de converter esperanças em realidade.

Tudo o que foi escrito aqui não deve ser interpretado como uma crítica à importância do sonho e da esperança. Ao contrário, estou convencido de que é possível e desejável expressar confiança no futuro (sem messianismos salvacionistas). Afirmar a importância da vontade política (sem voluntarismos ingênuos). E insistir no respeito à autoridade legitimamente constituída (sem cair na tentação de pensar que complexas questões econômicas, sociais e institucionais envolvendo sérios conflitos de interesse são passíveis de solução pelo simples exercício de autoridade).

Vinte anos atrás, Norberto Bobbio, a convite de uma Espanha recém-democratizada, escreveu um artigo sobre as transformações da democracia, analisando promessas não cumpridas e contrastes entre a democracia ideal, tal como concebida por seus pais fundadores, e a democracia real, na qual, com maior ou menor participação, devemos viver cotidianamente. Vale citá-lo: "Daquelas promessas não cumpridas (...) algumas não podiam ser objetivamente cumpridas e eram desde o início ilusões; outras eram, mais que promessas, esperanças mal respondidas; e outras, por fim, acabaram por se chocar com obstáculos imprevistos. Todas são situações a partir das quais não se pode falar precisamente de 'degeneração' da democracia, mas sim de adaptação natural dos princípios abstratos à realidade ou de inevitável contaminação da teoria quando forçada a submeter-se às exigências da prática."

Esse processo está em curso no Brasil. Em artigo publicado esta semana, o ministro Tarso Genro refere-se às "nossas mudanças, que sintetizam hoje a unidade do nosso partido num patamar bem menos ambicioso, mas mais realista e exequível".

A esperança de agora é a de que possamos continuar avançando em termos de maior maturidade político-institucional e de elevação do nível do debate público, tornando-o mais informado, menos ideologizado e mais voltado para a busca das convergências possíveis. Principalmente em temas que dizem respeito ao Estado e não a um governo específico. Como responsabilidade nas áreas fiscal e monetária, eficácia e clareza dos marcos regulatórios e geração de um clima favorável à elevação do nível e da qualidade do investimento com aumento de produtividade, sem os quais não há desenvolvimento econômico e social sustentados a longo prazo.

Essa é minha esperança. Minha expectativa de mudança. Parte de minha memória do futuro.

CONTROVÉRSIAS, DISSENSOS E CONVERGÊNCIAS

14 de setembro de 2003

Em economia, como na vida, não há apenas passos certos na direção certa e passos errados na direção errada. Há também passos certos na direção errada e passos errados na direção certa. Ou seja, é mais complexa do que parece a relação entre objetivos e passos efetivamente utilizados para alcançá-los.

No mundo real, não há apenas controvérsias sobre objetivos e sobre meios. Há também controvérsias sobre os processos pelos quais se chegou à situação existente — aquela que se pretende transformar com diferentes ênfases ou com a qual se pretende romper. Entender do que se trata nem sempre é fácil. A ideologia e a semântica podem transformar promissoras controvérsias em enfadonhos e improdutivos diálogos de surdos.

Uma velha mestra inglesa (Joan Robinson) dizia que as controvérsias em economia costumam ser de cinco tipos: quando as partes não entendem o que cada uma diz; quando as partes cometem erros de lógica na argumentação; quando as partes têm premissas distintas com as quais chegam a conclusões incompatíveis; quando a evidência disponível é inadequada para dirimir controvérsias factuais; e, por último, quando a controvérsia está baseada em diferenças de opinião envolvendo julgamentos de valor sobre o que seria o estado desejável das coisas.

Os quatro primeiros tipos de controvérsia, em tese, poderiam ser "resolvidos" ou superados por pessoas de boa-fé, com honestidade intelectual, tolerância, empenho e capacidade de ouvir. Em suma, por um real desejo de entender a natureza da controvérsia, procurando, se não resolvê-la, ao menos encontrar as convergências possíveis, demarcando as áreas de incerteza ou dissenso.

O quinto tipo de controvérsia seria de solução quase impossível, por envolver não apenas legítimas diferenças sobre valores e objetivos, como também emoções e interesses. Mas, com frequência, é esse tipo de controvérsia que mantém vivos os demais. Exatamente por isso a democracia e a preocupação com a coisa pública só têm a ganhar com tentativas intelectualmente sérias de explicitar com a maior clareza possível os dissensos.

A explicitação desses dissensos, por paradoxal que possa parecer, ajuda na busca das convergências possíveis, até para se saber se a controvérsia é sobre diferentes objetivos finais, sobre meios de se alcançar objetivos em torno dos quais há relativo consenso, sobre ambos ou sobre interpretações do passado. Ou, ainda, para se chegar à conclusão de que a controvérsia em questão é, na verdade, um diálogo de surdos.

Permita-me o eventual leitor ilustrar o que digo com a controvérsia sobre o chamado Consenso de Washington, uma expressão infeliz, cunhada por um excelente economista acadêmico (John Williamson), à época trabalhando num respeitado *think tank* washingtoniano, totalmente independente do setor oficial norte-americano e das instituições financeiras internacionais sediadas na capital dos Estados Unidos. Williamson listou em seu trabalho dez itens que, em sua leitura, estariam começando a assumir uma importância crescente nos debates do fim da década de 1980.

Três itens dessa lista diziam respeito à área fiscal: a importância da disciplina fiscal; o reordenamento das prioridades do gasto público; a reforma tributária. Outros três diziam respeito ao balanço de pagamentos: a importância de taxas de câmbio competitivas; a facilitação da entrada de investimento direto do exterior; a liberalização comercial (reconhecendo divergências quanto ao ritmo). Três outros itens eram relacionados à criação de um clima favorável ao investimento privado: a privatização (sem detalhes sobre formas e processos específicos); a desregulamentação/desburocratização; a importância de direitos de propriedade. O décimo ponto tratava da questão da liberalização financeira, matéria sobre a qual não havia consenso.

É curioso notar que um dos debatedores do trabalho original de Williamson argumentou que o texto listava temas sobre os quais havia ampla convergência, mas não consenso, e que não era algo que se pudesse associar a Washington, por ser mais geral. Williamson reconhece hoje que o comentarista estava certo nos dois pontos, porém era tarde para mudar. O nome ou a marca havia "pegado".

Se o mesmo trabalho, escrito pelo mesmo Williamson, tivesse sido apresentado numa hipotética conferência, com os mesmos participantes, só que realizada em Chattanooga e intitulada "Convergência de Chattanooga", o trabalho não teria gerado a raivosa e primitiva retórica ideológica que se associou à expressão durante os anos 1990 e deixou perplexo o bom Williamson.

Por quê? Porque os opositores dos itens da lista de Williamson procuraram, ideologicamente, associar a palavra "consenso" às ideias de pensamento único, de único caminho possível, de receita única baseada no Deus Mercado, de eliminação de alternativas, de interdição do debate e outras bobagens que, não obstante, se mostraram de grande apelo retórico para aqueles que gostam de jargões e formas estereotipadas de não pensar.

O segredo, contudo, foi a combinação dos elementos associados à palavra "consenso" com a capital norte-americana. Todas as expressões agrupadas no parágrafo anterior (a lista de Williamson passou a ser irrelevante) viriam da capital do império e representariam a imposição a governos subservientes aos preceitos "neoliberais" de um consenso forjado em secretos conluios entre o governo norte-americano e as instituições multilaterais.

A substância da discussão, as convergências possíveis — muitas evidentes no próprio governo Lula — e a explicitação do dissenso, que seriam tão desejáveis, ficaram para as calendas. John Williamson, em artigo recente, lamenta a quantidade de tinta e de ira ideológica que essa improdutiva "controvérsia" provocou. Ficaram lições além da velha máxima de Goebbels segundo a qual mentiras, se milhares de vezes repetidas, podem assumir foros de veracidade? Ou será que o término de controvérsias por cansaço ou desinteresse é muito mais comum do que se imagina?

Tenho esperança de que a controvérsia atual sobre o Brasil e seu futuro evite os descaminhos semânticos e ideológicos que marcaram a controvérsia sobre o chamado Consenso de Washington, inspirando aqueles que se dedicam ao debate sobre modos mais efetivos de alcançar objetivos em relação aos quais há hoje ampla convergência. Caso da necessidade de se alcançar taxas mais elevadas de crescimento econômico de forma sustentada ao longo do tempo — tema para um próximo artigo.

No fundo, sobre tudo o que foi escrito aqui se aplica a observação que motivou este texto: o país só teria a ganhar com a busca de convergências possíveis sobre meios e com a simultânea e clara explicitação do eventual dissenso sobre objetivos, valores e interpretações do passado. Lembrando sempre que os dissensos de ontem (hoje) podem ser as convergências de hoje (amanhã). Como no caso da política macroeconômica do governo Lula.

O DEBATE SOBRE CRESCIMENTO
12 de outubro de 2003

Como vencer um debate sem precisar ter razão é o título da edição em português de um belo texto de Schopenhauer. Praticamente todos os 38 estratagemas formulados pelo autor estão, de uma forma ou de outra, presentes no debate atual sobre o Brasil e seu futuro. Inclusive o item mais específico sobre o que estaria dificultando nosso crescimento a taxas mais elevadas que a média dos últimos 20 e poucos anos, seguramente aquém das potencialidades do país.

Como a meta de procurar acelerar de forma sustentada o crescimento econômico é virtual consenso, poder-se-ia esperar um debate concentrado sobre os meios mais eficazes de alcançar esse objetivo comum, por todos compartilhado. Infelizmente, a discussão está dominada por vertentes retóricas não muito promissoras.

De um lado, estão seletivas interpretações de um passado visto como de desempenho extraordinário do país, na busca de nele encontrar lições, práticas e procedimentos para enfrentar os problemas do presente e do futuro. De outro lado, vertentes caracterizadas por adjetivação de "agendas" (perdidas, mortas, inacabadas, interditadas); por eloquentes defesas de um novo modelo econômico; por necessidades, tidas como imperiosas, de formulação de um novo projeto nacional, para não falar em apelos à construção de outros mundos possíveis.

Duas observações do economista Albert Hirschman a respeito desse tema, com 30 anos de distância, mostram a permanência da questão e a pertinência da crítica: "O estudo intensivo do problema do desenvolvimento econômico tem produzido uma lista infindável de fatores e condições, de obstáculos e pré-requisitos (...), gerando sérias dúvidas sobre a possibilidade mesma de desenvolvimento econômico (...). Enumerar precondições e apresentar abrangentes estratégias de mudança serve apenas para configurar um sistema utópico para transformar tudo o que é característico da realidade (...), equivalendo ao desejo de que esta realidade fosse outra."

Mas, façamos justiça, há outras correntes no debate que não estão dedicadas a listar pré-requisitos e condições necessárias. Mesmo porque partem do princípio de que o Brasil, nos 100 anos que se estendem de 1880 a 1980, já teria sido uma das economias que mais cresceram no mundo. Na linguagem poético-depressiva de um observador recente, o Brasil teria passado de cisne-líder singrando as águas do desenvolvimento para patinho feio quase no final da fila. Tratar-se-ia de entender como o sucesso teria sido possível no passado e aplicar, no presente, as lições aprendidas com as práticas e os procedimentos eficazes da época — em particular no que diz respeito a certas características do ativismo governamental nos anos 1930, 1950 e 1970 do século XX. Mesmo sabendo que o Brasil mudou, que o mundo mudou e que tanto as restrições como as oportunidades de hoje são distintas das que prevaleceram no passado.

Há também vertentes que se concentram na gestão macroeconômica para o crescimento. Em evidência, no momento, está a que considera pré-requisito fundamental e urgente, para a aceleração do crescimento, a drástica alteração na relação câmbio-juros, na direção de juros muito mais baixos e de uma taxa de câmbio muito mais depreciada. Sobre juros, nominais e reais, há virtual consenso no país sobre a importância, no momento, de se manter a trajetória de redução. Sobre câmbio, é sabido que, sob determinadas condições, uma depreciação da taxa real efetiva, se preservada, poderia, na margem, deslocar tanto a demanda externa quanto a demanda doméstica na direção de bens *tradeable* produzidos internamente, se a alteração de preços relativos fosse percebida como duradoura. Mas é surpreendente encontrar um texto como este: "A maneira de criar o cenário sustentável de equilíbrio (...) é colocar o câmbio em um patamar tal que elimine de vez a possibilidade de novas desvalorizações."

Há, todavia, um crescente reconhecimento de que a gestão macroeconômica, por melhor que possa ser, não é suficiente, por si só, para assegurar um processo sustentado de crescimento, que depende da geração de um clima favorável ao investimento. Isso nos remeteria a temas microeconômicos, a contextos regulatórios, às legislações tributária e trabalhista, ao ânimo empresarial e ao grau de confiança no governo e no país.

O fato é que a lista desses temas é infindável, traduzindo, na verdade, um fato real: o desenvolvimento econômico e social — do qual o crescimento é um componente —, ali onde foi alcançado de forma duradoura, resultou da interação entre diversas circunstâncias (históricas, geográficas, políticas, institucionais, jurídicas e administrativas) e, por suposto, da ação humana no setor privado e no público. Sempre a partir de realidades objetivas configuradas pelo passado, bem como de estados de ânimo e confiança no futuro.

Em outras palavras, o desenvolvimento não é o resultado da aplicação de um modelo, e sim de processos de mudança que se reforçam mutuamente e que estão ocorrendo também no Brasil. É melhor procurar entendê-los, consolidar avanços já alcançados, estar mais atento a processos em curso que possam ser melhorados (sem tentativas de reinventar a roda), tentar ser específico nas propostas. E fazer um esforço sério para evitar que promissoras controvérsias sejam tornadas estéreis pela influência das ideologias ou pelos descaminhos da semântica.

Felizmente, há indícios de uma gradual mudança nos termos do debate sobre crescimento econômico a taxas mais altas no Brasil. Refiro-me, apenas como exemplo, a duas contribuições recentes, apresentadas respectivamente pelos economistas Pérsio Arida, Edmar Bacha e Regis Bonelli. Há outras, das quais o espaço deste artigo não permite tratar agora.

Arida colocou uma questão específica e fundamental no centro do debate. Por que a taxa de juros real no Brasil tem sido muito superior às taxas de juros reais que prevalecem no resto do mundo desenvolvido e em desenvolvimento? Arida não procurou responder diretamente à pergunta, mas, na melhor tradição dos antigos gregos, levantou cinco ou seis hipóteses, não mutuamente exclusivas, encorajando dessa forma a profissão a aprofundar a discussão na busca de convergências e explicitação do dissenso em torno dessa questão tão central para o crescimento, o investimento e o emprego.

Bacha e Bonelli apresentaram trabalho recente em seminário na UFRJ (Universidade Federal do Rio de Janeiro) sobre a métrica do crescimento brasileiro nos últimos 60 anos. O foco era a relação poupança-investimento, em particular na evolução da eficiência do capital, no preço relativo do investimento e na utilização da capacidade no período, sugerindo as convergências possíveis na interpretação teórica da evidência empírica disponível.

Esses novos sinais de vida no debate sobre crescimento se tornam possíveis porque o novo governo manteve, com coragem, o compromisso do país com a responsabilidade fiscal e o controle da inflação. E, talvez, por conta de certo cansaço com seletivas nostalgias, demandas por novos e abrangentes modelos, velhas opiniões formadas sobre tudo e receitas simplórias e voluntaristas para problemas complexos. O Brasil não só vem mudando como vem aprendendo no processo, penoso como possa parecer. Acreditar em sua continuidade não é uma esperança de todo insensata.

DOIS LIVROS E UM DISCURSO
9 de novembro de 2003

Dois livros e um discurso recente sugerem uma despretensiosa reflexão sobre este final de primeiro ano do governo Lula. Um dos livros é *Insultos impressos*, de Isabel Lustosa, excelente trabalho sobre os primeiros anos de nossa imprensa à época da Independência. O outro é *Elogio da serenidade*, de Norberto Bobbio, bela defesa dessa virtude tida como não muito política — "virtude fraca, mas não dos fracos". O discurso acima referido é de Fernando Gabeira, pronunciado no Congresso por ocasião de seu voluntário desligamento do PT e registrado em praticamente todos os grandes jornais do dia 15 de outubro com a chamada: "Sonhei o sonho errado."

Por que se me ocorreu juntar coisas tão díspares na elaboração deste artigo? Porque acho, e obviamente posso estar errado, que o debate público informado está assumindo novas formas entre nós. Creio, ou espero, que gratuitas e inconsequentes ofensas pessoais (ou insultos impressos) tendam a perder peso relativo no debate (embora nunca desaparecendo, porque não existe política sem emoção), em favor de um pouco mais de substância e conteúdo. Creio, ou espero, que a serenidade, como postura e atitude, tenda gradualmente a ser vista como imprescindível e reconhecida virtude — inclusive política. Creio, ou espero, que o aprofundamento da discussão sobre "sonhar sonhos errados", estimulada por Gabeira, possa ter implicações para a discussão sobre a política e a economia dos próximos três anos. E acho, sim, que essas coisas estão ligadas.

Em *Insultos impressos*, Isabel Lustosa nota três circunstâncias daquele momento histórico que fizeram com que o debate alcançasse surpreendentes níveis de violência no Brasil: "A situação de instabilidade e indefinição política que o país vivia; (...) a democratização do prelo, trazendo para a forma impressa elementos de oralidade no que tinha de mais popular e coloquial; a emergência de quadros da elite brasileira sem hábitos de vida pública anterior que, a partir de sua inserção no debate político, trouxeram para o espaço público, por meio da palavra impressa, atitudes da vida privada."

Como nota a autora, "cada um escrevia e assinava o que bem entendia (...), um processo de liberalização política sem precedentes em nossa história". A seguinte frase do jornalista Hipólito da Costa retém, passados mais de 180 anos, espantosa atualidade no Brasil: "A imprensa livre corrige-se a si mesma, porque não pode haver razão para que a mentira, sendo tão livre quanto a verdade, prevaleça contra esta." A frase é bonita: a verdade em geral tende a prevalecer, ainda que apenas ao fim e ao cabo de por vezes longos e penosos processos — durante os quais reputações pessoais podem ser atacadas de forma leviana e irresponsável.

A autora registra que notável orador religioso tinha por hábito anotar à margem dos textos de seus sermões a serem lidos lembretes do tipo: "Aqui, elevar a voz porque o argumento é fraco." Não só decibéis mais altos podem compensar a falta de substância. Ofensas pessoais também podem fazê-lo, assim como críticas genéricas a "tudo isso que aí estava" podem expressar dificuldades em reconhecer e enfrentar, na prática, com serenidade e determinação, olhando à frente, os inúmeros e inegáveis problemas do presente e do futuro — obrigação de qualquer governo. Particularmente daqueles que tanto se empenharam em estimular sonhos, esperanças e expectativas de rápidas e profundas mudanças.

Aqui entra o "sonhar o sonho errado" de Gabeira. Todos os jornais registraram a sua primeira explicação: "Confiei que poderíamos fazer tudo aquilo que prometíamos rapidamente, num período de quatro anos ou imediatamente." O texto continuava e, surpreendentemente, o que Gabeira escreveu a seguir não mereceu tanta atenção, embora, a meu ver, não só tenha mais importância que a explicação, como também, paradoxalmente, contribua para entendê-la. Escreveu Gabeira: "O sonho foi pior ainda, foi confiar que era possível transformar o Brasil a partir do Estado, quando o dinamismo se encontra na sociedade."

A primeira explicação de Gabeira sobre sonhar sonhos errados tem mais a ver com a velocidade esperada de realização do sonho no tempo. Em certo sentido, já foi — corretamente — respondida em outro contexto pelo presidente Lula ao dizer que é importante começar a fazer o necessário, depois o possível e, no processo, descobrir que é possível fazer algo que parecia impossível. Essa é, na verdade, uma visão da arte da política, ou melhor, do exercício do poder, como a tentativa de realizar amanhã o que parece difícil ou impossível hoje.

Já a segunda explicação de Gabeira sobre sonhos errados é mais relevante e tem por trás outra visão (alternativa?) clássica sobre o poder, que Maquiavel imortalizou como sendo a arte de conquistar, preservar, consolidar e ampliar o poder do Estado. Não como um fim em si mesmo, mas para, "a partir do Estado", realizar "grandes coisas" (a expressão é de Maquiavel), que é o mesmo que realizar "grandes sonhos".

Enquanto uma sociedade dinâmica, complexa, heterogênea e desigual, acreditando pouco em si própria, achar que só é possível realizar "grandes coisas" — por exemplo, o desenvolvimento econômico e social fundamentalmente — a partir do aparelhamento do Estado, permanecerão vivos entre nós traços de três fenômenos de nosso passado: o messianismo salvacionista, o voluntarismo explícito e o autoritarismo exercido em nome do povo. Os três incompatíveis com um republicano Estado democrático de direito.

Uma democracia moderna deveria dispensar salvadores da pátria, messiânicos, voluntaristas e autoritários. Uma democracia moderna precisa, tanto na sociedade quanto no governo, de serenidade para enfrentar os inúmeros desafios de forma eficaz. A serenidade é uma postura, uma atitude em relação aos outros e às coisas — inclusive em relação àquelas que se deseja transformar. Sem usar a palavra "serenidade", Bobbio definiu uma vez o que chamou de a maior lição de sua vida: "Respeitar as ideias alheias, deter-se diante do segredo de cada consciência, compreender antes de discutir, discutir antes de condenar. E rejeitar todo tipo de fanatismo."

Termino, pois, por onde comecei. Estamos chegando ao final do primeiro ano do governo Lula. O aprendizado da sociedade tem sido extraordinário. Não menor tem sido o aprendizado do governo. Se conseguirmos, como parte desse processo de melhoria da qualidade do debate público informado, reduzir o peso relativo dos insultos impressos (em favor do conteúdo da discussão), valorizar mais a serenidade e a prudência-com-propósito como virtudes políticas e aprofundar a discussão sobre sonhar sonhos errados e sobre sua realização "a partir do Estado" ou "a partir do dinamismo da sociedade" (um falso dilema) estaremos contribuindo para continuar mudando, para melhor, um país difícil como o nosso. Ou, pelo menos, sonhando um sonho certo, o que inclui não ter ilusões sobre as dificuldades em realizá-lo. Afinal, como diz o ministro José Dirceu, a vida é dura.

FELIZ TRIÊNIO NOVO
14 de dezembro de 2003

Há 16 anos um seminário é promovido na Espanha por uma prestigiosa revista britânica (*The Economist*) com a participação de representantes do governo e do principal partido de oposição do país. Por oito anos o Partido Socialista Obrero Español, o PSOE de Felipe González, participou como governo; por oito anos, como oposição. Por oito anos o Partido Popular de José María Aznar participou como oposição; por oito anos, como governo.

A última dessas conferências foi realizada no mês passado, em Madri. A discussão foi aberta pelo atual secretário-geral do PSOE e candidato a chefe de governo nas eleições de 2004, José Luis Rodríguez Zapatero, ao qual se seguiram os principais economistas e parlamentares do partido. No dia seguinte, apresentaram-se o primeiro-vice-presidente e ministro da Economia, Rodrigo de Rato, e os principais economistas e parlamentares do Partido Popular.

Em palestra pública no Brasil, três semanas atrás, relatei esse episódio e comentei o que mais me havia chamado a atenção: o fato de o discurso de Zapatero e de todos os economistas do PSOE, assim como os do governo, ter um tema central e um foco. A saber, políticas destinadas a aumentar a produtividade e a competitividade da economia espanhola e a eficiência de seu setor público, em particular a eficácia de suas intervenções nas áreas social, de estímulo ao investimento privado e de desenvolvimento científico-tecnológico.

Tenho expressado, publicamente, a minha esperança de que possamos caminhar na direção de enfatizar essas questões no debate nacional ao longo dos próximos três anos, perdendo menos tempo com estéreis, enfadonhas e vagas discussões sobre falsos dilemas. Um competente profissional brasileiro que assistiu a uma de minhas palestras me confessou que ficara desapontado com o meu relato e com a minha esperança. Para ele, se é que entendi bem, o foco nessas questões aparentemente tecnoburocráticas poderia ser interpretado como uma proposta de abastardamento da Política, com P maiúsculo. Não apenas no que diz respeito à expressão de emoções, sonhos, paixões e interesses, como também em relação ao papel do Estado como promotor do bem comum.

Todos os brasileiros e todas as brasileiras, sem exceção, são a favor do desenvolvimento econômico e social do país e da redução da pobreza e da desigualdade. Todos, sem exceção, sabem que isso exige crescimento econômico sustentado, com baixa inflação, por décadas seguidas. Nem todos, no entanto, têm presente um fato irretorquível: tais objetivos exigem (entre outras coisas), como condição absolutamente indispensável, aumentos sustentados da produtividade, da competitividade e da eficiência, tanto na economia quanto no setor público.

A aceitação dessa evidência não significa, de forma alguma, um apequenamento da política e dos valores mais altos da vida em sociedade. Ao contrário, a verdadeira política — seja na visão tradicional de competição democrática pelo exercício do poder, seja na visão republicana do cidadão que não apenas vota de quando em vez, mas exerce seus direitos e cumpre seus deveres e obrigações — só teria a ganhar com maior e mais decidida atenção à eficácia das ações e dos programas governamentais.

Lembro-me que Norberto Bobbio foi criticado por apresentar uma visão "pequena" de democracia, ao caracterizá-la como um conjunto de regras que estabelecem quem e com que legitimidade podem-se tomar decisões coletivas, e por meio de quais procedimentos. Bobbio sentiu-se obrigado a responder àquela que considerou uma questão fundamental, frequentemente a ele dirigida sobretudo por jovens, a seu ver, tão inclinados a ilusões quanto a desilusões: "Se a democracia é predominantemente um conjunto de regras de procedimento, como pode contar com cidadãos ativos? Para ter cidadãos ativos não são necessários valores e ideais?" Bobbio respondeu que é evidente que são necessários valores e ideais, mas devolveu a pergunta: como não se dar conta das grandes lutas de ideias que produziram aquelas regras no período mais recente da história, após séculos de confrontos fratricidas e brutais carnificinas?

Com efeito, considerada a longa história da humanidade, são conquistas relativamente recentes (vitórias de valores e ideais), hoje incorporadas às regras de convivência em regimes democráticos: o elogio da diversidade; o reconhecimento da fecundidade do conflito; a condenação do conformismo; a absoluta liberdade de opinião; o ideal da tolerância (em oposição a crenças cegas na própria verdade e na capacidade de impô-la); o ideal da não violência (apenas em democracias é possível livrar-se de governantes sem derramamento de sangue ou aprender a resolver conflitos sem o recurso à força); o ideal de renovação gradual da sociedade pelo livre debate de ideias e de mudança de mentalidades; e a necessidade de antepor limites ao poder, mesmo quando esse poder é o da maioria.

O Brasil vem, inegavelmente, consolidando avanços em todas essas dimensões. Tais avanços na direção de maior maturidade político-institucional vêm permitindo uma gradual elevação da qualidade do debate sobre questões macroeconômicas. Têm permitido ainda o começo de uma discussão sobre eficiência e progressividade/regressividade dos gastos públicos, apesar do muito que há por caminhar quando se compara essa nossa discussão, por exemplo, com os termos em que está colocado o atual debate espanhol. Neste não se perde tempo tentando reinventar a roda nem mudar a configuração do mundo a partir de Madri. Mas se reconhece o enorme espaço para a ação internacional do país, para a disputa política interna e para, por meio delas, continuar o trabalho de modificação do país para melhor.

O que escrevi aqui sobre a Espanha poderia escrever sobre países como a China (onde não importa a cor do gato, desde que coma ratos), a Índia (que não perde tempo se autoflagelando sobre suas terríveis condições sociais e trabalha para melhorá-las) e tantos outros que estão de olhos postos no futuro, e não num passado tido por glorioso e a ser reeditado.

O Brasil, a meu ver, tem todas as condições de, olhando para a frente, sonhar com a continuidade dos processos de mudança que levam às três grandes características de uma sociedade na qual vale a pena viver: liberdades individuais consolidadas, maior justiça social e maior eficiência (na área privada e na área pública). Peço desculpas a todos aqueles que possam considerar pecaminoso colocar ao lado dos grandes, memoráveis e generosos propósitos de liberdade e justiça uma questão aparentemente menor como a eficiência. Infelizmente, porém, uma sociedade que não se dá conta disso, nem age de acordo, tende (como já aconteceu com muitas) não só a perder o bonde e o rumo da história, sendo ultrapassada por outras, como também a falhar no desenvolvimento econômico-social — base para assegurar de maneira efetiva e duradoura os reinos da liberdade e da justiça.

Dito isso, desejo a todos, sem exceção, um feliz próximo triênio.

2004

2004

Taxa de crescimento no ano	5,8 %
Taxa de inflação no ano	7,6 %
Taxa de câmbio no final do ano	R$ 2,66
Mín. R$ 2,65 Máx. R$ 3,21	
Taxa de juros no final do ano	17,75 %
Mín. 16 % Máx. 17,75 %	

FEVEREIRO

Divulgação de vídeo em que um alto funcionário da Casa Civil da Presidência da República, Waldomiro Diniz, aparece solicitando propina ao bicheiro Carlinhos Cachoeira em 2002, quando Waldomiro ainda era presidente da Loterj.

O governo anuncia recorde nas exportações, que atingem o patamar histórico de US$ 5,8 bilhões. O superávit da balança comercial é de US$ 1,58 bilhão. Outra marca batida é a do superávit dos últimos 12 meses: US$ 25,257 bilhões.

MARÇO

Nota da executiva do PT pede mudanças na condução da política econômica do governo Lula.

ABRIL

O Copom reduz em 0,25 % a taxa Selic, que passa a 16 % por ano, a menor desde abril de 2001.

O Palácio do Planalto anuncia reajuste do salário mínimo, que passa de R$ 240 para R$ 260.

JUNHO

O FED norte-americano, após manter sua taxa básica de juros em 1 % ao ano desde junho de 2003, inicia um processo de aumento de uma sequência de 0,25 ponto percentual a cada reunião até junho de 2006 (quando a taxa chegará a 5,25 % ao ano).

SETEMBRO

Nos primeiros nove meses do ano, o PIB do Brasil cresce 5,3 % em relação ao mesmo período de

2003. Desde meados de 2003, o crescimento da economia global e do comércio internacional entra no que Kenneth Rogoff chamaria de fase culminante do mais longo, profundo e amplamente disseminado ciclo de expansão da história recente.

OUTUBRO

O PT sai do primeiro turno das eleições municipais com a maior votação de sua história. Mas em Porto Alegre, depois de 16 anos de administração petista, José Fogaça (PPS) vence Raul Pont (PT); e, em São Paulo, a petista Marta Suplicy perde para José Serra (PSDB). O PFL perde em Salvador, após oito anos à frente da prefeitura: João Henrique (PDT) vence Cesar Borges (PFL).

NOVEMBRO

Entre janeiro e novembro são criados 1,8 milhão de novos empregos.

Lula substitui o economista Carlos Lessa pelo ministro do Planejamento Guido Mantega na presidência do BNDES. A jornalista Tereza Cruvinel, sempre muito bem informada sobre a seara petista, escreve: "O PT tem dois objetivos agora: reconquistar a coordenação política do governo para o ministro José Dirceu; e alterar a política econômica, que muitos no partido interpretam como responsável por derrotas nas urnas em outubro."

DEZEMBRO

O dólar atinge o valor mais baixo do ano, sendo cotado a R$ 2,65.

O risco Brasil cai 2,43% e volta à casa dos 402 pontos, menor patamar desde a crise asiática de outubro de 1997.

A BANALIDADE DO NÃO
11 de janeiro de 2004

Em meus anos de universidade e participação em política estudantil (1961-1965), conheci um jovem que trazia regularmente consigo um exemplar do livro *Capitalismo, socialismo e democracia*, de Joseph Schumpeter. Publicado originalmente em 1942, esse foi não o melhor, mas o mais "popular" dos livros de Schumpeter, traduzido em mais de 15 idiomas, sendo a edição brasileira de 1961. O jovem mostrava a alguns de seus interlocutores o capítulo que abria com a frase: "Pode o capitalismo sobreviver?" A resposta, taxativa, vinha imediatamente em seguida, e expressa por uma simples palavra: "Não."

Essa linha do livro estava fortemente sublinhada, e o jovem a mostrava a interlocutores com olhos cheios de certeza: afinal, não era apenas ele que dizia o que considerava óbvio. Joseph Schumpeter, economista austríaco mundialmente conhecido, prolífico autor, conferencista de nomeada, ex-ministro, ex-banqueiro, professor em Harvard (1932-1950), estava com ele.

Por acaso, escrevo estas linhas na noite de 7 para 8 de janeiro, exatamente a noite em que Schumpeter morreu, 54 anos atrás. Mas o que me fez lembrar esse episódio do início dos anos 1960 foi um dos livros que li nesta virada de ano, o excelente *O mercado das crenças*, de Eduardo Giannetti.

O autor registra a memorável descrição de Francis Bacon sobre como a tentativa de transmitir pensamento e ideias descamba, em muitas ocasiões, para uma espécie de contrato de erro entre o transmissor e o receptor: "Aquele que transmite o conhecimento deseja transmiti-lo como melhor possa ser acreditado, e não como melhor possa ser examinado; e aquele que recebe o conhecimento requer antes a satisfação presente que a investigação promissora e, assim, prefere não duvidar a não errar; a glória leva o autor a não revelar a sua fraqueza, e a preguiça leva o discípulo a não conhecer a sua força."

Lembrei-me do episódio do início dos anos 1960: o jovem militante que evocava a autoridade de Schumpeter precisava ter a sua crença preexistente na inviabilidade do capitalismo confirmada da forma mais clara possível por uma autoridade tida como inconteste. Para o jovem e muitos de sua geração — e das seguintes —, o "contrato" era reconfortador. Não precisavam ter dúvidas, poderiam economizar esforços, debates, leituras e reflexão: o "não" de Schumpeter (de 1936, na verdade) era categórico, definitivo, vital estímulo para a continuidade da luta.

Por que essa longa digressão inicial neste primeiro artigo do ano? Só porque li, entre outras coisas, uma biografia do elitista e conservador Schumpeter (por Richard Swedberg) e o belo livro de Giannetti? Não. É porque acho que isso tem a ver com o Brasil de hoje, com seu futuro e com a gradual mudança no modo como tem se reformulado, aos poucos, o debate público, depois que a oposição virou governo e certos arroubos retóricos perderam o sentido.

Posso estar enganado, ou me enganando, mas penso que estamos — sociedade e governo — atravessando um período de rico aprendizado em termos dos processos de continuidades e mudanças que vêm marcando os últimos anos. Não apenas nas áreas econômicas, sociais, políticas e institucionais, como também nos processos de formação de ideias, crenças e expectativas sobre o país e seu futuro no mundo do século XXI.

Permita-me o eventual leitor mencionar dois exemplos, apenas para ilustrar o ponto. O primeiro diz respeito à evolução do debate sobre política macroeconômica no Brasil, em que continua o avanço na busca das convergências possíveis, com paulatina melhoria na qualidade do debate, apesar das aparências em contrário. Muito deve o país, nesse setor, à atitude, postura e compostura do ministro Antonio Palocci e de sua equipe na Fazenda e no Banco Central.

Recebi esta semana um pedido de entrevista na qual deveria comentar um livro aparentemente recém-lançado, conjuntamente com um documento contendo proposta de política econômica alternativa. Dizia o e-mail que recebi: "O documento propõe a redução do superávit primário para 3% do PIB; o fim gradual da utilização da taxa de juros como instrumento de controle inflacionário; minidesvalorizações programadas da taxa de câmbio; e medidas de controle de entrada e saída de capitais." Prefiro ver o livro e o documento antes de tecer comentários específicos sobre a proposta, que, no geral, me parece equivocada.

No entanto, por paradoxal que possa parecer, considero que propostas concretas como talvez sejam estas, que podem ser discutidas e criticadas tecnicamente, e não ideologicamente, representam um avanço em relação a uma época recente. Com efeito, há poucos anos as críticas se expressavam sob a forma de uma desorganizada coletânea de diatribes contra o governo, contra tudo isso que aí estava, e com a proposta de criação de um outro mundo, quimérico, no qual fazer o bem e combater o mal dependeria apenas de vontade política. Quase sempre tais propostas eram acompanhadas de rotulagens absolutamente inconsequentes, nas quais se listavam críticas vagas, genéricas e primitivas a coisas como neoliberalismo, monetarismo, fiscalismo, Consenso de Washington, não desenvolvimentismo, insensibilidade social, todos considerados intercambiáveis sinônimos, expressando algo (ou tudo) a que se deveria dizer um "não" rotundo, taxativo e definitivo, como o de Schumpeter.

O outro exemplo diz respeito a áreas nas quais ainda reina o que espero possa vir a ser um fértil dissenso a ser explicitado, de forma não totalmente ideologizada, sobre a eficiência e a eficácia da ação prática do governo (em particular nos segmentos social e regulatório) e sobre os limites e oportunidades abertos à ação do Estado na promoção do desenvolvimento econômico e social. Não em teoria, e sim numa sociedade dinâmica específica como é o Brasil deste início de século.

Aqui ainda temos viva entre nós, em certos setores da sociedade e do governo, uma não resolvida nostalgia dos anos 1950, quando tudo parecia possível, ou dos anos 1970, quando o general Médici dizia: "Eu tenho o AI-5 na mão e com ele posso tudo." Nossa história se encarregou de mostrar que nem tudo é possível e que ninguém, por mais poderoso que seja, tudo pode. Principalmente em democracias, cujo estado natural é o estar em transformação, expressando tanto as mudanças reais que se processam na sociedade quanto o incessante debate sobre ideias, formação de crenças e visões em torno do passado, do presente e do futuro do país.

A propósito, está para ser lançado um livro editado por André Urani, Fabio Giambiagi e José Guilherme Reis sobre reformas no Brasil. Destinado a afetar o mercado das crenças, decerto representará inestimável contribuição ao debate público sobre essas questões. Afinal, como escreveu o grande Lupicínio Rodrigues, "o pensamento parece uma coisa à toa, mas como é que a gente voa quando começa a pensar".

QUATROCENTOS DIAS
8 de fevereiro de 2004

E assim se passaram os primeiros 400 dias do mandato que o presidente Lula recebeu das urnas. Para uns, tanto do governo quanto da oposição, seria cedo ainda e haveria muito jogo pela frente. Para outros, tanto do governo quanto da oposição, o Brasil teria pressa, e estes 400 dias representariam mais de 40% do tempo disponível de hoje até a data da eleição de 2006. Outros sabem que o tempo político não é igual ao tempo cronológico: na política, como na guerra, certos dias podem valer semanas ou meses e certas semanas podem valer meses ou anos.

O fato é que este ano de 2004, ao que tudo indica, será decisivo neste mandato. Não me refiro apenas às eleições municipais de outubro próximo: aos termos mais ou menos "nacionalizados" em que se dará o debate político e ao quanto as populações locais votarão em candidatos que inspirem confiança a respeito da capacidade de gestão honesta e eficaz dos recursos públicos. É evidente, para a oposição e para o governo, a importância do resultado de outubro para a definição das alianças que antecederão as eleições gerais de dois anos adiante.

Mas penso que 2004 será um ano-chave porque será marcado pelo aprofundamento do debate público sobre a eficiência operacional (não retórica e midiática) das ações do governo nas áreas econômica e regulatória e, muito particularmente, de seus programas na área social.

A experiência destes primeiros 400 dias seguramente terá reduzido o número daqueles que chegaram a acreditar que a verdadeira história do Brasil teria começado a ser escrita a partir de 1º de janeiro de 2003. É cada vez maior o número daqueles que se dão conta de que o Brasil é um país extraordinário, mas complexo de entender e difícil de governar.

É cada vez maior o número de pessoas que se dão conta que um governo — qualquer governo — constrói sobre avanços já alcançados, seja por gestões anteriores, seja por conquistas que a própria sociedade considera suas e deseja preservar. Como responsabilidade fiscal e inflação sob controle, que não são — e nunca foram — fins em si mesmos, mas meios indispensáveis para alcançar outros objetivos econômicos e sociais.

Espero que seja crescente o número de pessoas que consideram que as consequências de acertos e de inexoráveis desacertos de um governo se expressam não apenas por meio de observáveis indicadores quantitativos, mas também por meio de avanços qualitativos. Como na elevação da qualidade do debate público. É através desse debate que se identificam erros e acertos (do passado e do presente), se sugerem alterações e correções de rumo e se elaboram políticas públicas para o futuro. Ao mesmo tempo em que vão sendo modificadas velhas opiniões formadas sobre tudo.

Passados 400 dias, talvez seja o momento de começar a desativar o discurso retórico sobre "herança maldita". Mesmo porque este traz no próprio rótulo o seu prazo de validade: em pouco tempo o partido ora no poder terá construído a própria herança. Que terá as adjetivações políticas que se lhe quiserem dar. Da mesma forma, o passar do tempo permitirá uma melhor (e mais isenta de emoções políticas) avaliação dos avanços realizados por governos anteriores, com a perspectiva que hoje a muitos parece faltar.

Passados 400 dias, talvez seja hora de começar a desativar o discurso do tipo "estão-fazendo-coisas-diferentes-do-que-diziam-que-fariam", ou seja, coisas diferentes do programa de governo aprovado no encontro nacional de dezembro de 2001 sob o título "A ruptura necessária". Mesmo porque as mudanças ocorridas revelam não desencontros, e sim um encontro com as duras realidades do país. Afinal, é velha, de exatos dez meses, a afirmação do atual ministro da Educação: "O PT chegou ao governo com 53 milhões de votos, mas seu programa é aceito por um terço da população, não por 60%. Por isso todos têm de mudar." E a mudança ocorrida deve ser mais saudada que criticada por parte daqueles que, embora na oposição, pensam no país e em seu futuro.

Com efeito, passados 400 dias, parece que tanto o governo quanto a oposição e a opinião pública em geral estão depositando menos fé na vaga, generosa e ineficaz grande retórica sobre a necessidade de estratégias abrangentes, novos modelos, projetos nacionais e novas agendas — todas essas expressões lidas como se estivessem em maiúsculas e defendidas com eloquência. O general De Gaulle, que não pode ser acusado de pensar pequeno, falava na importância de formar "uma certa ideia" de seu país. Hoje isso significa, para nós, uma certa ideia do mundo, do Brasil e do Brasil no mundo — do século XXI.

Nesse sentido, precisamos aprofundar o debate sobre não resolvidas nostalgias de um passado que não volta. Refiro-me ao fascínio que ainda exerce sobre muitos as consideradas gloriosas décadas ímpares de 1930, 1950 e 1970 do século passado, na busca por encontrar ali as políticas, as práticas e os procedimentos específicos a serem replicados no século XXI.

Essas tentativas de fazer face às incertezas do futuro com as pretensas certezas do passado estão fadadas ao fracasso. Porque na raiz do problema da incerteza em economias modernas está o caráter cambiante das expectativas quanto ao curso futuro dos eventos, aquilo que John Maynard Keynes chamou de graus de confiança ou desconfiança sobre as probabilidades de eventos — e políticas — futuros. Essa é a razão pela qual uma das responsabilidades fundamentais de um governo é procurar reduzir a extensão e o grau das incertezas que podem afetar o ânimo dos investidores e a confiança dos consumidores.

No momento, o caso mais em evidência em termos de redução de incerteza é o do contexto regulatório, isto é, a clareza e a percebida estabilidade das regras do jogo e do respeito a contratos que permitiriam a necessária expansão dos investimentos privados nas diversas áreas da infraestrutura.

Mas o tema da redução do grau de incerteza é muito mais amplo. Há incertezas que podem e devem ser reduzidas, por exemplo, na área trabalhista, na área financeira e na área jurídica, como vem mostrando o debate recente. Há também incertezas quanto a certas formas de intervenção governamental destinadas a tentar lidar com reais ou notórias falhas de mercado que podem, paradoxalmente, gerar mais incertezas. O trabalho recente dos economistas Pérsio Arida, Edmar Bacha e André Lara Resende sobre "Incerteza jurisdicional" representa uma importante contribuição à discussão dessa temática. Por meio das conjeturas ali apresentadas eles buscam responder por que não existem empréstimos de longo prazo em reais e por que as taxas de juros são tão elevadas no Brasil.

Por tudo isso creio, ou espero, que questões ligadas à eficácia das ações governamentais possam estar no centro do debate público nos próximos 400 dias.

VULNERABILIDADES CONSTRUÍDAS
14 de março de 2004

O segundo casamento, diz a velha piada, é o triunfo da esperança sobre a experiência. Para os mais céticos, sempre plurais, todos os outros eventuais casamentos após o segundo seriam triunfos de frágeis esperanças (sempre renovadas) sobre precárias experiências (nem sempre compreendidas). Para os menos céticos, esperanças, experiências, relações interpessoais e sociedades em geral têm sempre vulnerabilidades convivendo com a possibilidade de superá-las. Se, para tanto, aos envolvidos não faltarem engenho e arte.

Em meu primeiro artigo neste espaço, já lá se vão quase dez meses, registrei minha opinião de que na área macroeconômica o governo Lula estava se comportando de forma pragmática e responsável, como haviam feito governos de esquerda democrática na Espanha (Felipe González), na França (Mitterrand e Jospin), na Itália (D'Alema) e no Chile (Lagos).

Notei que isso não era uma "continuidade", mas, talvez, o reconhecimento de que na maioria dos países de alguma expressão econômica não se debatia mais ideologicamente se um governo, qualquer que fosse sua coloração político-partidária, deveria ou não ser fiscalmente responsável, manter a inflação sob controle e respeitar acordos e contratos. Essas seriam as responsabilidades básicas de qualquer governo que exercesse de forma responsável a chamada gestão da coisa pública. Essas responsabilidades não eram fins em si mesmos, e sim base indispensável para a obtenção, de forma duradoura, de outros objetivos econômicos e sociais.

Não obstante, não pude deixar de notar que a imprensa vinha registrando um número crescente de vozes, inclusive do próprio governo, que se referiam à política de reafirmação do compromisso com a estabilidade como uma espécie de curta fase de transição, prestes a ser concluída, quando então, e só então, começaria de fato o "verdadeiro" governo Lula. Este, sim, voltado para a promoção do desenvolvimento econômico e social, da geração de emprego, do investimento, da distribuição de renda e da justiça social no país. Talvez porque, assim formulado, não tenha um só opositor, entre os 180 milhões de brasileiros, o discurso "pela mudança", que se baseia no enunciado genérico desses meritórios objetivos e tem grande apelo político. Principalmente quando acoplado à ideia fácil e enganosa de que tudo se reduz a mera questão de "vontade política" daqueles que estão no poder: uma decisão relativamente simples que não haveria por que não tomar.

Assim, reaparecem agora, com forças redobradas por razões econômicas e políticas, as demandas por inflexões que caracterizam uma "nova fase". O partido do governo e no governo lança manifesto aparentemente sobre outro tema, exigindo mudanças na política econômica... do mesmo governo. Ministros deste governo falam abertamente à imprensa sobre a necessidade de mudanças na política... deste mesmo governo. A sensação do leitor desavisado, lendo a cacofonia diariamente nos jornais, é de que para muitos no partido do governo e no próprio governo o "tempo político" do ministro Antonio Palocci (e tudo o que ele representa) estaria, como dizem meus amigos portugueses, que não gostam de gerúndio, "a se esgotar".

Justiça seja feita ao presidente Lula, que vem procurando convencer não só os seus, mas a própria sociedade, de que esse não é definitivamente o caso, ou seja, que o ministro Palocci conta com seu integral respaldo, e que a política é a política do governo e do presidente, e não aquela independentemente seguida por algum ministro. Como disse em mais de uma ocasião o presidente Lula, não há mágicas, atalhos nem coelhos a tirar da cartola, sendo necessário paciência, perseverança e serenidade. Aliás, invejáveis qualidades do ministro Palocci.

O fato é que a necessidade, real ou percebida, de reafirmação interna e externa do apoio presidencial, juntamente com os termos vagos em que está colocada a discussão sobre "mudanças", constitui uma "vulnerabilidade" adicional para o país, a meu ver, desnecessariamente construída.

É certo que muitos interpretam essa discussão, essas demandas por mudanças e disputas internas (que sempre vazam), como expressões de vitalidade democrática, seja da vida partidária, seja da sociedade em geral. Dos debates, argumenta-se, surgiriam, revigoradas, as forças vivas capazes de superar vulnerabilidades.

É possível e desejável que isso possa vir a ocorrer. Mas é impossível não lembrar, constatando o que vem acontecendo no último mês, uma observação de um velho sábio, George Kennan: "Deve-se reconhecer como característica comum a todos os governos, democráticos ou não, o fato de que eles atraem para si e funcionam num ambiente de ambições inflamadas, rivalidades, suscetibilidades, ansiedades, suspeitas, embaraço e ressentimentos que raramente, se tanto, expõem o melhor das personalidades envolvidas, e que às vezes expõem seu pior. Em poucas palavras, governar, por razões inevitáveis e irresistíveis, não é um negócio agradável. E não pode ser diferente."

Entretanto, por fundamentais que sejam as formas de resolução de controvérsias e disputas por poder dentro de um governo, elas não são independentes do debate mais amplo que tem lugar na sociedade, onde o dinamismo, a diferenciação e os reais conflitos de interesse são de muito maior complexidade. Tão complexa, dinâmica e diversificada é a sociedade brasileira hoje que há relativamente escasso interesse em longas horas de debates sobre temas genéricos e vagamente definidos. Ou sobre temas precisamente definidos (como taxas de juros), mas não passíveis de serem resolvidos em assembleias. Mesmo porque, apesar da insistência de muitos, estas não são questões que possam ou devam ser decididas por exercícios de voluntarismo político.

É sintomático e positivo, por exemplo, que, em texto recente da Abdib (Associação Brasileira da Infraestrutura e Indústrias de Base), embora se reconheça que seriam desejáveis taxas de juros mais baixas, sejam definidas com clareza as cinco questões essenciais nas quais é necessário avançar:

- construção de marcos regulatórios estáveis, claros e atrativos ao capital privado, principalmente para os setores de energia elétrica, saneamento, transportes e logística (ferroviário, portuário, rodoviário e hidroviário);
- consolidação da autonomia e da independência das agências reguladoras;
- ratificação da crença na necessidade do investimento privado no setor de infraestrutura;
- definição de bons projetos e posterior apresentação a potenciais investidores nacionais e estrangeiros;
- criação de mecanismos inovadores de captação e aplicação de recursos, como as parcerias público-privadas e os fundos lastreados em ativos e recebíveis (desde que os contratos que os garantem sejam honrados).

A retomada sustentada do investimento em infraestrutura e o consequente estímulo à indústria de bens de capital dependem, crucialmente, de avanços nessas áreas, que são, como nota a Abdib, independentes do debate sobre juros e política fiscal. Avançar nessas cinco áreas é avançar na redução de vulnerabilidades, estas, sim, muito reais, e não politicamente construídas.

BOM GOVERNO OU MUDANÇA HISTÓRICA?

11 de abril de 2004

"Trata-se de saber se este será apenas um bom governo ou representará uma efetiva mudança histórica", teria dito um importante personagem da atual administração a um competente jornalista. O interessante, notou este, não foi tanto a frase, mas o pedido de *off*, isto é, que a frase não fosse associada ao nome de seu autor, "para não melindrar aqueles que se recusam a aceitar somente a primeira hipótese". Qual seja, a de que o governo Lula possa "apenas" entregar a seu sucessor um país, no geral, um pouco melhor do que recebeu de seu antecessor, após ter gerado exacerbadas expectativas de rápidas, profundas e históricas mudanças.

Quero argumentar, neste artigo, que a efetiva mudança histórica já vem ocorrendo, ou melhor, no essencial já ocorreu no Brasil, e é importante que seja preservada nas próximas décadas. É o processo de gradual consolidação de um Estado democrático de direito, que é, predominantemente, um conjunto de regras que estabelecem quem pode tomar decisões coletivas, com que legitimidade e por quais procedimentos. Foram essas regras e procedimentos da democracia dita "liberal" ou "burguesa" que introduziram, apenas recentemente, e pela primeira vez na história da humanidade, as técnicas de convivência destinadas a resolver conflitos sem o recurso à violência. E abriram espaço para a expressão das demandas que permitiram à social-democracia avançar.

Esse processo está em curso no Brasil e não é necessária uma grande e histórica mudança, e sim que continuemos a percorrer o longo caminho. Trata-se de procurar consolidá-lo e defendê-lo de seus inimigos, conscientes ou inconscientes. E reconhecer que a democracia, somente por existir, não assegura a resolução de todos os problemas e conflitos de uma sociedade.

O excelente livro de José Murilo de Carvalho *Cidadania no Brasil: o longo caminho* deveria ser leitura obrigatória, como *Raízes do Bra-*

sil, de Sérgio Buarque de Holanda, para quem quer que se interesse por efetivas mudanças históricas. Como entender as raízes da relativamente excessiva valorização do Poder Executivo e a permanente expectativa de soluções rápidas, o que fez com que pelo menos quatro dos seis presidentes civis eleitos pelo voto popular desde 1950 tivessem traços claramente carismáticos e messiânicos. Bem como compreender por que há três quartos de século apenas dois presidentes civis (JK e FHC) eleitos diretamente pelo voto popular passaram o poder a outro presidente civil, também eleito pelo voto popular. A sensação unânime é de que Lula será o terceiro, e que essa tradição democrática se manterá por décadas. Isso é uma efetiva mudança histórica — já consolidada, esperamos todos.

Relevante também, em termos de efetiva mudança histórica, é o fato de que um partido como o PT chegou ao poder e surpreendeu quase todos — uns positivamente, outros negativamente — precisamente por não fazer aquilo que até dezembro de 2001 dizia e escrevia que faria, caso viesse a comandar o país. O comportamento racional e pragmático, em particular na área macroeconômica (ora sob "fogo amigo" cerrado), é também uma importante e efetiva mudança histórica, na linha do que ocorreu em vários outros países de expressão econômica e política nos quais partidos não conservadores subiram ao poder. Eles perceberam que há certas questões, que dizem respeito ao bom funcionamento de uma economia moderna, que não podem ser conduzidas com base em ideologias ou não resolvidas nostalgias de um passado que não se pode ressuscitar, por mais saudoso que seja.

Quero, portanto, argumentar também que o importante agora (corolário natural do que acaba de ser dito) é, sim, olhando para a frente, procurar fazer o melhor governo possível, em termos de eficácia para a população nos três níveis de poder, em vez de nos perdermos em longos debates retóricos sobre visões idealizadas de um outro Brasil e de um outro mundo, que sempre parecem mais interessantes que o enfrentamento das duras realidades do cotidiano. Afinal, faltam apenas cerca de 900 dias de hoje até as eleições presidenciais de 2006. E o tempo decorrido desde a posse do atual governo já é bem mais do que a metade desses 900 dias que faltam.

Sabemos todos que em política é absolutamente fundamental manter sempre viva a chama da esperança em dias melhores para todos, por meio de discursos que enfatizam promessas e compromissos de mudanças. É interessante notar, contudo, que o próprio presidente Lula, na semana passada, sentiu a necessidade de assegurar a todos que "guarda cada palavra" com que formulou suas promessas. Mas que, se não as cumprir, terá sido porque lhe terão faltado o tempo e os recursos necessários. Jamais a vontade.

O fato é que estamos, governo e sociedade, aprendendo que precisamos ir além do mero enunciado de grandes, meritórios e generosos objetivos genericamente formulados, em relação aos quais não há nenhuma divergência maior. A discussão relevante não é mais sobre enunciados gerais e sobre listas de coisas desejáveis, mas sim sobre como fazer, ou como, de forma eficaz, avançar no encaminhamento prático de soluções de nossos inúmeros e inegáveis problemas, ainda que demandem tempo, esforço, energia, dedicação e competência (técnica e política).

Na semana passada, em Porto Alegre, tive a honra de falar no 17º Fórum da Liberdade para uma das maiores e mais interessadas audiências que já vi no Brasil em eventos desse tipo. O tema que me foi sugerido tinha um título de construtiva ambiguidade: "O que faz um país desenvolvido?" O que pode ser interpretado como o que torna um país desenvolvido ou, alternativamente, como é hoje um país desenvolvido. Qualquer que seja a leitura da pergunta, é possível dar substancialmente a mesma resposta. Primeiro, não existe país desenvolvido que não seja uma democracia. Segundo, não há país desenvolvido, hoje, que não tenha conseguido, de alguma forma, ao longo de sua história, compatibilizar três características de uma sociedade na qual valha a pena viver. Duas são conhecidas unanimidades: liberdades individuais e justiça social, em relação às quais outros objetivos parecem secundários. A terceira grande característica que torna um país desenvolvido é a eficiência — tanto no setor privado como no setor público (não são independentes) —, ainda não totalmente assimilada entre nós.

Entretanto, fazer um bom governo é, em última análise, ter uma preocupação fundamental com o aumento da eficiência das ações e das políticas governamentais, em particular nas áreas social, regulatória, de segurança e econômica, contribuindo para a redução das incertezas que afetam o ânimo empresarial, a confiança dos consumidores e poupadores e as expectativas sobre o país e seu futuro. Em conclusão, e terminando este artigo tal como ele começou: não é preciso escolher entre fazer um bom governo ou consolidar um processo em curso de efetiva mudança histórica. Ambos caminham juntos.

A OUSADIA DA RESPONSABILIDADE
9 de maio de 2004

"O que você considera uma pessoa normal?", perguntaram uma vez ao grande neurólogo Oliver Sacks. Após certa hesitação, ele sugeriu que uma pessoa "normal" talvez fosse aquela capaz de contar articuladamente a própria história: de onde tinha vindo, o que tinha feito da vida, as circunstâncias em que se encontrava hoje, para onde achava que estava caminhando, ou para onde desejaria seguir, e o que estava fazendo para tal, sem ilusões excessivas sobre seu destino final — sempre o mesmo para qualquer ser humano.

Em *O círculo dos mentirosos*, Jean-Claude Carrière, o autor da pergunta, conta essa história, tece alguns pertinentes comentários sobre as consequências de eventual rompimento dessa relação entre um indivíduo e sua história e se pergunta se podemos dizer de uma sociedade o que se diz de um indivíduo. Que uma sociedade "normal" precisa ser capaz de contar a própria história, identificar-se, situar-se com naturalidade no curso do tempo histórico (seu e do mundo que é sua circunstância). Que "normal" seria uma sociedade dotada de ordenada memória, constantemente ativada e animada pelas exigências do presente, capaz de encontrar em si os elementos que fundem sua autoestima, sem a qual é impossível encarar o futuro com um mínimo de confiança.

Em resumo, países normais talvez sejam aqueles nos quais exista um mínimo de consciência social do passado, uma percepção do presente enquanto história e o entendimento de que, como na feliz expressão de E. H. Carr, a história é um infindável diálogo entre passado e futuro. No mundo como no Brasil.

Um diálogo que, no que diz respeito ao passado, não precisa necessariamente englobar, na discussão de qualquer tema, todos os últimos 500 anos de história do nosso país. Tampouco deve se concentrar no último governo ou, pior, no último ano do último governo, por razões que espero possam ficar claras a seguir.

Um diálogo que, quanto ao futuro, não precisa estender seu olhar até o final do século. Mas que também não deve ter como horizonte as eleições municipais de 2004 ou, no máximo, as presidenciais de 2006. Eric Hobsbawm, em sua recente biografia, insiste na importância da "capacidade de desligar-se das paixões políticas imediatas e das campanhas publicitárias". Talvez mesmo por parte daqueles que começam a expressar certa ansiedade com o fato de que, nesta semana que se inicia, o governo atual completa 500 dias. E que faltam cerca de 870 dias para o mês de eleições de 2006.

As "Excitantes ambiguidades do primeiro mandato" é o título que Roy Jenkins deu ao Capítulo 4 de *Roosevelt*, sua excelente biografia do presidente norte-americano, que abre com a frase: "Os primeiros meses de Roosevelt na Casa Branca foram uma mistura de dinamismo e confusão" — bem descritos no capítulo. Jenkins não vai tão longe quanto o historiador Charles Kindleberger, que chega a identificar os cinco principais grupos que disputavam influência junto a Roosevelt (*The world in Depression 1929-1939*, p. 200). Jenkins, porém, chama a atenção para o fato de que, ao longo da primeira metade de seu primeiro mandato, Roosevelt foi sofrendo a oposição crescente de demagogos e líderes populistas que haviam estado com ele em sua primeira eleição.

Faço essa digressão porque na semana passada, quero crer que pela primeira vez, o presidente Lula teria feito críticas explícitas a "demagogos e populistas" e à necessidade de enfrentá-los politicamente, ainda que à custa de "passageira" impopularidade de seu governo. Esse improviso, noticiado em vários jornais, se confirmado, seria mais uma indicação de um importante fenômeno político que vem sendo observado no país nos últimos dois anos e que pode ser assim expresso: ainda não sabemos se, como e em que extensão o governo do PT vai transformar o país; mas já sabemos uma coisa: o Brasil vem transformando o PT, ou pelo menos relevante parte dele.

Mais importante: essa mudança deve ser saudada como representando um encontro com as duras realidades do país, que o partido, legitimamente, gostaria de transformar de maneira efetiva. No entanto, como escrevi em artigo recente neste espaço ("Dois livros e um discurso", 9/11/03), sonhar o sonho certo inclui não ter ilusões sobre as reais dificuldades de realizá-lo, o que deveria constituir um elemento moderador das inevitavelmente fáceis e generosas promessas de campanhas futuras. Bem como uma mais serena, não arrogante e objetiva avaliação das dificuldades com que se defrontaram outros governos. Inclusive as dificuldades derivadas de expectativas negativas que se formam no último ano de uma gestão sobre o que poderiam vir a ser as políticas postas em prática no ano subsequente pelo grupo político eleito naquele ano. Grupo este que carregará consigo a própria herança.

Todos reconhecemos a necessidade política de manter sempre acesa a chama da esperança de dias melhores para todos. O que o Brasil vem demonstrando, contudo, é que a ousadia requerida para manter viva essa chama não é a ousadia das promessas, e sim a ousadia da responsabilidade, a ousadia da persistência-com-propósito, a ousadia de buscar a eficiência nas várias ações governamentais e a ousadia para reduzir as incertezas que afetam os investimentos dos quais depende o crescimento futuro.

E, talvez, a ousadia de começar a reconhecer que não é nenhum desdouro entregar o país a um sucessor legitimamente eleito em condições um pouco melhores do que recebeu de seu antecessor. Como fez o governo Fernando Henrique Cardoso, cuja avaliação não será feita pelos últimos meses de seu último ano, claramente afetados pela incerteza quanto às políticas de seu sucessor. E como, dependendo dos populistas, poderá acontecer com o último ano do governo Luiz Inácio Lula da Silva.

HERANÇAS, AMBIGUIDADES E ESQUIZOFRENIAS

13 de junho de 2004

Exatos dez anos atrás, a inflação brasileira acumulou a extraordinária marca de 5.000% nos 12 meses terminados em junho de 1994. Não foi uma súbita erupção. Entramos na década de 1970 com cerca de 20% ao ano. Em meados dessa década estávamos em 40%. Ingressamos nos anos 1980 com cerca de 100%. Chegamos a quase 250% em 1985 e a 1.000% em 1988, taxa esta inferior à média do quinquênio 1988-1992. Em 1993, chegamos a 2.700%. Éramos vistos por muitos como um país meio bêbado, incapaz de equacionar seus problemas e vislumbrar seu futuro.

A inflação, crônica e crescente por mais de duas décadas, era poeira, zumbido e zoeira, dificultando a compreensão dos verdadeiros desafios a enfrentar. Foram necessários cerca de dez anos de intensos debates, cinco tentativas de estabilização e estudos sobre as experiências de outros países para que se derrotasse a hiperinflação brasileira em 1994, com o lançamento do real.

Essa vitória e os primeiros dez anos da nova moeda permitiram que o país começasse a vislumbrar de forma um pouco mais clara — embora nem por isso menos penosa e controvertida — alguns de seus problemas cruciais, antes encobertos pelo inebriante efeito da droga. E mais importante: o fim do flagelo da hiper — e a perspectiva que se abria de um duradouro período de inflação mais civilizada — exigiu que o país enfrentasse as consequências desse fato, que não foram nada triviais nem para o setor público nem para o privado.

Agora, passados dez anos, vem se consolidando uma herança que não pode ser adjetivada negativamente, muito antes pelo contrário, porque permitiu que o Brasil fizesse uma espécie de jornada para dentro de si mesmo. Com olhos menos embaçados e se transformando profundamente no processo.

Passados exatos dez anos, a sociedade brasileira considera que a relativa estabilidade de preços é uma conquista sua que deve ser preservada por qualquer governo, independentemente de sua ideologia ou coloração político-partidária. Isso é um avanço extraordinário e deve ser comemorado em seu décimo aniversário.

Ocasião, talvez, de fazer justiça ao governo atual — ou, ao menos, à parte dele — por ter percebido esse fato e preservado o objetivo de controle da inflação não como um fim em si mesmo, mas como condição necessária, ainda que não suficiente, para um duradouro processo de desenvolvimento econômico e social no país. Como sempre afirmou, reiteradamente, ao longo de oito anos, o governo do presidente Fernando Henrique Cardoso.

O aprendizado da sociedade e dos governos vem permitindo o aprofundamento do debate sobre crescimento sustentado a taxas mais altas que a média dos últimos 20 e poucos anos, cuja necessidade é uma unanimidade nacional no nível de generalidade em que o objetivo é normalmente formulado.

Contudo, como no caso do real, os verdadeiros problemas não estão nos eloquentes enunciados gerais sobre coisas tidas como desejáveis e necessárias. O diabo está nos detalhes operacionais e no grau de eficiência com que são implementadas políticas e ações específicas. É sobre esses fundamentais "detalhes", e não sobre generalidades, que surgem controvérsias, ambiguidades e esquizofrenias — para usar um termo recentemente introduzido no debate público por importante ministro do atual governo.

Heranças afetam controvérsias quando estas não são sobre objetivos ou sobre os meios para alcançá-los, e sim sobre o processo por meio do qual se chegou à situação atual. O peso da herança do passado em controvérsias, ambiguidades e esquizofrenias de hoje é visível, por exemplo, na discussão sobre a forma e o conteúdo específicos do ativismo governamental na área econômica, até hoje marcado, no Brasil mais do que em qualquer outro país de expressão, pela experiência dos anos 1930, 1950 e 1970 do século passado.

A maioria dos economistas considera, como Joseph Stiglitz, o conhecido Prêmio Nobel, que certas intervenções governamentais podem melhorar uma determinada situação. Mas é o próprio Stiglitz quem insiste em que a palavra "pode" é essencial. E que propostas de ação governamental deveriam satisfazer dois critérios:

- tratar de uma reconhecidamente grave imperfeição de mercado;
- serem desenhadas de forma eficiente para que seus benefícios superem seus custos.

É errado imaginar, diz Stiglitz, que qualquer intervenção do governo, por bem-intencionada que seja, terá necessariamente o condão de melhorar as coisas. A lição a extrair é que se devem evitar generalidades, definindo com clareza a natureza específica, os detalhes e as implicações da intervenção pretendida. Excessivas ambiguidades podem ter sua origem no excesso de formulações genéricas, que permitem várias e concorrentes interpretações.

Heranças também podem gerar ambiguidades e esquizofrenias quando há textos, principalmente recentes, associados a um determinado partido quando na oposição que não parecem compatíveis com políticas e ações concretas quando no governo. Essa "dissonância cognitiva" talvez possa ser equacionada ao longo do tempo, à medida que a herança dos textos de ontem vá perdendo peso relativo para os textos atuais e, principalmente, para as ações e políticas de hoje.

Por último, a sensação de ambiguidade e esquizofrenia pode ser gerada não por herança do passado, mas por uma contemporânea contraposição entre discursos lidos, improvisos no calor da hora, declarações em *off*, vazamentos e "fogo amigo". Nem todos exatamente compatíveis entre si e com os discursos lidos, gerando em alguns casos claras percepções de ambiguidades e esquizofrenias.

OS CICLOS DO MILLÔR E O INFINDÁVEL DIÁLOGO

11 de julho de 2004

"A cada 15, 20 anos o Brasil esquece o que aconteceu nos últimos 15, 20 anos." A frase, se não me falha a memória (afinal, já se passaram mais de 20 anos), é do genial Millôr Fernandes, a quem jamais escapariam algumas datas-chave consideradas rupturas com o passado, como 1930, quando o Brasil tentou esquecer a República Velha. Ou 1945, quando o país tentou esquecer os 15 anos de varguismo e iniciar um experimento democrático — que acabou durando menos de 20 anos. O regime militar, instaurado em 1964 e que pretendeu esquecer o período democrático anterior, durou também cerca de 20 anos. O ciclo pós-regime militar iniciou-se em 1985 e, como já se passaram quase 20 anos, há quem entre nós considere que um novo ciclo de mudanças históricas, políticas, sociais e administrativas teria começado a partir de 2003, após um período de quase 20 anos de "transição pós-regime militar". Para estes, mudanças antes historicamente impensáveis estariam redesenhando novas geometrias externas e internas, esquecendo os últimos 15, 20 anos.

Se os ciclos do Millôr existissem, o país estaria agora escrevendo a crônica de uma nova ruptura, preanunciada para algum momento entre 2018 e 2023, quando o Brasil esqueceria o que aconteceu a partir de 2003. Acho que nem o extraordinário humor de Millôr chegaria a tanto. Afinal, é de outro gênio do humor brasileiro, Luis Fernando Verissimo, a pertinente observação: "Se o século XX nos ensinou algo, foi a acrescentar a expressão 'salvo erro' a qualquer projeção, e a expressão 'salvo novas evidências' em contrário a qualquer conclusão."

A brincadeira do Millôr, como tudo o que nos vem de seu livre-pensar, expressa também algo instigante, isto é, a importância de que um país esteja sempre (ou a intervalos mais ou menos regulares) a mirar esperançosamente à frente, e não ficar olhando pelo retrovisor a estrada já trilhada — os "últimos 15, 20 anos".

Mas, para aqueles que consideram a história, ou o fugidio momento presente, um infindável diálogo entre passado e futuro, a ideia de negar o passado, ou dar-lhe um rótulo ou adjetivo fácil (o que é uma forma pseudossofisticada de esquecimento), não é muito promissora.

Na verdade, a cada momento, e não apenas a cada geração, um país está revisitando, reinterpretando e repensando seu passado à luz de duas coisas: a) os problemas mais angustiantes e prioritários do presente; e b) esperanças, expectativas, desejos e sonhos em relação a seus possíveis futuros.

Quanto mais rico, informado e profundo esse diálogo, melhor uma sociedade conhece a si mesma e, portanto, mais capaz é de extrair do conhecimento do passado (seu próprio e do mundo mais amplo do qual é parte) as lições — erros e acertos — que lhe podem dar o mínimo de autocrítica, autoestima e confiança para vislumbrar e tentar construir seu futuro. Sem as ilusões das grandes rupturas, das reinvenções da roda e das tentativas de estabelecer um marco zero a partir do qual se começariam a fazer coisas que nunca, jamais, alguém teria tido a ideia de fazer nos 500 anos de história deste país.

Não quero, de forma alguma, sugerir que não haja casos de rupturas relevantes com o passado. Tampouco que algumas destas não possam, sob certas circunstâncias, ir criando condições para significativos avanços de uma sociedade. Por vezes, em períodos de tempo relativamente curtos do ponto de vista da história de um país. Portugal e Espanha são dois exemplos conhecidos de extraordinário progresso — econômico, social, político e institucional — no curto espaço de uma geração, após quase simultâneas rupturas com longos passados autoritários.

Contudo, feita a transição para a democracia e consolidada esta em ambos os países, há pouco mais de 20 anos, nenhum deles tentou nenhuma outra grande ruptura nem pretendeu reinventar a roda. Integraram-se às economias europeia e mundial com benefícios palpáveis para as respectivas populações, que hoje trocam de governo, como soi acontecer em democracias, mas não querem saber de aventuras populistas nem de experimentos econômicos que possam pôr em risco ganhos já alcançados.

No Brasil, a nossa ruptura com o período do regime militar ocorreu em 1984-1985, e a nossa democracia se consolidou nos anos 1990. Não há mais grandes rupturas à vista, nem no plano político nem no econômico. Há, sim, um enorme trabalho pela frente que muito continuará a exigir da sociedade e, principalmente, de um governo que gerou exacerbadas expectativas. Que não serão atendidas por meio de críticas fáceis ao passado baseadas nas certezas da visão retrospectiva, que, como sabemos, acha que sabe quase tudo sobre o que já ocorreu.

É interessante notar que muitas das manifestações sobre o recém-completado décimo aniversário do real foram, se as li corretamente, variantes da seguinte estrutura: o real controlou a inflação (temos dificuldade de chamar um processo hiperinflacionário pelo nome), porém não "resolveu" todos os principais problemas do país (como se, ingenuamente, a isso se tivesse proposto no curto prazo). Segundo alguns, o real teria até mesmo gerado problemas adicionais (encobertos pela anestesia inflacionária ou derivados da tentativa de se preservar a inflação sob controle).

Algum dia, interpretações menos simplórias e menos politicamente motivadas emergirão, com um senso de perspectiva que cubra mais de um dos ciclos do Millôr, que não devem ser esquecidos. Afinal, o Brasil e seu governo têm obrigação de olhar adiante. Em minha opinião, é impossível fazê-lo de forma adequada sem um mínimo de compreensão das condições específicas em que se desenvolveram os processos que nos trouxeram à situação atual. Quando esse diálogo tem certa qualidade, um país consegue evitar a perda de sua memória histórica e, talvez, relegar apenas às emoções dos discursos de palanque a noção de que todos os esforços anteriores não foram mais que sucessões de erros a serem corrigidos.

Discursos puramente retóricos à parte, o fato é que, na prática, o governo atual está, como qualquer governo em qualquer parte do mundo democrático, construindo, sim, sobre alguns avanços alcançados por governos anteriores. Cresce entre nós a percepção de que todo e qualquer governo, sem exceção, tem seus acertos e seus erros. E de que em governos ninguém estabelece reputação com base naquilo que diz esperar poder fazer um dia, no futuro. Como já escrevi neste espaço, falar e escrever é fácil. O difícil é fazer. E só não erra quem não decide, não tenta, não faz e não refaz. Este governo não é e não será exceção. E tampouco se protegerá de riscos e incertezas culpando um passado sem o qual não poderia estar fazendo o que faz.

Complexo é o país. Difícil é o governo. Dura é a vida. Felizmente, há sempre o humor do Millôr e das extraordinárias gerações que se lhe seguiram.

ASSIM É SE LHE PARECE

8 de agosto de 2004

"Quem não lê mal ouve, mal fala, mal vê." Chamava a atenção a pintura que ocupava quase a lateral inteira do prédio da antiga editora Civilização Brasileira, na rua 7 de Setembro, no Rio de Janeiro: um jovem com tarjas claras nos olhos, boca e ouvidos. Para aqueles que tiveram o privilégio de crescer cercados por livros de pais e avós, e a aprender desde criança o prazer da leitura, a frase fazia um enorme e natural sentido.

Há quem assegure que também se aprende de várias outras maneiras: ouvindo, observando, falando, viajando, discursando e "navegando". E que o importante seria a reflexão sobre esses aprendizados, a experiência deles derivada, o seu cultivo e o uso que deles se fizesse para o desenvolvimento pessoal. Que poderia assumir uma miríade de possibilidades.

O fato é que há talentos e manifestações de inteligência que, aparentemente, exigiriam menos carga de leitura e reflexão sobre textos escritos: na música, nas artes plásticas, na matemática, na visão espacial, na destreza manual e mesmo na arte do relacionamento interpessoal, que também exige talento, inteligência e aprendizado.

Em cada uma dessas áreas, a relevante leitura tornaria a pessoa melhor naquilo que faz ou pretende fazer. Porém, talvez muito mais importante é que ninguém alcança um razoável grau de sucesso, ou mesmo um mínimo de reconhecimento de seus pares, sem os ingredientes fundamentais de competência profissional no mundo moderno, qualquer que seja a área de atividade: dedicação, foco, disciplina e responsabilidade.

Talentos natos têm de ser cultivados e desenvolvidos por muitos anos, às vezes com penosos processos de aprendizado. A figura "genial" que sem esforço aparente "produzia" coisas extraordinárias em sequência, a partir de pura intuição, é algo praticamente inexistente no mundo moderno.

Deixando de lado "os 15 minutos de glória" a que têm direito os nossos variados tipos de celebridades em busca do sucesso instantâneo, a dura regra geral é que sem dedicação, esforço, foco, disciplina e responsabilidade raramente se chega, de forma sustentada, a algum lugar.

Mas, se o desenvolvimento (ou subdesenvolvimento) das potencialidades de um ser humano tem tal complexidade e tal gama de possibilidades em termos de sucessos (quase sempre efêmeros) e de fracassos (quase sempre relativos), o que dizer das possibilidades do contínuo desenvolvimento de uma grande comunidade de seres humanos que assume a forma de um país legalmente soberano?

Estamos hoje, no Brasil deste mundo do início do século XXI, engajados num debate dos mais relevantes sobre as perspectivas de um desenvolvimento que seja percebido — por nós mesmos — como resultante de processos de mudança vistos como sustentáveis ao longo do tempo.

Foram necessários cerca de dez anos para que o país percebesse o caráter perverso da hiperinflação e se preparasse, por tentativas, erros e acertos, para derrotá-la, em 1994. Foram necessários cerca de dez anos para que o país se adequasse à convivência com taxas de inflação relativamente civilizadas, considerasse essa conquista sua e indicasse — a qualquer governo — sua disposição de preservá-la.

Não serão necessários, espero, dez anos para que o país descubra como é possível crescer de forma sustentada, com as mudanças estruturais e sociais requeridas. Porque esse processo está em curso e porque o aprendizado, apesar de tortuoso, vem tendo lugar há anos e constitui base sobre a qual é possível continuar avançando.

Das três características essenciais de uma sociedade moderna na qual valha a pena viver, consolidamos o avanço em uma (liberdades individuais); estamos avançando na segunda (mais justiça social, sem as ilusões do voluntarismo imediatista e com menos apelos à demagogia populista); e estamos iniciando um debate mais profundo sobre a terceira (maior eficiência e produtividade nos setores público e privado, sem as quais não existe desenvolvimento econômico-social sustentado). Essa terceira característica é o equivalente de dedicação, disciplina, foco e responsabilidade, essenciais para o desenvolvimento das potencialidades de uma pessoa, qualquer que seja a área de sua atividade.

Concentrar as atenções e a discussão na necessidade de aumentar de forma duradoura a produtividade e a competitividade do setor privado e a eficiência operacional e regulatória do governo constitui hoje, a meu juízo, a prioridade para que possamos, na prática, e não nos discursos fáceis (e frequentemente vazios de conteúdo e efetividade), avançar na direção de um objetivo, o crescimento sustentado, atualmente uma unanimidade nacional.

Estou ciente de que discussões específicas sobre assuntos de eficiência (como a que nos levou ao Moderfrota anos atrás) têm muito menos apelo que um debate sobre modelos de desenvolvimento, novos projetos nacionais, novas agendas abrangentes, novas políticas industriais e novas estratégias de crescimento (todas essas expressões a serem lidas em maiúsculas e com voz embargada de emoção).

Mas talvez fosse muito melhor, hoje, discutir mais profundamente, por exemplo, as implicações do nível e da composição do gasto público, conjuntamente com o nível e a composição da carga tributária para a eficiência e a competitividade do setor privado e mesmo do setor público.

Talvez fosse melhor debater formas de reduzir as incertezas regulatórias e jurídicas, bem como não resolvidas nostalgias de um passado que não volta quanto ao papel do setor público e que afetam o ânimo empresarial, especialmente na área de infraestrutura.

Há muito espaço para ideias novas e para ideias corretas. No entanto, é sempre preciso distinguir entre ideias corretas que não são novas e ideias novas que não são "corretas", no sentido de inadequadas para as circunstâncias atuais, embora talvez tivessem tido relevância em outra época.

O pirandeliano "assim é se lhe parece" não deve, e não pode, significar apenas aceitação de qualquer coisa e ceticismo quanto a novas descobertas e novas convergências, alcançadas por meio do debate público. Afinal, foi assim que avançamos, nós e aqueles que o fizeram ainda melhor, não procurando voltar ao passado nem tentando reinventar a roda, mas entendendo as suas circunstâncias e o contexto — sempre historicamente específico — em que decisões têm de ser tomadas.

O espaço para a discussão séria é, certamente, reduzido quando o país corre o risco de se tornar refém do que Dora Kramer chamou de "pedagogia do vale-tudo, com a qual foi conduzida a democracia pós-

-regime militar (...), a título de acerto de contas". E na busca do aparelhamento do Estado, no período mais recente. Como bem escreveu a jornalista neste jornal, oito meses atrás, em texto que retém surpreendente atualidade: "Muitas foram as vítimas, sendo a maior delas o discernimento coletivo, anestesiado ante um amontoado de dados — não raro incompreensíveis — a partir dos quais estavam todos obrigados a se horrorizar, se indignar e condenar por pressuposto." E a repetir com Pirandello: "*Cosi è se vi pare.*"

P.S. — Leitores amigos me dizem que a frase "a cada 15, 20 anos o Brasil esquece o que aconteceu nos últimos 15, 20 anos", utilizada em meu artigo anterior, "Os ciclos do Millôr e o infindável diálogo" (11/7/04), é, na verdade, do grande Ivan Lessa. Perdão, Ivan! Ave, Millôr! Desculpem-me os eventuais leitores.

APRENDIZADO COLETIVO
12 de setembro de 2004

"Quando alguém me convence de que eu estava errado, eu mudo de opinião. O que você faz?", escreveu o economista britânico John Maynard Keynes, já lá se vão mais de 80 anos, expressando a força de seu acreditar no poder das ideias e na importância do debate.

O auge de sua influência intelectual ocorreu nas sombrias circunstâncias da Grande Depressão dos anos 1930, quando, nota o autor, eram muitos os que estavam particularmente ansiosos por diagnósticos mais fundamentais e predispostos a novos experimentos em matéria de intervencionismo econômico e autoritarismo político.

Independentemente daquele particular momento histórico, Keynes reiterou sua crença mais geral de que "as ideias de filósofos políticos e economistas, tanto quando certas como quando erradas, são mais poderosas do que é comumente reconhecido". Homens práticos, escreveu, como "servidores, políticos e mesmo agitadores, que se consideram imunes a influências intelectuais, são usualmente escravos de algum filósofo político ou economista defunto".

Na verdade, como lembra Bobbio, em todas as sociedades, democráticas ou não, sempre existiu, ao lado do poder político e do poder econômico, "o poder ideológico, que se exerce sobre as mentes das pessoas pela produção e transmissão de ideias, de símbolos, de visões do mundo, de ensinamentos práticos". Em suma, mediante o uso da palavra, porque "o poder ideológico é extremamente dependente do homem como animal falante".

No mundo moderno, esse poder é cada vez mais dependente das imagens visuais e sonoras que enquadram e acompanham as palavras e aqueles que as enunciam. Se no princípio era verbo, este é hoje, com frequência, amestrado coadjuvante de performances midiáticas, organizadas e monitoradas por profissionais do ramo. Em modernas democracias de massa, processos eleitorais são cada vez mais custosos e reduzem progressivamente o espaço para o amadorismo e a improvisação, na tentativa de conquistar corações e mentes de eleitores.

Por que essa longuíssima digressão em seara que não é minha? Não é só porque estamos às vésperas de eleições municipais. Não é só porque acredito que o funcionamento de uma democracia efetiva se dá no cotidiano, transcendendo, de muito, o momento do comparecimento do eleitor às urnas a determinados intervalos de tempo. É porque, descontados os excessos do calor da hora e dos discursos de palanque (aí incluídas gratuitas ofensas pessoais e arrogantes ataques a governos passados), está em curso no Brasil, há anos, um gradual processo de aprendizado coletivo (do qual não excluo ninguém), de cujos aprofundamento e continuidade depende nosso futuro.

Permita-me o eventual leitor lembrar, a seguir, alguns exemplos recentes, apenas para ilustrar a importância crucial do debate através de meios de comunicação que contem com profissionais independentes de conselhos federais, de controles corporativistas e de departamentos governamentais de imprensa e propaganda.

Há exatos quatro anos, um mês antes das eleições municipais de 2000, realizou-se um "plebiscito" sobre a suspensão do pagamento das dívidas externa e interna, além da tradicional proposta de rompimento com o FMI (Fundo Monetário Internacional). Ficou rigorosamente comprovado, à época, o forte empenho do então principal partido de oposição na mobilização pelo plebiscito, talvez por puro cálculo eleitoral. Felizmente para o país, o debate permitiu que a ala moderada do partido discretamente o dissociasse da ideia após as eleições municipais daquele ano.

Em dezembro de 2000, em texto aprovado por seu diretório nacional, o mesmo partido analisou o quadro pós-eleitoral e definiu a estratégia futura, propondo que a Lei de Responsabilidade Fiscal fosse "radicalmente modificada, porque o seu preço não pode ser a irresponsabilidade social". E afirmou ser essa "postura" fundamental para a campanha presidencial de 2002. Felizmente para o país, o debate permitiu que essa postura fosse progressivamente reconsiderada.

Em dezembro de 2001, a instância maior do partido, seu congresso nacional, aprovou documento intitulado "A ruptura necessária", programa de governo com o qual o partido se lançou às eleições de 2002. Felizmente para o país, o debate permitiu que, em junho de 2002, a "Carta ao povo brasileiro" esclarecesse, pela primeira vez, que não se buscariam rupturas em termos de condução da política macroeconômica, compromisso que, justiça seja feita, vem sendo mantido pelo atual governo, apesar de intenso "fogo amigo".

Os três casos são exemplos de TPE (tensão pré- ou pós-eleitoral), ocasiões em que "só a falta de moderação atrai atenção", como expresso em recente editorial do excelente *El País*. Porém, paradoxalmente, talvez os exageros dos debates eleitorais e a reação que engendram, inclusive a autocrítica, acabem, ao longo do tempo, produzindo graduais mudanças de postura. Bem exemplificadas por parte daqueles que deixam o discurso fácil do oposicionismo "contra tudo isso que aí está" para assumir responsabilidades que antes não tinham ("nós fomos irresponsáveis quando oposição", afirmou Jair Meneguelli dez dias atrás).

Na mesma direção, há menos de um mês o senador Aloizio Mercadante reconheceu, em entrevista ao jornal *O Globo*: "O nosso processo de amadurecimento no governo foi conseguido à custa de muitas dificuldades, sofrimentos e decepções. Vimos que temos que ser mais cuidadosos nas nossas ações e procedimentos. Sucessivos episódios nos ensinaram a ser mais atentos e principalmente mais humildes. Espero que tenhamos aprendido a lição..."

Se registro essas autocríticas, é para saudá-las e reconhecer nelas um processo de aprendizado coletivo que poderá fazer com que o país — sem perder as inevitáveis emoções e paixões da disputa política — passe a dedicar mais tempo ao aprofundamento do debate sobre seus inúmeros e inegáveis problemas. Muitos dos quais, por sua natureza e complexidade técnica, não são passíveis de serem tratados em linguagem de palanque.

O senso de perspectiva nessas discussões é essencial. Assim como o reconhecimento de que qualquer governo, em qualquer parte do mundo, por mais que tente sugerir o contrário, constrói, sim, sobre avanços realizados por governos anteriores.

O que se espera, em democracias, é que cada governo faça o esforço possível para entregar a seu sucessor um país, um estado ou município melhor do que recebeu de seu antecessor. E que todos, cada um a seu modo, possam contribuir para o processo de aprendizado coletivo ora em curso, no qual ainda temos muito que avançar.

MEMÓRIAS DOS PRÓXIMOS DOIS ANOS

10 de outubro de 2004

É possível falar numa "memória do futuro"? A resposta pode ser sim, se a expressão se referir às não de todo insensatas esperanças sobre esse futuro. Esperanças baseadas não em meros enunciados de desejos e fantasias sobre um mundo ideal, mas fundadas em avaliações (que sempre podem se mostrar equivocadas) sobre processos de mudança em andamento no mundo real. Essas esperanças, quer se realizem, quer não, podem ser vistas como memórias de um futuro ao menos pensado.

Estamos no exato meio do caminho entre as eleições presidenciais de 2002 e 2006, concluindo importantes pleitos municipais que não só geram expectativas de governos eficientes, como também mapeiam possíveis contornos de alianças políticas futuras. E o governo Lula está prestes a terminar a primeira metade do mandato que recebeu das urnas.

Nesse contexto, permita-me o eventual leitor dois breves comentários sobre o que creio serem lições derivadas do infindável diálogo entre o passado recente e o futuro próximo, antes de concluir com uma brevíssima observação sobre Maquiavel e o poder.

O primeiro comentário é sobre a relevância, para o futuro, da transição FHC-Lula. O segundo, sobre os contextos econômicos, internacional e doméstico, nesta primeira metade do mandato do atual governo, e a importância dos desafios dos próximos dois anos à luz do processo de mudança estrutural que vem ocorrendo no Brasil há mais de uma década.

Sobre a transição, a passagem do tempo vem tornando cada vez mais claro o acerto da decisão do governo FHC, tomada ao final do primeiro semestre de 2002, visando reduzir as evidentes consequências do alto e crescente grau de incerteza então existente quanto ao futuro. Essa decisão envolveu, entre outras coisas:

- a iniciativa de convencer o FMI a apoiar o Brasil com um programa de US$ 30 bilhões, pelo menos 80% dos quais potencialmente disponíveis para um futuro governo;
- a iniciativa de convidar os principais candidatos (com seus homens-chave) para uma explicação sobre as circunstâncias do momento, as razões da decisão e suas implicações para os 18 meses seguintes;
- a iniciativa de estabelecer claramente os parâmetros, as práticas e os procedimentos para a forma civilizada como se conduziu a transição ainda em 2002, após o resultado das urnas. Na área econômica, com total transparência, franqueza e espírito público.

Nas minhas memórias para os próximos dois anos, estaria a republicana esperança (insensata?) de que as transições nas principais cidades do país possam inspirar-se (forma e conteúdo) no exemplo da transição federal de 2002, para benefício das populações envolvidas.

Mais importante, entretanto, é minha sempre renovada esperança (que espero não seja insensata) de que a memória dos próximos anos possa registrar uma crescente compreensão da extensão com que expectativas e incertezas sobre o futuro afetam, de forma significativa, as decisões do presente. Especialmente na área econômica, na qual, paradoxalmente, as consequências podem vir antes, como resultado da postergação de decisões de investimento e de toda sorte de comportamentos defensivos, derivados de ansiedades e incertezas quanto ao futuro.

Sobre o contexto internacional e a situação doméstica, vale notar que 2003 e 2004 foram anos em que os ventos sopraram a favor em termos de comércio mundial e liquidez internacional. A economia mundial cresceu quase 4% em 2003. Em 2004 esse crescimento deve chegar a 5% em termos reais, o mais elevado em quase três décadas. As taxas de juros internacionais estão nos níveis mais baixos dos últimos 35 anos. Haverá uma redução de crescimento mundial em 2005, bem como uma elevação das taxas de juros internacionais. No entanto, ao que tudo indica, será uma ordenada desaceleração, apesar das incertezas associadas ao preço do petróleo, à turbulência político-militar no Oriente Médio e os não resolvidos desequilíbrios de médio e longo prazos nas principais economias do mundo.

Mas o contexto internacional favorável não tira os méritos da equipe do ministro Antonio Palocci, que vem demonstrando, desde o início do governo, um comportamento consistente na defesa da responsabilidade fiscal e da preservação da inflação sob controle e na busca por continuar criando condições para o crescimento sustentado no longo prazo.

A esperança (sensata) para a memória dos próximos dois anos é que esse comportamento e essa postura possam consolidar-se e angariar mais adeptos tanto no governo quanto nas oposições, porque isso, pelo menos a mim, parece ser de interesse do país em seu conjunto. Embora não seja um objetivo em si mesmo, tampouco é condição suficiente para o desenvolvimento econômico e social.

Na verdade, uma das importantes lições dos últimos dois anos, por paradoxal que possa parecer, é que é possível haver ousadia na responsabilidade. E que é possível tê-la reconhecida por seus resultados, ainda que apenas gradualmente. Como apenas gradualmente vêm sendo reconhecidas mudanças estruturais e institucionais importantes que já têm história de mais de uma década, e sem as quais o Brasil não estaria mostrando hoje o desempenho que ostenta em muitas áreas de sua economia, do agronegócio aos serviços, passando por vários setores industriais.

Por exemplo, o desempenho de empresas brasileiras na disputa por mercados externos e na competição com produtos importados no mercado doméstico não é, definitivamente, um fenômeno dos últimos dois anos. Nem pode ser atribuído apenas à flutuação cambial de mais de cinco anos atrás. A modernização tecnológica da economia brasileira — com sua maior eficiência, maior produtividade e competitividade internacional — muito deve a processos de modernização do setor público, a privatizações e à abertura ao exterior. E, não menos importante, ao fim da hiperinflação, há cerca de uma década, com tudo o que foi necessário para que o real não se transformasse em mais uma frustrada experiência de estabilização.

No Brasil, como no resto do mundo, processos de transformação estrutural e institucional envolvem sempre elementos de continuidade e de mudança. Em democracias, a busca das convergências possíveis para avançar nesses processos é sempre mais complexa. Porque os avanços têm de dar-se por meio do debate político e do entendimento da opinião pública, não podendo ser impostos a partir do controle do aparelho do Estado. Maquiavel escreveu de forma brilhante, fria e pedagógica sobre a política como arte de conquistar, preservar, consolidar e ampliar o poder. Mas, como notou um bom amigo, Maquiavel escreveu para o Príncipe, e não para o governante democraticamente eleito para período determinado.

2005, O ANO QUE COMEÇOU MAIS CEDO
14 de novembro de 2004

Responda depressa: foi 2005 que começou de forma prematura, após as eleições municipais deste ano, ou é 2004 que só vai terminar tardiamente, com as águas de março de 2005?

A escolha é livre. Afinal, os tempos, tanto da política quanto da economia, têm seus ritmos próprios, nem sempre compatíveis com o calendário gregoriano. Que é o que importa para os balanços e as festas de fim de ano.

O fato é que o prazo decorrido desde a posse do atual governo é superior ao tempo que falta para o resultado das eleições de 2006. A herança do presidente Lula (ainda que possa vir a ser para ele mesmo) está sendo construída, e o tempo para tal já passou da metade relevante do mandato recebido das urnas.

Não tem sentido buscar adjetivos para tal herança nem agora nem depois porque, como a esta altura todos já aprenderam, em governos nada é feito a partir do zero. Se "meu caminho é de pedra", como cantou Milton Nascimento, se "havia uma pedra no meio do caminho", como escreveu Drummond, em governos o que há são pedreiras a escalar, descer, mover ou transformar. O que importa é que haja propósito no processo. E que se olhe mais o filme do que a foto.

Nas próximas semanas teremos miríades de fotos e filmes sob a forma de "balanços" de 2004 (ou dos primeiros dois anos do atual governo) e, principalmente, de "perspectivas" econômicas para 2005. Estas, por sua vez, poderão ser influenciadas e, eventualmente, revistas ao longo do ano pelas interpretações dos potenciais significados das movimentações políticas preparatórias das eleições de 2006. Afinal, como muitos aprenderam em 2002, parte não irrelevante do mundo real é movida por suas expectativas quanto ao futuro.

Em mais de um sentido, portanto, o ano de 2005 constituirá uma grande janela de oportunidades não só para o governo e seus aliados, como também para as oposições. Não com o objetivo de antecipar indevidamente o calendário eleitoral, e sim de estruturar e unificar os respectivos discursos e definir com mais clareza vagas propostas e fáceis promessas de palanque. E, não menos importante, mostrar resultados efetivos percebidos pela população inclusive nas administrações estaduais e municipais sob sua responsabilidade.

É fundamental consolidar a percepção de que o país vem se tornando gradualmente mais maduro do ponto de vista político-institucional, apesar do muito que resta por fazer e do reconhecimento de que não se trata de um processo linear. Vale lembrar que, ao longo de mais de três quartos de século, o Brasil teve apenas dois presidentes civis (JK e FHC) eleitos diretamente pelo voto popular que passaram o cargo a outro presidente civil também diretamente eleito pelo voto popular, ao fim de seus mandatos legais. O presidente Lula, em algum momento, será o terceiro do que esperamos seja uma norma de transição democrática e republicana que tenha vindo para ficar, e para sempre.

Se o país está caminhando para uma maior maturidade político-institucional, também está avançando no campo de uma maior racionalidade e melhoria da qualidade do debate no campo econômico. Na área macroeconômica, diferenças de fundo sobre regimes fiscal, monetário e cambial são muito menores que no passado. O governo atual tem méritos nesse processo.

Nos próximos 18, 20 meses, talvez seja possível avançar, no sentido de consolidar um pouco mais a percepção dos brasileiros de que, no século XXI, um país "normal" tem inflação baixa, responsabilidade fiscal, economia relativamente aberta e eficiência governamental. Não como fins em si mesmos, mas como ingredientes indispensáveis e perfeitamente compatíveis com o objetivo maior do crescimento econômico sustentado, única forma de assegurar continuada melhoria das condições de vida da população. O Brasil precisa, por meio do debate, buscar as convergências de visão necessárias para tal empreitada. Legítimas divergências de opinião sempre existirão. Vale lembrar que os países em desenvolvimento que mais estão avançando no mundo hoje são os que reduziram o espaço para ideologias, demagogias, promessas vãs, bravatas estéreis e voluntarismos episódicos. Como vêm procurando fazer a China, a Índia e, acreditamos, o próprio Brasil.

A esse propósito, vale lembrar o extraordinário efeito sobre a coordenação de expectativas e a estruturação das agendas nacionais que representou a perspectiva de acesso à União Europeia para países da Península Ibérica e, depois, do Leste Europeu. Hoje, na Turquia, essa possibilidade, ainda que colocada em futuro longínquo (não antes de 2015, na melhor das hipóteses), possui um efeito imediato sobre expectativas, derivado do processo já em curso de modernização institucional e preparação para o eventual acesso.

No caso do Brasil, não temos esse mecanismo de formação de expectativas à disposição. Exatamente por isso precisamos manter, por longo tempo, uma certa coerência e consistência básica em questões fundamentais de desempenho econômico. Daí a importância do ano que se inicia — e dos que se lhe seguirão.

A NECESSIDADE DE PERSPECTIVA
12 de dezembro de 2004

Dos gatos se diz terem sete vidas. Do tempo, que as tem em número de três. Uma representada pelo sempre fugidio momento presente. A outra, pelo presente do passado, a que chamamos memória. A terceira vida do tempo é o presente do futuro, que vem a ser o imaginado por nossas esperanças, medos, desejos e expectativas.

Estamos, no Brasil de hoje, num momento importante da conjugação dessas três vidas do tempo. Como raras vezes "na história deste país", é fundamental recuperar um certo senso de perspectiva sobre o país e o mundo. Em outras palavras, aprofundar nosso grau de entendimento sobre os processos pelos quais chegamos à situação atual, como condição indispensável para que possamos olhar adiante com um razoável grau de confiança no futuro.

Vale mencionar três eventos ocorridos nas últimas três semanas. Uma grande empresa brasileira patrocina um fórum internacional intitulado Brasil 2015. Outra grande empresa promove discussão sobre "O agronegócio no mundo e no Brasil: a próxima década". Uma associação de instituições organiza debate no qual se pede aos participantes que se imaginem em fins de 2014 e analisem "as transformações do setor nos últimos dez anos" (2004-2014).

Esse lançar de olhares sobre um futuro que se estende para além da conjuntura mais imediata, ou do ano-calendário que se inicia, só é possível porque há um reconhecimento crescente de que o país avançou em inúmeras frentes ao longo da última década. Avanços que, por sua vez, foram conseguidos, em parte, com o aprendizado coletivo derivado de experiências, erros e acertos de períodos anteriores.

O país derrotou a hiperinflação superior a 1.000% ao ano na média da década anterior (1985-1994), chegando a pouco mais de 8% na década 1995-2004. Abriu muito mais sua economia para o mundo, importando máquinas, equipamentos e bens intermediários, aumentando a produtividade e lançando as bases para aumentos futuros de exportações e da produção doméstica, eficientemente competitiva, com importações. Privatizou, criou espaço para o investimento privado em infraestrutura e mostrou sua capacidade empresarial e tecnológica no agronegócio, na indústria e nos serviços. Fortaleceu o sistema financeiro, público e privado. Modernizou as finanças públicas. Na sociedade e nos três níveis de governo, avançou a visão de que responsabilidade fiscal não é incompatível com responsabilidade social. A sociedade vem se tornando mais atenta a posturas e padrões de conduta na gestão da chamada coisa pública.

Em suma, o Brasil tem se mostrado, gradualmente, um país mais maduro do ponto de vista político-institucional. E mais racional do ponto de vista do debate macroeconômico: estamos deixando progressivamente de lado a ideia de que há uma macroeconomia "de direita", à qual devessem se contrapor, necessariamente, a teoria e a prática de uma macroeconomia "de esquerda". E que apenas esta última seria capaz de promover o "verdadeiro" crescimento sustentado com justiça social. A propósito, cabe lembrar três comentários, também das últimas três semanas.

Felipe González, ex-primeiro-ministro da Espanha, esteve há duas semanas no Brasil, em palestra no citado Fórum Internacional Brasil 2015. Baseado em sua experiência de 14 anos à frente do governo espanhol, observou que, paradoxalmente, o grande problema da ideologia é que ela obscurece o debate de ideias sobre a ação do poder público, ao tratar de itens específicos como grandes questões morais que deveriam ser enfrentadas como questões de eficiência operacional do setor público, já que não há discordâncias de vulto sobre os objetivos gerais a alcançar, e sim sobre as melhores formas de fazê-lo.

Na mesma linha, Arnaldo Jabor, em artigo recente no qual se refere à forte tradição generalizante do nosso pensamento reformista, diz que a busca pelas "soluções em bloco" impede, com frequência, que se avance na procura de soluções específicas para problemas concretos por meio de ações menos abrangentes. A espirituosa expressão de Luís da Câmara Cascudo segundo a qual "o Brasil não tem problemas, apenas soluções adiadas" constitui bonito jogo de palavras. Nosso drama, contudo, não é tanto a ausência de soluções ou a "presença" de soluções adiadas, e sim o fato de que isso ocorre porque, com frequência, como nota Jabor, não avançamos o suficiente no entendimento apropriado do problema ou da natureza do desafio a enfrentar.

Por último, um ex-líder guerrilheiro da Frente Nacional de Libertação de El Salvador, Joaquín Villalobos, em entrevista recente ao *El País* e a *O Estado de S. Paulo*, fez crítica veemente ao "populismo ilusório" de alguns líderes latino-americanos, cuja "base conceitual" (sic) seria o "eu resolvo" voluntarista. Ao mesmo tempo, prestou elogiosa homenagem ao presidente Lula, que, em sua leitura, teria adotado como postura dizer aos seus: "Isso é o que se pôde fazer, sei que é gradual e imperfeito, continuaremos tentando." Como disseram governos anteriores.

Os três comentários expressam percepções compartilhadas de que, à medida que uma sociedade avança, declinam as probabilidades de abruptas rupturas e radicais mudanças de rumo. E diminui o espaço para voluntarismos e tentativas de reinvenção da roda. Em outras palavras, o país procura tornar-se um país mais "normal", no qual seja crescente a demanda por maior eficácia das atividades e dos programas de governo e no qual haja amplo espaço para o exercício da arte da política como legítima competição pelo poder. Mas no qual também existam limites, progressivamente dados pela própria postura da sociedade, para promessas irrealizáveis, bravatas retóricas e demagogias baratas.

Afinal, como disse um jovem e brilhante advogado, "demagogias e bravatas são o que são. Se não fossem, seriam solução". O que nunca foram. Nem aqui nem alhures. Acho que o Brasil mudou para melhor nesse quesito. E essa é uma das razões, além das transformações estruturais da economia, que nos permitem lançar um olhar de mais longo prazo sobre a terceira vida do tempo. Até lá, boas festas e um feliz Ano-Novo.

2005

2005

Taxa de crescimento no ano	3,2 %
Taxa de inflação no ano	5,7 %
Taxa de câmbio no final do ano	R$ 2,34
Mín. R$ 2,16 Máx. R$ 2,76	
Taxa de juros no final do ano	18 %
Mín. 18 % Máx. 19,75 %	

FEVEREIRO

O deputado federal Severino Cavalcanti (PP-PE) é eleito presidente da Câmara, ao vencer o deputado governista Luiz Eduardo Greenhalgh (PT-SP). É a primeira vez que um candidato independente, que pouco contou com o suporte do próprio partido, vence a eleição para a presidência da Casa.

Renan Calheiros (PMDB-AL) é eleito presidente do Senado.

MAIO

Na reportagem "O homem-chave do PTB", a revista *Veja* denuncia Maurício Marinho, diretor dos Correios, que foi filmado embolsando um pacote de dinheiro em um encontro intermediado pelo deputado federal Roberto Jefferson, presidente do PTB. Inicia-se a crise política mais aguda do governo Lula.

JUNHO

A PF reconvoca o ex-presidente do IRB (Instituto Resseguros Brasil), Lídio Duarte (PTB), para novo depoimento sobre um suposto esquema de pagamento de mesada de R$ 400 mil para o PTB. O cerco a Duarte pressiona Roberto Jefferson (PTB), que havia ampliado sua influência no IRB nos últimos anos.

Roberto Jefferson cumpre promessa e denuncia, em entrevista ao jornal *Folha de S.Paulo*, o pagamento de mesadas feito pelo tesoureiro do PT, Delúbio Soares.

O ministro-chefe da Casa Civil, José Dirceu (PT), afasta-se do cargo para se defender das denúncias, feitas por Roberto Jefferson, de que ele seria um dos principais articuladores do Mensalão. Dirceu reassume seu mandato de deputado federal.

Dilma Rousseff (PT), ministra de Minas e Energia, é nomeada ministra da Casa Civil.

JULHO

Com o agravamento da crise política e a prisão do assessor parlamentar de seu irmão, José Nobre Guimarães (PT), que tentava embarcar no aeroporto de Congonhas (SP) com R$ 200 mil em uma valise e US$ 100 mil presos ao corpo, José Genoino se afasta da presidência do PT.

O Congresso Nacional instala a CPI do Mensalão.

AGOSTO

Em pronunciamento à nação, Lula se diz traído e indignado com a grave crise política. "Eu me sinto traído por práticas inaceitáveis. Indignado pelas revelações que chocam o país e sobre as quais eu não tinha qualquer conhecimento (...). O PT foi criado para fortalecer a ética na política (...). Eu não mudei, e tenho certeza disso."

SETEMBRO

Acusado de cobrar propinas, o presidente da Câmara, Severino Cavalcanti (PP-PE), renuncia ao mandato e ao cargo de deputado. Aldo Rebelo (PCdoB-SP) é eleito o novo presidente da Casa.

O mandato de Roberto Jefferson (PTB), delator do Mensalão, é cassado na Câmara. Ele perde seus direitos políticos por oito anos.

NOVEMBRO

Cotado a R$ 2,16, o dólar atinge o menor valor em relação ao real desde abril de 2001.

DEZEMBRO

José Dirceu (PT) é cassado em votação no plenário da Câmara e perde o mandato de deputado federal.

A taxa Selic encerra 2005 a 18% ao ano (em julho estava a 19,75%).

O PIB recua 1,2% no terceiro trimestre em relação ao trimestre anterior, frustrando a expectativa do governo de repetir o crescimento apurado em 2004. Em 2005, o IBGE registra aumento do PIB em 3,2%.

O risco-país atinge o menor nível da história: 303 pontos (o recorde anterior era 337, em 1997). A inflação mantém-se controlada em 5% em 2005.

A taxa de juros do FED norte-americano continua aumentando 25 pontos básicos a cada reunião.

O PAÍS E SUA CIRCUNSTÂNCIA

9 de janeiro de 2005

Eu sou "eu e minha circunstância", escreveu José Ortega y Gasset. Países, como seus transitórios governos, também são eles e suas circunstâncias. Há contextos externos e internos que se relacionam. Há experiências passadas, com variados graus de acertos, desacertos e de aprendizado sobre eles. Há diferentes processos de mudança em curso — nem sempre sendo claramente percebida a extensão em que configuram os contornos do futuro. Mas são esses processos — e não a retórica midiática — que mantêm acesa a chama da esperança e da confiança no futuro. Que é o que move o Brasil e os brasileiros.

Ao longo de 2005, deve ficar progressivamente mais evidente para a opinião pública em geral que foram três as razões básicas para o bom desempenho da economia brasileira em 2004. A primeira foi a situação extraordinariamente favorável da economia mundial (que cresceu quase 5% em termos reais, uma taxa desconhecida há quase 30 anos), com forte expansão do comércio e ampla liquidez internacional.

A segunda razão foi o comportamento sereno e pragmático do ministro Antonio Palocci e sua equipe (Fazenda e Banco Central) em termos de condução da política macroeconômica, resistindo a quase dois anos de intenso "fogo amigo", dentro e fora do governo, e propondo "inflexões" na política econômica como condição *sine qua non* para o crescimento.

A terceira razão tem a ver com a continuidade dos processos de modernização e de transformação estrutural e institucional que vêm ocorrendo no país há mais de uma década. Tais processos permitiram que os favoráveis ventos externos e a tão criticada política macroeconômica dessem a sua importante contribuição para o bom desempenho econômico observado em 2004 em termos de crescimento do produto, do emprego e da renda.

Como é sabido, o contexto internacional em 2005 não será tão favorável quanto em 2004 e em 2003 (quem não se lembra das taxas de juros norte-americanas de 1% entre julho de 2003 e junho de 2004?). Tudo indica que 2005 será um pouco mais turbulento e volátil (vide o comportamento dos mercados financeiros nos primeiros dias deste ano) e de menor crescimento do produto e do comércio internacional. Entretanto, não parece alta a probabilidade de que em 2005, pelo menos, o Brasil tenha de lidar com choques externos daqueles tipos que marcaram o período recente, como em 1995, 1997, 1998 e 2001-2002. Para não falar do início dos anos 1980, quando o Brasil quebrou (como muitos outros) e levou (como outros) mais de uma década buscando equacionar, externa e internamente, um caminho de solução adequado para seus dramáticos desequilíbrios.

Mesmo que essa probabilidade de choques externos desfavoráveis fosse maior, as mudanças que permitiram ao Brasil a gradual obtenção de mais produtividade — e, portanto, de maior competitividade internacional — no agronegócio, na indústria e nos serviços devem permitir a continuidade desse processo de redução das chamadas vulnerabilidades externas da economia brasileira, pelo aumento da participação das exportações e importações no PIB. E da crescente percepção de que a dívida externa brasileira, tanto pública como privada, é perfeitamente administrável.

É certo que o Brasil não tem controle sobre o contexto internacional que o afeta, por vezes seriamente. Porém, como política de Estado, e não apenas de um governo específico, o Brasil tem tido, há muito, reconhecida ação internacional na defesa de seus interesses nos vários foros regionais e multilaterais de que participa.

Entretanto, importante como possa e continuará a ser a ação internacional do governo, a sociedade brasileira de hoje parece saber que as batalhas mais fundamentais em prol do desenvolvimento econômico e social são travadas, ganhas e perdidas no front doméstico, e não no exterior. Estamos cada vez mais conscientes de que a ação internacional do Brasil — como de qualquer outro país — será tanto mais efetiva quanto maior for a capacidade de mostrar ao resto do mundo que pode equacionar, ainda que de forma gradual, mas consistente e duradoura, seus inúmeros e inegáveis problemas domésticos. Nosso peso relativo no mundo e a influência de nossa voz guardam estreita relação com nossos progressos reais, tal como percebidos pelos demais países, seus governos e suas sociedades.

Da mesma forma, o Brasil e seus governos também parecem ter se dado conta de que, no que diz respeito à orientação geral da condução da política macroeconômica, não há muito espaço para grandes experimentos, efeitos especiais, heterodoxias variadas e abruptas inflexões de rumo. Sempre existirá o debate político geral sobre fins (e os *trade--offs* envolvidos) e o debate mais técnico, sobre os melhores meios operacionais para se alcançar determinados objetivos — e sobre os tempos necessários para tal. O fato é que a margem de manobra da política macroeconômica é menor do que parece aos afoitos de hoje ou do que parecia aos afoitos de ontem. Esse duplo reconhecimento encerra uma relevante implicação para 2005.

Se há limitações a abruptas mudanças de rumo na área macroeconômica (como parece estar convencido hoje o próprio presidente, embora nem todos os seus colaboradores), isso significa que o espaço para (e a necessidade de) aumentar a eficiência operacional é maior e mais urgente do que se supunha nas áreas microeconômicas, regulatórias, de modernização institucional, administrativa e, particularmente, na social.

O governo Lula surpreendeu muito mais na área macroeconômica, na qual encontrou forte oposição interna, do que na social. Nesta, dadas as críticas, as promessas de campanha e a fácil unanimidade do discurso a favor do bem e contra o mal, a maioria esperava (vê-se hoje que talvez um tanto ingenuamente) uma pronta e eficaz atuação em termos de consistência de rumo, estabilidade de equipes e resultados concretos, ainda que graduais, em particular na saúde e na educação.

Nessas duas áreas-chave — um dia se haverá de reconhecer — muito se avançou no governo anterior. E, embora a complexidade de nossos problemas vá exigir ainda bastante, e de diversas administrações, a herança deixada é bem melhor que a recebida. Como esperamos também seja a herança que este governo legará a seu sucessor, se for capaz de lidar com a sempre difícil combinação entre confiança e humildade no entendimento de sua sempre mutante circunstância.

ENTREATOS: PORTO ALEGRE, DAVOS E 2006

13 de fevereiro de 2005

O que significa "transformar o mundo" ou uma sociedade? Norberto Bobbio responde: "Rigorosamente nada." Pelo menos enquanto não se diga, com clareza, quais são os objetivos dessa transformação e com que meios se pode alcançá-la.

Falar e escrever sobre objetivos é sempre mais fácil, até porque, para muitos, basta anunciar o que não se quer (miséria, pobreza, exploração, violência, injustiça, corrupção, e assim por diante). Como se a definição pela negativa permitisse, por si só, a visão de um admirável mundo novo apresentada como meta a realizar. Os profissionais da política e da propaganda política sabem da força retórica dessa distinção entre o mundo tal como de fato existente e o mundo tal como idealizada possibilidade: o primeiro é sempre pior que o segundo.

Acabamos de assistir às midiáticas reuniões de Porto Alegre (Fórum Social Mundial) e Davos (Fórum Econômico Mundial), disputando amplo espaço nos meios de comunicação dos países em desenvolvimento. Ambos os fóruns geraram expectativas de que dali surgissem "propostas concretas", se não para a criação de um mundo novo, ao menos para o combate à pobreza, à injustiça e à desigualdade. A reunião do G-7 no fim de semana passado, em Londres, teve como um de seus temas a expressão *make poverty history*, ou seja, fazer a pobreza virar coisa do passado. Parece ser possível avançar, gradualmente, indo além da mera expressão de insatisfações com o fato de que há, no mundo de hoje, situações que ou não se justificam economicamente ou são ética e moralmente impossíveis de serem conciliadas com o nível de civilização que acreditamos haver alcançado.

Em 1995, por exemplo, os governos representados em conferência das Nações Unidas em Copenhague estabeleceram alguns objetivos a serem atingidos em 2015, tomando como base a situação existente em 1990. Entre eles estava o objetivo principal das atuais Metas do Milênio, adotadas formalmente por 189 países durante a assembleia-geral da ONU de setembro de 2000: reduzir à metade, entre 1990 e 2015, a parcela da população vivendo em condições de extrema pobreza. O Banco Mundial mostrou que, em 1990, havia 1,219 bilhão de pessoas sobrevivendo com menos de US$ 1 por dia (das quais 49 milhões, ou cerca de 4% do total, na América Latina e no Caribe, representando 11,3% da população total dessa região). Mais de 90% dos extremamente pobres estavam localizados na África e na Ásia.

Menciono esses números, conhecidos desde meados dos anos 1990, porque quero registrar uma extraordinária observação feita pelo então candidato Lula (prestes a ganhar a eleição presidencial em 2002) e captada pela eficiente e discreta câmera de João Moreira Salles no excelente documentário intitulado *Entreatos*. A certa altura, o então candidato à Presidência (em conversa informal com correligionários) diz que não acreditava, e se perguntava como alguém poderia acreditar, que o Brasil tivesse 53 milhões de miseráveis passando fome ou milhões e milhões de menores abandonados pelas ruas, como o haviam feito dizer em discurso. A correta intuição do candidato não pôde se sobrepor à força do animado espírito combativo de seus militantes e propagandistas políticos, interessados, à época, na apresentação do mais desolador quadro possível sobre a reconhecidamente insatisfatória realidade social do país.

Há duas coisas que nós, brasileiros, deveríamos ter presentes. Primeiro, que o resto do mundo, desenvolvido e em desenvolvimento, quando fala e tenta mobilizar-se contra a miséria e a pobreza está pensando fundamentalmente na África e em algumas partes da Ásia, certamente não no Brasil e na maior parte da América Latina e do Caribe. Na visão do resto do mundo, proporções "africanas" de pobreza na região, em escala nacional, só as teríamos no Haiti.

A segunda observação, derivada do comentário do presidente Lula, tem a ver com os dois milenares ensinamentos do Templo de Delfos: "Conhece-te a ti mesmo" e "Nada em excesso". Por uma razão simples: exagerar propositadamente a magnitude de um problema social significa tornar não mais fácil, porém mais difícil a mobilização de vontades e ações para superá-lo. Faz uma grande diferença quando os cidadãos de uma comunidade sentem que suas ações podem ter algum efeito prático em minorar um problema que identificam. Essa era a beleza da concepção da Comunidade Solidária.

Vejamos o caso dos seis grandes objetivos sociais do Milênio. O principal o Brasil tem condições de realizar, isto é, de ter, em 2015, reduzido pelo menos à metade a parcela de sua população que vivia em extrema pobreza em 1990. Existem outras cinco grandes metas, todas seguramente ao nosso alcance, algumas para muito antes de 2015: universalizar o acesso à educação fundamental; promover a igualdade dos gêneros no que respeita ao acesso à educação e ao mundo do trabalho; reduzir em dois terços, entre 1990 e 2015, a taxa de mortalidade de crianças abaixo de cinco anos; reduzir em três quartos a taxa de mortalidade materna entre 1990 e 2015; atingir metas no combate à aids (no que o Brasil já é hoje referência internacional).

O Brasil estaria fazendo muito, por si e por sua influência no mundo, se dissesse em alto e bom som que ao menos em seu território pretende ter alcançado os objetivos sociais do Milênio em 2015, ou antes. E fazer o monitoramento anual de forma transparente. Isso envolveria divulgar amplamente os números desde o ano-base de 1990, saber como evoluímos desde então e avaliar se as políticas e os programas existentes nos permitem chegar lá no prazo acordado. Para esse olhar adiante seria talvez desejável reduzir um pouco a sistemática atribuição de culpas ao passado para justificar problemas operacionais do presente e incertezas sobre progressos futuros.

Em resumo, acho que poderíamos avançar em termos de qualidade do debate público no Brasil se reconhecêssemos que são fundamentalmente três as características essenciais presentes em uma sociedade moderna: liberdades individuais, justiça social e eficiência (pública e privada). E que nos puséssemos a discutir objetivamente, em cada área específica, se estamos utilizando os meios mais eficazes para avançar na consolidação desses propósitos maiores. Em vez de nos perdermos em firulas retóricas, rotulagens destituídas de significado e discursos que nem sequer tomam conhecimento das informações disponíveis sobre o que já realizamos, sobre os compromissos que já assumimos — e sobre o muito que sempre haverá por fazer nos entreatos da vida brasileira. Antes e depois de 2006.

IDOS DE MUITOS MARÇOS
13 de março de 2005

Passaram-se 800 dias do mandato que o atual governo recebeu das urnas. Quinhentos dias mais e a campanha presidencial, ora em pleno andamento no governo, entrará em sua reta final. Para os que se angustiam em Brasília à espera de mudanças ministeriais, se o poeta T.S. Eliot fosse brasileiro talvez tivesse designado março e não abril como "o mais cruel dos meses". E, séculos antes, Shakespeare já havia feito um vidente alertar Julio Cesar: "Cuidado com os idos de março." No antigo calendário romano, o dia 15 daquele mês marcou a data do assassinato de Cesar no Senado.

O Brasil dos últimos 40 anos teve tantos marços sob governos militares (1965-1985) quanto marços sob governos eleitos (1985-2005). Olhando em retrospecto, o vidente de Shakespeare teria razão no seu alerta sobre cuidados com muitos dos idos de março que se aproximavam. É inútil especular sobre o que mais poderia ter dito o vidente, por exemplo, a Goulart, sobre cuidados com a chegada das águas de março de 1964. Ou a Castelo e Costa e Silva sobre março de 1967. Ou a Geisel sobre março de 1974, após o primeiro choque dos preços do petróleo. Ou a Figueiredo sobre a carga de seus seis marços, após Volcker, o segundo choque do petróleo e o fim de um ciclo de crescimento com endividamento externo. O destino foi cruel com Tancredo, presidente eleito e não empossado, nos idos de março de 1985: nesse caso, o vidente se referiu a outro tipo de cuidados, diferentes dos que Tancredo tão bem soube cuidar.

Não foram fáceis nenhum dos marços de Sarney, mas, em 1989, quem tinha menos de 47 anos votou para presidente pela primeira vez na vida. O vidente poderia ter alertado Collor de que era vã pretensão acertar um único tiro na testa da fera (a inflação) nos idos de março de 1990; e que a falta de cuidado poderia lhe custar alguns dos marços a que teria direito. Talvez tenha avisado Itamar Franco sobre os cuidados que seriam necessários para com a célula embrionária do real, lançada em março de 1994. E alertado Fernando Henrique para cuidados com os marços de 1995, 1998, 1999 e 2002. Seguramente alertou Lula para os enormes cuidados com seus primeiros dois marços, em 2003 e 2004. Deve ter dito algo para inspirar os cuidados que o governo tem demonstrado com os idos de março de 2005.

Esses cuidados têm assumido sua face mais visível com as complexas operações de montagem do novo ministério, que vêm tendo lugar há meses e cujo anúncio final está sendo sucessivamente postergado. Seu objetivo maior é procurar assegurar elegibilidades e governabilidades. A meta da reeleição em 2006 é explícita, não deixa margem a ambiguidades e, resguardadas as leis e certas sobriedades em práticas e comportamentos, faz parte das regras do jogo democrático.

O objetivo da governabilidade tem duas vertentes. Uma diz respeito à busca de consolidação da base de apoio político-partidário ao governo no Congresso. O que demandaria composições com amplo leque de forças partidárias e individuais para evitar certas coisas, permitir outras e, idealmente, procurar fazer avançar uma agenda legislativa modernizadora ao longo dos próximos 500 dias (dos quais apenas 200 e poucos serão de trabalho efetivo em termos de sessões plenárias no Congresso, por razões conhecidas).

A outra vertente da governabilidade diz respeito à possibilidade de as mudanças a serem anunciadas nos próximos dias no âmbito do Executivo de fato poderem aumentar o (sempre relativo) grau de eficiência operacional da máquina governamental em seus vários setores. Em particular na área social, onde, por larga margem, maior é a distância em termos de resultados entre as duras realidades do país e as expectativas de extraordinários avanços concretos, geradas pelas exacerbadas promessas da campanha presidencial anterior.

O vidente da peça de Shakespeare mais uma vez acertaria se antecipasse que haverá mais cuidado com promessas em 2006, quando o governo atual terá construído uma herança de quatro anos que talvez possa ser avaliada mais por resultados efetivamente alcançados do que por esforços retóricos e novas profecias sobre o futuro. O vidente de Shakespeare representa mais que uma metáfora sobre previsões e seus tempos. No texto do bardo, Cesar tem sua atenção despertada para a voz que o chama em meio ao alarido da multidão. Ao perguntar quem o chamava ("Who is it in the press that calls on me?") ouve a frase famosa, chama o vidente à sua presença, ouve a frase uma segunda vez e o despacha como um sonhador. Cesar volta a encontrá-lo à porta do Senado no dia de sua morte. Diz-lhe que os idos de março chegaram e o vidente responde: "Sim, Cesar, mas não se foram" (isto é, o dia 15 de março não terminara). O vidente estava certo, mas, como no mito de Cassandra, fadado a não ser acreditado.

Mais importante, o vidente de Shakespeare é uma metáfora sobre os cuidados que se deve ter com a opinião pública, que é, como disse Millôr Fernandes, aquilo que se publica, embora para o economista John Kenneth Galbraith, "discursos de improviso jamais deveriam ser publicados e se publicados não deveriam ser lidos". A palavra *press* em inglês antigo era sinônimo de "multidão" (*crowd*). Cuidados com "os idos de março" refere-se também aos cuidados que se deve ter com a opinião pública, o que a imprensa acaba por refletir por meio do livre debate de opiniões — que deve sempre respeitar os fatos, as pessoas e suas ideias.

Estamos ainda por chegar aos idos de março de 2005, embora muitos, em movimentação e postura, já se comportem como se estivessem em março de 2006 (e pensando em março de 2010). Mas, como diria Donald Rumsfeld em seus raros momentos filosóficos: "Há coisas que sabemos que sabemos; há coisas que sabemos que não sabemos; há coisas que não sabemos que sabemos; e há coisas que não sabemos que não sabemos."

O que importa é que Shakespeare, o "inventor do humano" segundo Harold Bloom, sempre ajuda a nos lembrar, por meio de seu vidente, o cuidado que todos devemos ter com os idos dos marços que virão.

AS ÁGUAS DE ABRIL
10 de abril de 2005

Ninguém se banha duas vezes no mesmo rio. Para o filósofo, as águas não são as mesmas e as pessoas também mudam com o passar do tempo. Para o poeta, a própria vida é um rio, que vai dar no vasto oceano que é a morte. Metáforas sobre rio/vida, mar/morte e tempo/água fluindo no meio da noite são recorrentes na literatura universal. O rio — caudaloso — da vida do papa João Paulo II esvaiu-se no mar aberto de sua morte e o fato emocionou milhões mundo afora. Afinal, aquele rio, como diria Guimarães Rosa, tinha sua "terceira margem", que nunca deixará de existir: a necessidade que o animal humano tem de acreditar em algo que pareça conferir algum sentido à sua precária existência individual e à sua vida em sociedade.

Eduardo Giannetti, em seu magnífico *Autoengano*, escreve sobre a "hipnose da boa causa" e, em particular, sobre a "força do acreditar como critério da verdade", mostrando sua importância fundamental para o mundo da política — e da propaganda política, talvez a segunda mais antiga das profissões. E que assume extraordinário relevo em midiáticas sociedades de massa neste início do século XXI. Como no Brasil de 2005. Estamos em abril, e, no governo e em seu partido, corações, mentes e nervos parecem estar concentrados em preparativos de toda ordem para as eleições de outubro de 2006. Antes das quais muitas águas ainda vão rolar.

É parte integrante desse jogo de propaganda política a tentativa de associar a outros o que não se quer, responsabilizando-os (por ações ou omissões) pela existência dos males do mundo real. E procurando vender-se ou autoproclamar-se como o verdadeiro detentor do monopólio das "preocupações com o social", com "a ética na política", com um "superior modo de governar"; com a "seriedade no trato da coisa pública"; com coisas que "nunca-jamais-foram-pensadas-ditas-ou-feitas-na-história-deste-país", e assim por diante. Como se fosse possível a um grupamento político apropriar-se do "bem" por delegação autoconferida e com este ter contrato de exclusividade, atribuindo aos demais grupamentos políticos a persistência dos aspectos indesejáveis do mundo real.

A propósito, *A mistificação das massas pela propaganda política* é um interessante livro de Serge Tchakhotine, traduzido para o português por Miguel Arraes e editado pela Civilização Brasileira em 1967. A obra é dedicada a Pavlov e a H.G. Wells, "genial pensador do futuro". Para Wells, citado em epígrafe, esse futuro "deveria ser, em primeiro lugar, necessariamente, a obra de uma ordem de homens e mulheres, animados de espírito combativo, religiosamente devotados, que se esforçarão para estabelecer, e impor, uma nova forma de vida à raça humana". Essa citação é de 1933, e a primeira edição do livro é de 1939. A segunda, base de tradução de Arraes, é de 1952.

Ora, direis, para que ouvir e ler velharias há muito ultrapassadas? Afinal, estamos em abril de 2005. O fato é que este espaço não seria suficiente para listar as experiências ou tentativas (nacionais, regionais ou mesmo de pretensões globais) que se propuseram a estabelecer e/ou impor novas ordens políticas, sociais e econômicas às suas populações ou mesmo à "raça humana". Inclusive na vigência daquilo que foi considerado o curto (Hobsbawm) e difícil (João Paulo II) século XX.

Não há nenhum perigo de autoritárias "imposições de uma nova ordem" em democracias consolidadas, como é hoje o caso do Brasil. Os riscos e as incertezas que pairam sobre nós são de outra natureza. Têm mais a ver com o grau de identificação, por parte da opinião pública, da natureza dos reais desafios a enfrentar para que possamos avançar na construção de uma sociedade que combine liberdades individuais, justiça social e eficiência, tanto no setor privado quanto no setor público.

Não é fácil fazer esse debate avançar em termos de maior qualidade e melhor entendimento. Mas o Brasil tem feito progressos nessa área, porque conta com homens e mulheres dispostos não a estabelecer ou impor "novas ordens", e sim a tentar persuadir, convencer e argumentar com ideias que respeitem os fatos, as pessoas, a lógica, o estágio de conhecimento que já alcançamos e as lições da experiência nossa e do resto do mundo.

Neste segundo fim de semana de abril, por exemplo, conforme registros da imprensa, o Partido dos Trabalhadores fará realizar um encontro de seu chamado "campo majoritário" — cuja chapa venceu as últimas eleições internas em setembro de 2000 com 51,6% dos votos — para avançar no processo de *aggiornamento* do partido, a ser sacramentado, espera-se, nas eleições internas de setembro deste ano. Ficou claro, no intenso processo de aprendizado dos últimos dois anos e meio, que uma coisa é chegar ao poder. Outra, muito distinta, é governar no dia a dia, o que exige muito mais o gradualismo reformista que a promessa e a geração de expectativas de dramáticas rupturas.

Creio que o debate público neste ano e meio que falta para as eleições de 2006 poderia ser tão mais produtivo quanto mais conseguíssemos ir adiante em três aspectos. Primeiro, focalizar as discussões não sobre vagos, generosos e puramente retóricos discursos sobre desejáveis objetivos a alcançar, mas sobre os meios específicos mais efetivos para alcançá-los. E, particularmente, sobre as questões de gestão administrativa envolvidas, comparando diferentes experiências concretas. Afinal, já temos quase dois anos e meio de experiências a serem avaliadas. Serão três e meio na reta final.

Segundo, trazer para o debate a questão das distâncias entre o discurso e a prática, entre as promessas de campanha e as efetivas realizações do governo, entre as decisões que tiveram de ser tomadas no calor da hora, com as incertezas e dúvidas do momento, e os fáceis exercícios de sabedoria *ex-post*, aos quais muitos se dedicam, esquecendo que houve um momento em que aquilo que hoje é passado, e, portanto, conhecido, encontrava-se em incerto e desconhecido futuro.

Por último, a qualidade e a ética do debate só teriam a ganhar se conseguíssemos diminuir ao máximo as lamentáveis tentativas de reduzir a escombros reputações alheias, para procurar erigir sobre esses mesmos escombros as próprias reputações de "seriedade". Como diria

Joaquim Ferreira dos Santos, estão faltando "humildificadores" em meio a essas turbulentas águas de abril de 2005.

JOGO JÁ JOGADO?
8 de maio de 2005

A primeira entrevista coletiva do presidente Lula, dois anos e meio após a vitória eleitoral de 2002, marcou o lançamento oficial da campanha pela sua reeleição. Eventuais dúvidas a esse respeito foram rapidamente eliminadas pelo discurso de 1º de maio e pelo improviso subsequente, no qual o presidente fez promessa, assumiu compromisso e estabeleceu meta a ser atingida em 2008. Ao que tudo indica, de agora até outubro de 2006, Lula estará cada vez mais no palanque.

Aqueles que acham que o atual presidente é imbatível hoje e que, portanto, também o será um ano e meio à frente, baseiam suas convicções, expectativas e análises principalmente em dois fatores: o desempenho da economia; e a inegável capacidade de comunicação com o povo que ele demonstra ter e cultivar com uma naturalidade tida como incomparável à de qualquer outro político brasileiro. A combinação desses dois fatores permitiria escrever, desde já, a crônica de uma vitória preanunciada.

É cada vez mais claro que três ordens de fatores possibilitaram o bom desempenho observado na economia brasileira no período mais recente.

Em primeiro lugar, o extraordinariamente favorável contexto internacional que marcou o passado mais imediato. Como nota o FMI, a economia mundial estava crescendo em fins de 2003 e início de 2004 a uns "tórridos" 6% em termos reais. Mesmo declinando para 5% no ano-calendário de 2004, essa foi a taxa mais elevada da economia global em "uma geração". Esse crescimento foi, como era de esperar, acompanhado de forte expansão do comércio mundial tanto em volumes quanto em preços. As taxas de juros internacionais estiveram, de meados de 2003 até o momento, nos níveis mais baixos dos últimos 40 anos, estimulando extraordinária expansão da liquidez internacional, reduzindo aversão a riscos e permitindo amplo acesso ao mercado internacional de capitais.

Em segundo lugar, é preciso fazer justiça ao papel do ministro Antonio Palocci na condução da política macroeconômica, resistindo a intenso "fogo amigo" ao longo de mais de dois anos e reafirmando o compromisso com a responsabilidade fiscal, a preservação da inflação sob controle, a política de câmbio flutuante e o respeito a contratos e acordos internacionais. Dado que esse não era o ideário do partido, essa postura foi essencial para a gradual redução das incertezas que marcaram boa parte do ano de 2002 e para o processo de formação de expectativas em 2003 e 2004.

Por último, mas não menos importante, estão os processos de mudança institucional e de transformação estrutural que vêm caracterizando a evolução da economia brasileira há mais de uma década. Como a derrota da hiperinflação, de 1.000% ao ano, em média, no período 1988-1994. Como a maior abertura relativa da economia, estimulando, em um primeiro momento, as importações de máquinas, equipamentos, peças, componentes e insumos produtivos, e aumentando a eficiência da economia e de sua competitividade internacional. Como a Lei de Responsabilidade Fiscal e a negociação das dívidas com estados e municípios. Como o saneamento do sistema financeiro pós-hiperinflação. Como a abertura ao investimento privado nas áreas em que o setor público não teria condições de realizar os investimentos necessários ao crescimento do país.

Em resumo, o desempenho recente da economia brasileira foi o resultado de uma combinação favorável de fatores externos (comerciais e financeiros), de uma condução responsável da política macroeconômica e de avanços realizados pela economia e pela sociedade brasileira na vigência de administrações anteriores.

Em 2005, a economia internacional ainda deverá ter razoável desempenho, embora não tão favorável quanto em 2004. São inevitáveis os aumentos das taxas de juros norte-americanas. A volatilidade das taxas de câmbio entre as principais moedas não deve diminuir, dada a magnitude do desequilíbrio do balanço de pagamentos dos Estados

Unidos, seu elevado déficit fiscal e a mais baixa taxa de poupança privada de sua história. Continuam as incertezas sobre a sustentação do alto crescimento da Ásia, sobre o relativamente baixo crescimento da Europa, bem como sobre o preço internacional do petróleo.

Quanto à condução da política macroeconômica, não há razão para duvidar do compromisso do ministro Palocci, de suas convicções sobre política fiscal e monetária e, espera-se, da continuidade do respaldo que até agora lhe deu o presidente. A vinda de Murilo Portugal para o cargo de secretário executivo do Ministério da Fazenda foi uma excelente escolha do ministro, garantia de que não se cederá à pressão por crescentes gastos públicos e se manterá a expectativa de maiores avanços na consolidação fiscal. A presença do deputado Paulo Bernardo como ministro do Planejamento reforça essa esperança.

Quanto à continuidade do progresso em matéria de construção institucional, de mudanças estruturais e daquilo que o competente ex-secretário de Política Econômica Marcos Lisboa chamava, corretamente, de agenda microeconômica de redução de barreiras ao investimento, o que se pode desejar é que ela não seja afetada negativamente pelas emoções de um prematuro lançamento de campanha. Nem pelas complexas negociações e barganhas políticas destinadas a buscar apoios eleitorais. Nem tampouco pelo fato de que o governo parece ter perdido o controle da agenda legislativa na Câmara dos Deputados.

Os tempos da economia e os tempos da política não são os mesmos. Mas este ano e meio à frente será um pouco mais tenso, incerto e com maiores riscos — externos e internos —, exigindo mais que discursos eleitorais. O governo atual vem construindo sobre avanços realizados pela sociedade brasileira. E é fundamental que tais avanços tenham continuidade.

Isso é muito, muito mais importante que uma exaustiva repetição de discursos sobre marcos fundadores de uma nova era, que teria sido iniciada sobre os escombros de uma maldita herança, a partir das eleições de 2002, e do "histórico redesenho de geometrias", internas e externas, que se lhe teria seguido.

Na verdade, como bem disse o deputado José Genoino em entrevista ao jornal *O Globo* de 4 de fevereiro deste ano, "a função de quem se elege é governar e não ficar no palanque".

A MICROFÍSICA DO PODER E A ECONOMIA

12 de junho de 2005

"O real não está na saída nem na chegada: ele se dispõe para a gente é no meio da travessia." A bela frase é de Guimarães Rosa em seu magnífico *Grande sertão: veredas*. Gostaria de utilizá-la como base para dois breves comentários: um sobre política e os meandros do poder, e outro sobre a importância de decisões na área econômica em momentos de especial turbulência política. Qualquer semelhança com a situação atual não é mera coincidência.

Em artigo publicado em 1980, em meio à crise político-institucional italiana da época, Norberto Bobbio escreveu: "A ideia tradicional de que o poder reside numa pessoa, numa restrita classe política ou em determinadas instituições colocadas no centro do sistema social é enganadora. Não compreendeu a estrutura ou o movimento de um sistema social aquele que não se deu conta de que este é constituído por uma densa e complexíssima inter-relação de poderes. O poder não está apenas difuso e repartido. Ele está disposto em estratos que se distinguem um do outro por diferentes graus de visibilidade."

Segundo esse critério, há três instâncias ou faixas de poder.

Primeiro, há o governo do poder visível, ou seja, o poder que em democracias se exerce ou se deveria exercer publicamente, à luz do sol, e sob o controle da opinião pública.

Segundo, há a faixa do poder "semissubmerso", esse vasto espaço ocupado pelos órgãos e pelas entidades públicas por meio dos quais se exerce o dia a dia das políticas governamentais em sua dimensão operacional.

Terceiro, há a faixa do poder invisível, que pode assumir três formas: um poder invisível dirigido a lutar contra o Estado (organizações criminosas, associações de delinquência, terroristas, narcotraficantes...); um poder invisível formado e organizado não para combater o poder público, mas para extrair benefícios ilícitos e buscar vantagens que não seriam possíveis em uma ação feita à luz do sol; e, finalmente, o poder invisível como instituição do Estado: os serviços secretos, "cuja degeneração pode dar vida a uma verdadeira forma de governo oculto".

Há momentos na vida de um país em que ocorrem súbitas e dramáticas elevações do interesse público sobre essas questões, que Michel Foucault denominou de "microfísica do poder". Como no Brasil do momento, em que parcela crescente da opinião pública mais informada procura entender os meandros dos poderes semissubmersos e invisíveis, e as relações entre eles, sempre perigosas e com frequência espúrias. Brilhante intelectual brasileiro, que, lamentavelmente, se foi cedo demais, José Guilherme Merquior costumava lembrar que "o bom combate não é contra o Estado, é contra certas formas indevidas de apropriação e aparelhamento do Estado".

Mas esse é um bom combate permanente. Aqui, como na frase do velho Rosa, não há saída nem chegada, apenas demorada e tormentosa travessia. Na qual estamos, e estaremos, pelos próximos meses. Ao longo dos quais, esperemos, seja possível avançar política e institucionalmente. Contando o atual governo, talvez, com uma oposição com atitude distinta da destrutiva oposição que enfrentou o governo anterior. Em especial, por parte daqueles que se consideravam exclusivos detentores da preocupação com "a ética na política" e "o social" e portadores de uma superior tecnologia de governo, um "modo de governar" que nunca dantes teria sido visto na história do país. A realidade, porém, como sabemos, se dispõe para as gentes é no meio da travessia.

No necessário e coletivo esforço para não se deixar levar por ceticismos e desencantos que a nada levam, e para transformar crise em oportunidade de avançar mais, é preciso um enorme cuidado para que as incertezas e turbulências políticas não afetem negativamente as expectativas quanto à evolução da economia, como tantas vezes aconteceu no passado.

No mundo da economia, que não é um mundo à parte do mundo da política, também não há momento de partida e momento de chegada. Mas há que haver a perspectiva das travessias, sejam as já realizadas, sejam aquelas por realizar. Por exemplo, quantos, entre os eventuais leitores, se lembrariam da verdadeira marcha da insensatez que foi a história do processo inflacionário no Brasil no extenso período que antecedeu o lançamento do real?

A derrota da hiperinflação em 1994 é vista por muitos como a expressão maior da importância do real. Entretanto, o seu verdadeiro significado, aquele que "só se dispõe para a gente no meio da travessia", é bem mais amplo e profundo — e ainda se desdobra entre nós, neste início da segunda década de vigência da nova moeda. O verdadeiro significado do real — e o que de mais positivo trouxe ao país — foi permitir que passássemos, como sociedade, a encarar de frente nossos inúmeros e inegáveis problemas, que a dependência à droga não nos permitia compreender de maneira apropriada, isto é, com a necessária visão de médio e longo prazos.

Paradoxal como possa parecer, tal visão de médio e longo prazos e a implementação da agenda de compromissos a ela associada precisam ser reafirmadas precisamente em momentos de maior incerteza e turbulência política. Por exemplo, é hora de reiterar — no discurso, na prática e com a sinalização do horizonte de tempo envolvido — o compromisso com a responsabilidade fiscal e o esforço que se fará necessário nessa área no próximo triênio. No âmbito do regime monetário, é hora de reafirmar o compromisso com o regime de metas de inflação como mecanismo de coordenação de expectativas quanto ao curso futuro dos preços. Da mesma forma, é preciso sinalizar, de maneira crível, o compromisso com avanços nas agendas regulatória e microeconômica, que se confundem com o projeto de redução das barreiras ao investimento privado.

Essas sinalizações assumem especial relevância no momento atual, ainda que envolvam processos que se desdobram no tempo. Afinal, como diria Guimarães Rosa...

VIDA DURA

10 de julho de 2005

A alma pode enrugar antes da pele (Millôr), mas é ela que ganha ou perde partidas (Nelson Rodrigues). Para muitos, inclusive petistas e simpatizantes, a alma do PT vem enrugando mais que a pele de suas 25 primaveras. Helena Chagas expressa visão de muitos analistas: "O PT perdeu a inocência e se tornou um partido igual aos outros. Foi-se a esperança, sobrou o medo do que pode vir." Mestre Verissimo pega pesado: "A triste história do autoemporcalhamento do PT tem uma outra triste história ao lado, a do tom celebrativo, eufórico, com que está sendo recebida. O PT está pagando caro pela sua pretensão de não ser como os outros." Certo ou errado, o fato é que o PT-no-governo e o governo-do-PT estão atravessando a pior crise de sua história.

Nesse momento difícil, qual poderia ser a postura daqueles que pensam, com serenidade, no Brasil e em seu futuro, que não estão eufóricos celebrando nem desejam — pelo contrário — se deixar levar pela onda de desencanto e ceticismo, para não dizer cinismo, em relação ao mundo da política?

Em primeiro lugar, agradecer o fato de que nossa mídia cresce extraordinariamente nas crises em termos de extensão, qualidade e profundidade de sua cobertura e interpretação dos fatos. Pode haver excessos, mas é importante manter sempre viva a lição do jornalista Hipólito da Costa: "A imprensa livre corrige-se a si mesma, porque não pode haver razão para que a mentira, sendo tão livre quanto a verdade, prevaleça contra esta."

Em segundo lugar, reafirmar que não é desejável nem possível generalizar: não há uma "irmandade do tudo igual". Assim como há biltres, mequetrefes e peralvilhos em todas as profissões, também os há em todos os partidos políticos. Por outro lado, há gente honesta, decente, responsável, de espírito público, com séria preocupação social nos partidos. Um dos enormes erros do PT foi o de tentar vender, exaustivamente, a ideia de que só os haveria no PT. Apenas lá — ou entre simpatizantes — estariam os verdadeiramente puros e os detentores de um saber a outros negado: o assim chamado "modo petista de governar", que justificaria o aparelhamento do Estado para realizar "grandes coisas" (Maquiavel). Como estamos vendo, duros podem ser os encontros com o mundo real. Mas o país poderá sair melhor desse penoso aprendizado coletivo, como sugerem reações recentes, inclusive do presidente Lula. E assim como a imprensa livre corrige-se a si mesma, um eleitorado livre e bem informado também pode fazê-lo.

No Brasil dos últimos 80 anos, apenas dois presidentes civis, eleitos diretamente pelo voto popular, passaram seus cargos a outros presidentes civis, também diretamente eleitos: JK e FHC. Lula será o terceiro, e é importante que seja assim, para o bem da democracia no Brasil. Seu segundo Gabinete, após o de José Dirceu, está sendo gradualmente anunciado, junto com sinais de que é com ele que o presidente pretende ir até as eleições de outubro de 2006, nas quais o atual governo se apresentará ao eleitorado com sua própria herança de quatro anos. Ao que tudo indica, a melhor parte dessa herança estará menos nas áreas política e social e mais na área econômica (ajudada por uma situação internacional favorável, pela coerência do ministro Antonio Palocci e por avanços logrados por administrações anteriores). Paradoxalmente, é o êxito dessa área mais criticada pelo "fogo amigo" do governo que ainda faz de Lula o candidato favorito à própria sucessão. Portanto, a questão econômica estará no centro do debate ao longo do que resta do mandato do atual presidente.

No Brasil de hoje, é fundamental um esforço para aprofundar o entendimento coletivo sobre a relação entre gasto público, carga tributária e estoque da dívida pública. Por três razões: primeiro, porque uma sociedade moderna julga uma determinada carga tributária em função do que recebe como contrapartida, em termos de quantidade e qualidade dos serviços públicos prestados. Segundo, porque uma sociedade deve analisar a extensão em que o nível e a composição tanto do gasto público como da carga tributária afetam a eficiência da economia (da qual depende o crescimento econômico), a redução da pobreza e a melhoria das condições da vida da população (que expressam o estágio de desenvolvimento social alcançado). Terceiro, o nível e a composição da dívida pública, além de sua trajetória no tempo, definem as cruciais perspectivas de solvência do setor público, o espaço aberto ao investimento privado e as expectativas quanto à redução dos juros reais. Portanto, dívida, tributação, gasto público, eficiência e equidade são temas inter-relacionados que estarão no centro do debate público sobre crescimento no Brasil ao longo dos próximos meses — e anos.

Esse debate vem avançando entre nós. Por exemplo, há um crescente reconhecimento de que, no contexto atual, há cinco "coisas" inaceitáveis e equivocadas na área das finanças públicas. Primeiro, o Brasil não deve aumentar sua carga tributária como proporção do PIB, hoje uma das maiores, se não a maior entre os países em desenvolvimento. Segundo, o Brasil não deve e não pode aumentar o endividamento público; muito antes pelo contrário, deve ter uma estratégia de contínua redução gradual da relação dívida/PIB, com o objetivo de convergir para menos de 40% do PIB em 2010, conforme aprovado por presidentes e ministros da Fazenda do Mercosul, mais Chile e Bolívia, em dezembro de 1999. Terceiro, é inaceitável para a sociedade brasileira o retorno da inflação como mecanismo de financiamento de gastos públicos. Quarto, o Brasil não deve e não pode reduzir ainda mais a proporção do investimento público como proporção de gasto primário total em seu processo de consolidação fiscal. Quinto, embora seja unânime o desejo nacional por taxas de juros nominais e reais mais baixas, sabe-se hoje que não se as reduz por decreto presidencial ou puros atos de voluntarismo, mas criando condições para tal.

A conclusão inescapável: é fundamental avançar na direção de mudanças legais, práticas de gestão e procedimentos operacionais que permitam reduzir significativamente, e de maneira crível, as taxas de expansão dos gastos totais de consumo do governo nos próximos anos.

Não será nada fácil, nunca foi e nunca será. Mas, entre as alternativas, esta é hoje a melhor saída, tanto para o governo recompor sua alma quanto para o país recuperar "a fé no que virá e a alegria de poder olhar para trás" com a sensação de que se ergueu à altura de seus desafios.

DESENCONTROS MARCADOS

14 de agosto de 2005

"Do querer ser ao crer que já se é vai a distância entre o trágico e o cômico, o passo entre o sublime e o ridículo." A frase é do filósofo José Ortega y Gasset em suas *Meditações do Quixote*, sobre a obra-prima de

Cervantes que há exatos 400 anos encanta seus leitores. É possível — e desejável — interpretar a frase de maneira positiva, como o fez Santiago Dantas em admirável ensaio do início dos anos 1960. Afinal, o desejo de dar o melhor de si, de superar-se sempre naquilo que se faz, é uma das mais sublimes e legítimas aspirações humanas. Mas curta é a vida e longo o ofício de aprender. A obra sonhada é sempre mais bela que a realizada.

Na verdade, é sempre possível "sonhar um sonho errado", como escreveu Gabeira em seu discurso de despedida do PT. E sonhar o "sonho certo", como já notei neste espaço, inclui não ter excessivas ilusões sobre as dificuldades em realizá-lo; saber da importância crucial do trabalho preparatório; e, principalmente, não permitir que a legitimidade dos fins (os sonhos) justifique a não idoneidade dos meios utilizados para realizá-los.

Poucos imaginariam, por exemplo, que aquilo que para muitos parecia três meses atrás um confirmadíssimo encontro marcado com mais quatro anos de Lula, a partir das eleições de 2006, passaria rapidamente a ser visto, também por muitos como uma sequência de desencontros, já marcados, para as semanas e os meses que se seguirão a estes sombrios dias de agosto.

Seria possível lançar à frente um olhar não negativo, em meio a tanta perplexidade e desencanto, com revelações que se sucedem em vertiginoso ritmo? Penso que sim, e tento dizer a seguir por quê, sempre seguindo o conselho de Luis Fernando Verissimo e adicionando as expressões "salvo erro" e "salvo novas evidências em contrário" a quaisquer conclusões.

A dramática, profunda e inacreditável crise ora enfrentada pelo PT, com seus inevitáveis reflexos no governo do presidente Lula e em sua "base de sustentação parlamentar", tão, digamos assim, insolitamente formada, vai estimular uma profunda reflexão que talvez não tenha ocorrido no partido e seus arredores com a intensidade necessária nos anos que antecederam sua chegada ao poder.

O fato é que o PT chegou ao poder sem ter passado pela revisão programática e pelo debate político interno que marcaram, por exemplo, a "refundação" do Partido Trabalhista inglês antes da vitória de Tony Blair sobre os conservadores. Ou do PSOE espanhol, ou do Partido Socialista Francês, após os turbulentos primeiros dois anos de Mitterrand. Ou, para ficarmos mais próximos, lembremos a belíssima lição que nos deram os socialistas e democratas-cristãos chilenos ao se unirem na "concertación" não apenas para se opor à influente direita chilena e conquistar o poder, mas também para mostrar capacidade de governar de forma eficaz, legitimando-se sucessivamente nas urnas pelo bom governo. É sempre interessante lembrar que Maquiavel escreveu para o Príncipe e não para o governante democraticamente eleito para período determinado. Isso, estamos vendo agora, faz uma enorme diferença.

A partir de agora no Brasil, mesmo levando-se em conta as inevitáveis emoções, o calor da hora e os reposicionamentos eleitorais visando 2006, creio que no PT e também nos principais partidos haverá uma tentativa de aprofundar a reflexão sobre seus respectivos futuros, sobre o que representam e sobre seus programas. Escrevendo igualmente em um agosto, só que de 1979, Norberto Bobbio notou que em "países não apenas governáveis, mas governados, existe uma relação entre grupos e programas. Na Itália, não. Num sistema de partidos complicados, onde por governabilidade se entende até a difícil operação de formar um governo, não se fazem alianças com base em opções de fundo (governabilidade em sentido forte); as opções são feitas com base em possíveis alianças, de tal forma que por vezes tornam as opções de fundo impossíveis". No Brasil, há cabeças lúcidas em todos os grandes partidos que talvez possam aproveitar esta hora difícil para tentar enfrentar politicamente essa questão, nada trivial, particularmente em uma democracia de massas como a nossa.

Uma das vantagens que temos sobre países onde não há imprensa livre é que, nesses momentos difíceis, aumentam a quantidade e a qualidade média das análises, das interpretações, das entrevistas, dos artigos e ensaios que procuram contribuir para o entendimento do processo em curso.

Infelizmente, também surgem manifestos de "professores universitários" na internet, tentando compatibilizar apoio ao governo com críticas à democracia representativa. Assim como renovados apelos a mudanças significativas na condução da política macroeconômica com vistas a um melhor desempenho do partido nas eleições de 2006.

Ora, para além do carisma do presidente e de sua inegável capacidade de comunicação com o povo, a principal razão do apoio que hoje recebe o governo Lula é derivada da situação da economia. Que, por sua vez, é explicada por um contexto econômico internacional muito favorável, pela atuação do ministro Antonio Palocci e sua equipe e, por último, mas não menos importante, por avanços institucionais e mudanças estruturais realizados pelo Brasil ao longo de muitos anos. É fundamental preservar essas conquistas, reafirmar os compromissos com sua consolidação e procurar sinalizar de maneira convincente a importância de avançar mais. Mesmo em meio a essa crise, e exatamente por causa dela, a economia do país deve ser preservada, porque o resto do mundo que conosco compete está se movendo com rapidez.

Nesse contexto, a palavra-chave é confiança. O momento exige uma rara, difícil e paradoxal combinação de serenidade, convicção, humildade e determinação para levar as investigações em torno do Mensalão adiante e aprofundar o entendimento do que deu errado. O fascinante livro de Roy Jenkins sobre Roosevelt, recém-lançado em português, contém inúmeros exemplos daquilo que o autor chama de o maior atributo pessoal de Roosevelt: "Sua confiança capaz de transmitir confiança." Mesmo quando reconhecia erros.

MIL E UMA NOITES
11 de setembro de 2005

"Nós estava errado." Assim mesmo, "*We was wrong*", no original inglês, foi a chamada de uma matéria da revista *The Economist* de algum tempo atrás. A matéria e seu título refletiam três coisas. O velho sentido de humor britânico, tanto mais simpático quanto mais voltado para si próprio. O reconhecimento explícito — e uma boa explicação do porquê — dos "erros" de avaliação anteriormente cometidos. E, mais importante, ao misturar singular e plural em brincadeira, a revista deixava claro a seus leitores que assumia coletivamente as previsões que haviam sido feitas: "Nós erramos e não fulano errou." Não sei por que esse exemplo menor da infindável controvérsia sobre o tema das responsabilidades individuais e coletivas me vem à mente neste sombrio setembro de 2005, em que o governo Lula completará suas Mil e Uma Noites.

Talvez porque a atitude de alguns participantes e coadjuvantes das espantosas histórias que vêm sendo dadas a público nos últimos meses me lembrem a observação de um velho romano: "Ninguém acha que delinquiu mais do que é razoável" (Juvenal, citado por Montaigne em seus *Ensaios*). Mas se essa postura, tal como criticada pelo estoico moralista, é velha como a metade do tempo, há exemplos recentes de outras formas de enfrentar penosas realidades.

Na semana passada, por exemplo, o secretário-geral das Nações Unidas, Kofi Annan, afirmou publicamente que assumia responsabilidade pessoal pelos desastres e ilícitos identificados em devastador relatório produzido por Paul Volcker sobre o programa Petróleo por Alimentos, administrado pela ONU. Disse Annan: "O relatório critica-me pessoalmente e eu aceito as críticas. As conclusões são profundamente embaraçosas para todos nós; a comissão de inquérito rasgou as cortinas e dirigiu uma dura luz sobre os mais recônditos escaninhos de nossa organização." Volcker foi curto e direto: "Nosso mandato era para verificar se houve incompetência na administração do programa, bem como procurar evidências de corrupção. Infelizmente, ambos foram encontrados."

Os mais céticos dirão: não há nada de novo sob o sol. Afinal, a observação de Juvenal tem cerca de 1.900 anos. Para ficar no período mais recente, o excelente livro de H. James sobre a história da Europa (1914-2000) contém uma curta, mas rica, seção sobre casos recentes de corrupção nos principais países europeus que vale a pena ler. Na Europa, como nos Estados Unidos, como em qualquer país, existem tentações a que muitos não resistem (afinal, como diz o nosso moralista maior, o ser humano não falha). Mas o que diferencia os países é o grau de (in)tolerância de seus cidadãos para com ilícitos dessa natureza, a efetividade com que suas instituições são capazes de assegurar a não impunidade e a clareza com que se expressam a respeito, nos discursos e nas práticas (públicas e privadas), os representantes dos Poderes Executivo, Legislativo e Judiciário.

Estamos num desses momentos-chave no Brasil, em termos de definição de responsabilidades, individuais e coletivas, pelas lamentáveis histórias que estão vindo a lume nos últimos meses. Há que confiar na importância do aprendizado coletivo envolvido no processo e nas suas consequências, em termos do aumento da maturidade política e institucional do país, forçadas por uma sociedade que se moderniza. Como vem acontecendo na economia, hoje, paradoxalmente, a principal base de sustentação do governo Lula.

Na minha modesta opinião, contudo, o atual discurso presidencial — *à la* James Carville —, voltado principalmente para a economia (e procurando evitar os temas que estão, no momento, no centro da crise política em que vivem seu partido e seu governo), ainda não demonstrou reconhecer, ao menos de público, as razões do desempenho econômico do país ao longo das primeiras Mil e Uma Noites deste governo.

Resumindo ao extremo algo que venho dizendo há tempos, são três as razões principais desse desempenho. Primeiro, um contexto internacional extraordinariamente favorável, que propicia ao Brasil, assim como a vários outros países, um forte vento a favor. Segundo, a postura do ministro Antonio Palocci e sua equipe, de compromisso firme com uma política econômica coerente, apesar de todo o explícito "fogo amigo". Terceiro, mas não menos importante, os efeitos das mudanças estruturais e dos avanços institucionais alcançados na vigência não só desta como de administrações anteriores, como reconheceu o ministro Palocci em sua exemplar entrevista coletiva de agosto.

Olhar para o restante de 2005, para 2006 — e adiante — significa avaliar como podem evoluir esses três conjuntos de fatores. Sobre o primeiro, o Brasil não tem controle, embora a natureza das respostas do país a eventos externos sempre seja relevante. A resposta reside nos outros dois conjuntos de fatores. A consolidação desses processos é a melhor forma de alcançar o objetivo em torno do qual há total consenso: assegurar um crescimento mais acelerado e de forma sustentada por um bom tempo à frente. Entretanto, como notou o economista Joaquim Eloi Cirne de Toledo, em artigo recente, "(...) é preciso apontar o cerne da restrição ao crescimento acelerado: o baixo nível histórico do investimento na economia brasileira, inclusive em capital humano no sentido amplo, incluindo não apenas educação formal, mas conhecimento técnico e operacional, saneamento, habitação e saúde. Os investimentos que não fizemos no passado (distante ou próximo) parecem impor uma triste e pesada obrigação ao governo e à sociedade".

Essas questões ligadas à redução das barreiras ao investimento (privado e público) têm a ver, em parte, com a política macroeconômica (que, no mundo de hoje, é apenas um meio para que outros objetivos possam ser alcançados), porém, muito mais com as agendas microeconômica e regulatória, com as infraestruturas institucionais e a efetividade de seu funcionamento. E são essas questões que, espero, não estejam ausentes das discussões ao longo dos próximos 12 meses, ao fim dos quais o governo Lula terá completado Mil e Uma Noites e Um Ano. Haja Sherazade.

VISÕES DO PARAÍSO, VERSÃO 2006
9 de outubro de 2005

"O que é escrito ou falado uma única vez permanece rigorosamente inédito", afirmava Nelson Rodrigues, justificando seu constante retorno a certos temas. O presidente Lula parece ter incorporado a letra e o espírito do argumento: "Nenhuma música e nenhum filme teriam sucesso se não fossem repetidos muitas vezes nos rádios e nos cinemas." Deixando de lado dúvidas sobre a relação de causalidade, o fato é que o presidente parece "cada vez mais convencido" não só da excelência de seu governo, como também de que todos deveriam entender que ele não pode "consertar erros de 500 anos em apenas quatro anos de governo". É óbvio que nem tampouco em oito anos.

Mas, de fato, é da reeleição que se trata. Um dos bordões da campanha pela reeleição de Ronald Reagan em 1984 era a frase: "Você ainda não viu nada." Um dos refrões da campanha de Perón nos anos 1950 era a frase: "Perón fez — e fará cada vez mais." Com Duda ou sem Duda Mendonça, será mais ou menos por aí o que vamos ver em 2006.

No plano político mais imediato, a estratégia da reeleição é clara: tentar fazer com que os eventos que desde maio de 2005 ocupam a mídia, com intensidade nunca dantes vista, não mais apareçam com visibilidade em 2006. O desejo de que o presente vire, rapidamente, um passado meio esquecido já está implícito na declaração desta semana: "(...) o denuncismo *ficou* solto por quatro ou cinco meses." Mas "os deputados estão em dificuldades para apurar, as denúncias aparecem e não têm concretude, fica o dito pelo não dito e não existem pedidos de desculpas, reparação e retratação". Em resumo, o governo e o PT estão "cada vez mais convencidos de sua inocência".

O fato é que, ao longo dos próximos 12 meses, o Brasil estará decidindo o restante desta década. Nessa travessia, há três grandes testes implícitos nos aguardando. Todos têm a ver com os eternos discursos sobre esperanças, promessas, sonhos e desejos de mudança.

O primeiro teste será sobre o grau de maturidade político-institucional que pensamos haver alcançado, tal como refletido na forma e no conteúdo da retórica dos candidatos. Em outras palavras, se é verdade que avançamos nessa direção, deveríamos ser capazes, como sociedade, de reduzir o espaço para os discursos messiânicos e salvacionistas, para as manifestações de voluntarismos variados e para as promessas populistas. Todos esses tipos de discurso ainda habitam nosso imaginário político. Mas esses também abrigam formas menos irresponsáveis de procurar manter viva a chama de uma refletida esperança em dias melhores que não sejam meras expressões de vagos desejos, anunciados com propósitos puramente eleitorais.

Apenas um exemplo: a competente e insuspeita Tereza Cruvinel se referiu em sua coluna de 30 de junho de 2004 "ao festival anual de demagogia sobre o salário mínimo, que teve, no passado, o PT na liderança". O espaço é curto para outros exemplos do tipo. No entanto, vale lembrar a observação recente de Roberto DaMatta: "Na raiz desta crise jaz o abalo da crença de que existem pessoas, partidos e ideologias capazes de mudar magicamente o Brasil." A retórica política, versão 2006, indicará quão abalada ficou a crença.

O segundo teste também será decisivo para o nosso futuro e tem a ver com o grau de racionalidade do debate econômico, em particular em torno do tema que é hoje unanimidade nacional: o desejo de alcançar um crescimento sustentável a taxas mais elevadas que a média dos últimos 25 anos. A discussão relevante é sobre a relação desse objetivo, por um lado, com a política macroeconômica e, por outro, com fatores, políticas e ações em outras áreas, não macro, que podem ser tão ou mais importantes para o crescimento sustentado da atividade econômica, do investimento e do emprego.

Na política macroeconômica, é a combinação dos compromissos de preservação da inflação sob controle com a realização do esforço fiscal necessário para reduzir a relação dívida/produto que permitirá a redução significativa dos atuais insustentavelmente altos juros reais. Que poderá ser tão menos gradual quanto maior for a credibilidade do compromisso dos governos, e do respaldo que tenham na sociedade, com as responsabilidades fiscal, monetária e cambial.

Vale lembrar, contudo, invocando o velho Nelson, que o desempenho recente da economia brasileira se deve a três conjuntos de fatores: um contexto internacional extraordinariamente favorável (expansão de produto, comércio e liquidez, não vistos há 30 anos); uma postura responsável na condução da política macroeconômica; e, por último, mas não menos importante, avanços institucionais e regulatórios, bem como mudanças estruturais e microeconômicas alcançados pela economia e pela sociedade brasileira na vigência desta administração e de anteriores. São esses mesmos três conjuntos de fatores, a qualidade do debate em torno deles e os avanços adicionais que continuarão definindo as nossas perspectivas em 2006 — e adiante.

O terceiro teste a que nos submeteremos nos próximos 12 meses diz respeito à nossa capacidade de olhar para o futuro, além de 2006. Analisar o passado é sempre fundamental, mas para aprender com os erros e os acertos e entender as complexidades por outros enfrentadas. Afinal, houve uma época na qual eventos hoje em conhecido passado ainda estavam em incerto futuro. Isso deveria servir de antídoto a arrogâncias variadas e críticas fáceis. Além do mais, o passado recente deveria levar ao abandono definitivo das tentativas retóricas de apropriação indébita das bandeiras da ética, da esperança e da mudança.

Juscelino Kubitschek, sempre tão reverenciado em momentos como este, propôs tentar fazer o Brasil avançar 50 anos nos cinco anos de seu mandato. Ele estava, como sempre, olhando à frente. Não se lamentando pelos erros cometidos nos anteriores 455 anos "da história deste país", nem adjetivando heranças, nem tampouco se esquecendo de que ele mesmo deixaria ao sucessor sua própria herança na forma de fatos objetivos, e não de uma midiática retórica sobre a grandeza de suas boas intenções — e de suas visões do paraíso.

O ATROZ ENCANTO DE SER BRASILEIRO

13 de novembro de 2005

"O relator foi duro. Afirma que encontrou clara evidência de envolvimento político no esquema, supervisão inadequada, grosseiro superfaturamento e uma cultura de direito adquirido a recebimentos em dinheiro vivo e a outros benefícios entre os administradores do esquema. O relator culpou principalmente o chefe de governo, por omissão e por haver estabelecido o funcionamento do esquema por meio de seu gabinete; o chefe de sua Casa Civil e o seu ministro de Obras Públicas, por má gestão de recursos. Um publicitário já se declarou culpado de fraude e um alto servidor público que concedia os contratos de patrocínio está sendo indiciado."

O país é o Canadá e o trecho acima transcrito é uma tradução quase literal de parte de matéria publicada no *The Economist* da semana passada sobre o relatório do juiz encarregado de investigar o caso. Trata-se de um "esquema de patrocínios", como ficou conhecido no país o programa de valorização da unidade canadense, através da promoção de eventos culturais e esportivos (após o plebiscito que quase levou à separação de Quebec do resto do Canadá, em 1996).

O objetivo do programa era meritório. Uma causa nobre. Algo em defesa dos interesses nacionais. Os fins justificariam os recursos e os meios utilizados. O problema é que, aparentemente, a comissão encarregada de julgar o caso chegou à conclusão de que abusos permitiram o uso político do esquema, em particular o pagamento a empresas de publicidade e relações-públicas, sob a forma de comissões e taxas, de US$ 147 milhões canadenses (cerca de R$ 220 milhões), cuja maior parte foi destinada aos cofres do partido do governo.

Como diria o grande Ancelmo Góes, "deve ser difícil viver em um país onde estas coisas acontecem". Mas as coisas têm consequências e nem sempre viram piada de salão: o atual primeiro-ministro do país cancelou imediatamente o programa ao chegar ao poder, em dezembro de 2003, designou um juiz federal para presidir as investigações e prometeu convocar eleições após o recebimento do relatório final da comissão sobre como evitar esse tipo de abuso no futuro. Dez indivíduos já foram banidos do partido, inclusive o ex-ministro de Obras Públicas.

Não sei bem por quê, mas, ao ler essa matéria, além de nosso entorno atual, me veio à mente o texto de um velho sábio. George Kennan notou que regimes políticos, sejam democráticos, sejam autoritários, não prescindem de um "núcleo duro" (*political clique*, no original inglês) constituído por um número relativamente reduzido de pessoas instaladas no centro do poder ou muito próximas a ele.

É óbvio que os processos de constituição desse núcleo são distintos em regimes autoritários e em regimes democráticos. Mas o fato é que eles se formam. Uma vez formado e instalado no poder, um núcleo duro, ou *political clique*, "expressará uma ampla variedade de motivações, incluindo as ambições políticas individuais de seus vários membros, os interesses do grupo como tal, os interesses do partido a que pertencem e, finalmente, sem dúvida, aqueles interesses nacionais que não sejam muito conflitantes com estes mais prementes incentivos".

Assim, em qualquer centro de poder, democrático ou autoritário, esses grupos existem, momentaneamente bem-sucedidos e mais ou menos precariamente instalados nas posições de influência a que aspiram e controlando importantes instrumentos de poder. Kennan sublinha, corretamente, sua transitoriedade (o sempre efêmero sucesso) e sua precariedade (devido à eterna disputa entre os já envolvidos no núcleo, e entre estes e os sempre renovados candidatos a dele fazer parte).

Além do tênue vínculo com os parágrafos iniciais deste artigo, não sei por que lembrei-me desse texto de Kennan. Talvez porque o processo de redefinição do núcleo duro do atual governo esteja em curso há alguns meses, desde que nosso chefe de Estado perdeu seu chefe de governo. Talvez porque essa redefinição, a esta altura do jogo, já esteja dominada pela preocupação central do Planalto e do PT com a reeleição. Talvez porque essa redefinição esteja caminhando, por conta disso, para incluir o debate econômico no âmbito do núcleo, como parte desse processo, além do tradicional embate político.

Exemplo recente é o retorno a alguns velhos jargões e formas estereotipadas de não pensar, como o pretenso debate entre "monetaristas e desenvolvimentistas". A distinção é simplória e serve apenas aos que preferem rótulos vazios de conteúdo à reflexão adequada. Todos, sem exceção, somos "desenvolvimentistas" no Brasil, no sentido de que desejamos o desenvolvimento econômico e social do país. Nunca trabalhei, no Brasil, com um só "monetarista", seja no sentido estrito (relação estável entre um agregado monetário qualquer e a taxa de inflação no prazo relevante para a política econômica), seja no sentido lato de que a inflação baixa seria um fim que se esgotaria em si mesmo e que, se alcançada, todo o resto (desenvolvimento) viria como consequência. Há que evitar esse primitivo maniqueísmo que contrapõe dois rótulos hoje vazios de sentido como se algo sério fosse. O Brasil não comporta rótulos fáceis: é um país complexo de entender e difícil de governar. Há um atroz encanto em ambos.

O Atroz encanto de ser argentino é o título de um belo livro de Marcos Aguinis sobre nosso grande vizinho do Sul. Tomei emprestada a fina ironia do título por ter escrito o Prefácio à sua edição brasileira. O livro é ótimo, sofrido em algumas partes, mas expressa confiança — a mesma que tenho no Brasil — nas reservas morais, culturais, técnicas e criativas que o país conserva e com as quais poderá, segundo o autor, ser "criado ou recriado o clima de racionalidade, esforço e esperança que nos levará adiante".

Vale notar os dois vocábulos que precedem a palavra "esperança", chave do discurso político. Sem a razão e o esforço necessários, aumenta o distanciamento entre o sonho e a realidade, entre a aspiração e a realização, entre a intenção e o gesto. E entre estes, como diria o poeta, cai a sombra.

ESTILHAÇOS DE 2005 NO BALANÇO DE 2006
11 de dezembro de 2005

No final de 2006, as análises estarão voltadas para as expectativas quanto ao novo quadriênio (2007-2010), qualquer que seja o resultado das urnas em outubro. O interesse no tradicional balanço do ano será menor que o normal, substituído que será pelo balanço da herança que os quatro anos de Lula deixam a seu sucessor, ainda que este possa ser o próprio. Mas as retrospectivas haverão de registrar quanto o ano de 2006, os termos do debate eleitoral e seu resultado terão sido afetados pelos estilhaços políticos e econômicos de 2005.

Do ponto de vista político, 2005 ficará marcado como o ano em que o PT perdeu a condição de vestal que se atribuiu durante anos: singular portador de uma impecável postura ética (a outros negada); detentor de uma supostamente superior tecnologia de governo (o famoso modo petista de governar); monopolista da verdadeira preocupação com o social (que outros nunca teriam tido). Essa visão — e, talvez, a arrogância em que se fundava e com a qual se expressava — estilhaçou-se em 2005 e não será facilmente recomposta nos dez meses que faltam para outubro de 2006.

Será difícil porque a reflexão interna sobre as causas do desastre e as propostas de "refundação" do partido foram substituídas por um desesperado esforço de negação e atribuição de toda a responsabilidade pelo Mensalão a Delúbio Soares. E, para espanto de qualquer pessoa informada, por um discurso que delega "à direita" um complô para denegrir a imagem do PT — como se essa perda de imagem não tivesse qualquer fundamento nas próprias ações de petistas e aliados.

"Negação plausível" era a estratégia seguida pela CIA norte-americana, quando negava completamente as operações que deveras fazia: era importante negar, mas tão importante quanto a negação era a sua "plausibilidade", isto é, que fosse minimamente crível. A ênfase era no plausível. Aqui a ênfase parece ser na negação, na denúncia do "denuncismo" e na força do desejar (e do acreditar) que tudo não tenha passado de um pequeno pesadelo, em vias de ser esquecido.

A arrogante tentativa da nova direção partidária de enxovalhar reputações alheias, para buscar convencer incautos de que todo mundo faz as mesmas coisas e nas mesmas proporções, mostra que os estilhaços políticos de 2005 estarão conosco, infelizmente, ao longo da campanha eleitoral de 2006 — e adiante. É uma pena, porque a baixaria funciona como uma cortina de fumaça que torna muito mais difícil o entendimento dos reais desafios que o país tem pela frente. Em particular, na área econômica, na qual a política do governo chega ao final de 2005 sob intensíssimo "fogo amigo", cujos estilhaços também estarão conosco em 2006 e, talvez, no quadriênio seguinte.

Vale lembrar, em momentos críticos como os que estamos vivendo, as palavras de Felipe González: "Na América Latina (...) nos falta consenso, um consenso estratégico que defina uma trajetória sustentável que perdure além das mudanças do governo, além dos mandatos de um Legislativo ou de um presidente. Não pode ser um consenso em torno de muitas questões, pois isso seria complicado. Mas um consenso em torno de três ou quatro questões que unem as pessoas (...) e desfrutam de um tipo de permanência que fortalece os países."

A meu juízo, é fundamental avançar mais — e a hora é agora — na busca das convergências possíveis (para não abusar da palavra "consenso", quase sempre inalcançável entre nós) na área econômica, exatamente para minimizar os custos e riscos na travessia de 2006, bem como no novo quadriênio.

Restringindo-nos à macroeconomia, há dois objetivos que não deveriam estar sujeitos a debates de natureza ideológica ou político-partidária. Primeiro, a necessidade de preservar a inflação sob controle como algo de interesse da maioria, porque significa preservar o poder de compra do salário do trabalhador. Esse objetivo, no caso do Brasil de hoje, é mais fácil de ser alcançado quando o regime monetário é o de metas de inflação.

Uma clara explicitação desse "consenso" (se existe) seria, por todos os títulos, desejável. As metas de inflação para 2006 e 2007 já foram definidas por este governo (4,5 % ao ano, mais ou menos 2 %), que também definirá, até junho do ano que vem, a meta para 2008. Se esta for a mesma, o país terá diante de si três anos de um mecanismo de coordenação de expectativas quanto ao curso futuro dos preços, ao cabo dos quais poderá ter acumulado uma experiência de quase uma década e meia de inflação civilizada, conquista de vários governos e da própria sociedade brasileira.

É verdade, contudo, que no Brasil de hoje a efetividade de um regime monetário depende da credibilidade do compromisso de sucessivos governos com a responsabilidade fiscal. Esse é o segundo objetivo macroeconômico, e atualmente, por larga margem, o mais fundamental de todos, em torno dos quais talvez possa ser possível tentar explorar convergências desde agora, pensando nos sinais que os debates — e o resultado — de 2006 darão para o quadriênio 2007-2010. A necessidade de compromissos críveis com a geração, ao longo dos próximos anos, do "esforço fiscal necessário" (principalmente através do controle da velocidade de expansão do gasto público corrente, seu nível, sua estrutura e sua eficácia) para colocar em uma trajetória gradual, mas consistente de redução da dívida como percentagem do PIB.

Esses compromissos poderiam permitir, se percebidos como exprimindo convicção e entendimento por parte dos atores políticos relevantes, uma trajetória muito menos gradual de redução das taxas de juros nominais e reais e uma eventual futura redução da carga tributária como percentagem do PIB. Por último, mas não menos importante, tais compromissos contribuiriam para criar melhores condições para o crescimento sustentado da atividade econômica, do investimento e do emprego.

Esses objetivos exigem, diria Felipe González, um consenso mais amplo do que temos hoje sobre a importância da maior eficiência no setor público e de maior produtividade média no setor privado. Consenso que existe em muitos países que conosco competem e ao qual um dia chegaremos. Espero que não muito atrasados.

Até lá. Feliz 2006!

2006

2006

Taxa de crescimento no ano	4,0 %
Taxa de inflação no ano	3,1 %
Taxa de câmbio no final do ano	R$ 2,14
Mín. R$ 2,06 Máx. R$ 2,35	
Taxa de juros no final do ano	13,25 %
Mín. 18 % Máx. 25 %	

MARÇO

Guido Mantega assume o Ministério da Fazenda após o pedido de demissão de Antonio Palocci, envolvido no escândalo da quebra ilegal do sigilo bancário do caseiro Francenildo Costa. Deixam também o governo o secretário executivo do ministério, Murilo Portugal, o secretário do Tesouro, Joaquim Levy, e o presidente do IRB (Instituto de Resseguros do Brasil), entre outros. Começa a chamada "inflexão desenvolvimentista" do governo Lula.

JULHO

No último dia para a oficialização na Justiça Eleitoral, Lula (PT) e Geraldo Alckmin (PSDB) registram suas candidaturas à Presidência.

Em reunião no Rio de Janeiro, o economista norte-americano Nouriel Roubini prevê o início de uma séria recessão na economia dos EUA nos meses seguintes. O índice de preços de imóveis no país atinge o pico e inicia trajetória de queda.

OUTUBRO

No dia 29 Lula (PT) é reeleito presidente da República com mais de 60% dos votos no segundo turno, vencendo Geraldo Alckmin (PSDB).

Antonio Palocci (PT) é eleito deputado federal pelo estado de São Paulo.

NOVEMBRO

O conselho nacional do PMDB aprova a proposta do presidente Lula para que o partido integre o governo de coalizão no segundo mandato petista. Com a decisão do conselho, o partido adere em bloco ao governo e não apenas em parte.

DEZEMBRO

O PIB apresenta crescimento de 2,9% em relação a 2005.

O dólar segue em baixa e fecha o ano a R$ 2,136.

A taxa básica de juros (Selic) chega a 13,25% ao ano, após cortes sucessivos promovidos pelo Banco Central.

Termina na Câmara o julgamento dos acusados de participação no Mensalão, mas a maioria não recebe punição. Dos 19 deputados acusados, 12 são absolvidos, quatro renunciam e três são cassados pela Casa.

A taxa de juros do FED norte-americano chega a 5,25%, após 17 elevações consecutivas de 0,25 a partir de junho de 2004.

2006 — ANO IV DE UMA NOVA ERA?
8 de janeiro de 2006

"O que é legítimo e razoável esperar do governo Lula é que possa entregar a seu sucessor um país melhor do que aquele que recebeu. Como fez o governo FHC." Essa é a frase que conclui meu primeiro artigo neste espaço, já lá se vão quase três anos. Continuo com a mesma visão, agora reforçada pelo que, espero, possam ser lições da crise que afeta o PT e o governo Lula desde meados de 2005. Uma dessas lições parece ser o "abalo da crença de que existem pessoas, partidos e ideologias capazes de mudar magicamente o Brasil" (Roberto DaMatta).

Em outras palavras, pode haver algo de positivo em ilusões perdidas, se o resultado for uma busca mais realista e informada de novos avanços. E não o desencanto, o cinismo ou a aceitação de novas ilusões e de seus mercadores.

Nestes nove meses que faltam para as eleições, o presidente Lula estará apresentando-se ao eleitorado como merecedor de quatro anos adicionais. No clima em que estamos seria, talvez, ingenuidade supor que o governo atual reconhecesse de público que se beneficiou — e muito, nos três últimos anos — de um contexto internacional extraordinariamente favorável, como não se via há décadas, tanto em termos de comércio como de expansão de liquidez internacional.

Seria certamente ingenuidade maior ainda esperar que o governo atual reconhecesse de público que a extraordinária redução da vulnerabilidade externa e o expressivo desempenho do balanço de pagamentos do país nos últimos anos (apesar de uma apreciação do câmbio sem paralelo na história recente, com o câmbio nominal hoje equivalente ao que era quatro anos atrás) só foram possíveis pela situação internacional, pela responsabilidade macroeconômica e por uma herança — bendita — de transformações estruturais e de avanços institucionais alcançados pela sociedade brasileira na vigência de administrações anteriores. Entre esses avanços, destaco abertura da economia a importações, privatizações, investimentos diretos estrangeiros, derrota da hiperinflação, renegociação prévia da dívida externa, modernização fiscal, saneamento do sistema financeiro, investimentos em educação e saúde.

O ministro Antonio Palocci e sua equipe — à diferença de muitos no governo e no PT — perceberam esses fatos muito claramente desde o início do governo atual, granjeando respeito e credibilidade ao manter o compromisso com as responsabilidades fiscal e monetária, sempre passíveis de aperfeiçoamento e sempre sujeitas a debates.

Mas o que importa agora é que nós, brasileiros, olhemos adiante. JK e FHC, por exemplo, não ficaram se lamentando sobre pretensos "erros" por outros cometidos ao longo dos últimos x anos anteriores a 2003 (x podendo chegar a 500 anos). Não deveria ser ingenuidade esperar que o Brasil pudesse discutir o que fazer nos próximos anos, em vez de — conforme parece ser a estratégia político-eleitoral do atual governo — concentrar-se no passado, como se o eleitor estivesse fundamentalmente interessado em olhar o espelho retrovisor e não a estrada à frente. Sobretudo quando há muitos países que conosco competem e que estão avançando mais rápido que nós.

Os europeus, por exemplo, estão discutindo, a sério, as razões do seu muito mais baixo crescimento em relação ao dos Estados Unidos e da Ásia. No centro do debate não estão nem a taxa de juros nem a taxa de câmbio e sim a necessidade de maior flexibilidade, capacidade de adaptação, inovação tecnológica e investimentos. Tal demanda estaria a exigir, em muitos dos países europeus, a modernização de suas legislações trabalhistas e previdenciárias, sem as quais a Europa terá dificuldade de crescer mais rapidamente de forma sustentada, de competir internacionalmente e mesmo de consolidar seu processo de integração econômica.

Relatório recente intitulado "Agenda para uma Europa em expansão" chama a atenção, entre outras coisas, para uma mudança estrutural da maior importância na economia mundial e para a rapidez com que vem tendo lugar. Em 1983, os países em desenvolvimento representavam menos de 20% do total das importações de produtos manufaturados dos países desenvolvidos. Em 2003, esse percentual chegou a 47% (e certamente aumentou desde então). A maior parte desse fenomenal aumento veio da Ásia (de 15%, em 1983, para 35%, em 2003), com a China passando de 2% para 17%, entre 1983 e 2003. A América Latina, em seu conjunto, passou de 3% para 8% no período.

Entre os dez maiores exportadores do mundo, nada menos que seis são hoje "países" em desenvolvimento (China, Hong Kong, Coreia, México, Taiwan e Cingapura). Esses seis estão ainda entre os dez maiores importadores, mostrando que o comércio é uma via de mão dupla e que a parte mais significativa do mundo em desenvolvimento (que representa mais de 48% do PIB mundial na base do conceito de paridade do poder de compra) é constituída por países que não são apenas grandes produtores e exportadores, mas também grandes consumidores e importadores.

As oportunidades e os desafios postos por essas mudanças estruturais, e as respostas apropriadas a elas em termos de políticas econômicas e mudanças institucionais e legislativas, estão no centro do debate sobre o baixo crescimento na Europa, assim como deveriam estar no centro do nosso debate.

Trabalho recente, "A Europa sem ilusões", aponta que a vitória do "não" nos referendos realizados há pouco na França e na Holanda foi acima de tudo uma reação daqueles com receio do desemprego, da reforma trabalhista, da globalização, das privatizações, da competição e de mudanças no "modelo social europeu". Esse tipo de insatisfação está sendo o principal problema político para a Europa, porque é voltado tanto contra o precário crescimento econômico quanto contra as reformas que poderiam melhorá-lo.

Qualquer semelhança pode ser mera coincidência, mas são questões de médio e longo prazos como estas que o Brasil terá, necessariamente, de enfrentar a partir de 2007. Se quisermos aumentar, de forma sustentada, nossas taxas de crescimento, emprego e renda.

CONVERGÊNCIAS POSSÍVEIS?
12 de fevereiro de 2006

Um espectro ronda o Brasil: o espectro de um crescimento econômico visto como muito inferior à média de "nossa experiência passada"; muito aquém de nossas possibilidades presentes e futuras; e muito abaixo do crescimento de países relevantes que conosco competem. Por essas e outras razões, o crescimento econômico será um tema central no debate político-eleitoral em 2006 em meio às sempre generosas promessas de campanha.

Se a suposição está correta, a questão é: como avançar no debate informado, na busca das convergências possíveis e na tentativa de aprofundar o entendimento público sobre a verdadeira natureza dos desafios a enfrentar? Parece evidente que os termos do debate em 2006 terão implicações sobre o processo de formação de expectativas sobre 2007 — na verdade, sobre o quadriênio 2007-2010.

Esse debate, se conduzido seriamente, mostraria que esse objeto de desejo, que é hoje unanimidade nacional — o crescimento sustentado a taxas mais elevadas —, depende essencialmente de maior consolidação e mais movimento na direção dos avanços institucionais e das mudanças estruturais alcançadas ao longo dos últimos anos (e, permita-me contrariá-lo, sr. presidente, na vigência de administrações anteriores) em quatro áreas: macro; não macro; sociais; e de reformas. Neste artigo, por razões de espaço, restringimo-nos à primeira área.

A área macro inclui os regimes fiscal, monetário e cambial e as interações entre as políticas nessas três áreas. O fundamental, hoje, é o foco na centralidade da questão fiscal. Inclusive para permitir que o clamor nacional pela queda das taxas de juros reais, que vai ocorrer, possa se dar de maneira menos gradual e com maior consistência. A ênfase deve ser não só no nível como também na composição e na qualidade do gasto público e da carga tributária.

Está se tornando, espero, cada vez mais claro para a opinião pública responsável que, nessa área fiscal, a questão prioritária no momento é um programa crível de contenção do projetado crescimento real do gasto público corrente (e recorrente) do governo, bem como a redução da excessiva vinculação de receitas a gastos específicos. As razões para tal conclusão são simples: não é mais possível aumentar a carga tributária, nem permitir a volta da inflação, nem aumentar a dívida pública, nem reduzir ainda mais o investimento público. Portanto, o foco tem que ser na contenção do crescimento real do gasto do governo — o que exige mais debate sobre a composição, a qualidade e a fiscalização do gasto público.

Aí residem os grandes desafios para a redução consistente dos juros reais, para uma eventual redução da carga tributária, para o aumento do investimento público e, em última análise, para o crescimento com maior eficiência e maior equidade. A credibilidade do compromisso com a responsabilidade fiscal e a geração do esforço fiscal necessário para a continuidade da redução da relação dívida/PIB será testada em 2006 e no início de 2007. Os sinais desse compromisso (ou a falta dele) afetarão as perspectivas para 2007 e adiante.

A esse respeito, talvez valesse a pena relembrar que a resposta que o Brasil deu à crise do segundo semestre de 1998 — Rússia, LTCM (*long-term capital management*), receio de crise sistêmica por parte dos Estados Unidos — foi um forte ajuste fiscal nos últimos três meses e três semanas do ano. E, mais importante, a apresentação de um programa fiscal para o triênio 1999-2001 que vinha sendo preparado desde julho daquele ano. Foi a credibilidade do compromisso com esse programa que nos permitiu superar, em poucos meses, as incertezas associadas à adoção do regime de flutuação cambial em meados de janeiro de 1999. Agora, as condições internacionais extraordinariamente favoráveis dos últimos três anos, que possibilitaram a (muito) menor vulnerabilidade externa da economia brasileira, poderiam e deveriam permitir um inequívoco compromisso com a responsabilidade fiscal no quadriênio 2007-2010 — sem sinais contraditórios, como hoje.

Quanto aos outros dois regimes macroeconômicos e à sua interação — o monetário e o cambial —, creio que a percepção de que estamos, aos poucos, nos transformando em um país mais maduro, normal e previsível — o que seguramente ajuda o investimento e o crescimento — poderia aumentar se houvesse um claro compromisso com os conceitos gerais do regime de metas de inflação e do regime de câmbio flutuante. Menciono compromisso com os conceitos porque, do ponto de vista operacional, são sempre possíveis aperfeiçoamentos à luz da experiência e do debate. O governo atual definirá, em junho próximo, a meta de inflação para 2008. Se esta for, como já definido para este ano e o próximo, de 4,5%, mais ou menos 2 pontos de percentagem, poderemos completar a primeira década de operação do regime (1999-2008) com uma história de razoável sucesso para um país que foi recordista mundial de inflação do início dos anos 1960 até a chegada do real, em 1994.

Essa perspectiva teria um efeito não desprezível sobre as expectativas. O fato é que a efetividade da política monetária e do regime de metas no Brasil de hoje ainda depende da interação da política monetária com as políticas fiscal e cambial e da institucionalização do compromisso crível de sucessivos governos com a preservação da inflação sob controle. Quanto ao câmbio, o regime cambial mais apropriado ao Brasil de hoje é o de taxas flutuantes, superior às alternativas conceituais existentes. Como no caso do regime monetário, essa operacionalização sempre pode ser melhorada por meio da experiência e do debate. Continuará havendo espaço para certas intervenções destinadas a lidar com excessivas volatilidades ou movimentos excessivos de apreciação ou depreciação sem base em fundamentos.

Mas juros e câmbio são questões técnicas. Estadistas e candidatos a tal não tratam delas em campanha. Eles sabem que é essencial construir pontes e buscar as convergências possíveis — mesmo quando explicitam legítimas divergências.

O PT E O DISCURSO DA MUDANÇA
12 de março de 2006

"O PT tem dois objetivos agora: reconquistar a coordenação política do governo para o ministro José Dirceu; e alterar a política econômica, que muitos no partido interpretam como responsável por derrotas nas urnas em outubro." A informação, dada em 23 de novembro de 2004, é da competente Tereza Cruvinel, sempre muito bem informada sobre assuntos da seara petista.

Passaram-se 15 meses da informação da jornalista a seus leitores. Faltam apenas seis para as eleições de outubro. O que dizer dos dois objetivos ou anseios tão claramente explicitados, à luz dos recentes documentos reservados da direção nacional do PT que exigem mudanças na condução da política econômica já em 2006, considerado "o primeiro ano do segundo mandato"?

Sabe-se hoje que o PT não conseguiu atingir o seu objetivo de reconquistar a coordenação política para José Dirceu. Pelo contrário, surgiram evidências de um processo desastroso, que decapitou a cúpula dirigente do partido, levou a três CPIs e a uma lastimável crise moral no partido "que não rouba e não deixa roubar". Sabe-se, hoje, que o PT tem um fundamental e prioritário objetivo político: reeleger o presidente Lula, que está, há tempos e cada vez mais, em campanha. Ele vem conseguindo dissociar a sua imagem pessoal da imagem negativa de seu partido, ao qual hoje atribui a exclusiva responsabilidade de procurar explicar-se à opinião pública. Vem também limpando a imagem do partido dos sérios danos que a si próprio infligiu. Ou, talvez, apostando na memória curta e no esquecimento coletivos. Afinal, 2005 — o ano que o PT preferiria relegar ao olvido — estará mais de nove meses atrás em outubro deste ano. Quem sabe até lá a opinião pública não se lembre de mais nada ou esteja com outras preocupações em mente?

Portanto, no plano político, parece clara a estratégia do PT: passar uma borracha em seu passado recente, reeleger Lula e seguir em frente. Se "recordar é viver", como na velha marchinha dos carnavais de outrora, por que não apostar que "sobreviver é esquecer"? Afinal, o eleitor decidirá em outubro, em função tanto do que prefere recordar quanto do que pretende esquecer, após ouvir os candidatos sobre os próximos quatro anos.

É nesse sentido que vale a pena explorar as implicações do outro grande objetivo do PT; alterar a política econômica — agora do próprio governo.

A indigência do debate sobre política econômica no âmbito da militância partidária petista nunca foi surpresa para quem quer que ali procurasse por sinais de vida intelectual fecunda. Não cabe relembrar as barbaridades que o país teve ocasião de observar, como o plebiscito para a suspensão de pagamentos das dívidas externa e interna; ou a rejeição da Lei de Responsabilidade Fiscal, seguida de propostas de radical modificação em seu texto porque, à época, a lei era tida pelo PT como incompatível com a responsabilidade social, e por aí afora.

Essas, pelo menos, eram propostas que, apesar de equivocadas, podiam ser debatidas, e foram. Mas que dizer da nota da executiva do PT publicada em 5 de março de 2004 sobre o caso Waldomiro Diniz e sua saída do cargo de subchefe da Casa Civil da Presidência da República? A nota trazia a seguinte pérola: "Vamos trabalhar com afinco para que o governo do PT implemente as medidas necessárias para que 2004 marque o início de um novo e sustentado ciclo de desenvolvimento econômico e social do país, por meio de mudanças na política econômica necessárias à implantação e consolidação de todos os nossos programas sociais, econômicos, administrativos e de desenvolvimento." Quão mais fácil era ser apenas oposição a "tudo o que aí estava"!

Ou ao que aí está, como sugere o documento reservado do PT que vem sendo discutido há meses e teve redação final de um graduado membro do partido e assessor especial de total confiança do presidente Lula. O texto será submetido no próximo fim de semana à análise e votação pelo diretório nacional do partido.

Deixemos de lado as generalidades vazias de conteúdo, como o longo exemplo acima, e coisas como "mudar de conjunto (sic) a realidade social aflitiva do país", ou "fazer do social o carro-chefe do governo", ou a velha e vaga demanda por "um novo projeto social de desenvolvimento". Quando se especifica algo, o que temos é a surrada proposta de "redução mais acentuada das taxas de juros e diminuição das metas oficiais de superávit primário". Ambas — generalidades sem conteúdo e propostas aparentemente específicas — têm como óbvio propósito assegurar maior espaço para a expansão do gasto público, ainda visto por legiões no Brasil como o verdadeiro motor do processo de desenvolvimento econômico e social.

Não li a íntegra dos documentos e, portanto, posso estar cometendo injustiças pelas quais não terei pejo em pedir desculpas um dia. Mas, à luz do que "vazou" até agora, nada aponta que algumas das áreas em que está havendo uma saudável convergência na opinião pública mais informada conste dos documentos mencionados. Muito pelo contrário.

Como vimos, o presidente Lula procurou dissociar-se inteiramente do PT no que diz respeito às lambanças do partido que vieram à tona em 2005. Ao que tudo indica, o presidente também vai ter que continuar dissociando-se do PT na área econômica. Para o bem do país, que, em pleno século XXI, não pode mais incorrer naquilo que Eric Hobsbawm chamou de grandes pecados capitais da história: o provincianismo e o anacronismo. Ambos caracterizam o discurso econômico de boa parte do velho PT. Mas, como bem sabem muitos dos petistas mais lúcidos — que, felizmente, existem —, a importante agenda do "mudar para crescer" é muito mais complexa do que sonha a vã ideologia. E seu fácil discurso de palanque.

INSENSATA ESPERANÇA?

9 de abril de 2006

"Lula quer uma campanha de comparação entre governos, um duelo com o tucano da vez. Se o PSDB quiser o mesmo, o que não o impede de tocar na ferida ética do PT, ganharão os eleitores e a cultura política." A frase é da competente Tereza Cruvinel em sua coluna de 22 de janeiro deste ano. Que esta é a estratégia do presidente, há tempos em plena campanha, já está mais do que evidente. Desnecessário talvez o reconhecimento de que nada impede a oposição de seguir a estratégia que lhe pareça apropriada, inclusive de não se sentir "impedida de tocar" na fratura exposta da "ferida ética" do PT.

Mas registro a frase porque, com todo o respeito que a colunista sabe que lhe devoto, não creio que "a cultura política" do país ou os eleitores tenham muito a ganhar com uma apaixonada tentativa de concentrar o debate eleitoral de 2006 em uma batalha de marqueteiros brandindo estatísticas sobre realizações de quatro anos de governo Lula contra médias de oito anos de governo FHC. Na verdade, a julgar por dezenas de improvisos presidenciais e de artigos de alguns "altos companheiros", agora a cargo da campanha, a estratégia parece ser a de afirmar que não é possível, em apenas quatro anos, solucionar todos os problemas não resolvidos pelas elites que teriam governado o país ao longo de 502 anos desde a Descoberta ao início da "nova era".

Autoengano é um belo livro de Eduardo Giannetti que contém páginas brilhantes sobre as duas lapidares inscrições do Templo de Apolo, em Delfos: "Conhece-te a ti mesmo" e "Nada em excesso". Duas grandes lições de sabedoria sobre as quais deveriam refletir aqueles que não conseguem se conter nem impor certos limites à empolgação consigo mesmo e ao autoelogio (que são formas de autoengano), em um processo de "inflação de si" e de "deflação do outro" que em nada contribui — ao contrário — para o desenvolvimento da cultura política do país. Nem tampouco para o importante debate de 2006 sobre os rumos do Brasil no próximo quadriênio.

É verdade que cada sociedade está sempre revisitando, reinterpretando e mesmo reescrevendo seu passado em função não apenas dos desafios mais prementes do presente como também de seus sonhos, desejos, expectativas e esperanças para o futuro. É nesse sentido que a história é um infindável diálogo entre passado e futuro.

Mas, se vamos olhar construtivamente para o passado, não deveria ser para uma seletiva e eleitoralmente motivada comparação de certas estatísticas convenientemente arranjadas para impressionar incautos. Ou para avaliações marcadas pelo signo do autoengano, como a do atual ministro da Fazenda no dia seguinte à sua posse, ao afirmar que "a responsabilidade fiscal foi uma conquista deste governo". Como teria sido "o câmbio flutuante", contraposto à política cambial "do governo anterior", segundo o ministro, que concluiu, majestoso: "Nunca o Brasil teve política tão responsável." É o monopólio da ética na política (que deu no que deu) sendo substituído pelo monopólio da responsabilidade econômica. Títulos autoconferidos, formas de autoengano.

Em meio a esse pouco produtivo tiroteio, voltado mais para o passado que para o futuro (no qual, espero, estará mais interessado o eleitor), gostaria de voltar a um tema que me é caro e no qual continuo, apesar de tudo, depositando alguma esperança: a busca, de boa-fé e com um mínimo de honestidade intelectual, por ampliar o espaço para convergências — que já vêm ocorrendo há anos — em torno de questões básicas para o nosso futuro.

No que diz respeito ao tema central da construção das condições para o crescimento econômico sustentado, creio que estamos avançando, como sociedade, na compreensão da natureza dos desafios a enfrentar. O país não acredita mais em mágicas, rupturas, demagogias e voluntarismos. O país hoje acredita mais em trabalho sério, persistência, coerência, continuidade do que deve ser preservado, mudança pensada do que deve ser mudado, menos bravata e falação fácil, mais ação operacional consequente, resultados efetivos, ética na política.

Na área macroeconômica, estamos no décimo segundo ano de inflação sob controle, com o regime de metas consolidado como conceito. A militância partidária já não atira abertamente contra a Lei de Responsabilidade Fiscal. Começamos a ter maior convergência sobre a necessidade, imperiosa, de controlar a expansão dos gastos correntes do governo para abrir espaço para a queda mais acelerada dos juros, a redução da carga tributária, o aumento do investimento público e do crescimento econômico. O câmbio flutuante veio para ficar em janeiro de 1999, com as intervenções que não significam seu abandono.

Mas a relativa estabilidade macroeconômica, embora absolutamente indispensável, por si só não assegura o crescimento. O crescimento depende de convergências adicionais ainda em gestação em três grandes áreas "não macro", que, espero, possam ocupar espaço crescente no debate público informado no país.

A primeira diz respeito aos marcos regulatórios, particularmente na área de infraestrutura; ao contexto microeconômico; e ao conjunto das barreiras institucionais e burocráticas ao crescimento do investimento privado e à capacidade empreendedora dos brasileiros — sem os quais não há crescimento sustentado por longo prazo. Há uma extensa e complexa agenda pela frente nessa área.

A segunda diz respeito à qualidade da reflexão e do debate sobre a eficiência dos gastos públicos nas áreas sociais essenciais para o crescimento: educação, saúde e segurança pública.

A terceira diz respeito às indispensáveis reformas que precisam avançar nos próximos anos: previdenciária, trabalhista e tributária.

Como escreveu o velho rabino, não é necessário concluir os trabalhos (em todas essas áreas), mas não temos, como país, a escolha de deles desistir.

FALTAM 140 DIAS
14 de maio de 2006

"Fatos não deixam de existir porque são ignorados." A pertinente observação é de Aldous Huxley, citado em belo livro recém-lançado e que deveria merecer a atenção de todos aqueles seriamente interessados no Brasil e em seu futuro. Quanto mais não seja porque, como disse Woody Allen, citado no mesmo livro: "O futuro me preocupa porque é onde penso passar o resto de minha vida." E, por isso, cantava Raul Seixas, "não posso ficar aí parado".

Rompendo o marasmo é exatamente o título do excelente livro de Armando Castelar Pinheiro e Fabio Giambiagi, uma inestimável contribuição ao debate responsável que, idealmente, um país como o Brasil deveria ter em um ano de eleições tão importantes para o nosso futuro, e para as quais faltam 140 dias.

É sabido que o tempo da política, assim como o da guerra, é distinto do tempo cronológico. Nesses campos, dias podem valer semanas, semanas podem valer meses e meses podem valer anos. O fato é que nos próximos quatro ou cinco meses, estaremos decidindo pelo menos os próximos quatro anos. Mas, convenhamos, os termos do debate, tanto político quanto econômico, conforme colocados hoje, seja pelo governo, seja pela oposição, ainda deixam muito a desejar.

No que diz respeito ao governo e ao PT, estes parecem ter definido claramente a sua estratégia. Se é que podemos chamar assim a férrea determinação de reeleger o atual presidente a qualquer preço, convictos de que fora da reeleição não há salvação para o PT, hoje pálida sombra daquilo que pensava ser como vontade e representação.

O presidente Lula, aparentemente, vem tendo êxito entre expressiva parcela do eleitorado com sua tentativa de dissociar-se do PT, preservando sua comunicação direta com as massas. E a estas passando a ideia de que não teve, não tem e não terá absolutamente nada a ver, nem de longe, com os escândalos que há um ano destroçaram a cúpula do partido e indignam a nação. Apesar de tudo, a estratégia do PT é considerar tais eventos uma página virada e, a despeito do devastador relatório do procurador-geral da República, uma mera conspiração das "elites", da "direita" e da "grande mídia" contra o que avalia como o extraordinário sucesso do governo nas áreas econômico-social e no campo da política externa. Especialmente na América Latina e na África — prioridades definidas desde o início deste governo.

Sobre economia, nunca será demais repetir que o desempenho brasileiro no quadriênio 2003-2006 é explicado por três fatores básicos: um contexto internacional extraordinariamente favorável (só comparável, em crescimento mundial, ao quadriênio 1970-1973); uma política macroeconômica não petista; e uma herança não maldita de avanços institucionais e mudanças estruturais alcançados na vigência de administrações anteriores. Sobre a área social, o grande programa do governo — o Bolsa-Família — é, como sabem os minimamente informados, uma junção e continuação, ampliada, de programas sociais do governo anterior, como o Bolsa-Escola, o Bolsa-Alimentação e o Vale-Gás, agora apresentados como programas que nunca antes teriam existido na história deste país.

Deixo ao leitor opinar sobre a recente observação presidencial acerca da saúde em seu governo: "Acho que não está longe da gente atingir a perfeição no tratamento de saúde neste país." Sobre política externa e os resultados da mesma na América Latina e na África, também deixo ao leitor opinar, à luz dos eventos, dos vexames e das trapalhadas dos últimos dias. O fato é que, nessa área, o Brasil parece estar colhendo o que vem plantando desde 2003 com sua política externa "compañera".

No que diz respeito à oposição (ou melhor, às oposições), ainda não existe um discurso afinado sobre o futuro. Não se trata tanto da velha demanda por um "programa de governo". Mas de claras definições, não genéricas, sobre a natureza dos desafios a enfrentar e das prioridades da hora e para o próximo quadriênio. De maneira que possam ser percebidas, pelo eleitor, como algo que lhe diga respeito, que para ele faça sentido, que o ajude a avaliar e refletir sobre sua circunstância, sua comunidade, seu país, seu mundo e seu futuro.

Um tema central, hoje verdadeira unanimidade nacional, é a questão da criação das condições para um crescimento econômico sustentado a taxas mais elevadas que aquelas que caracterizaram os últimos 25 anos. Disso depende o crescimento do emprego e da renda e a melhoria das condições de vida da população.

Não deveria ser impossível apresentar ao eleitorado uma visão mais ou menos coerente sobre o muito que há por fazer para tentar assegurar esse objetivo. Que exige a consolidação de avanços na área macro, uma visão fiscal de médio e longo prazos, além de avanços adicionais nas áreas micro, regulatória, social e de reformas.

Não é fácil fazê-lo. Nunca foi e nunca será, mas o debate talvez pudesse ajudar a separar discussões e propostas sérias de charlatanismos. A distinguir ações efetivas de voluntarismos que se dissolvem no ar. A avaliar a consistência dos IGPPr's, como descreveu Elio Gaspari (citando outro jornalista), os Índices Gerais de Promessas Presidenciais em suas versões A, de ampliadas, e E, de expurgadas, de promessas não cumpridas ou simplesmente esquecidas, porque não eram mesmo destinadas a sobreviver ao curto espaço de uma campanha.

O importante é que o foco esteja não no passado (o último governo ou os últimos 500 anos) e sim no futuro. E o que é o futuro de um país, deste ou de qualquer outro, senão o futuro de suas crianças? Esse, como o economista José Márcio Camargo vem pregando com eloquência há anos, deveria ser o grande assunto, o foco central de um programa de investimentos voltado para um futuro melhor. Um tema de estadista, ao qual o Brasil ainda não dedicou a atenção concentrada que seu desenvolvimento econômico e social exige.

MIÚDO REGOZIJO
11 de junho de 2006

"Nossa ação interna e externa tem *um só* objetivo: crescer com estabilidade, gerando empregos, distribuindo renda e promovendo justiça social." A frase é do presidente Lula, proferida em seu discurso na cerimônia dos Maiores e Melhores da revista *Exame*, em São Paulo, três anos atrás. Passado esse tempo, nosso presidente parece absolutamente convencido de que seu único objetivo foi ou está sendo plenamente alcançado e que os méritos são exclusivamente seus porque nunca antes na história do país esse objetivo havia sido pensado, proposto, tentado ou alcançado. Portanto, agora, e só agora, com Ele, e graças a seu tirocínio, o país estaria, como afirmou em um dos discursos da semana passada, "por cima da carne seca", e não mais seria, desde 2003, "aquele paizinho" (país apequenado) dos 500 anos anteriores.

No mesmo discurso de três anos atrás, avaliando os primeiros seis meses de sua política externa, nosso presidente não conseguiu impor um mínimo de limite à sua reconhecida capacidade de empolgar-se consigo mesmo: "Este país se apresenta hoje ao mundo com uma agenda própria: observem a espiral ascendente desenhada pela nossa diplomacia na redefinição do espaço de influência do Brasil na comunidade internacional das nações." Alguém poderia dizer à época: eram arroubos de presidente iniciante, deslumbrado com o poder e desconhecendo suas transfigurações. Como experimentaram vários dos seus.

Passados três anos, nosso presidente parece absolutamente convencido de que o que disse era a mais pura realidade, agora sobejamente confirmada. "Aquele paizinho" apequenado dos últimos 500 anos caminha a passos céleres, desde 2003, para ser no século XXI o que a Inglaterra foi no século XIX e os Estados Unidos no século XX. Ou, pelo menos, como no improviso da última semana, "disputar com a China a dianteira das nações em desenvolvimento".

Nosso presidente, como é sabido, está em campanha aberta pela reeleição desde o início de seu governo. Se concedeu apenas duas ou três entrevistas coletivas desde a posse, contam-se mais de mil discursos seus para plateias selecionadas que têm se transformado nos últimos meses em verdadeiros palanques eleitorais. Nos quais nosso presidente parece sentir-se "feliz como pinto no lixo", como disse Jamelão de Bill Clinton quando da visita do então presidente norte-americano à Mangueira.

Menos poético que Jamelão foi um dos dirigentes do "movimento social" que organizou a lastimável "ação direta de soberania popular" sobre o Congresso na semana passada, ao afirmar a seus militantes (ou sua massa de manobra) que "o Lula está tranquilo, tranquilo, ca...ando e andando pro mundo". *Política perdida* é um livro recém-lançado nos Estados Unidos, de Joe Klein, cujo subtítulo é *Por que a democracia americana foi trivializada por pessoas que pensam que você é estúpido*. Questão de opinião.

Opinião é uma palavra complexa, com história difícil. O original grego (*doxa*) pode significar "opinião", "crença", mas também "glória", ou "honra". O tema fascinou Shakespeare, que a ele dedicou uma bela peça (*Tróilo e Cressida*), brilhantemente analisada por Frank Kermode, que diz ser possível argumentar que a trama "derrota a verdade, sendo, em si, uma rapsódia sobre a opinião". Porém, diz ele, é também possível argumentar que só quando a verdade e a opinião são diretamente confrontadas pode a verdade ter a última palavra, ainda que a opinião procure sempre estar vestida com trajes semelhantes aos da verdade.

Nos mundos da política e da economia esse confronto não é fácil e pode ser excessivamente prolongado. Como na belíssima tradução de Chaucer (para o inglês medieval) do velho ditado *Ars longa, vita brevis* — A vida tão curta, o ofício tão longo de aprender.

Esse ofício, tão longo de aprender, hoje no Brasil tem duas dimensões fundamentais. Primeiro, a do aprendizado de convivência em um genuíno processo político democrático que não comporta "ações diretas de soberania popular" que confrontem o Estado, a Lei e a autoridade legitimamente constituída. É inaceitável que "movimentos sociais" pensem que podem invadir, depredar e afrontar o Estado democrático de direito. O fato é que o fazem, pois sabem, por experiência, que estão hoje representados — em vários escalões — no aparelho de Estado e porque, como notou a *Folha de S.Paulo* em editorial da semana que passou, "são tratados com leniência, paternalismo, dinheiro do contribuinte e recepções presidenciais".

A segunda dimensão do "ofício tão longo de aprender" tem a ver com o longo aprendizado econômico do governo Lula — para o qual o ex-ministro Antonio Palocci e sua equipe na Fazenda e no Banco Central tanto contribuíram, apesar do constante e crescente "fogo amigo" e sua insistência em mudanças de curso.

A esse respeito vale notar — neste momento em que os ventos externos indicam claramente um período menos favorável, com maior turbulência e volatilidade à frente — a importância da coerência, da consistência e do sentido de rumo e de propósito por parte do Brasil nessa transição para o próximo quadriênio, qualquer que seja o resultado das urnas.

Rosângela Bittar, em artigo de fins de maio no jornal *Valor* (24/5/06), escreveu: "Estão na mesma categoria de crédulos inveterados os que veem na ascensão do ministro Guido Mantega ao comando da equipe econômica a manutenção da política adotada no início do governo Lula, e os que admitem veracidade à assertiva de que o presidente Lula não está em campanha eleitoral porque ainda não decidiu ser candidato."

Não tenhamos ilusões. Cada vez mais, as atenções se concentrarão na composição possível do próximo governo (ainda que possa ser um segundo mandato para o atual presidente). E, principalmente, na avaliação da capacidade técnica e política que esse próximo governo terá para avançar em processos de mudança e de reformas sem as quais *o único* objetivo mencionado na primeira linha deste artigo dificilmente poderá ser alcançado de forma sustentada.

PEDRO MALAN

LULA, O PT E SUAS HERANÇAS: 2002 E 2006

9 de julho de 2006

Não sei bem por que, essas lembranças por vezes me vêm à mente ao ler os pronunciamentos de nosso presidente, cada vez mais encantado consigo mesmo e com o que considera, não só seu superior entendimento das coisas deste mundo, mas também sua autoproclamada capacidade de transformá-lo. Em arroubo recente, nos informou que "só Deus conseguiria consertar em quatro anos o que não foi feito em 500 anos". Ele (Lula), por exemplo, precisaria de oito anos para começar a corrigir erros e omissões seculares e colocar o país no rumo certo, deixando uma extraordinária herança para seu sucessor.

Mas falemos antes sobre as heranças, já por Lula e o PT construídas, com as quais chegaram a 2002 — e chegam às eleições de 2006.

Em 2002, Lula e o PT tinham uma história de mais de 20 anos e, portanto, uma herança que com eles carregavam. Fazia parte dessa herança a ferrenha oposição, em 1994, ao lançamento do real, chamado de "pesadelo", de "estelionato eleitoral" e com duração por eles prevista para poucos meses. Fazia parte dessa herança a oposição às mudanças constitucionais que permitiriam ampliar os investimentos privados em infraestrutura. Fazia parte dessa herança a oposição às privatizações, à redução do número de bancos estaduais e à abertura comercial. Fazia parte dessa herança o plebiscito pela suspensão dos pagamentos das dívidas externa e interna e pelo "rompimento" com o FMI. Fazia parte dessa herança a oposição do PT à LRF (Lei de Responsabilidade Fiscal) no Congresso, a tentativa de derrubá-la no Supremo Tribunal Federal e a aprovação, em dezembro de 2000, por seu diretório nacional, de texto em que o PT declarava sua posição: "A LRF precisa ser radicalmente modificada porque o preço da responsabilidade fiscal não pode ser a irresponsabilidade social." Fazia parte da herança, com a qual o PT e Lula chegaram a 2002, o programa de governo aprovado em dezembro de 2001 pelo seu congresso nacional, a mais alta instância decisória do partido, e que tinha como subtítulo "A ruptura necessária" com tudo aquilo que ali estava.

Essa herança, como é sabido, teve consequências já em 2002. A taxa de câmbio desvalorizou-se em mais de 50% nos seis meses que antecederam a eleição de outubro (de R$ 2,4 em março/abril passou para R$ 3,7 por dólar em setembro/outubro), o risco-país multiplicou-se por quatro vezes no período, atingindo 2.400 pontos em outubro e a inflação em 2002 alcançou 12,5%, sendo que mais da metade desse aumento foi registrado nos últimos três meses do ano. Como bem notou o economista Armínio Fraga em longa e excelente entrevista ao jornal *Valor* (23/6/06): "A economia estava na UTI, mas isso era a consequência de expectativas em relação ao que o próximo governo faria." E havia fundadas razões para essas expectativas.

A gradual desconstrução dessa herança foi um processo, com carta-compromisso do candidato, timidamente iniciado em fins de junho de 2002 e ainda não concluído, porque há sérias divisões e ambiguidades não resolvidas no PT, no próprio governo e nas forças que o apoiam. É o que mostra a experiência pós-Palocci, em particular no que diz respeito à forte expansão recente do gasto público.

Foi ficando cada vez mais claro, ao longo dos últimos quatro anos, que essa desconstrução da herança construída pelo PT para si próprio em 2002 foi facilitada por três ordens de fatores: um contexto internacional extraordinariamente favorável no quadriênio 2003-2006 (só comparável ao quadriênio 1970-1973, revela estudo recente do FMI); uma política macroeconômica não petista (nenhuma das "estrelas econômicas" do PT ocupou qualquer posição relevante na área mais sensível da política macroeconômica, graças ao médico Palocci e ao apoio que ele recebeu de Lula até o fim de 2005); e uma herança não maldita de inúmeros avanços institucionais e várias mudanças estruturais de enorme serventia ao novo governo nos mais variados setores, inclusive o social, e aos quais o governo Lula soube dar continuidade, ainda que pretendendo ter inventado a roda — em alguns casos com desfaçatez e hipocrisia.

Entretanto, o contexto internacional, que permitiu que o Brasil reduzisse sua vulnerabilidade externa, não será tão favorável nos próximos quatro anos. O ministro Palocci e pessoas-chave de sua equipe não mais emprestam seu concurso ao governo. E, nos últimos quatro anos, os avanços institucionais, o andamento de processos de reforma e a melhoria de contextos regulatórios não foram grandes — pelo contrário.

O discurso sobre "herança maldita", que marcou o imaginário petista, era objetivamente equivocado e trazia seu prazo de validade estampado no rótulo: afinal, em menos de quatro anos o governo Lula se apresentaria ao eleitorado com a própria herança. E, em modernas democracias, o que se pode — e deve — esperar de um governo é que entregue a seu sucessor um país um pouco melhor do que recebeu de seu antecessor. Como fez FHC, sem achar que a "verdadeira" história do país começou com ele e sua gestão.

Qualquer governo, em qualquer país, não só tem os próprios erros e acertos, como também constrói sobre avanços alcançados na vigência de administrações anteriores. O governo Lula não foi, não é e não será exceção a essa regra. Reconhecê-lo — difícil como possa parecer para a vaidade humana — é algo que só beneficiaria a governabilidade futura, qualquer que venha a ser o resultado das urnas em outubro.

ELUSIVO "QUASE CONSENSO"
13 de agosto de 2006

"Ninguém mais hoje acredita que dois mais dois podem ser cinco desde que haja vontade política." Essa foi a forma ferina de o ex-ministro Delfim Netto se referir ao aparente abandono das ilusões voluntaristas que tanto marcaram o debate econômico e político no Brasil. O próprio ex-ministro acha que seu "ninguém mais" talvez seja um exagero. Mas o que vale notar é que relevante artigo seu publicado no *Valor* (1º/8/06), que merece ser lido com atenção, apresenta pontos importantes em torno dos quais haveria, na visão do autor, um "quase consenso".

No mesmo espírito, o economista Gustavo Franco acaba de lançar seu livro *Crônicas da convergência: ensaios sobre temas já não tão polê-

micos, em que mostra que, em matéria de compreensão das complexidades envolvidas na condução da política econômica e social, o Brasil avançou muito nos últimos anos. Parte desses avanços se deveu ao processo democrático, a uma imprensa livre e à melhoria da qualidade do debate público. A mudança entre o discurso pré-2002 e a prática pós-2003 de Lula e de parcela do PT no governo é, em parte, resultado e exemplo claro desse movimento.

No entanto, talvez a razão mais importante do gradual abandono da retórica de ruptura e de ilusões voluntaristas sobre o poder do Estado esteja no fato de o Brasil ser hoje uma economia (e uma sociedade) mais complexa, mais diversificada e mais integrada ao resto do mundo nas dimensões comercial, financeira, de investimentos, tecnologia, cultura e informação. Uma sociedade com um importante e amplo setor privado no agronegócio, na indústria e nos serviços. Essas características hoje impõem restrições e limites a arroubos populistas e ao poder discricionário dos governos.

Essas mesmas características da economia brasileira representam uma enorme — e crescente — cobrança sobre o governo, em termos de sua contribuição para a redução dos fatores de incerteza que cercam as decisões em torno de investimento privado. Junto com nossas ainda significativas carências sociais — e legítimas demandas a elas associadas —, esse conjunto resulta no desejo, unânime, por crescimento econômico sustentado, do qual depende a mudança social.

Poder-se-ia imaginar que, em não havendo controvérsia sobre o objetivo, o debate relevante deveria ser sobre os meios mais eficazes para alcançá-lo. Ou sobre as formas específicas de consolidar, na prática, as condições (macro, micro, regulatórias, institucionais e de reformas) para o crescimento — partindo da situação real do Brasil atual em cada uma dessas cinco áreas.

A experiência vem mostrando que isso é mais difícil do que parece e que há ainda muito por avançar em cada uma delas. Contudo, há sinais de vida e de possíveis convergências adicionais a serem construídas. Como foi a gradual formação do consenso sobre a importância de preservação da inflação sob controle.

Doze anos de inflação baixa e a clara percepção de seus benefícios para a maioria facilitam a tarefa de mantê-la assim no longo prazo.

Oito anos de efetiva operação dos regimes de metas de inflação e de câmbio flutuante constituem uma base de experiência para aperfeiçoamentos operacionais, sem necessidade de mudanças nos regimes, que são melhores que as alternativas conceituais existentes.

É verdade que a discussão macroeconômica parece dominada pelo binômio juros e câmbio, sobre os quais todos têm informação diária e opinião. Nossos "novos-desenvolvimentistas" se concentram em câmbio e juros reais e na advocacia de um Estado forte, capaz de regular a economia. Entre eles, os mais sensatos têm plena consciência de que não só não haveria consistência em suas propostas para juros reais e câmbio real, como também que seu Estado forte seria um mero tigre de papel sem o encaminhamento de uma solução estrutural para o ainda não resolvido problema fiscal brasileiro — agravado com as implicações futuras das recentes decisões de aumento permanente de gastos públicos.

Em fins de 2005, a área sensata deste governo propôs um programa, plurianual, de redução muito gradativa da participação dos gastos primários do Governo Central como proporção do PIB, que seria previamente anunciado e formalmente incorporado à legislação (via LDO — Lei de Diretrizes Orçamentárias). A proposta, ao que tudo indica, não encontrou acolhida no resto do governo.

Pois bem, o próximo governo, qualquer que seja o resultado das urnas, terá que voltar a ela, ou a uma variante, porque não é mais possível realizar nenhuma das quatro operações alternativas: aumentar a carga tributária (pelo contrário); aumentar a dívida pública (pelo contrário); reduzir investimento público para abrir espaço para gastos correntes do governo (pelo contrário); ou trazer de volta a inflação como mecanismo de financiamento do gasto público.

É fundamental, a meu ver, colocar esse tema no contexto do debate mais amplo sobre o grande objetivo do crescimento. Além das questões não macroeconômicas, que são tão importantes quanto as macro, o tema mais relevante para o debate público sobre o crescimento no Brasil de hoje é a análise cuidadosa da extensão em que o nível e a composição tanto do gasto público quanto da carga tributária estão afetando a eficiência, a produtividade e o investimento na economia (como também a pobreza e a distribuição de renda).

Bem sei que esses não são temas fáceis nem se prestam a discursos de campanha. É muito mais tentador, e aparentemente mais simples, falar sobre juros e câmbio. Mas os candidatos, inclusive o presidente atual, que espera ser reeleito, deveriam saber que aqui está o nosso calcanhar de aquiles. E que nos próximos quatro anos, pelo menos, esse será o grande desafio a enfrentar. Porém, a julgar pela prática — não pelo discurso —, ainda estamos distantes de um "quase consenso", do tipo dos que foram a duras penas conseguidos em algumas outras áreas. Como diria o *Aurélio*, a convicção ainda é tão elusiva quanto o "quase consenso".

A IMPORTÂNCIA DE SER NÃO CÍNICO
10 de setembro de 2006

"Ladrão do erário apanhado em flagrante não pode alegar posição ideológica como atenuante." Este era um dos artigos do Código de Ética Mínimo publicado por Millôr Fernandes décadas atrás. Tampouco deveriam ser atenuantes a banalização do cinismo, expressa na frase "todos, sistematicamente, fizeram e fazem o mesmo". Ou o argumento de que, se "erros" foram cometidos, o que importa é que a "intenção era boa" e a "causa era justa" em termos de seus fins últimos e da realização de "grandes coisas" (expressão que Maquiavel imortalizou).

Essas reiteradas alegações de atenuantes aparentemente surtiram efeito. Para muitos, as eleições do próximo mês servirão como uma espécie de julgamento definitivo, do qual esperam cabal absolvição. Uma decisão que teria "transitado em julgado", ao passar pelo crivo das urnas. Aqueles que por elas fossem referendados — junto com suas relações diretas e indiretas — teriam sido "absolvidos pela história" e, portanto, as instâncias de uso criminoso da máquina pública para objetivos de natureza política deveriam ser relegadas ao esquecimento, agora em caráter definitivo. Como chegou a dizer Delúbio

Soares no ano passado: em pouco tempo mais, tudo viraria apenas "piada de salão".

Mas é exatamente nestes tempos de generalizado relativismo moral que é preciso reafirmar a importância de não se deixar levar pelas ondas de cinismo que as posturas acima mencionadas vêm gerando entre nós. Como se as batalhas recorrentes contra a corrupção estivessem sendo perdidas. Não estão. É só em Estados com instituições fracassadas, sociedades inermes ou ditaduras longevas que a corrupção sistêmica pode triunfar ou grassar sob o manto protetor da impunidade e da inexistência de uma opinião pública digna desse nome.

Há quem considere — por exemplo, José Murilo de Carvalho, em entrevista recente — que essa opinião hoje no Brasil tem duas caras e duas vozes: uma opinião pública que se expressa na mídia e uma opinião nacional que se expressa nas urnas. A primeira seria formada pelos quase 20% do eleitorado que tem curso secundário completo ou perto disso. A segunda, pelo restante dos 126 milhões de eleitores, a maioria dos quais vivendo mais próximos do reino da necessidade e, portanto, tendentes a apoiar quem mais lhes pareça capaz de ajudá-los, no que for, por ocasião de cada eleição.

É preciso reconhecer o apelo daquilo que José Murilo denominou "social-clientelismo" — seu discurso e sua prática —, fenômeno de raízes históricas entre nós que viceja com especial força quando encontra instrumentos e condições políticas adequadas. Como a vertiginosa aceleração da expansão dos gastos públicos, inclusive com programas de transferência direta de renda nesse período pré-eleitoral. Programas que, iniciados em administrações anteriores, deveriam ser vistos como políticas de Estado, e não apresentados como benevolência de um único governante.

Mas é preciso reconhecer também que, independentemente de inclinações políticas, parcelas relevantes tanto da opinião "pública" quanto da opinião "nacional" consideram inaceitável que alguém utilize uma posição oficial de forma criminosa, em benefício próprio ou de sua família, quadrilha ou "organização". Quanto mais não seja porque a maioria esmagadora da população brasileira não utiliza tais procedimentos em sua dura vida cotidiana.

Em resumo, assim como em outras áreas, e penoso como possa ser, há um processo de aprendizado coletivo que, apesar de lento, caminha na direção certa, e é essencial ir se consolidando. Foi assim no mundo hoje desenvolvido. Não se trata de mudar a natureza humana (como diria Millôr: "o ser humano não falha"), e sim de limitar o espaço do cinismo, da desfaçatez, da hipocrisia e, fundamentalmente, da impunidade. Algo que não é resolvido com o resultado de uma eleição, tentador como pareça a alguns.

Deixem-me concluir este artigo com um exemplo de outra área na qual é importante ser não cínico, apesar das tentações envolvidas, porque há sinais de vida e bases sendo construídas para um mínimo de convergência entre a opinião pública responsável "deste país". Mas há também um desgastante caminho à frente. Refiro-me à necessidade de avanços duradouros nas duas áreas-chave, e interligadas, das quais depende hoje a criação das bases para um maior e mais sustentado dinamismo da economia brasileira: a questão fiscal e a questão da redução das barreiras (microeconômicas, regulatórias e institucionais) ao investimento privado, sem o qual — no Brasil de hoje — não haverá crescimento a taxas mais elevadas que as do período recente. Sejamos não cínicos e, sem grandes ilusões, continuemos o debate, no momento ainda restrito, paradoxalmente, devido às eleições.

Deixem-me exemplificar: no dia 30 de agosto, a consultoria Tendências reuniu ex-ministros da Fazenda e o atual ministro do Planejamento para um debate sobre as questões aqui referidas. Houve uma razoável e promissora base de convergência sobre a natureza do desafio a enfrentar (controle plurianual — e crível do ponto de vista legal — da taxa de expansão dos gastos primários recorrentes de consumo do governo como proporção do PIB), com a discussão de medidas específicas para tal no curto, médio e longo prazos.

Entretanto, no mesmo dia em que Paulo Bernardo Silva e Antonio Palocci diziam coisas sensatas sobre essas questões, o PT divulgava oficialmente pela imprensa o seu programa de governo para o segundo mandato do governo Lula. E o presidente do PT dizia que "a expansão do gasto público é uma característica de um governo que tem uma estratégia para expandir esse gasto", acrescentando, de passagem: "obviamente limitado às condições macroeconômicas". Como ilustração do ponto, ver o texto do ministro Tarso Genro dirigido ao Conselhão e a proposta orçamentária para 2007.

É preciso reafirmar a importância de ser não cínico e confiar nas reservas de bom senso que o país ainda detém. Mas, como diria o jornalista Fernando Pedreira, haja confiança!

PREZADO LULA, OU RECORDAR É VIVER
8 de outubro de 2006

"Prezado Lula" foi o título de uma carta pública que dirigi ao então candidato em abril de 2002 e que reproduzo a seguir (não na íntegra por razão de espaço), dadas as suas tentativas de esquecer o passado recente e distorcer o passado já mais distante.

"Lamento incomodá-lo. É bem provável que você considere o que me leva a escrever um assunto menor na ordem maior das coisas ou das suas legítimas preocupações com seu futuro político. O problema é que o assunto não é menor para mim. Porque tem a ver com minha honra, com meu nome, legado maior que deixarei a meus filhos. Algo que vou defender até o fim de meus dias. Espero que você entenda por quê...

Em longa entrevista publicada pelo *Correio Braziliense* em agosto de 2001, você se referiu à minha pessoa nos seguintes termos: '(...) o ministro Pedro Malan (...) parece que tem uma chave sagrada dos cofres públicos, guarda o dinheiro só para ele (...) e em época de eleição libera dinheiro para obras de amigos (...).'

Bem sei que no mundo da política as pessoas, por vezes, se deixam levar pela emoção e pela paixão e que nem sempre medem com cuidado o uso e o significado de suas palavras, principalmente quando atacam pessoalmente supostos adversários políticos. Com muito boa vontade, talvez a sua entrevista pudesse ser lida, como sugeriu uma grande admiradora sua, como uma simples metáfora, destituída de maior significado, própria do calor da hora. Infelizmente, como fui acusado diretamente, não foi assim que a interpretei.

A entrevista ocupou duas páginas inteiras do jornal. É uma entrevista importante e merece ser lida por petistas e não petistas, pelo que revela sobre você e suas ideias. O jornal a apresentou como a primeira grande entrevista em que você assumiu, publicamente, a sua quarta candidatura à Presidência (...).

(...) em meados de novembro de 2001, antes de se encerrar o prazo-limite legal de 90 dias após a publicação da acusação, ajuizei contra você uma interpelação judicial, na 16ª Vara Federal do Distrito Federal, sem fazer divulgação dessa iniciativa. Na interpelação, reproduzi as suas próprias palavras, extraídas da entrevista, e pedi que, em juízo, você as confirmasse, desmentisse, desse as explicações que lhe parecessem necessárias, ou apresentasse as provas que justificassem as suas declarações a meu respeito.

A carta precatória enviada em dezembro pelo juiz de Brasília à 2ª Vara Federal de São Bernardo do Campo (SP) foi devolvida com a sua resposta apenas no fim de fevereiro, pois somente na oitava tentativa o oficial de justiça conseguiu citá-lo, e assim mesmo depois de o juiz determinar que o fizesse com dia e hora marcados...

Lamento, mas a curta resposta à interpelação judicial, assinada por você e por um advogado pelo qual tenho grande respeito, Márcio Thomaz Bastos, é absolutamente insatisfatória para mim, e me leva não só a tornar pública agora a minha indignação como a considerar a possibilidade de medidas judiciais cabíveis. A sua resposta apenas defende algo que eu jamais imaginaria questionar: o direito à crítica como inerente ao debate público. Para mim, é absolutamente trivial a observação de que homens públicos estão sujeitos, gostem ou não, a intenso escrutínio e dele não podem reclamar. É dispensável, portanto, para quem é ministro da Fazenda há sete anos e três meses, período de plena vigência das liberdades democráticas, a lembrança de que a crítica é direito assegurado a qualquer cidadão brasileiro, e também a referência óbvia de que o debate franco e aberto sobre qualquer tema é condição essencial para o desenvolvimento do processo democrático.

Vamos ser claros, Lula. O que você fez não foi uma crítica política. Apesar de na última linha de sua resposta à minha interpelação afirmar que 'em nenhum momento pretendeu atacar a honra do interpelante', o fato é que você o fez. Você me acusou de um crime. Porque guardar dinheiro público para si, e o liberar pessoalmente para 'obras de amigos', é crime, Lula. É crime grave. O acusador tem que ter provas, evidências, e você não as tem, não as tinha e nunca as terá, porque nunca fiz, não faço e nunca farei tal coisa. E você sabe ou deveria saber disso.

Não tenho absolutamente nada contra críticas. Ao contrário. Eu próprio as faço e farei, inclusive quanto ao que considero insustentáveis ambiguidades de seu discurso e de seu partido. Sou servidor público há mais de 35 anos. Nos últimos 15 anos ocupando posições de responsabilidade: representante do governo brasileiro nas diretorias executivas do Bird (Banco Mundial) e do BID (Banco Interamericano de Desenvolvimento), negociador-chefe da dívida externa brasileira, presidente do Banco Central e ministro da Fazenda... E sempre, volto a repetir, sem qualquer projeto político pessoal. Nunca, em momento algum ao longo de minha carreira, qualquer pessoa acusou-me de crime ou fez qualquer ofensa à minha honra. Você foi o primeiro — e único. E gostaria que fosse o último a me acusar de crime grave — sem qualquer evidência.

Posso estar equivocado, mas acredito que a opinião pública está se cansando desse cipoal de baixarias, agressões pessoais e acusações sem provas. Creio que a população espera — e merece — um debate público sobre ideias, projetos e programas viáveis, que possam consolidar os ganhos já alcançados pelo país e avançar mais no sentido de melhorar as condições de vida da população brasileira. É com esse espírito que sempre trabalhei, aceitando quaisquer críticas como normais. É com esse espírito que sempre procurei participar do debate público (...)."

Peço perdão ao leitor que até aqui chegou pela longa reprodução de texto antigo (*O Globo*, 14/4/02). Mas tive o privilégio de servir a um governo honrado, com muitos colegas de integridade e caráter, em nome dos quais creio que me expresso. E para os quais, definitivamente, não era "a mesma coisa" de agora, como pretendem alguns.

DESMONTANDO PALANQUES

12 de novembro de 2006

Apenas dois presidentes civis, eleitos pelo voto popular, passaram o cargo a outro presidente, também civil e diretamente eleito, nos últimos 80 anos de nossa história republicana: JK e FHC. O presidente Lula deve ser o terceiro, em 2010.

O exercício da democracia é um difícil aprendizado coletivo, envolvendo processos que transcendem de muito os momentos de disputa eleitoral. Esses processos estão em andamento no Brasil e é fundamental que continuemos avançando em sua consolidação.

Igualmente importante é continuar consolidando os avanços logrados nas áreas econômica e social. Processos de mudança que não começaram do zero, a partir do início de 2003, como pretende a aparentemente inesgotável série do "nunca ninguém antes..."

Por exemplo, não será demais notar que, em boa medida, o desempenho brasileiro no quadriênio 2003-2006 é explicado por três fatores básicos: um contexto internacional extraordinariamente favorável (só comparável, em crescimento mundial, ao quadriênio 1970-1973); uma política macroeconômica "não petista", particularmente durante a gestão do ministro Antonio Palocci; e uma herança "não maldita" de avanços institucionais e mudanças estruturais alcançados na vigência de administrações anteriores. Inclusive na área social, onde o grande programa do governo — Bolsa-Família — é, como sabem os minimamente informados, uma junção e continuação, ampliada, de programas sociais do governo anterior, apresentado como algo que "nunca antes teria existido na história deste país".

Seria excesso de ingenuidade política esperar que o atual governo reconhecesse isso de público durante o processo eleitoral. Assim como preocupante seria se as principais figuras do governo de fato desconhecessem ou negassem essas evidências em suas conversas reservadas. Mas o processo eleitoral terminou. É hora de descer dos palanques e voltar a considerar, sem bravatas e jargões, o tema central dos próximos meses e anos: a criação de bases para a elevação do investimento e do crescimento econômico, sem o qual não há progresso social sustentado. Isso exige debate sério e não anúncios de "decisões políticas" de crescer pelo menos a X% ao ano a partir de agora.

É desonestidade intelectual, além de falta de ética no debate público, imputar a indivíduos, e a supostas escolas de pensamento a que pertenceriam, a oposição ao desenvolvimento econômico e social porque essa "preocupação" teria sido já apropriada e transformada em monopólio de "desenvolvimentistas". O enfrentamento das difíceis escolhas à frente seria mais efetivo se pudéssemos perder menos tempo e energia com falsos dilemas, dicotomias simplórias, diálogos de surdos e rotulagens destituídas de sentido, exceto para os militantes.

Há pessoas que se consideram portadoras de um superior entendimento das coisas deste mundo porque acusam outros de "neoliberais". Ainda que sejam incapazes de explicar o que a expressão significa, na sua maneira de entender. Há os que se consideram do lado "correto" político, social e culturalmente falando, porque se autoproclamam "desenvolvimentistas", contra a categoria oposta dos "monetaristas", às vezes substituídos por "fiscalistas" — coisa vista como ruim, embora talvez represente um degrau mais bem situado na escala do opróbrio.

Em outros países em desenvolvimento, seriamente empenhados em avançar em termos de eficiência, produtividade, competitividade internacional, ciência e tecnologia, é impensável que se perca tempo discutindo "controvérsias" desse tipo. Se a moda prospera, corremos o risco de ter entre nós uma espécie de "parque temático" a ser visitado por saudosistas de velhos embates imaginados, como alguns intelectuais que viajam até Chiapas para ouvir o Comandante Marcos falar sobre outros mundos possíveis.

Talvez em nenhum outro país de relevante expressão econômica hoje seja possível encontrar um ministro das Finanças que anuncie: "Nosso objetivo máximo é implantar o social-desenvolvimentismo (...). Hoje é um novo modelo (...). É inédito no país." Vale uma viagem ao país em questão para tentar entender do que se trata. Em nenhum outro país de relevante expressão econômica hoje talvez seja possível encontrar um importante ministro de Estado que, além de decretar com estardalhaço o fim de uma era, anuncie que chegou ao fim a preocupação com o "controle neurótico da inflação". Que nome teria esta "Novíssima Era"? Vale uma visita ao parque temático.

Felizmente, o presidente Lula mostrou, de pronto, muito maior intuição e tirocínio que muitos dos seus ao desautorizá-los publicamente e ao reafirmar algo que por 12 anos veio, gradualmente, deitando raízes entre nós desde a vitória do real sobre a hiperinflação, em 1994. Disse o presidente dirigindo-se, aparentemente, à sua grei: "O controle da inflação permanece sendo prioridade por causa do impacto considerável na vida dos mais pobres. Nós não podemos nos permitir um passo em falso neste terreno."

Não creio que essa posição permita que nosso presidente possa ser acusado, como durante anos foi moda entre nossos ideólogos, de neoliberal, monetarista, subserviente aos ditames do Consenso de Washington e adepto do pensamento único. Em 30 de outubro, ao afirmar que "a austeridade fiscal será mantida com seriedade", o presidente estaria adotando uma posição antidesenvolvimentista?

Chegou a hora de falar mais sério, hoje e ao longo dos próximos anos, desarmar os palanques e abandonar de vez os falsos dilemas e os estéreis debates sobre rótulos que nada mais significam.

Afinal, as democracias mais bem-sucedidas do mundo foram aquelas capazes de combinar liberdades individuais, justiça social e eficiência nos seus setores privado e público. É certo que cada país tem que encontrar seu caminho para tal. Mas não há qualquer necessidade de discursos grandiloquentes sobre inéditos modelos nunca antes imaginados.

TRANSIÇÃO TURBULENTA E ESPAÇO PARA ERRAR

10 de dezembro de 2006

"Nunca antes em nossa história estas forças tinham se apresentado tão unidas contra um candidato como acontece hoje. São unânimes em seu ódio contra mim — e eu recebo com alegria esse ódio. (...) Gostaria que se dissesse de meu primeiro governo que, nele, as forças do egoísmo e da cobiça de poder encontraram um adversário à altura. Gostaria que se dissesse de meu segundo governo que, nele, essas forças encontraram quem as dominou."

O trecho acima é de discurso de Roosevelt feito quase ao final da campanha por sua reeleição, em 1936, citado na excelente biografia *Roosevelt*, de Roy Jenkins, em capítulo intitulado "As elusivas ambiguidades do primeiro mandato". Jenkins nota que o discurso era muito diferente dos utilizados na primeira campanha (1932): "Então, era atender a todos. Agora, uma minoria (poderosa) tinha que ser provocada para estimular a maioria. A tática funcionou brilhantemente." Roosevelt foi eleito com 61% dos votos.

Mas, no capítulo seguinte, sobre o segundo mandato, intitulado "Reveses: políticos e econômicos", Jenkins observa que Roosevelt, "apesar da magnífica vitória eleitoral, iniciou seu segundo mandato pelo caminho da frustração". Consequência, entre outros fatores, de uma confrontação política com a Suprema Corte, que ele pretendia reformar. O malogrado esforço — durante os cinco meses iniciais de seu governo — acabou se revelando desnecessário. O passar do tempo permitiu a Roosevelt terminar com um grupo de juízes que não mais contestava suas medidas. Porém, paradoxalmente, com um Congresso muito mais relutante em aprová-las, nunca respondendo automaticamente às iniciativas do Executivo. Afinal, era o segundo e, para muitos, o último mandato do presidente.

Qualquer semelhança é, obviamente, mera coincidência e curiosidade histórica. Afinal, passaram-se 70 anos, os Estados Unidos e o mundo dos anos 1930 não têm a ver com os Estados Unidos, o mundo e outros países hoje e Roosevelt era... Roosevelt. Contudo, os parágrafos acima servem como ilustração de que nem sempre as transições de um primeiro para um segundo mandato são tranquilas, mesmo após uma vitória expressiva nas urnas.

Tal é a situação do Brasil neste final de 2006, como vem se dando conta o presidente Lula ao se defrontar com as dificuldades de preparar um novo governo para os próximos quatro anos. Pois tem de lidar com as ambiguidades de sua própria herança, com as expectativas geradas pelas promessas de campanha e pelos desejos de compartilhar efetivamente o poder com parte de outras forças políticas além do PT, hoje despido de sua antiga aura de vestal e transformado em uma pálida sombra daquilo que pensava que era.

A novela da crise do controle de voos a que o país assiste, pasmo, há semanas, poderia servir como uma metáfora, daquelas tão a gosto de nosso presidente, sobre os não triviais problemas de coordenação envolvidos na difícil arte de governar um país da complexidade do Brasil. Não será fácil a montagem de um ministério de 35 pastas nem a da menos visível aparelhagem a ela associada — como bem mostrou a experiência dos últimos quatro anos. É de registrar a relativa solidão com a qual o presidente se dedica à tarefa — que chamou a si —, tendo perdido praticamente todo o seu núcleo duro original ao longo do primeiro mandato.

Mas, político intuitivo e experiente, o presidente Lula certamente sabe que estará jogando seu segundo mandato agora, na montagem de seu governo, para enfrentar 2007, o ano definidor de seu próximo quadriênio, como foi 2003, do ponto de vista econômico, em seu primeiro mandato.

Na verdade, em 2003, foi seu apoio ao ministro Antonio Palocci — apesar do intenso "fogo companheiro" — que permitiu ao governo estabelecer, gradualmente, suas credenciais de responsabilidade na condução da política macroeconômica. E ser recompensado nas urnas em 2006 por uma maioria que finalmente entendeu que o controle da inflação lhe era benéfico, por preservar o poder aquisitivo de salários e as transferências diretas de renda.

Porém, como notou Rosângela Bittar em "A arte de mudar negando mudanças" (*Valor*, 24/5/06), a consistência dos sinais sobre a condução da política econômica que o ministro Palocci conseguiu assegurar por cerca de três anos e três meses começou a mudar em 2006. Apesar das reiteradas afirmações do "nada muda", o fato é que mudaram sinalizações e decisões, em particular na área fiscal, com aumento de gastos públicos correntes que se projetam para 2007 e adiante. E que consistem hoje legítima fonte de apreensão, e não por parte de "fiscalistas", mas de pessoas preocupadas com a criação de bases para a retomada dos investimentos privados e públicos, sem os quais não haverá o crescimento duradouro que se deseja para o país. E que não será alcançado com aumento de gastos públicos correntes, nem tampouco com atos de vontade, declarações de intenções, exortações ministeriais e determinações ou discursos presidenciais, como vem mostrando a experiência e — felizmente — o debate público recente.

O fato é que a confortável situação de balanço de pagamentos, a redução significativa das vulnerabilidades externas do país (ensejada pelo contexto internacional favorável) e a benigna situação no front da inflação significam que o espaço para errar existe — e, para muitos, ampliado. Há um discernível clamor por utilizar esse espaço com ousadia. Afinal, para muitos, foi a ousadia das decisões de gasto de 2006 que teria permitido a expressiva vitória nas urnas. Por que não interpretar a vitória como uma licença, ou mesmo um mandato, para maiores ousadias?

Ninguém pode ser contra coragem e ousadia, desde que haja responsabilidade, visão de estadista e racionalidade nas ações tidas como ousadas e corajosas. Como no caso de Roosevelt, que sabia distinguir entre ganhar uma eleição e governar.

Em tempo: só em 1940 o PIB (nominal) norte-americano superou o nível que havia alcançado em 1929. Apesar de toda a ousadia do presidente em seus dois primeiros mandatos.

Feliz 2007 a todos.

2007

2007

Taxa de crescimento no ano	6,1 %
Taxa de inflação no ano	4,5 %
Taxa de câmbio no final do ano	R$ 1,78
Mín. R$ 1,73 Máx. R$ 2,15	
Taxa de juros no final do ano	11,25 %
Mín. 11,25 % Máx. 13%	

JANEIRO

O PAC (Programa de Aceleração do Crescimento) prevê investimentos de quase R$ 504 bilhões até 2010, com prioridade para a infraestrutura. São listadas mais de 1.600 "ações do governo", que incluem mais de 900 obras e mais de 700 "estudos e projetos em andamento" a serem monitorados pela Casa Civil da Presidência da República.

FEVEREIRO

O fechamento da bolsa de Xangai com queda de 8,8 %, a maior em dez anos, e preocupações crescentes com o mercado imobiliário norte-americano levam a uma queda de 6,63 % no Ibovespa. O dólar tem a maior alta em nove meses.

MAIO

O dólar rompe a barreira dos R$ 2 e fecha a R$ 1,982, o menor valor em seis anos, efeito do crescimento da economia global, do volume do comércio internacional e do acesso fácil ao mercado de capitais. Forte ingresso de investimento direto estrangeiro. Oferta Pública Inicial de ações (IPOs) na Bolsa de Valores de São Paulo caminhando para bater o recorde anterior, registrado em 2006.

JULHO

O colapso de dois fundos do Bear Stearns sugere a existência de problemas além do preço dos imóveis nos EUA.

AGOSTO

O STF aceita a denúncia da Procuradoria-Geral da República contra os 40 denunciados no Mensalão. Entre os personagens centrais do escândalo, estão ex-integrantes da cúpula do governo e do PT, como o ex-ministro da Casa Civil José Dirceu e o ex-presidente do partido José Genoino, o publicitário Marcos Valério e o deputado cassado Roberto Jefferson, presidente do PTB.

Problemas com dois fundos do BNP Paribas (que suspende resgate de cotas dos mesmos) sugerem que os problemas de mercado não se restringem apenas aos EUA.

OUTUBRO

O Brasil é confirmado pela Fifa como sede da Copa do Mundo de 2014.

NOVEMBRO

O sistema de investimento em ações feito diretamente pela internet por pessoas físicas (*home broker*) bate três recordes na Bolsa de Valores de São Paulo: o de número de investidores com ofertas alocadas, o de médias diárias de volume financeiro e o de número de negócios.

DEZEMBRO

O Senado rejeita, por 45 votos a 34, a PEC (Proposta de Emenda à Constituição) que prorrogaria a cobrança da CPMF até 2011. Para evitar a cassação, Renan Calheiros (PMDB-AL) renuncia à presidência do Senado, que viveu por quase sete meses a crise envolvendo o seu então presidente, alvo de seis processos no Conselho de Ética. Por duas vezes, o plenário da Casa absolveu Renan e preservou seu mandato.

Taxa de juros do FED norte-americano, reduzida em junho de 2006 de 5,25% para 4,25%, evidencia que há uma crise em gestação nos mercados financeiros.

Entre 2003 e 2007, o Brasil experimenta um superávit comercial (excesso de exportações sobre importações) acumulado de US$ 190 bilhões; um superávit do balanço de pagamentos em conta-corrente em cada um dos anos do período (um total de US$ 46 bilhões em cinco anos); tendo acumulado reservas internacionais de US$ 180 bilhões no período.

RISCOS DE EXCESSIVA COMPLACÊNCIA

14 de janeiro de 2007

Quando terminou o primeiro mandato do atual governo? Para uns, terminou na virada do ano-calendário, e desde então ele estaria trabalhando a pleno vapor em seu segundo mandato. Para outros, o primeiro mandato, na prática, ainda não terminou: apenas parte do governo está de férias e a outra parte está "esperando Godot", como na extraordinária peça de Samuel Beckett.

No entanto, para outros, o primeiro mandato do atual governo começou a terminar em 2005, quando José Dirceu, seu virtual primeiro-ministro ("capitão do time", na expressão do presidente Lula), foi forçado a sair de cena. E terminou em março de 2006, com a saída do ministro Antonio Palocci, que, desde o final do ano anterior, já não vinha tendo o mesmo apoio que lhe dera Lula no início, em particular na área fiscal. A partir daí, o governo entrou em campanha e passou a se preocupar essencialmente com o resultado das eleições de outubro.

Deixo ao eventual leitor escolher entre essas conjeturas a que lhe pareça mais apropriada. Ou qualquer outra, não importa. O que importa é que estamos claramente em uma paradoxal fase de transição política — de Lula I para Lula II — que se prolonga há meses. Nesses intervalos, ou nesses vazios políticos em que o velho (o primeiro mandato, o ministério antigo) ainda persiste, sem muita ação, e o novo (o segundo mandato, o novo ministério, a nova direção do Congresso) ainda não surgiu, é que costumam aparecer, ou se acentuar, os riscos que estaremos correndo nos próximos quatro anos. Riscos derivados de excessos de complacência e — talvez — de excessos de voluntarismo.

Em 21 de novembro de 2006 disse o nosso presidente: "Eu vou me dedicar, até o dia 31 de dezembro, a destravar o país. Ou seja, tem algo, e não me pergunte o que é, que eu ainda não sei, e não me pergunte a solução, que eu não a tenho, mas vou encontrar, porque o país precisa crescer. (...) me deixe trabalhar que eu vou pensar direitinho no que eu vou fazer." A declaração foi feita sob um calor de quase 40 graus, na pista do aeroporto de Barra dos Bugres, a 190 quilômetros de Cuiabá, o que talvez explique a pressa do presidente em se desvencilhar da imprensa.

Mas o fato é que, em 1º de janeiro de 2007, o mais alto mandatário da nação, em seus discursos de posse, fez um genérico apelo por pressa, ousadia, imaginação e criatividade — e saiu de férias, como vários de seus ministros. A demanda presidencial por urgência, ousadia e imaginação, não deve haver dúvidas, gerará sua própria oferta e também expectativas de que as sugestões ofertadas venham a ser não só levadas em consideração, como efetivamente implementadas. Afinal, o objetivo de todos não é mudar, acelerar, crescer e incluir? Não é para deixar para trás a "mesmice" do primeiro mandato, como chegou a sugerir o próprio presidente, semanas após haver censurado dois de seus ministros por haverem anunciado o fim da "era Palocci" e de certas preocupações "neuróticas", por exemplo, com a inflação e com o crescimento vertiginoso do gasto público corrente?

É exatamente nesses momentos de grande euforia dos que se veem no início de uma *segunda nova era* de mais quatro anos de poder à frente, quando farão outras "grandes coisas", que mais necessário se torna o debate público — que, felizmente, temos. E, no governo, o concurso daqueles que são capazes de aliar prudência ao sentido de propósito e à eficiência na ação operacional do setor público, para a qual a retórica político-ideológica não é, e nunca será, substituto adequado.

Meu último artigo neste espaço tinha no título a expressão "espaço para errar". Um espaço permitido pelo fato de 2007 ser o quinto ano consecutivo de extraordinário desempenho da economia mundial (e, portanto, de melhoria de nossas contas externas); pelo fato de a inflação estar controlada (como, em geral, esteve desde o lançamento do real); e pela percepção de que teríamos uma situação fiscal sob controle, e que, assim, haveria espaço para aumento continuado dos gastos correntes do governo como proporção do PIB (aumento já decidido para 2007 e incerto adiante). Isso significa menos investimento público e menos investimento privado do que poderíamos ter, e por isso menos probabilidade de alcançarmos uma taxa mais alta de crescimento.

Mas, assim como há espaço para errar, há espaço para corrigir erros e espaço para acertar. E assim como há ousadias irresponsáveis (conforme estamos vendo em alguns países da região) pode — e deve — haver responsabilidade de estadista na ousadia. Esta última, hoje, sugeriria aproveitar o extraordinário vento a favor proveniente do resto do mundo — enquanto esse vento durar, e não será para sempre — para avançar mais no "destravamento" da economia brasileira.

Destravar a economia brasileira não é, definitivamente, algo que se possa fazer com um plano elaborado em um par de meses. Mas um plano pode ajudar se revelar clareza sobre o que o Brasil está a exigir: maior redução de barreiras ao investimento privado e maior eficiência operacional do setor público em todas as suas ações, inclusive nas que envolvem transparência, estabilidade e previsibilidade do contexto regulatório na área de infraestrutura.

Destravar a economia brasileira hoje significa, sim, tentar avançar em novas rodadas de algumas reformas: tributária, previdenciária e trabalhista — o que só acontecerá se o presidente achar — como deveria — que isso é importante para o crescimento. E cobrar de seus ministros e de sua base no Congresso que se empenhem nessa tarefa com coragem, ousadia, imaginação e criatividade. O presidente Lula não precisa deixar de lado o espírito da declaração de Barra do Bugres, nem tampouco o apelo que tão bem expressou em seu discurso de posse. Mas, como dizem os chineses, ajuda muito decidir o que fazer quando há convicção — e acordo sobre certos princípios básicos. E quando não se ignoram os riscos de excessiva complacência.

PEDRO MALAN

ECONOMIA GLOBAL, POLÍTICA DOMÉSTICA

11 de março de 2007

"Quando, durante a campanha eleitoral e ao longo da crise governamental, se ouvia dizer que o problema fundamental e preliminar que as forças políticas deviam resolver era o de assegurar a governabilidade do país, uma coisa muito terra a terra devia ser entendida: a possibilidade de formar um governo."

"Por outro lado, quando cientistas políticos falam de governabilidade, entendem uma coisa inteiramente diferente. Eles pretendem, antes de mais nada, pôr o problema da possibilidade, não de formar um governo, mas de governar uma sociedade cada vez mais complexa, territorialmente muito vasta, com uma população socialmente articulada, economicamente diferenciada, politicamente sempre mais exigente, inclusive em relação a melhores e mais estáveis formações de governo."

"Nos países não apenas capazes de formar um governo, mas efetivamente governados, existe uma relação entre grupos e programas em torno de certas questões de fundo (...). [Mas] num sistema de partidos complicados, onde por 'governabilidade' se entende até a difícil operação de formar um governo, não se fazem alianças com base em opções de fundo (governabilidade em sentido forte): as opções são feitas com base em possíveis alianças, de tal forma que por vezes tornam as opções de fundo impossíveis."

Os três parágrafos acima referem-se... à Itália. Foram extraídos do texto "É preciso governar", de Norberto Bobbio, escrito em 1979 e que retém surpreendente atualidade e relevância para esta nossa época de economia global e política doméstica.

A inexorável — para um país que quer se desenvolver — integração à economia global não é incompatível com diferentes "modelos sociais", conforme configurados por políticas nacionalmente decididas. O Instituto Bruegel, por exemplo, identifica não um, mas quatro "modelos sociais europeus" (anglo-saxônico, nórdico, continental e mediterrâneo), cada um com sua história e características. Os Estados Unidos têm outro "modelo", o Japão, outro. Todos sob contínuo debate político doméstico, ali onde as questões fundamentais são, e continuarão a ser, ao fim e ao cabo, decididas. Mas essas decisões são afetadas por percepções sobre a situação do país na economia global e sobre sua competitividade internacional no século XXI.

Um século que, diga-se de passagem, começou com cerca de uma década de antecedência, com o colapso do império soviético, a rápida emergência da China e da Índia e a extraordinária elevação de produtividade e eficiência propiciada pela generalizada aplicação da revolução tecnológica nas áreas de informática e telecomunicações.

A combinação desses fenômenos levou a dois fatos de importância histórica. Primeiro, uma revolução nas expectativas, já que centenas de milhões de pessoas, nas mais variadas partes do globo, passaram a ter acesso em tempo real a informações sobre estilos de vida, diferenças de renda e riqueza e padrões de consumo em relação aos quais podem situar a sua posição relativa — e as suas possibilidades de trabalho. Em segundo lugar, porque, como notou Alan Greenspan em entrevista recente, "estamos caminhando para dobrar, a longo prazo, o tamanho da força de trabalho global envolvida em mercados internacionais competitivos". Um choque de oferta de proporções historicamente inéditas. Afinal, em apenas 50 anos (1950-2000) passamos de 2,5 bilhões de pessoas a 6 bilhões. E seremos cerca de 7,1 bilhões em 2015. A imensa maioria com expectativas quanto a seus futuros padrões relativos de renda e de consumo — inclusive de bens públicos.

O efeito combinado dessas transformações estruturais em tão curto período de tempo nos remete a uma das questões de fundo de que falava Bobbio. A esmagadora maioria dos Estados nacionais, inclusive alguns dos países hoje desenvolvidos, simplesmente não tem condição de arcar com os custos de satisfazer as crescentes expectativas continuamente postas sobre suas capacidades de resposta às legítimas demandas sociais. Em outras palavras, os níveis e a qualidade dos gastos com educação, saúde, transporte e muitos outros serviços que as pessoas, cujas referências eram os modelos europeus, esperaram por mais de meio século que fossem providos por seus respectivos Estados estão hoje, em sua maioria, ou fora das possibilidades orçamentárias do governo ou fora dos limites que a população — a parte que paga tributos — aceita como necessário e razoável em termos de impostos para provisão de serviços públicos. A tentativa de aumentar a carga tributária de forma continuada afeta negativamente o investimento privado, os incentivos ao trabalho, a poupança e o crescimento futuro.

A entrada dos asiáticos na economia global vem tornando mais evidente algo que a discussão sobre os vários "modelos sociais", europeus ou não, já vinha evidenciando: é preciso mudar, gradualmente que seja, o contrato explícito ou implícito entre os governos e a população e que constitui a base para a legitimidade política dos próprios governos. E a direção dessa mudança parece clara, como vêm mostrando os asiáticos e os mais bem-sucedidos entre os países desenvolvidos (embora com outro ponto de partida): oferecer novas e maiores oportunidades de escolha e desenvolvimento de capacidades individuais através da educação de qualidade, como meio de liberar essa imensa energia e criatividade de que o ser humano é capaz e de lidar com exageradas expectativas sobre as responsabilidades do Estado de tentar de tudo e a todos prover.

O presidente Lula deve anunciar nos próximos dias que, finalmente, conseguiu formar um governo para seu segundo mandato. A nossa integração com a economia global seguirá o seu curso, com seus desafios e oportunidades. Mas o governo e a oposição têm enormes responsabilidades de, no interesse público, procurar elevar a qualidade do debate doméstico (político e econômico) sobre as questões de fundo das quais depende nosso futuro na economia global.

NOVO GOVERNO, VELHOS MITOS
8 de abril de 2007

"Nós, os brasileiros, estamos firmemente persuadidos de que sobreviveremos ao fim do mundo que acontecerá um dia. Fundaremos então um reino de justiça, pois somos o único povo da terra que pratica diariamente a lógica do ilógico, como prova nossa política. Esta maneira de pensar é consequência da 'brasilidade'." A sofrida ironia é do grande Guimarães Rosa. O tema é recorrente entre nós. A obsessão pelo futuro e a fé no que virá nos desculpam pela relativa aversão aos miúdos labores do cotidiano. "Somos notoriamente avessos às atividades morosas e monótonas", escreveu Sérgio Buarque de Holanda em seu *Raízes do Brasil*.

Outro profundo conhecedor da "brasilidade" (Roberto DaMatta) nos brindou na semana passada com excelente artigo sobre o tema: "No vasto, triste e sábio anedotário político nacional, o amanhã tem um lugar todo especial. O resultado é isso que se vê: a incapacidade de gerenciar o mundo diário, que vai se deteriorando a olhos vistos. Temos formidáveis promessas de futuro, mas um presente regado a descaso e a abandono. Os governantes, em todos os níveis, preferem governar para o futuro, frequentemente deles mesmos, a governar para o cotidiano dos seus eleitores. O futuro, sempre risonho, aponta para uma felicidade desconectada do presente. Ora, a cobrança da conexão entre presente e futuro chama-se responsabilidade — essa palavra feia para a qual o poder brasileiro dá, entre outras coisas, o dom da onipotência e o dom de ficar somente na promessa (...). Assim, enquanto vamos falando da cura pelo futuro, somos derrotados pelas rotinas que nos recusamos a gerenciar. (...) o certo é que temos um viés: substituímos o que é pelo que deveria ser."

Há algo do Brasil profundo nas observações acima, analisadas com brilhantismo por José Murilo de Carvalho no ensaio "Dreams come untrue", sobre nossos grandes mitos nacionais, comparando-os com os equivalentes norte-americanos e mostrando que no Brasil os mitos fundadores não parecem ter desempenhado o papel de uma poderosa força organizadora, como nos Estados Unidos.

O drama do país, conclui José Murilo, reside nesse contraste entre sonho e realidade, aspirações não acompanhadas de ações adequadas para fazê-las realidade. As pessoas não confiam em seus políticos e em suas instituições, mas fazem pouco para tornar os primeiros mais responsáveis e para mudar para melhor as instituições. Toda a energia e a imensa criatividade de que são capazes são dedicadas ao domínio privado, seja para seus interesses, seja simplesmente para sobreviver. O social é desconectado do político. Daí o sentimento de frustração, de desapontamento. E a persistência de uma vaga esperança de que um messias possa, eventualmente, trazer a solução para todos os problemas.

Não por acaso pelo menos quatro dos seis presidentes civis eleitos diretamente pelo voto popular desde 1950 possuíam traços messiânicos: Vargas, Quadros, Collor e Lula. Este último, após mais de cinco meses de sua vitória nas urnas, conseguiu, afinal, completar a designação de seus nada menos que 35 ministros, e com eles posar para a foto oficial que simboliza o início de seu segundo mandato com cerca de três meses de atraso.

O longo e tortuoso processo de constituição desse ministério deveu-se, fundamentalmente, à preocupação em assegurar uma apropriada "base de sustentação" no Congresso Nacional, o que parece ter sido alcançado — a um custo político e econômico que ainda a ninguém é dado avaliar.

Há, contudo, algumas indicações que parecem ter base em fatos, opiniões e biografias conhecidas. Por exemplo, dos três processos de reforma cuja continuidade o Brasil necessita para seu crescimento futuro, duas, a trabalhista e a previdenciária, devem ficar para as calendas, dada a escolha dos ministros nessas áreas. Do novo ministro do Trabalho nada se deve esperar em termos de flexibilização da legislação. Do ex-ministro do Trabalho, agora da Previdência, é muito pouco provável que venha algo na direção de um avanço na imprescindível reforma do sistema. A constituição de amplos Conselhos Nacionais para debater tais assuntos constitui uma forma de o Executivo transferir responsabilidades sobre a condução dos processos de mudança e postergá-los para depois de 2010.

É sintomático que em seu discurso de posse perante o Congresso Nacional o presidente Lula não tenha feito qualquer menção às reformas trabalhista e previdenciária. E sobre reforma tributária o que teve a dizer foi o seguinte: "Vamos consolidar, em harmonia com esta Casa e com os estados, a legislação unificada do ICMS, simplificando as normas, reduzindo alíquotas, com previsão de implantar um único imposto de valor agregado a ser distribuído automaticamente para União, estados e municípios." Se o Executivo federal, com o presidente à frente liderando o processo, não se empenhar nessa empreitada, nada vai acontecer nos próximos três anos e três meses que restam até a atual legislatura encerrar, na prática, as suas atividades, em junho de 2010.

Da mesma forma, que dizer da seguinte série de promessas — para um futuro que um dia virá —, todas contidas em um singelo parágrafo do mesmo discurso: "Vamos realinhar prioridades; otimizar recursos; aumentar fontes de financiamento; expandir projetos de infraestrutura; aperfeiçoar o marco jurídico; e ampliar o diálogo sistemático com as instituições de controle e fiscalização para garantir a transparência dos projetos e agilizar sua execução"?

"Brasilidades", diriam Rosa (talvez pensando em Zé Bebelo), DaMatta, Buarque de Holanda, José Murilo e tantos outros de nossos estudiosos de nós mesmos que expressam uma sabedoria que, também ela, é parte de nossa brasilidade: uma esperança não insensata que talvez possa ser renovada em momentos de travessia, ressurreição e festa. Como nesta Páscoa, que desejo possa ser feliz para todos.

TEMPO DE SEMEAR, TEMPO DE COLHER

13 de maio de 2007

"Em todas as coisas, e especialmente nas mais difíceis, não devemos esperar semear e colher ao mesmo tempo; é necessária uma lenta preparação para que elas amadureçam gradativamente" (Francis Bacon). Alguém haverá de dizer: isso é óbvio — e bíblico.

O óbvio me veio à mente ao ler uma entrevista do presidente Lula em que ele declara que está "trabalhando com a ideia de uma moeda única e de um Banco Central para os países do Mercosul (ampliado) nos próximos quatro anos". Em entrevista exclusiva concedida na semana passada (ao Portal Terra Magazine, que alcança 17 países das Américas), o presidente voltou ao tema: "A gente tem que sonhar ter uma moeda única, um banco único." No entanto, a instigante noção de "estar trabalhando com uma ideia" não deveria ser sinônimo de "estar sonhando com uma ideia".

Nosso presidente parece concordar com a formulação de Fernando Pessoa (1926): "O primeiro passo para uma regeneração, econômica ou outra, [do país] é criarmos um estado de espírito de confiança — mais, de certeza — nessa regeneração. Não se diga que 'os fatos' provam o contrário. Os fatos provam o que quer o raciocinador. Nem, propriamente, existem fatos, mas apenas impressões nossas, a que damos, por conveniência, aquele nome. Mas, haja ou não fatos (...), tanto podemos crer que nos regeneraremos como crer o contrário. Se temos, pois, a liberdade de escolha, por que não escolher a atitude mental que nos é mais favorável, em vez daquela que nos é menos?"

Pessoa fala em escolher a "atitude mental" correta como "primeiro passo". Porém, o que importa, de fato, no mundo real tem a ver com resultados efetivos. Estes, segundo o mesmo Pessoa, dependem de três coisas: "saber trabalhar" (que é mais que o trabalho); "descobrir oportunidades" (que é mais que aproveitar as existentes); e "criar relações tanto na vida material quanto na vida mental". O resto é sorte, diz Pessoa ("como herdar do tio brasileiro ou não estar onde caiu a granada"). Algo que os antigos chamavam "fortuna" (destino, acaso) e que tem sorrido amplamente ao nosso presidente, como esperamos que ele saiba.

Em outras palavras, estar trabalhando com uma ideia ou sonhando com outra, não é, em si, nada criticável, pelo contrário. Exceto quando o anúncio de uma ideia ou de um sonho é visto como garantia de sua realização no mundo real, ou seja, quando se vive no reino do desejado.

Os exemplos são inúmeros, além da já citada moeda única. O lançamento do chamado PAC (Programa de Aceleração do Crescimento) foi festejado e seus primeiros 100 dias comemorados como se seus resultados já estivessem em larga medida assegurados ("cobrem-me em 2010", disse o presidente). Isso porque foi anunciado que 1.646 ações estariam sendo monitoradas, das quais 912 seriam obras de todo tipo e 734 seriam estudos, projetos e discussões em andamento (entre as quais, notou a competente Míriam Leitão, "discussões com governadores, secretários da Fazenda, senadores e empresários sobre reforma tributária").

Nosso presidente havia trabalhado, no ano passado, com a ideia, da qual estava convicto, de que o século XXI seria o século do Brasil. Agora, na entrevista exclusiva da semana passada, diz "não ter dúvida que o século XXI será o século da América Latina".

Podemos e devemos torcer e trabalhar para que nosso presidente, em sua "atitude mental", esteja certo. O fato é que o resto do mundo, hoje, acha que o século XXI será marcado fundamentalmente pela emergência econômica e política não tanto da América Latina e sim da Ásia.

Podemos e devemos tentar mudar essa percepção, mas não será fácil. Muito ajudaria um melhor entendimento, entre nós, do longo processo de integração europeia nas áreas de comércio, investimento, infraestrutura, regulação e valores compartilhados. Foram necessários dezenas de anos para que se chegasse ao lançamento do euro. Passou-se mais de meio século procurando, com ações coerentes, persistência, prudência, propósito e visão, transformar ideia e sonho em realidade — no que ainda é uma obra em aberto.

Nesse contexto, e apenas a título de ilustração, espero que possamos voltar, quando as condições regionais assim o permitirem, àqueles avanços que já havíamos alcançado, conjuntamente, seis países da América do Sul (os quatro do Mercosul original mais Chile e Bolívia) há mais de seis anos. Após meses de discussões técnicas entre os seis ministros da Fazenda e os seis presidentes de Bancos Centrais e suas equipes, os seis presidentes dos países referidos adotaram formalmente, em reunião do Conselho do Mercosul, a decisão de caminhar na direção de maior convergência macroeconômica, por meio da utilização de um conjunto de objetivos compartilhados, quantificados e monitoráveis.

Alguns exemplos: convergência da relação dívida/PIB para não mais que 40% em 2010 (estávamos em 1999-2000 com vários países acima desse nível). Os déficits fiscais nominais deveriam ter como referência o percentual não superior a 3% do PIB. A taxa anual de inflação deveria convergir a um número inferior a 5% para todos os países do grupo.

Que os governos dos países da região possam recuperar um dia o mesmo espírito de colaboração e o mesmo clima construtivo que nos permitiu avançar tanto naquele momento e tomar uma decisão que continua em vigor, porque nunca alterada por outra decisão do Conselho. Sem avançar mais nessa área, é muito difícil "trabalhar com a ideia" de uma moeda única.

Vale citar um extraordinário ex-presidente: "A lição que temos para aprender é esta: os problemas não se resolvem com meras proclamações nem com voluntarismos. Resolvem-se com estudo, trabalho metódico, eficiência, com solidariedade, com coesão econômica e social" (Jorge Sampaio, ex-presidente de Portugal).

As citações de Francis Bacon e de Jorge Sampaio expressam a voz da razão. E a razão sempre acaba por encontrar alguma audiência, que, sob certas condições, pode se transformar em uma imensa minoria a ser levada em conta.

Mães, feliz dia!

PECADOS HISTÓRICOS, PECADOS SOCIAIS
10 de junho de 2007

Luiz Inácio Lula da Silva disputou cinco eleições presidenciais. Perdeu três e ganhou as duas últimas. É claro que o ganho recente é melhor que a perda passada (principalmente quando se aprende algo no processo, como foi o caso). Mas em política, como em economia, o que realmente importa são as expectativas quanto ao futuro. No caso da política, e em democracias, as possibilidades de manter o poder ou de a este chegar por meio das urnas.

Para muitos, Lula está agora claramente jogando, em termos de disputas presidenciais, pelo menos para o empate em algum momento futuro. Os mais afoitos de sua grei gostariam que já pudesse ser 2010. O presidente dá a entender que não teria problema esperar até 2014. O importante agora — legítima pretensão — seria fazer o próprio sucessor daqui a três anos e pouco. O nosso presidente parece confiante de que saberá conduzir esse processo como nunca antes se fez na história deste país.

O fato é que o lulismo, como fenômeno político, é hoje muito maior e mais relevante para esse processo que o PT e o petismo que lhe vêm a reboque. Dúvidas que porventura existissem a esse respeito foram suprimidas pelo método de montagem não só dos 36 ou 37 ministérios, como também pelo processo, ainda em curso, de loteamento dos cargos de segundo e terceiro escalões da administração federal entre membros do amplo espectro de partidos que constitui a chamada "base de sustentação política" do governo. Todos os ungidos são gratos ao presidente, no sentido da máxima de La Rochefoucauld sobre "a gratidão como a expectativa de novos favores".

Três anos parece muito. Na verdade, é pouco para a magnitude do desafio que se coloca tanto para o lulismo, em processo de mudança desde 2003, quanto para a oposição democrática, ambos procurando evitar o que Eric Hobsbawm chamou de "os dois pecados capitais da história: o anacronismo e o provincianismo". Pecados muito bem representados pelos neopopulismos que vêm renascendo na América Latina, onde sempre encontraram solo fértil para vicejar.

A variante brasileira de neopopulismo, pelo menos na versão lulista, não tem uma perspectiva autoritária, e não há sinais de que o Brasil possa caminhar (como alguns vizinhos) para um regime autoritário. A nossa variante tem aquilo que o historiador mexicano Enrique Krauze chamou de "uma natureza perversamente moderada ou provisória; alimenta sem cessar a promessa de um futuro melhor (...); posterga o exame objetivo de seus atos; amansa a crítica (...); adormece e degrada o espírito público". As esperanças de boa parte da população se voltam para a figura do pai e líder, do guia e mestre, do timoneiro, daquele que não tem dúvidas sobre o que fez, faz e fará.

Esse fenômeno tem profundas raízes no Brasil. O clássico de Sérgio Buarque de Holanda ainda retém, passados mais de 70 anos, relevante atualidade: "Na tão malsinada primazia das conveniências particulares sobre os interesses de ordem coletiva revela-se nitidamente o predomínio do elemento emotivo sobre o racional (...). Podemos organizar campanhas, formar facções, armar motins, se preciso for, em torno de uma ideia nobre." Ninguém ignora, porém, que o aparente triunfo de um princípio jamais significou no Brasil — como no resto da América Latina — mais do que o triunfo de um personalismo sobre outro.

De fato, para a maioria dos que mantêm interesse pela política no Brasil, a questão eleitoral em 2010 será decidida por personalismos: quem será o candidato escolhido por Lula e quem será o seu opositor principal — aquele que disputará com um mínimo de chance de efetivamente contestar o lulismo após oito anos.

É certo que, ao fim e ao cabo, os eleitores votam em pessoas — nas promessas que elas fazem e à luz dos próprios interesses — e não em conceitos, generalidades e chavões por todos repetidos. Mas os termos em que se dará o debate público mais sério e responsável são relevantes para o amadurecimento político e econômico do país.

O Brasil está em um momento promissor para esse debate. Porque experimenta, desde 2003, um contexto internacional extraordinariamente favorável, do qual soube tirar proveito, mas que não durará para sempre. Porque seguiu política macroeconômica não petista que rendeu um grande capital político ao presidente Lula. Porque o governo atual recebeu uma herança benigna de mudanças estruturais, avanços institucionais e programas sociais que procurou preservar, consolidar e ampliar. A reeleição de Lula se deveu a esse conjunto de fatores — além de seus dotes pessoais.

É fundamental agora aprofundar o entendimento público sobre os desafios a enfrentar, que continuam inúmeros, por meio de uma discussão não ideológica sobre políticas públicas concretas que sejam as mais eficazes para tratar de objetivos hoje largamente compartilhados e que não constituem monopólio de ninguém...

Há posições de certas ditas esquerdas que são anacrônicas e provincianas. Assim como há posições de certas ditas direitas que são modernizantes e não provincianas. E vice-versa. Há que pensar, estudar, ler, debater e fugir da banalidade dos rótulos que tanto mal já nos causaram.

Porém, como ensinou Confúcio, é penoso discutir quando não há acordo sobre certos princípios básicos ou sobre os grandes objetivos a alcançar. Nosso presidente acaba de voltar da Índia. Lá foi exposto aos "Sete pecados sociais", tal como listados por Mahatma Gandhi e hoje inscritos no mármore de seu túmulo. Vale relembrá-los, pensando no Brasil de 2007. Seríamos, a princípio, um país muito melhor, se pudéssemos evitar os sete pecados: política sem princípios; riqueza sem trabalho; prazer sem consciência; educação sem caráter; negócios sem moral; ciência sem humanidade; religião sem sacrifício.

Contudo, como notou Hipócrates mais de 2 mil anos atrás: "A vida é curta, a arte é longa; a ocasião, fugidia; a esperança, falaz. E o julgamento, difícil".

DESCOLAMENTOS PREOCUPANTES
8 de julho de 2007

O saber simular (fazer parecer aquilo que não é) e o saber dissimular (não fazer parecer aquilo que é) há séculos são considerados expressões de sabedoria política.

São três as grandes vantagens da simulação e da dissimulação — escreveu Francis Bacon há 400 anos. "Primeiramente, fingir uma oposição adormecida e surpreender. Pois, se as intenções de um homem são anunciadas, segue-se um toque de alarme para reunir todos os que a elas se opõem. A segunda é resguardar para a própria pessoa um refúgio satisfatório. Pois, se um homem se compromete com alguma declaração, ou bem ele avança ou cai. A terceira é descobrir o que se passa na mente do outro."

Há também três desvantagens, nota o autor, "para equilibrar a questão: a primeira, que a simulação e a dissimulação costumam ter um aspecto de receio, que costuma estragar o encaminhamento de qualquer negócio. A segunda, que ambas confundem e desorientam a disposição de muitos que, talvez, se dispusessem a cooperar. A terceira, e maior de todas, é que elas privam o homem de alguns dos principais instrumentos de ação, isto é, confiança e credibilidade".

Belíssimo parágrafo, mas o próprio Bacon era um realista da política que se revela na frase seguinte: "O melhor feitio e temperamento é ser aberto, em termos de reputação e opinião, saber ser discreto e recorrer à dissimulação na hora certa, e ter capacidade de fingir, se não houver como evitá-lo."

Na verdade, Bacon sintetizou uma tradição milenar do realismo político que sempre considerou que ao governante é lícito aquilo que Jean Bodin denominou de "a mentira útil, como se faz com as crianças e os doentes".

Ora, como não deixou de observar Norberto Bobbio: "A comparação de súditos [ou eleitores] com crianças e doentes fala por si só: as duas imagens mais frequentes pelas quais se reconhece o governante autocrático [ou de instintos e propensões a tal] são as do pai e do médico: os súditos [ou eleitores] não são cidadãos livres, saudáveis e responsáveis. São ou menores de idade que devem ser cuidados e educados, ou doentes que devem ser curados e cuidados." Esse tipo de político pode simular e dissimular, "tanto mais impunemente quanto mais os [eleitores] não têm à sua disposição os meios necessários para controlar a veracidade daquilo que lhes foi dito".

Mas a "impunidade", ora ocupando amplo espaço no debate público no Brasil, e com toda a razão, é aquela que tanto preocupava Cesare Beccaria em seu pequeno clássico, *Dos delitos e das penas*. Diz Beccaria: "Eu não encontro exceção alguma ao axioma geral de que todo cidadão deve saber quando é culpado ou inocente." Porém, há simulações e dissimulações e há delitos para os quais sociedades organizadas preveem penalidades. O objetivo das penalidades, diz o autor, "não é desfazer um delito já cometido (...), a finalidade das penas é apenas impedir que o réu cause novos danos aos seus concidadãos e dissuadir os outros de fazer o mesmo". Para que cada pena não seja uma violência contra um cidadão privado, prossegue o autor, esta "deve ser essencialmente pública, rápida, necessária, a mínima possível nas circunstâncias dadas, proporcional aos delitos e ditada pelas leis". E, em observação crucial para os dias que correm entre nós: "Mostrar aos homens que os delitos podem ser perdoados e que a pena não é sua inevitável consequência é fomentar a ilusão de impunidade."

Por que abusei tanto da paciência do eventual leitor com considerações sobre uma seara que não é minha? Porque estamos assistindo, espero que como espectadores engajados, a um progressivo descolamento entre a "apagada e vil tristeza" em que ora está metida uma parte de nosso mundo político e o otimismo que prevalece em boa parte de nosso mundo econômico-financeiro. O governo atual, aparentemente, parece achar que pouco ou nada tem a ver com o primeiro aspecto. E que, por outro lado, tem tudo a ver com o favorável momento econômico, que se deveria, fundamentalmente, a seu tirocínio e à sua competência.

Exatamente um ano atrás, publiquei neste espaço artigo intitulado "Lula, o PT e suas heranças: 2002 e 2006". Discuti ali a herança, por eles construída, com a qual chegaram às eleições de 2002 e a gradual desconstrução dessa herança, processo timidamente iniciado em fins de junho de 2002. E ainda não concluída, porque há sérias divisões e ambiguidades não resolvidas no PT, no próprio governo e nas forças que o apoiam, como mostra a experiência pós-Palocci. Em particular no que diz respeito à forte expansão recente do gasto público corrente e as constantes pressões políticas por sua contínua expansão a taxas em muito superiores ao crescimento da economia.

Nesse contexto, há limites para a continuidade do atual descolamento entre o mundo da política e o mundo da economia. Afinal, estamos falando do mesmo país. Um país que se beneficia, há cinco anos, de uma situação internacional extraordinariamente favorável (como não se via há décadas); de uma política macroeconômica não petista; e de uma herança não maldita de mudanças econômicas e institucionais e de programas sociais iniciados por administrações anteriores — um processo que deveria ter continuidade em qualquer governo, como teve.

O ex-ministro Antonio Palocci sempre mostrou honestidade intelectual ao reconhecer esses fatos. Essa postura parece estar em declínio. O atual presidente do BNDES, por exemplo, declarou em palestra recente que foi "extremamente precário o esforço de consolidação da economia na época do Plano Real. Quase uma falsa estabilização. Apenas a partir de 2005 a economia brasileira alcançou uma estabilização definitiva". A declaração surpreendeu a muitos que o tinham como pessoa sensata, serena, madura e equilibrada, ao se expressar com inusitada arrogância, pretensão e, particularmente, com infeliz escolha de palavras. Há limites para descolamentos, inclusive os desse tipo.

PEDRO MALAN

O MAIS CRUEL DOS MESES?
12 de agosto de 2007

O atual ministro do Planejamento, como seus antecessores, certamente considera agosto "o mais cruel dos meses". E os agostos mais cruéis são aqueles dos anos anteriores a eleições, inclusive municipais.

Até o fim deste mês, o governo está obrigado a encaminhar ao Congresso a sua proposta orçamentária para 2008. O processo de elaboração leva alguns meses, ao longo dos quais o Ministério do Planejamento tenta realizar uma tarefa quase impossível: compatibilizar os pleitos (sempre por maiores recursos) dos outros 35 ou 36 ministérios que, como sempre, no agregado, excedem em muito as melhores projeções de receita disponíveis, comprometendo o resultado fiscal desejado.

Vale notar, de passagem, que o presidente Lula já havia indicado a direção do movimento, ao declarar, em 16 de maio deste ano: "Posso afirmar que a irresponsabilidade fiscal não voltará, mas, ao mesmo tempo, eu tenho ideia de flexibilizar um pouco." Como o fez ao anunciar, com antecedência, uma meta de inflação para 2009 superior às expectativas então existentes, alegando que a cota de "sacrifícios" era excessiva.

O fato é que, apresentada a proposta orçamentária devidamente "flexibilizada", conforme determinação presidencial, o processo segue seu curso normal: a Comissão do Orçamento do Congresso procurará argumentos para chegar à conclusão de que as projeções de receita do governo estão subestimadas, abrindo espaço para uma "flexibilização" adicional do gasto.

Ao final do processo legislativo, o Congresso aprovará um Orçamento diferente do enviado pelo Executivo. Não tanto na composição e na estrutura do gasto, segundo seus critérios de prioridades entre os vários programas dos vários ministérios — o que é perfeitamente legítimo como função do Parlamento em qualquer democracia —, mas sobretudo com valores de receitas e gastos maiores, no agregado, que os sugeridos pelo governo. Que será obrigado a contingenciar os gastos a partir do início do ano à espera do real comportamento da receita. *E la nave va...*

Nesse contexto, é uma lástima que as áreas sensatas deste governo não tenham conseguido, em fins de 2005, levar adiante a proposta de contenção da excessiva taxa de expansão do gasto público corrente, em uma perspectiva de médio prazo. Fazia o maior sentido a proposta de adoção — em lei — de uma política que limitasse esse tipo de gasto, no agregado, como proporção do PIB. Um percentual que idealmente deveria ser declinante, ainda que na margem, mas por alguns anos à frente, digamos 0,1%, ou mesmo 0,05% do PIB. E não um aumento expressivo, como vem ocorrendo há anos, exigindo carga tributária crescente e comprimindo o investimento público a um percentual hoje irrisório de cerca de 1% do PIB, com os efeitos conhecidos sobre a infraestrutura do país.

A expansão continuada — implícita na derrota de Palocci/Paulo Bernardo em fins de 2005 e nas subsequentes decisões de "flexibilização" —, ainda que pareça natural pela "economia" nos pagamentos do serviço da dívida pública devido à redução dos juros, significa uma implícita recusa a contemplar alterações na estrutura ou na composição do gasto público corrente (e avançar em indispensáveis reformas, como a previdenciária). Isso impede maior eficiência em termos de gestão de recursos públicos escassos e, principalmente, mais investimentos públicos em relação aos gastos de consumo do governo.

Disto e de nossa capacidade de reduzir as barreiras (microeconômicas regulatórias, tributárias e institucionais), que hoje tolhem a expansão mais acelerada do investimento privado (escassos 17% do PIB), depende a sustentabilidade do crescimento econômico a taxas relativamente elevadas no longo prazo.

Contudo, há outras visões. Um eminente jurista paulistano (Fábio Konder Comparato) atribui o extraordinário êxito do Japão, no imediato pós-guerra, da Coreia do Sul, a partir dos anos 1960, e da China, nos últimos 20 e poucos anos, à ação de seus respectivos órgãos estatais encarregados de planejamento. E conclui: "Um órgão análogo pode e deve ser constituído agora no Brasil, sem subordinação à Presidência da República e menos ainda ao Banco Central. Ele há de ser estruturado num contexto plenamente democrático, contando com a participação efetiva dos diversos grupos e setores que compõem a nossa sociedade. Competirá com exclusividade ao novo órgão estatal elaborar os planos de desenvolvimento e os orçamentos dos programas correspondentes, cujas diretrizes gerais podem ser submetidas à aprovação popular, antes da decisão final do Poder Legislativo" (*Folha de S.Paulo*, 10/06).

Acho que não foi exatamente isso que Japão, Coreia do Sul e China fizeram. E espero que não tenha sido com base nessa sugestão que o governo do presidente Lula tenha criado, com status de ministério, a Secretaria Extraordinária de Assuntos de Longo Prazo. Assim como espero que não seja isso que o professor Mangabeira Unger tenha em mente ao estruturar o programa de trabalho de sua secretaria. Minha carreira profissional teve início há mais de 40 anos, no antigo Escritório de Pesquisa Econômica Aplicada, que, entre outras coisas, fazia, sim, trabalhos que envolviam pensar o Brasil em uma perspectiva de longo prazo. O antigo Epea era parte do recém-criado Ministério do Planejamento, mas muitos de nós nos considerávamos servidores do Estado e não do governo do dia, com total apoio do então ministro (Roberto Campos) e de nosso superior imediato (João Paulo dos Reis Velloso). O que importava era a qualidade dos trabalhos — vistos como bens públicos — e não uma contribuição para objetivos políticos do governo do momento. A ideia de aparelhagem da máquina pública nos era estranha.

Éramos jovens, muito ingênuos talvez. Mesmo depois de mais 40 agostos assediando nossos semblantes, muitos de nós continuamos achando, como Camões, que, em relação a certas coisas na vida, "melhor merecê-las sem as ter, que tê-las sem as merecer".

ECONOMIA IMUNE À POLÍTICA?
9 de setembro de 2007

"A realidade é uma ilusão, causada por aguda escassez de álcool", dizia o quadrinho na parede de um pub irlandês no século passado. Certas práticas e certos discursos políticos brasileiros recentes parecem partir da mesma base, digamos assim, conceitual e filosófica (a realidade como ilusão), ainda que a aguda escassez seja de outra natureza — não de álcool e sim de valores.

Por vezes parece que, para muitos de nós, a dura realidade da vida poderia ser transformada em outra, tida como não menos "real", se fosse ardentemente desejada e esse desejo fosse mil vezes repetido. Para os adeptos da realidade virtual, não há fatos, mas tão somente versões, como na obra-prima de Akira Kurosawa. E cada versão valeria tanto quanto a outra, isto é, nada para uns e tudo para outros, em um infindável e pirandeliano "assim é se lhe parece".

Em outras palavras, tudo parece ser muito relativo: valores éticos, padrões de comportamento, possibilidades de juízo moral. Tudo é possível quando, como escreveu Montaigne, "ninguém acha que delinquiu mais do que o razoável". Pior, quando também se acha que qualquer delinquência pode ser relegada ao esquecimento, porque o resultado de uma eleição conferiria aos eleitos um certificado de absolvição, uma espécie de indulgência plenária por quaisquer delitos e pecados passados.

Segundo essa versão, parcialmente endossada por nosso presidente em seu irado pronunciamento de militante no congresso de seu partido no último fim de semana, a voz das urnas é não apenas a voz de Deus, mas a voz de uma instantânea Justiça Maior, que se sobrepõe a tudo e torna, do ponto de vista político, caducos e ultrapassados os devidos processos legais em andamento. Guimarães Rosa criou uma expressão extraordinária para essa situação ao descrever o processo de julgamento de Zé Bebelo pela jagunçagem, quando este último obteve, por sugestão de Riobaldo, a "condena de absolvido".

O fato é que nosso presidente tem sido politicamente bem-sucedido em "condenar à absolvição" ele próprio, seu governo e seu partido. Notando apenas que há alguns indivíduos que ainda não estão declarados inocentes, mas que também ainda não estão declarados culpados. Portanto, o partido não deveria ter qualquer dúvida em defender os companheiros. E incendiar a militância, com a aceitação de bizarrices como aprovação de propostas de plebiscito para reestatizar companhias privatizadas, extinção do Senado e convocação de Constituinte para decidir reforma política por maioria simples.

Assim, neste último fim de semana, com três anos de antecedência e passados somente nove meses de segundo mandato, o congresso do PT deu a partida oficial para a disputa de 2010 — a disputa pela preferência de Lula, que não abrirá mão de tentar fazer seu sucessor. Os candidatos a favor de Lula são inúmeros — e não estão só no PT. Os próximos anos serão marcados por infindáveis especulações políticas sobre o nome (ou os nomes) dos partidos da chamada base de sustentação política deste governo e sobre o principal ou os principais candidatos da oposição. E também por especulações sobre os planos de Lula para 2014. Juscelino Kubitschek, desde antes de passar a faixa a Jânio Quadros, no início de 1961, estava "lançado" para a disputa presidencial, então prevista para 1965.

É possível, e desejável, procurar adotar uma postura, se não positiva, pelo menos não marcada pelo ceticismo. Afinal, o procurador-geral da República, nomeado por Lula, apresentou sua fundamentada denúncia ao Supremo Tribunal Federal sobre o que denominou "sofisticada organização criminosa" que operava no âmbito do primeiro governo do PT. Afinal, o Supremo, por decisão quase unânime, aceitou a denúncia após sério trabalho do relator e judiciosa consideração da evidência por parte dos demais ministros. Pode-se dizer que as instituições estão funcionando, a opinião pública informada não pode ser ignorada e a imprensa livre vem demonstrando seu extraordinário valor para o país.

Para muitos, esses processos — inclusive as turbulências derivadas do precoce deslanchar do processo eleitoral de 2010 — devem ser vistos como "naturais" e não teriam por que afetar a economia. Esta continuaria imune a mais três anos de turbulências políticas. Como é sabido, em democracias consolidadas a política não interfere no dia a dia dos mercados, na condução da política macroeconômica, nas decisões de investimento das empresas, nem nas expectativas sobre a evolução dos fundamentos estruturais da economia. Infelizmente, esse não é o estágio em que nos encontramos, apesar dos inegáveis avanços alcançados, obviamente não apenas nos últimos quatro anos e nove meses.

A situação internacional, mesmo sem grandes crises, não será tão extraordinariamente favorável como no último quinquênio. É verdade que o Brasil está mais bem preparado. Mas, do jeito que as coisas estão caminhando, é ilusório imaginar a fácil continuidade do atual estado de descolamento da economia de nossas turbulências políticas, de nossas fragilidades institucionais e regulatórias e das ineficiências que estas trazem para a gestão da coisa pública.

Particularmente preocupantes são a voracidade expressa na vertiginosa expansão do gasto público corrente e a politização indevida da gestão pública, por meio do aparelhamento do Estado para ajudar a "construir candidaturas oficiais" em 2010 e 2014 e consolidar um projeto de continuidade no poder. Essa voracidade cobrará o seu preço, em termos de um menor ritmo e uma menor eficiência dos investimentos, públicos e privados, de que necessitamos e dos quais depende fundamentalmente o crescimento sustentado de nossa economia.

Seria uma pena que o país só se desse conta disso após 2010, e não desde já, através de um debate sério, sem ilusionismos, reiterações de promessas não cumpridas e discursos de palanque totalmente fora de hora.

A IMPORTÂNCIA DOS PRÓXIMOS TRÊS ANOS

14 de outubro de 2007

Em 36 meses mais, o Brasil elegerá um novo presidente e o governo Lula, para efeitos práticos, estará chegando ao fim, como soi acontecer nas democracias. Um fim que, na prática, pode ser antecipado se o presidente, como sugeriu outro dia, resolver se licenciar do cargo algum tempo antes das eleições para se dedicar àquilo de que mais gosta: campanha eleitoral. O que já vem fazendo há anos, inclusive no exercício da Presidência.

Há outra hipótese, acalentada por muitos no PT e entre aliados: uma Assembleia Constituinte especialmente eleita para fazer a reforma política, que, por maioria simples (e influenciada por devidamente organizadas mobilizações de "movimentos sociais" e, provavelmente, bem financiadas "campanhas pelo 3", ou seja, em prol de um terceiro mandato de Lula), poderia mudar a Lei Maior, inclusive quanto ao futuro mais imediato do presidente Lula (2010 e não apenas 2014). Como ele mesmo teria dito: "Quem sabe?"

Creditemos essa retórica pergunta ao bom humor presidencial ou talvez, mais importante, ao seu desejo de manter minimamente coesas em torno de sua liderança pessoal as vorazes bases de sua sustentação política — o que depende de expectativas de compartilhar poder, presente e futuro. Afinal, foi o próprio presidente quem afirmou, em entrevista a este jornal, que "aquele que se acha insubstituível" pode ficar tentado a se tornar um "ditadorzinho", prolongando até onde for possível a sua permanência no poder. Casos exemplares não faltam na história passada e presente, na nossa região e no mundo.

Entretanto, na democracia que estamos construindo entre nós está certamente a aceitação da incerteza sobre os resultados do jogo político, mas em um quadro de respeito a regras e procedimentos que distinguem um regime democrático de um regime não democrático. Apenas no primeiro os cidadãos sabem de antemão que podem mudar de governo de forma pacífica. Apenas no primeiro é aceita a necessidade de antepor limites ao exercício do poder mesmo quando este emerge de uma maioria. Apenas em regimes democráticos se reconhece a fecundidade do debate público, se toleram e prezam a diversidade e o pluralismo, se condenam excessos de conformismo e se confere absoluta prioridade à liberdade de expressão de opiniões, por meio de uma imprensa livre e independente das pressões do governo.

Felizmente, em sociedades abertas economicamente mais complexas, como o Brasil, "muitos dos participantes têm apenas opiniões iniciais aproximadas e um tanto incertas sobre questões de políticas públicas (...). Posturas mais definidas emergem apenas no curso de análises e debates sobre os temas. (...) como resultado, posições finais podem ficar a alguma distância daquelas inicialmente mantidas — e não apenas como resultado de compromisso político com forças opostas". E, sim, como resultado de mudanças no clima de opinião a respeito dos temas em debate.

A observação acima transcrita, feita há mais de 20 anos por um velho mestre, Albert Hirschman, retém não apenas surpreendente atualidade no geral, como também — mais importante — traduz o que vem acontecendo no Brasil ao longo destas últimas duas décadas, em especial nos últimos cinco anos, num processo que precisa consolidar-se para benefício do país. Daí a importância dos próximos três anos. Não tanto porque ao fim desse período o Brasil terá um presidente novo (quem sabe?) por mais quatro anos. Mas porque os termos do debate eleitoral de agora a 2010, já que este foi antecipado em três anos pelo petismo, não são irrelevantes para o futuro do país.

Esperemos que seja possível recuperar um mínimo de senso de perspectiva. Como disse Larry Summers em entrevista recente, "é preciso estar preparado para observar longas cadeias de causas e consequências (...). Pensar e debater um problema e considerar as propostas para sua solução não significa que este será rapidamente resolvido. Mas o debate afeta o clima de opinião e as coisas podem evoluir da condição de inconcebíveis para a condição de inevitáveis".

Na minha outra encarnação, como ministro da Fazenda de um governo do qual tive orgulho de participar, utilizei com frequência um bordão: "O Brasil mudou, o Brasil está mudando, o Brasil vai continuar a mudar, apesar, e por causa, de seus inegáveis e inúmeros problemas, porque não temos escolha, como sociedade, senão enfrentá-los. Sem messianismos, excessos voluntaristas, ilusões de autoridade e visões de curto prazo sobre o futuro." Um futuro de médio e longo prazos, cuja construção é sempre coletiva e exige um mínimo de memória e consciência social do passado. Há que preservá-las. E reconhecer de maneira não envergonhada quando se muda de opinião.

Como Lula, como parte de seu governo e como parte de seu partido vêm mudando há cerca de cinco anos. Não há qualquer desdouro nisso. Pelo contrário. Por exemplo, como fez o atual ministro da Justiça, Tarso Genro, em abril de 2003, ao afirmar: "O PT chegou ao governo com 53 milhões de votos, mas seu programa é aceito por um terço da população, não por 60%. Por isso todos têm que mudar."

Essa visão, viu-se depois, era claramente minoritária no âmbito da direção do partido e de sua militância. Porém, não menos verdadeira. Tanto é assim que o processo de mudança, que iniciou seu tímido e discreto curso em meados de 2002, continuou até 2006, quando ambivalências até hoje não resolvidas reduziram em muito o ritmo de sua evolução. A ponto de muitos se perguntarem sobre os riscos de o pêndulo, em algum momento, começar a se movimentar na outra direção.

A importância dos próximos três anos — e dos quatro que se lhes seguirão — reside exatamente na oportunidade histórica de nos livrarmos de vez dos mais primitivos falsos dilemas. E de reduzirmos a extensão e a profundidade dessas ambiguidades não resolvidas, particularmente onde elas se apresentam de forma mais aberta no imaginário e na prática deste governo e de suas bases: no papel do setor público no processo de desenvolvimento econômico e social do país.

ILUSÕES PERDIDAS E O FUTURO DE UMA ILUSÃO

11 de novembro de 2007

O Brasil vem mudando — para melhor —, particularmente depois da derrota da hiperinflação com o lançamento do Plano Real, em 1994. Mas o país já vinha mudando antes, como sempre acontece. O próprio extraordinário sucesso do real, que completou há pouco seu décimo terceiro aniversário, só foi possível porque aprendemos com os erros e acertos das experiências anteriores do Brasil e do mundo.

A agenda pós-hiperinflação se confundia com a vasta agenda, inconclusa, do desenvolvimento econômico e social de um país que tentava se livrar da dependência da droga inflacionária: tarefa de várias administrações, baseadas no trabalho das que se lhe antecederam.

Nesse sentido, tenho esperanças — que espero não sejam de todo insensatas — de que as bravatas políticas da infindável novela do "nunca antes, jamais na história deste país" cederão, gradualmente, à voz da razão, que não é alta, mas que não descansa enquanto não encontra alguma audiência. E que mais pessoas de boa-fé e honestidade intelectual, sem o olhar toldado pela ideologia e pela paixão, reconhecerão que o Brasil não começou a ser construído em 2003. E que não há sentido em certas apropriações indébitas que contrariam os fatos — tipo "a inflação baixa é uma conquista do governo Lula"; ou "nunca antes os pobres haviam recebido transferências diretas de renda"; ou, ainda, "nunca antes a política externa do Brasil havia sido não subserviente" etc. Infindáveis litanias que em nada contribuem — pelo contrário — para a busca das convergências possíveis nos assuntos que realmente importam para o futuro do país.

Permitam-me um exemplo. Em 1995, o governo FHC mobilizou-se para retirar da Constituição Federal as restrições ao investimento privado em telecomunicações, energia, transportes, portos e outras áreas de infraestrutura. Fez isso não por razões ideológicas ou movido por inconfessáveis e perversos propósitos "neoliberais" — essas baboseiras *ad nauseam* repetidas. Fê-lo porque, em sua avaliação, o Brasil — não o governo da hora — necessitava de maiores investimentos nessas áreas. E os números, a avaliação técnica e um responsável pragmatismo indicavam claramente que o governo e suas empresas, por si sós, não tinham a menor condição de efetuar os investimentos necessários sem financiamento inflacionário, poupança forçada ou inaceitável agravamento do quadro fiscal a médio e longo prazos.

Essas mudanças constitucionais encontraram ferrenha e sistemática oposição do PT (que, de resto, se opôs ao real, ao saneamento do sistema financeiro, à Lei de Responsabilidade Fiscal e à abertura comercial e financeira, entre outras atitudes destrutivas). Mas o fato é que essas mudanças — todas — foram feitas e beneficiaram e beneficiam extraordinariamente o governo Lula. Ainda que este governo não o reconheça de público. O que é compreensível por razões políticas, porém não menos desonesto intelectualmente, já que haveria forma de reconhecê-lo, de boa-fé, sem parecer ingênuo politicamente, como o ministro Antonio Palocci demonstrou enquanto lá esteve.

Entretanto, vale lembrar que no mês passado o governo atual, após longo e tortuoso processo, obteve sucesso na realização de leilão para concessão de rodovias à exploração privada por 25 anos. Detalhes técnicos e operacionais de lado, a verdade é que pelo menos uma parte do

PT teve suas ilusões perdidas e hoje reconhece algo que sempre teve enorme dificuldade de entender e aceitar: o desenvolvimento do Brasil exige a participação expressiva do investimento privado — doméstico e estrangeiro — nas várias áreas da infraestrutura, antes vistas como prerrogativas quase exclusivas do setor público.

Contudo, se uma parte do PT e do governo hoje reconhece suas ilusões perdidas, há outra parte, também do PT e bem representada neste governo, que aposta no *Futuro de uma ilusão* (Freud, 1927), que não considera de forma alguma perdida, e que acredita que caberia agora com ênfase reafirmar o setor público como motor do desenvolvimento econômico e social por meio da expansão significativa de seus gastos correntes.

O presidente do principal instituto de pesquisa e planejamento do governo declara em alto e bom som que o Estado brasileiro é "raquítico" em termos de dimensão, e que com esse raquitismo é impossível alcançar o desenvolvimento desejado. Há que contratar mais gente para tal empreitada. Seu principal macroeconomista denuncia o "nanismo" do Estado e "demonstra" que o Brasil tem menos servidores por quilômetro quadrado que a Bélgica, um argumento que deve considerar definitivo a seu favor. Membros deste governo já expressaram seu desejo de que a Eletrobras seja transformada na "Petrobras do setor elétrico".

O mesmo presidente do principal instituto do país propôs no mês passado a criação "de uma empresa estatal do agronegócio" e, na semana passada, defendeu um eventual aumento da alíquota da CPMF (Contribuição Provisória sobre Movimentação Financeira). O governo anuncia sua intenção de contratar 300 "especialistas em infraestrutura" para tocar o PAC (Programa de Aceleração do Crescimento). E por aí adiante. Não é de estranhar que os gastos correntes do governo estejam crescendo cerca de duas vezes mais rapidamente que as taxas do crescimento do PIB. Apesar do enorme apelo eleitoral dessa "política", no curto prazo essa situação não é sustentável, como Palocci e Paulo Bernardo tentaram — sem sucesso — convencer Lula e o resto de seu governo no final de 2005. Mas esse tipo de ilusão não tem futuro.

É certo que nosso futuro depende de nossas esperanças, expectativas, desejos, projetos e sonhos. Todavia, como escreveu Fernando Gabeira, é possível "sonhar os sonhos errados". E sonhar os sonhos certos deveria incluir ao menos um mínimo de consciência sobre as dificuldades e os esforços envolvidos em realizá-los. Além de reconhecer ilusões perdidas e evitar apostas no futuro de ilusões que nada têm de novas, porque são variantes das perdidas, apenas com uma nova roupagem retórica, marcada por inusitada arrogância.

METAMORFOSES
9 de dezembro de 2007

> *"Senhor, guarda-me daquela mania fatal de acreditar que é meu dever dizer algo a respeito de tudo e em qualquer ocasião."*
> *"Senhor, não me atrevo a reclamar uma memória melhor, dê-me, porém, uma crescente humildade e menos suscetibilidade quando a minha memória esbarrar na dos outros."*

Extraí essas duas preces ao Senhor de uma anônima *Oração dos velhos* que recebi há pouco de uma alma piedosa e amiga. Reproduzo-as aqui, em parte imbuído do espírito natalino. Em parte, porque na semana passada vi o presidente Lula referir-se com aprovação à primeira parte da bela frase de uma conhecida canção de Raul Seixas — "Prefiro ser/ essa metamorfose ambulante/ do que ter aquela velha opinião/ formada sobre tudo" — para explicar não ter vergonha de ter mudado, e radicalmente, de opinião. No caso, sobre a CPMF.

O tema do animal humano como metamorfose ambulante é fascinante e se presta a várias leituras. Permitam-me mencionar algumas, pensando no que acontece hoje no Brasil, mesmo quando não parece.

A primeira lembrança que me veio à mente ao ouvir nosso presidente evocar Raul Seixas foi a famosa pergunta de John Maynard Keynes: "Quando mudam as circunstâncias de forma significativa, eu mudo de opinião. Você, o que faz?" Mas Keynes se referia à análise econômica, às expectativas sobre o futuro, às diferenças entre risco e incerteza e à necessidade de um constante reformular de expectativas à luz de novas informações. Não se pode, definitivamente, na prática dos mercados, ter velhas opiniões formadas sobre tudo. Muito pelo contrário.

Uma segunda lembrança vem naturalmente à mente de quem quer que se interesse pelo longo e tortuoso processo de reflexões e debates internos que levou a profundas metamorfoses, por exemplo, no Partido Trabalhista Inglês ou no Partido Socialista Chileno. E ao abandono — consciente — de velhas opiniões formadas sobre suas visões do mundo e sobre o seu papel, como partidos políticos, nas metamorfoses por que seus respectivos países haviam passado, estavam passando e passariam.

A terceira lembrança vem de Charles Darwin, que demonstrou de maneira convincente, em sua *A origem das espécies*, que não foram as espécies de maior força física que sobreviveram, e sim as que demonstraram maior capacidade de adaptação à sua circunstância e maior flexibilidade para mudar na longuíssima evolução que nos trouxe ao animal humano.

A quarta lembrança vem dos grandes textos de Isaías sobre vaidade ("Ai de vós, que sois sábios a vossos próprios olhos"), aos ensaios de Montaigne sobre o tema "ninguém está isento de dizer tolices; o mal está em dizê-las seriamente". E o autor prossegue com fina ironia: "As minhas tolices escapam-me tão descuidadamente quanto valem. No que fazem bem. Eu as abandonaria prontamente se delas resultasse o menor dano."

Uma quinta lembrança evocada por Seixas/Lula me veio do dr. Samuel Jonhson: "Não existe homem cuja imaginação, por vezes, não predomine sobre a razão. Não existe homem que seja capaz de regular a própria atenção exclusivamente pela vontade, e cujas ideias surjam e desapareçam segundo seu comando (...); todo forçar da imaginação sobre a razão expressa um certo grau de insanidade; porém, é possível controlar e reprimir tal força, ela não é visível a terceiros, nem tampouco considerada uma depravação de faculdades mentais: só é declarada loucura quando se torna ingovernável e parece influenciar o discurso e a ação."

A sexta e última lembrança que me vem à mente sobre o tema é do velho Freud, que pega pesado em *O mal-estar da civilização*, escrito em 1929-1930: "Por várias razões, não tenho a menor intenção de expressar qualquer ponto de vista a respeito do valor da civilização humana. Tentei resistir à parcialidade entusiasmada que acredita ser a nossa civilização o bem mais precioso que possuímos (...). Minha imparcialidade torna-se, para mim, mais fácil, uma vez que sei pouco acerca desses assuntos e só tenho certeza de um ponto: que os julgamentos de valores feitos pela humanidade são determinados pelo desejo de felicidade; em outras palavras, que tais julgamentos são tentativas de sustentar ilusões com argumentos."

Qual a sua lembrança preferida, caro(a) leitor(a)? Não importa muito, de Isaías a Lula, passando por Raul Seixas, as observações aqui referidas são todas variações sobre o vasto tema das mudanças e metamorfoses que constituem a essência e a beleza da vida. Nesse sentido, a preferência expressa por Seixas na primeira parte de sua frase é libertária e diz respeito ao inalienável direito individual de realizar escolhas na vida.

Acerca das "velhas opiniões formadas sobre tudo", a meu ver é importante não confundir opiniões com princípios e valores que devem caracterizar uma sociedade mais decente. Uma coisa é jogar fora velhas opiniões ultrapassadas pelos fatos, pelas circunstâncias e pelas próprias mudanças do mundo. A outra é abandonar princípios e valores porque são "velhos".

É conhecido o caso de um político (estrangeiro) que rompeu um importante acordo sobre princípios com o qual havia assumido firme compromisso público. Perguntado se não se considerava um homem sem princípios, respondeu: "É claro que sou um homem de princípios, e o primeiro deles é a flexibilidade" (para desconsiderar os demais).

Estar aberto a mudanças e metamorfoses, bem como deixar de lado velhas opiniões ultrapassadas pelos fatos do mundo, é uma coisa positiva. Mas jogar fora princípios e valores junto com as velhas opiniões é como jogar fora o bebê com a água suja do banho. E não devemos esquecer que velhas opiniões formadas sobre tudo podem ser substituídas por opiniões melhores ou por opiniões piores que as antigas. Como por vezes, infelizmente, acontece. Há riscos em ser uma metamorfose excessivamente ambulante.

Por isso termino relembrando as duas preces ao Senhor que abrem este artigo e desejando a todos um feliz Natal e um bom Ano-Novo.

2008

2008

Taxa de crescimento no ano	5,1 %
Taxa de inflação no ano	5,9 %
Taxa de câmbio no final do ano Mín. R$ 1,56 Máx. R$ 2,51	R$ 2,31
Taxa de juros no final do ano Mín. 11,25 % Máx. 13,75 %	13,75 %

FEVEREIRO

Pela primeira vez o Banco Central anuncia que o Brasil é credor externo. Toda a dívida externa brasileira, incluindo débitos dos setores público e privado, já está garantida por um patamar maior de reservas internacionais e de outros ativos.

MARÇO

Bovespa e BMF se fundem criando a terceira maior bolsa do mundo e a segunda das Américas em valor de mercado.

Pesquisa da Cetelem/BNP Paribas/Instituto de Pesquisa Ipsos revela que as classes D/E de consumo encolheram nos três anos anteriores. Pela primeira vez no período, de acordo com o levantamento, a classe C concentra o maior número de brasileiros.

O percentual de trabalhadores com carteira assinada no total de ocupados nas seis principais Regiões Metropolitanas do Brasil chega a 43,9 %, conforme o IBGE.

ABRIL

A agência internacional de classificação de risco Standard & Poor's concede o patamar de grau de investimento ao Brasil, que passa a ser considerado seguro para investidores estrangeiros.

Os juros básicos da economia sobem de 11,25% para 11,75% ao ano. A última elevação promovida pelo Banco Central havia sido em maio de 2005.

MAIO

Marina Silva (PT-AC) pede demissão do cargo de ministra do Meio Ambiente do governo Lula.

JUNHO

Dólar recua e fecha abaixo de R$ 1,60 pela primeira vez em mais de nove anos.

JULHO

A PF deflagra a megaoperação Satiagraha. São presos o banqueiro Daniel Dantas, dono do grupo Opportunity, o ex-prefeito de São Paulo Celso Pitta e o investidor Naji Nahas.

SETEMBRO

A quebra do Lehman Brothers dá início a uma das mais graves crises financeiras da história dos EUA e derruba as bolsas dos principais mercados globais.

Bovespa encerra pregão com maior baixa em quase dez anos, sob a influência da rejeição ao pacote de salvamento da economia que o presidente norte-americano George W. Bush tenta aprovar na Câmara de seu país.

OUTUBRO

Lula diz que a crise que atinge os EUA como um tsunami chegará ao Brasil como "marolinha".

Após a rejeição inicial, e dada a gravidade da crise, o Congresso norte-americano aprova o TARP (Troubled Asset Relief Program) do secretário do Tesouro (Henry Paulson), no valor de US$ 700 bilhões.

NOVEMBRO

Unibanco e Itaú anunciam fusão e criam gigante financeiro, o maior do Hemisfério Sul.

O Banco do Brasil confirma a aquisição do banco paulista Nossa Caixa por R$ 5,38 bilhões.

Barack Obama é eleito presidente dos EUA.

DEZEMBRO

Para enfrentar a crise econômica internacional, o governo anuncia mudanças no Imposto de Renda. Também reduz o IOF para pessoas físicas e o IPI de automóveis.

Recessão no Brasil no último trimestre de 2008.

O FED norte-americano reduz a taxa de juros básica para o intervalo de 0 a 0,25 % ao ano e dá início à primeira das operações de Quantitative Easing.

ESCREVENDO AO SUCESSOR
13 de janeiro de 2008

A piada é conhecida — e antiga: quem deixa o cargo faz chegar três envelopes lacrados e numerados a seu sucessor para serem abertos, um de cada vez, apenas em diferentes momentos de crise. Na primeira crise, o envelope, aberto, traz o conselho: "Não deixe que a crise o atinja, jogue toda a culpa no(s) seu(s) antecessor(es)." Na segunda crise, o envelope, aberto, revela a recomendação: "Não permita que a crise o alcance, livre-se de pessoas-chave de sua equipe." Na terceira crise, a sugestão do envelope, aberto, é: "Escreva três cartas para seu sucessor."

O presidente Lula utilizou, durante anos, *ad nauseam*, a sugestão da primeira carta. Esperemos que apenas como esperteza política. Afinal, não lhe seria conveniente reconhecer, de público, algo que ele sabia — ou deveria saber. Que, por exemplo, o risco Brasil multiplicou-se por quatro e a taxa de câmbio disparou de R$ 2,30 para R$ 3,99 por dólar, entre abril e outubro de 2002 (com todas as implicações sobre os índices de inflação do último trimestre do ano), em larga medida devido a incertezas, não sem fundamento, sobre o que seria o "modo petista de governar" em matéria de política macroeconômica, entre outras.

O segundo envelope, aberto em algum momento em 2005, levou à saída do governo do ministro José Dirceu, na prática, até então, o virtual chefe do governo, o verdadeiro "capitão do time", na expressão do próprio presidente. De lá para cá, o presidente Lula utilizou inúmeras vezes a sugestão da segunda carta, ao jogar ao mar pessoas-chave de seu governo e de seu partido, sempre que crises pudessem eventualmente atingir a sua pessoa. E deixando claro que não hesitaria em utilizar a recomendação contida nesse segundo envelope em eventuais crises futuras.

O presidente Lula ainda não abriu o terceiro envelope. É desnecessário fazê-lo. Em parte, porque o presidente, pessoa bem-humorada, conhece a piada — tanto que a vem seguindo à risca. Em parte, porque ainda tem algum tempo, antes de escrever três cartas a seu sucessor.

Seria interessante, embora meio inútil, imaginar qual seria o conteúdo das três cartas do presidente Lula. Seguramente, a primeira seria redigida de outra maneira. É possível que o atual presidente pense em sugerir a seu sucessor que procure deixar de lado aquilo que virou marca registrada sua: a eterna ladainha do nunca-antes-jamais-na--história-deste-país.

Afinal, já estamos em janeiro de 2008. Passaram-se cinco anos ao longo dos quais o governo Lula beneficiou-se de uma combinação positiva de três ordens de fatores: uma situação internacional extraordinariamente favorável de 2003 a 2007; uma política macroeconômica não petista seguida por Antonio Palocci e Henrique Meirelles; e uma herança não maldita de mudanças estruturais e avanços institucionais alcançados na vigência de administrações anteriores — inclusive de programas na área social que foram mantidos, reagrupados e ampliados.

Com essa base, o governo Lula vem construindo a herança que legará a seu sucessor em 2010. Mas, antes disso, este governo será testado, em 2008 e 2009, de uma maneira que nunca foi desde o seu início, cinco anos atrás.

É verdade que houve um duro teste no início de 2003, pelo qual este governo passou, e bem. E não apenas porque os ventos da economia internacional passaram a soprar a nosso favor. Vale lembrar, neste conturbado início de 2008, que o fundamental foi a capacidade de resposta da área econômica às consequências do pânico que se instaurou nos mercados no segundo semestre de 2002 (no Brasil, por razões conhecidas; nos Estados Unidos, por medo de deflação). O ministro Palocci formou sua equipe com profissionais como Marcos Lisboa, Joaquim Levy e Murilo Portugal, na Fazenda; e Henrique Meirelles, Ilan Goldfajn e Beny Parnes no Banco Central. Essa equipe formulou — e implementou — uma clara resposta de política macroeconômica às turbulências, incertezas e medos que prevaleciam em fins de 2002 e início de 2003.

O aumento do esforço fiscal — anunciado e realizado — e a reafirmação do compromisso inarredável com o controle da inflação revelaram aos brasileiros e ao resto do mundo, mais uma vez, que o Brasil, apesar das aparências em contrário, continuava gradualmente a se transformar em um país mais "normal", isto é, mais previsível, que dispensava tentativas de reinvenção da roda, de radicais rupturas com o passado, de experimentos heterodoxos nunca antes vistos. Um país no qual a política macroeconômica não seria conduzida com argumentos ideológicos ou político-partidários. O governo Lula e a economia brasileira derivaram um enorme benefício dessa percepção de que caminhávamos para nos tornarmos uma nação mais madura. E, principalmente, com capacidade de mostrar certa qualidade nas suas respostas de políticas macroeconômicas e setoriais a situações de crise.

Pois bem, é exatamente essa percepção que estará sendo submetida a duros e múltiplos testes em 2008 e 2009, quando, pela primeira vez, desde que assumiu a Presidência em 2003, o governo Lula não contará com uma situação internacional tão extraordinariamente favorável como até 2007.

Ao mesmo tempo, o país enfrenta deterioração da situação fiscal, maiores pressões inflacionárias, gargalos em infraestrutura, risco de racionamento de energia, excesso de complacência e voluntarismo de seus governantes, continuado aparelhamento e loteamento político de cargos públicos, contínuo fluxo de bizarrices de sua crescente ala "heterodoxa" e uma extraordinária dificuldade em controlar a excessiva taxa de crescimento dos gastos correntes do setor público. Em parte, porque muitos ainda acham que isso não é problema, mas solução para o "raquitismo" do Estado, o crescimento da economia e a sustentação da base política do governo.

Ao responder a isso em 2008, o presidente Lula já estará, na prática, escrevendo suas cartas a seu sucessor.

NONADA?

10 de fevereiro de 2008

Sabe o leitor quantas vezes a palavra "direitos" aparece em nossa Constituição? Pois bem, uma rápida consulta indica o total: nada menos que 74 vezes. E a palavra "deveres", caro leitor ou leitora? Apenas cinco vezes, o mesmo número que a expressão "dever do Estado". Essa relação tão díspar entre direitos e deveres talvez diga algo sobre nós mesmos, sobre a sociedade que construímos "neste país". Em particular, sobre o excesso de expectativas acerca da ação do Estado no processo de assegurar direitos e assumir responsabilidades, deveres e obrigações para com a sociedade e os indivíduos que a constituem.

Começo este artigo com essa observação por duas razões. A primeira tem a ver com essa farra no uso dos cartões de crédito corporativos por parte de muitos entre os milhares de servidores públicos que, certamente, se consideram no exercício de um direito: afinal, um cartão lhes foi confiado para os gastos que considerassem "necessários" ao exercício de suas funções ou ao funcionamento dos órgãos a que pertencem. Que houve abuso flagrante é evidente, como demonstrou a imprensa — e não os órgãos do governo encarregados de fiscalizar esses usos e de coibir exemplarmente os abusos. "Excesso de transparência é burrice", dizia Delúbio; e "transparência pode comprometer a segurança", dizia o general Jorge Armando Felix, ministro de gabinete de Segurança Institucional. O fato é que parece estar em curso aquilo que mestre Guimarães Rosa chamou de "condena de absolvido". Pequenos desvios e talvez alguns erros menores tenham sido cometidos aqui ou ali, mas nada que comprometa "o grande salto para a frente" em que estariam empenhados, desde 2003, o governo e seus 37 ministros. O resto seria intriga de uma oposição invejosa. Muito barulho por nada. Coisas de Carnaval. Falta do que fazer. Pequenos assassinatos para pequenos delitos. Preocupações "neurótico-obsessivas" com relações espúrias entre os domínios público e privado. Nonada.

A segunda razão do parágrafo inicial deste artigo está ligada ao fato de que, meses atrás, terminei artigo neste espaço com a seguinte observação: "A importância dos próximos três anos — e dos quatro que se lhes seguirão — reside exatamente na oportunidade histórica de nos livrarmos de vez dos mais primitivos falsos dilemas. E de reduzirmos a extensão e a profundidade dessas ambiguidades não resolvidas, particularmente onde elas se apresentam de forma mais aberta no imaginário e na prática deste governo e de suas bases: no papel do setor público no processo de desenvolvimento econômico e social do país."

Esse não deveria ser um debate ideológico, eivado de academicismos baseados em leituras de experiências históricas de séculos anteriores. Estamos em pleno século XXI e acredito que a maioria das pessoas que já leram ou refletiram sobre o tema (inclusive a maioria dos economistas tidos como liberais) endossaria os seguintes exemplos de atividades necessariamente de responsabilidade do Estado e de transitórios governos: manutenção da lei, da ordem e da segurança pública; representação externa e defesa nacional; administração da Justiça; preocupação com a qualidade da legislação sobre educação, saúde e bem-estar da população; regulação da competição entre interesses econômicos conflitantes; e, por último, e para muitos não menos importante, a "promoção do desenvolvimento nacional".

Mas a expressão "promoção do desenvolvimento nacional", para resumir ao extremo, deveria ser interpretada como a busca, *incessante*, por essencialmente três coisas. Primeiro, por aumentar a eficácia e a eficiência das ações operacionais do governo em *todas* as áreas mencionadas no parágrafo anterior, em particular a busca por maior eficiência nos gastos públicos em consumo e investimento. Segundo, por criar condições mais favoráveis à poupança e, principalmente, ao investimento privado e à elevação da produtividade do trabalho, do capital e da competitividade internacional do país. Terceiro e, felizmente, algo que após quase 14 anos acabou — esperemos — por deitar raízes entre nós: a busca pela preservação da estabilidade macroeconômica como condição absolutamente necessária, ainda que não suficiente, para assegurar o crescimento sustentado e os níveis de relativa previsibilidade de um país que se pretende "normal" e confiável.

Vale notar que tais observações não têm a ver com ideologias. O historiador britânico Tony Judt, em seu recente e excelente livro sobre a Europa no pós-guerra (*Postwar*), escreveu: "A divisão esquerda-

-direita ainda faz sentido em termos históricos, que dizem respeito a tradições políticas. Mas faz cada vez menos sentido quando se discutem políticas públicas concretas. O futuro da Europa não se ajusta a essas noções do passado." O invejável pragmatismo dos chineses procurou expressar o mesmo com a famosa frase de Deng Xiaoping, o grande arquiteto do extraordinário sucesso do país: "Não importa a cor do gato, desde que cace ratos." Com eficiência.

Sabe o leitor quantas vezes a palavra "eficiência" aparece em nossa Constituição de 1988? Duas vezes. E a palavra "produtividade"? Uma vez. Como os 74 direitos e os cinco deveres, talvez isso diga algo sobre nós mesmos e a sociedade que estamos construindo. Contudo, não posso deixar de registrar um avanço: a contagem foi feita teclando "Ctrl L" no texto da Constituição original. A versão atual, com todas as emendas desde então, registra três vezes a palavra "eficiência" e quatro vezes a palavra "produtividade".

Não é preciso que esse número de registros aumente na Constituição. Mas seria extraordinário para o desenvolvimento econômico, social, tecnológico, político e cultural do país se os debates públicos ao longo de 2008, 2009 e 2010 pudessem incorporar, definitivamente, o significado substantivo das palavras "eficiência" e "produtividade". Ao lado dos tradicionais e importantes objetivos de ampliação dos espaços para a liberdade individual e a justiça social.

HERANÇAS

9 de março de 2008

Recorrer a um "discurso incompreensível" é um dos 38 estratagemas discutidos por Schopenhauer em seu fascinante *Como vencer um debate sem precisar ter razão*. O antepenúltimo estratagema (intitulado justamente "Discurso incompreensível") consistiria em "desconcertar, aturdir o adversário com um caudal de palavras sem sentido". O estratagema está baseado em uma observação de Goethe: "Muitos, ao escutar apenas palavras, acreditam que também deve haver nelas algo para pensar." Exemplos de uso intensivo desse estratagema não faltam *en latinoamerica* e em nosso próprio país.

Por exemplo, do ponto de vista da retórica, entendida como arte da persuasão, parece haver uma estrutura básica, uma matriz, digamos assim, pré-conceitual que permite a nosso bravo presidente, e a muitos de seu governo, abordar qualquer tema com ardente eloquência e, aparentemente, total e absoluta convicção.

Simplificando ao extremo, e correndo o risco de não fazer justiça às sutilezas do pensamento presidencial, essa estrutura básica poderia, talvez, ser assim enunciada: "Problemas de hoje — quaisquer que sejam — são facilmente explicáveis porque no passado não foram resolvidos como deveriam." Entenda-se por passado qualquer subperíodo anterior ao início de 2003, de 1500 ao final de 2002. Portanto, o atual governo, que está no poder há apenas cinco anos, dois meses e uma semana, não pode ser responsabilizado por "coisas" que outros (governos, elites, direitas) não puderam, não quiseram ou não tiveram a competência para resolver, como estaria — e só agora — resolvendo o atual governo.

Para a opinião pública minimamente informada, esse discurso do nunca antes jamais e da herança maldita, definida genericamente como qualquer coisa pré-2003 que possa ser encaixada no improviso do momento, virou parte do nosso folclore, para não dizer do nosso anedotário político. E sua infindável repetição, milhares de vezes (*à la* Goebbels), assegura que muitos acreditem (*à la* Goethe) que deva haver ali algo de verdade ou, pelo menos, algo para pensar.

Não quero, no que se segue, desconhecer os acertos do atual governo, que certamente existem. Apenas chamar a atenção para a necessidade de um mínimo de senso de perspectiva e de noção de que na vida de qualquer país há processos que se desdobram no tempo, complexas interações entre continuidade, mudança e consolidação de avanços. O Brasil não é exceção a essa regra.

Para ficar apenas no mundo da economia e no período de tempo que Ivan Lessa imortalizou com seu chiste — "a cada 15 anos o Brasil esquece tudo o que aconteceu nos últimos 15 anos" —, pense o leitor se não há algum significado no seguinte: 14 anos de inflação civilizada, nove anos de regime de metas de inflação, nove anos de regime de câmbio flutuante, oito anos de Lei de Responsabilidade Fiscal. Quinze anos de maior abertura comercial. Quinze anos do início dos processos de privatização. Quinze anos desde a renegociação da dívida externa do setor público. Quase 15 anos de maior integração financeira com o resto do mundo e desenvolvimento no mercado de capitais no Brasil. Uma década pós-saneamento do sistema bancário.

Ao longo dos últimos cinco anos, essa herança — que nada tem de maldita —, juntamente com uma política macroeconômica responsável, permitiu que o Brasil pudesse aproveitar-se do extraordinariamente favorável contexto internacional que prevaleceu no quinquênio 2003-2007. Assim, aumentou não apenas o seu crescimento potencial, como também a capacidade de nossa economia de enfrentar crises externas — como a atual —, com seus inevitáveis custos, riscos, incertezas e volatilidades, procurando assegurar a continuidade do processo — em curso há pelo menos década e meia — de gradual conversão do Brasil em um país mais "normal". Vale dizer, um pouco mais previsível e confiável.

Mas deve ser notado que há resistências de peso a esse processo. Em dois artigos recentes na *Folha de S.Paulo*, o ex-ministro José Dirceu repete inúmeras vezes a cantilena da herança maldita (afirmando, como Sartre definindo o inferno, que os adeptos de Goebbels "são os outros") e se dirige a uma militância do tipo bolivariana: "Nossos sonhos estão mais vivos do que nunca (...), mantemos nossos compromissos históricos, nossa moral socialista e nossa missão no combate do povo brasileiro por sua libertação."

Os dois artigos são importantes porque explicitam o que o núcleo duro do petismo, tão bem representado pelo autor, considera o cerne da "herança maldita". Escreve o ex-ministro: "O governo Lula, repito, recebeu uma herança maldita. Faz parte desse inventário macabro a abertura descontrolada de nossa economia e do sistema de telecomunicações ao capital internacional (...) este crime de lesa-pátria. (...) vender empresas estatais na bacia das almas é o mais hediondo de todos, porque atenta contra os direitos do povo e ameaça a soberania nacional." E o tom triunfante leva o ex-ministro, mesmo reconhecendo não estar em pauta a recuperação do controle estatal sobre companhias privatizadas, à sua conclusão taxativa: "Mas é obrigação do governo intervir para bloquear e reverter a desnacionalização de setores fundamentais da economia."

Aprendi, com Montaigne, que não há argumento que não tenha um contrário, que não há nada certo, exceto a incerteza, que não há nada mais mísero e vaidoso que o homem e que ninguém está isento de dizer e escrever tolices — o mal está em fazê-lo com pompa, levando-se por demais a sério.

Por isso creio que precisamos de um pouco menos de arrogância, um pouco mais de humor, um pouco menos de palanque e um pouco mais de racionalidade no debate público nos próximos dois anos e meio, quando, na prática, este governo terá concluído sua herança. E espero que a esta se lhe faça justiça, algo que este governo não consegue fazer com a herança que recebeu, sem a qual (e a situação internacional favorável) não chegaria aonde chegou.

GRAU DE CONFIANÇA, GRAU DE RESPEITO
11 de maio de 2008

A dois extraordinários intelectuais do século XX foi perguntado que lição essencial de vida dariam aos jovens. A resposta de Norberto Bobbio: "Respeitar as ideias alheias, deter-se diante do segredo de cada consciência, compreender antes de discutir e discutir antes de condenar." A resposta de Raymond Aron foi mais sucinta, mas complementar e não menos relevante: "Respeitar os fatos, respeitar os outros, se dar ao respeito." Conheço bem uma senhora, prestes a completar 90 anos, que desde cedo procurou transmitir aos filhos valores semelhantes.

Por que essas coisas do século passado me vêm à mente com frequência neste nosso Brasil de 2008? Talvez porque não as considere coisas superadas, preocupações de intelectuais ou de velhas senhoras, nem tampouco ideais inalcançáveis na dura vida real. Talvez porque esteja preocupado com um grau que me parece um tanto excessivo de complacência, relativismo moral, ceticismo e cinismo sobre a vida pública e o mundo da política em geral. Talvez porque ache que há um certo descompasso entre a evolução da economia ao longo dos últimos 15 anos e a evolução de nossos partidos políticos, aí incluído seu pensar sobre o país e seu futuro.

É verdade que estamos em maio de 2008 — e procurando olhar o caminho à frente e o muito que há por fazer. Mas permita-me o leitor uma breve volta ao passado, na linha do respeito aos fatos. Em maio de 1993, exatos 15 anos atrás, Fernando Henrique Cardoso assumiu o Ministério da Fazenda. Foi o quarto titular da pasta no governo Itamar Franco, antes que este completasse oito meses de seus 27 de mandato. Cardoso foi capaz de juntar em torno de si uma extraordinária equipe com nomes como Edmar Bacha, Pérsio Arida, André Lara Resende, Gustavo Franco, Francisco Pinto, Murilo Portugal, entre outros. Sem eles teria sido impossível derrotar a hiperinflação, que estava em cerca de 1.500% no acumulado de 12 meses até maio e cuja *média*, entre maio de 1988 e maio de 1993, tinha sido superior a 1.000% ao ano — recorde mundial no período (na verdade, o Brasil foi o recordista mundial em termos de inflação acumulada nos 30 anos de 1963 a 1993).

As linhas básicas do Plano Real foram explicitadas em extensa Exposição de Motivos tornada pública no início de dezembro. A URV (Unidade Real de Valor) foi lançada formalmente por meio de medida provisória com data de 28 de fevereiro de 1994 e, após quatro longos meses de transição, converteu-se no real, ao lhe ser conferida propriedade de meio de pagamento, em 1º de julho de 1994. Cardoso havia deixado o ministério no início de abril, por exigência legal, para disputar a Presidência. Sua equipe foi inteiramente mantida por seu sucessor, Rubens Ricupero, que teve papel importante na pedagogia do real entre abril e setembro de 1994. Seu sucessor por três meses e três semanas, Ciro Gomes também apoiou totalmente o real, àquela altura já um excepcional sucesso de público.

Todos os envolvidos tínhamos presente que a agenda pós-derrota da hiperinflação confundia-se com a agenda de desenvolvimento econômico e social do país. Um país que, livre da dependência e das ilusões da droga inflacionária, era agora obrigado a começar a encarar de nova forma seus enormes e inegáveis problemas. Mas o que importa é que não perdemos tempo falando sobre heranças malditas — estávamos olhando para a frente e reconhecendo que, apesar das dificuldades, algo de relevante havia sido feito. E que seria sobre aquela base de acertos (criação do Tesouro Nacional e fim da Conta Movimento, por exemplo) que deveríamos continuar construindo. Algo que este governo tem enorme dificuldade de fazer.

Pois bem, hoje, meados de 2008, o que temos? Quatorze anos de inflação civilizada. Quinze anos do início do programa de privatização. Dezesseis anos de um salto qualitativo e quantitativo no processo de abertura da economia ao exterior. Quinze anos de efetiva autonomia operacional do Banco Central. Quinze anos desde a conclusão do processo definitivo de renegociação da dívida externa do setor público. Quinze anos de expressivos ingressos de investimento direto estrangeiro no Brasil (mais de US$ 220 bilhões no período), expressão de confiança no país e em seu futuro.

Dez anos já se passaram desde a resolução de problemas de liquidez e solvência no sistema bancário, privado e público. Dez anos desde que o governo federal concluiu a renegociação da dívida de 25 estados e 180 municípios. Nove anos de bem-sucedida operação do regime de metas da inflação. Nove anos de regime de taxas de câmbio flutuante. Oito anos desde o início operacional dos programas de transferência direta de renda para a população mais pobre, que não começaram com este governo. Oito anos exatos desde a aprovação pelo Congresso da crucial Lei de Responsabilidade Fiscal, tão combatida pela barulhenta oposição da época, hoje no poder.

É por tudo isso, e algo mais, que o Brasil é hoje mais respeitado internacionalmente. O que não era exatamente o caso 15, 20 anos atrás. É por tudo isso e algo mais que há mais confiança, interna e externa, no país. O que não era exatamente o caso 15, 20 anos atrás. Foi por tudo isso que o Brasil alcançou o grau de investimento na avaliação de uma agência de risco.

É respeitar os outros — e os fatos — reconhecer que parte do governo Lula, por ter mudado, contribuiu para esse processo nos últimos cinco anos. É desrespeitar os outros — e os fatos — a tentativa de apropriação exclusiva, porque indébita, dos resultados desse processo.

Mas não há espaço para complacências, grandes erros, tentações populistas, excessos corporativistas. Temos ainda um longo e árduo caminho à frente, que exigirá que alcancemos mais elevados graus de confiança e respeito no sentido que lhes emprestam Bobbio, Aron e a velha senhora mencionada no primeiro parágrafo, minha mãe. A ela e a todas as mães: feliz dia!

EFEITO VORACIDADE
8 de junho de 2008

> *"A ideia tradicional de que o poder reside em uma pessoa, em uma restrita classe política ou em determinadas instituições colocadas no centro do sistema social é enganadora. Não compreendeu a estrutura ou o movimento de um sistema social aquele que não se deu conta de que este é constituído por uma densa e complexíssima inter-relação de poderes. O poder não está apenas difuso e repartido. Ele está disposto em estratos que se distinguem um do outro por diferentes graus de visibilidade."*
>
> NORBERTO BOBBIO

De acordo com esse critério, há três instâncias ou faixas de poder. Primeiro, há o governo do poder visível, ou seja, o poder que em democracias se exerce ou deveria ser exercido publicamente, à luz do sol, e sob o controle da opinião pública. Segundo, há a faixa do poder "semissubmerso", esse vasto espaço ocupado pelos órgãos e pelas entidades públicas por meio dos quais se exerce o dia a dia das políticas governamentais em sua dimensão operacional. Terceiro, há a faixa do poder invisível, que pode assumir três formas: um poder invisível dirigido a lutar contra o Estado (organizações criminosas, associações de delinquência, terroristas, narcotraficantes...); um poder invisível formado e organizado não para combater o poder público, mas para extrair benefícios ilícitos e buscar vantagens que com uma ação feita à luz do sol não seria possível; e, finalmente, o poder invisível como instituição do Estado: os serviços secretos, "cuja degeneração pode dar vida a uma verdadeira forma de governo oculto".

Os dois primeiros tipos de "poder invisível" mencionados, bem como parte das relações espúrias entre ambos e o poder "semissubmerso" a que se refere Bobbio, foram objeto de excelente livro de M. Naim intitulado *Ilícito*. Para o autor, a vasta gama do tráfico em ilicitudes "corre o risco" de nunca ser compreendida nem eficientemente combatida se nos restringirmos a expressões de indignação moral e apelos a comportamentos éticos — se não colocarmos "a economia e a política no centro das análises e das recomendações".

Naim insiste em que as verdadeiras motivações e os incentivos para as atividades ilícitas são econômicos (oferta e procura, risco e retorno) e políticos (no sentido de que "são os políticos e a opinião pública que definem o grosso das expectativas e dos limites às iniciativas de combate ao ilícito").

Como os incentivos econômicos são expressivos, como as formas de combate político são precárias e como os homens não são anjos, como notou James Madison em discurso famoso, o ilícito prolifera no mundo. De tal forma que, na conferência em que apresentou seu livro, em Washington, anos atrás, Naim se referiu aos milhões de praticantes dessa "arte" como "cupins", embora observando que eram cupins racionais do ponto de vista de suas motivações: a busca de retornos que cobrissem os riscos e a volatilidade inerentes às operações a que se dedicavam com excepcional voracidade.

Lembrei-me de Naim e sua "cupinzada racional" ao ver na imprensa que a nossa Polícia Federal denominou de Operação Vorax a investigação que levou, dias atrás, à apreensão de R$ 7 milhões em dinheiro vivo em município que recebe *royalties* de petróleo e gás no valor de dezenas de milhões de reais. A cupinzada racional local aparentemente apropriou-se de uma parcela do botim. Vorax, noticiou a imprensa, é o nome de uma bactéria que se "alimenta" de... petróleo.

Mas o assalto "racional" ao erário é um fenômeno de tal magnitude no mundo que ganhou o nome de "efeito voracidade" na literatura teórica e empírica sobre problemas fiscais e crescimento econômico em sociedades caracterizadas por instituições legais e políticas menos robustas, marcadas por conflitos entre múltiplos grupos de interesse com poder. A literatura e seus modelos sugerem que a taxa do crescimento nessas economias é menor do que poderia, dado o excesso de demandas conflitantes sobre transferências e gastos públicos, bem como a propensão à tributação excessiva sobre o setor formal e mais moderno da economia — aquele que tem a mais alta taxa de retorno —, estimulando a informalidade e a ilicitude.

Nunca será demais tentar aprofundar a discussão desses temas, especialmente em países como o nosso, em que correntes de opinião ainda expressivas e em posições de poder dizem, escrevem e repetem, com respaldo político expressivo, que o Estado brasileiro é "raquítico", "nanico", que "choque de gestão é contratar gente", que a "vitamina para o nanismo é a elevação do gasto público". Ou a elevação da carga tributária, que permitiria um Estado mais ativo na escolha de setores a serem beneficiados com o acesso privilegiado a recursos públicos escassos.

Esse tema sempre será controvertido, porque tanto governos quanto Estados têm suas legítimas prioridades, que deveriam expressar-se de forma transparente nos orçamentos governamentais e nas visões do futuro de suas lideranças políticas. Mas, convenhamos, isso não é a mesma coisa que a pretensão de um governo em monitorar, simultaneamente e de forma centralizada, mais de 2 mil "ações de governo", das quais cerca de 60% são "obras" e o restante são "estudos e projetos em andamento". Todos, diz o discurso, controlados pelo Palácio do Planalto como um grande projeto político e de comunicação social. Quando o Programa de Aceleração do Crescimento foi anunciado, eram 1.646 ações a serem monitoradas, das quais 912 obras e 734 "estudos e projetos em andamento". Na semana passada ficamos sabendo que são nada mais nada menos que 2.120 as ações de governo sendo monitoradas, das quais 1.290 seriam obras e 830 estudos e projetos em andamento. Uma verdadeira usina de ideias, ações, projetos, estudos, obras e debates. No PAC tudo cabe. Inclusive o efeito voracidade e os cupins do Naim.

Felizmente, o Brasil tem muita gente decente no setor público e no setor privado, uma relevante e informada opinião pública e um enorme ativo: uma grande imprensa livre e independente.

VOZ DO POVO, VOZ DE DEUS, VOZ DO MUNDO

13 de julho de 2008

"A voz do povo é a voz de Deus", diz velho e famoso provérbio. Mas Deus não costuma se manifestar com assídua frequência, e o "povo" não tem, definitivamente, *uma* única voz. Talvez por isso tantos procurem interpretar, a seu modo, *a* voz do povo. Em particular, governos e governantes de inclinações populistas (de direita ou de esquerda) fazem mais: procuram elevar a *sua* versão da voz do povo à condição de verdade oficial. E se empenham em controlar, desqualificar e, em casos extremos, acovardar as vozes discordantes, utilizando de maneira discricionária a ampla gama de recursos públicos que lhes assegura o controle do aparelho do Estado. Como ironizou Francisco Weffort em seu clássico estudo sobre o populismo: "Todo o poder emana do povo (...), fiquemos, pois, sempre com o poder e estaremos sempre com o povo."

A competição por esse poder é conduzida, seja em regimes democráticos, seja em regimes autoritários, por indivíduos que temporariamente juntam seus esforços com o objetivo de alcançar posições de dominante influência. Grupos assim motivados são encontrados, não importa quão precariamente instalados, em torno do centro de poder de qualquer regime político, democrático ou não. Um fato da vida, notou o historiador George Kennan, também com fino humor: "Esse grupo, uma vez no poder, dará expressão a uma ampla gama de motivações, incluindo as ambições políticas de seus vários membros, os interesses do grupo como tal, os interesses do partido e, finalmente, sem dúvida, aqueles interesses nacionais que não conflitem em demasia com qualquer desses outros mais prementes objetivos."

Em sociedades mais primitivas, ou com instituições precárias, ou sob regimes autoritários, tiranias ou anarquias (tiranias de alta rotatividade), a existência recorrente do núcleo duro de poder mencionado por Kennan resulta, com enorme frequência, em verdadeiros atos de pilhagem dos recursos do país em benefício desse núcleo duro e de seus satélites de poder local.

No outro extremo, as modernas democracias de nosso tempo — como a antropóloga Ruth Cardoso tanto insistia quando falava de nosso país — são sociedades mais complexas, nas quais existem inúmeras instâncias intermediárias e organizações da sociedade civil entre "o povo" e o núcleo do poder do governo legalmente constituído. São sociedades que contam com legislação e sistema judicial que há muito reconheceram a necessidade de antepor limites ao poder do governo — mesmo quando este emerge de uma maioria. Nessas sociedades, entre as quais esperamos — como Ruth — incluir o Brasil, a diversidade, o pluralismo e a absoluta prioridade conferida à liberdade de expressão funcionam como um sistema de pesos e contrapesos aos impulsos de controle e aparelhamento do Estado por parte do núcleo duro e seus satélites.

É sabido que a literatura econômica, no mundo inteiro, vem enfatizando cada vez mais — a meu ver, com toda a razão — o papel central das "instituições" em processos bem-sucedidos de desenvolvimento econômico e social sustentados no tempo. Como Ruth Cardoso, acredito que as "instituições" de um país são, simultaneamente, três "coisas": o conjunto de organizações e agências do Estado; o conjunto de regras do jogo, das práticas e dos procedimentos estabelecidos; e, não menos importante, o conjunto de valores, crenças e posturas compartilhado em algum grau — o suficiente para fazer diferença. Quando se avaliam a qualidade do governo de um país e a efetividade do funcionamento de suas instituições tem-se que considerar esses três conjuntos, que se reforçam — ou se esgarçam — de maneira interativa, influenciando as percepções e as "vozes do povo".

Vale lembrar que o provérbio que abre este artigo é de origem grega. Os gregos, sabemos todos, não eram monoteístas, acreditavam em deuses, divindades, semideuses, semidivindades. Uma delas chamava-se Fama, que dependia da opinião pública. O provérbio, na sua origem, proclamava a plausibilidade, se não a veracidade, de algo que havia passado a domínio público, ou pelo menos afirmava que uma opinião mantida pela maioria assumia foros de veracidade. Na peça em que Shakespeare mais se debruçou sobre o tema, a fama depende do "boato espalhado" pelas palavras e o comportamento dos outros. "A fama nem sempre erra" é um ditado que existe hoje em inúmeras línguas, tendo a vantagem de deixar em aberto se se trata de boa ou de má fama. O fato é que ambas existem na boca do "povo", que não se expressa com uma única, clara e imutável voz. E sempre tem suas várias vozes influenciadas pelas "vozes do mundo".

Essas vozes do mundo expressam cambiantes coalizões de geometria variável que se formam e se desfazem em função da natureza dos assuntos em debate — que não precisam ser, e não são, sempre os mesmos, como mostra o extraordinário desenvolvimento global das redes de comunicação eletrônica no país e no mundo.

Em outras palavras, o espaço em que se expressa "a voz do povo" é local (doméstico, nacional). O espaço em que exerce "a voz de Deus" é o espaço da fé (daqueles que creem que Ele é onipresente, onipotente e onisciente). A voz do mundo não fala por si. É como o sertão do velho Rosa: está em toda a parte; está dentro de nós; é do tamanho do próprio mundo; é onde nosso pensamento se forma, mais forte que o poder do lugar.

A voz do mundo, ou melhor, as vozes do mundo, são uma miríade de fatos, signos, acontecimentos, expectativas de acontecimentos que precisam ser interpretados — esfinges a nos dizer sempre: decifrem-nos ou os devoramos. Com a morte de Ruth, perdemos uma competente e bem-humorada decifradora de esfinges.

Queria, com este artigo, prestar-lhe uma homenagem, já que esses temas lhe eram caros. Que a sua postura sempre digna no debate em torno deles possa a outros inspirar. E que esta minha malograda tentativa possa ser recebida por sua bela alma, onde esteja, com o generoso sorriso que tanta falta nos faz.

PEDRO MALAN

NOVAS VERTENTES DO "NUNCA ANTES"
14 de setembro de 2008

Um amigo bem-humorado comentou de passagem que o presidente Lula havia criticado fortemente todos os responsáveis pela política econômica "deste país" nos 20 anos que se lhe antecederam. No exterior, ocupado com outras coisas, considerei a declaração apenas mais uma das incontáveis manifestações do "nunca antes jamais na história", hoje definitivamente incorporado ao anedotário político do país. Nonada.

Aparentemente, no entanto, o que era uma marca registrada pessoal, patenteada pelo presidente Lula, está assumindo — e não apenas nos palanques — foros de discurso oficial de uso mais amplamente disseminado. E adquirindo também novas vertentes. Por exemplo, a ministra-chefe da Casa Civil, a nova "capitã do time", em discurso proferido na bela cerimônia comemorativa dos 40 anos da revista *Veja*, dez dias atrás, insistiu no fato de que o futuro do Brasil já chegou — e que esse futuro começou com o governo Lula. As expressões "só agora", "estamos começando" e "vamos começar" foram recorrentes em um discurso de dez minutos de duração.

É extremamente desejável que discursos políticos estejam voltados para o futuro. Contudo, a capacidade de avaliar — e de responder a — riscos, desafios, incertezas e oportunidades (que o futuro sempre encerra) depende, em boa medida, da qualidade de nosso entendimento sobre os processos por meio dos quais chegamos ao sempre fugidio momento presente. É nesse sentido que a história é, e sempre será, um infindável diálogo entre passado e futuro. Algo que a litania do "nunca antes" procura, consciente ou inconscientemente, considerar irrelevante ou relegar ao mais simples de seus significados.

A propósito, cabe mencionar a meritória iniciativa do governo de comemorar, nesta última semana, os 200 anos de existência do Ministério da Fazenda (1808-2008) com a realização de um evento em Brasília, para o qual foram convidados todos os ex-ministros da pasta vivos. Não para um simples encontro social, e sim para que cada um desse um depoimento franco sobre os principais desafios enfrentados em sua gestão. Algo civilizado. Um reconhecimento de que houve um "antes": épocas em que o passado, hoje conhecido, ainda era um incerto futuro. Uma homenagem àqueles que aceitaram as responsabilidades do cargo, no qual procuraram servir ao país.

Pois bem, de volta do exterior, apenas no meio da semana tive oportunidade de ver matéria intitulada "Lula chama antecessores na economia de criminosos". A matéria reproduz trechos do "discurso" presidencial proferido em Ipojuca, Pernambuco, para um público de metalúrgicos. Bem sei que em palanques com audiências cativas os políticos tendem a se deixar levar por emoções, por arroubos retóricos e pelo calor da hora. Mas o presidente disse, textualmente, que um indivíduo preso porque cometeu um delito "é menos criminoso do que aqueles que foram responsáveis pela política econômica e pela política de desenvolvimento deste país nos últimos 20 anos" (*Folha de S.Paulo*, 6/9).

Essa é uma nova vertente do "nunca antes". Agora, não é apenas o passado em geral que se procura acusar. Agora, pessoas com nomes e biografias conhecidas são tachadas de criminosas com insensata ligeireza. Como dizem os cariocas, "menos presidente, menos". Afinal, os "últimos 20 anos" incluem os governos de cinco ex-presidentes e daqueles que os serviram — e ao país — como "responsáveis pela execução da política econômica e da política de desenvolvimento". Se considerarmos todos os ex-ministros da Fazenda e do Planejamento (e presidentes do Banco Central) estaremos falando de várias dezenas de pessoas. Todos "criminosos", presidente?

Tenho certeza de que nosso presidente, no fundo, não acha realmente isso e reconhece que a metáfora talvez tenha sido particularmente infeliz. Afinal, foi o mesmo presidente, em discurso feito em Massaranduba, Bahia, em março de 2006, quem afirmou: "É possível fazer política de forma civilizada." E eu realmente prefiro acreditar no Lula de Massaranduba e não no Lula de Ipojuca. Dúvidas excessivas sobre qual é o verdadeiro Lula, ou percepções de que a resposta seja "ambos", poderiam levar alguns a endossar a observação de Ferreira Gullar: "Ele diz qualquer coisa a qualquer hora, depende do público que o assiste e da conveniência do momento."

E chego aqui ao que efetivamente importa, no momento e nos próximos anos. Fica e ficará cada vez mais claro que o contexto internacional mudou desde fins de 2007 e que a economia mundial será menos favorável, mais turbulenta, mais volátil e, certamente, crescerá menos nos próximos dois anos devido à grave crise de confiança que ora assola o sistema financeiro e os mercados de crédito no mundo desenvolvido.

Não tenhamos dúvidas de que seremos afetados por essa crise enquanto ela estiver seguindo seu curso, que não será de curta duração. Mas, como toda crise, será resolvida um dia — ainda que a um custo não trivial. E também, como toda crise, oferece oportunidades não só a empresas, mas ainda a países que não se deixam levar por excessos de complacência e autoindulgência derivados de vários anos de desempenho favorável.

Mais uma razão para um sereno olhar à frente. Se os ventos que sopram do exterior se tornam menos favoráveis, há que avançar mais — e não menos — na consolidação e ampliação de mudanças estruturais, nos avanços institucionais e no compromisso firme com políticas macro e microeconômicas consistentes. O Brasil está excepcionalmente bem posicionado para aproveitar as oportunidades que crises como esta, e sua superação, sempre encerram.

Um país que está com os olhos firmemente postos no futuro não perde tempo com discussões estéreis, falsos dilemas e insensatas condenações a esforços passados. Sem a ajuda dos quais seu sucesso atual e suas promissoras possibilidades futuras simplesmente não existiriam na configuração de hoje.

ANOS TURBULENTOS PELA FRENTE
12 de outubro de 2008

Madrugada de sexta-feira, 10 de outubro. Escrevo da China, onde me encontro para reunião de conselho internacional de que participo. Acabo de ver o fechamento da Bolsa de Nova York na quinta-feira e escrevo enquanto aguardo a abertura das bolsas da Ásia. "Possa você viver em tempos desafiadores" é uma conhecida expressão chinesa que nunca foi tão apropriada como na dramática crise ora em andamento, cujas consequências estarão conosco por muitos anos à frente.

Virou clichê, mas não menos verdadeiro, que crises dessa magnitude acontecem a intervalos que se contam em muitas décadas. Não tenho dúvidas de que esta — como todas as anteriores — será superada em algum momento, ainda que a um custo extremamente elevado, tanto econômico quanto social. Como também não tenho dúvidas de que haverá outra crise — diferente — em algum momento futuro. Afinal, é o que nos ensina a história, sempre surpreendente, dos últimos 250 anos. E tão importante quanto é o que nos ensina a imutável natureza humana, que, como é sabido, é movida por uma contínua interação entre as forças da ambição, do medo, da ignorância e da necessidade de autoestima e reconhecimento.

Os mercados, em particular os financeiros, sempre foram, são e serão afetados pela interação entre os elementos acima mencionados e as incertezas, os riscos e as oportunidades que o futuro invariavelmente contém. Esses processos podem, por vezes, levar tanto a manifestações de "exuberância irracional" e de "ganância infecciosa", para usar duas expressões de Alan Greenspan, como a "medos irracionais" e "pânicos infecciosos", conforme estamos vivendo, em progressiva gestação, há mais de um ano, com especial virulência no último mês e, particularmente, nestes últimos dias. Está evidente agora que a paralisia de crédito é a expressão de uma crise global de confiança que extrapolou em muito o mercado interbancário e começou a afetar o chamado setor real e as perspectivas de crescimento.

Vale lembrar que um ano atrás, em 9 de outubro de 2007, apesar de a crise estar clara desde agosto, a Bolsa de Nova York chegou ao nível mais alto de sua história, estimulada pela decisão do Banco Central norte-americano de dar início em setembro à trajetória declinante de sua taxa básica de juros, então em 5,25%. As bolsas reagiram com entusiasmo. Afinal, em outubro de 1987, quando a Bolsa de Nova York teve a maior queda percentual de sua história (até hoje) em um único dia e o pânico tomou conta dos mercados, o FED (Federal Reserve Bank) reduziu os juros três vezes em seis semanas e a situação se normalizou.

Em setembro de 1998, quando a crise da moratória russa e a falência de um grande *hedge fund* levaram a outro começo de pânico, o FED reduziu os juros por três vezes em sete semanas e o pânico se foi. A minirrecessão de 2001, agravada pelo ataque às torres de Nova York em 11 de setembro, levou a outro surto de pânico, também contido por três reduções da taxa de juros em sete semanas, redução que continuou até 1º de junho de 2003. Talvez muitos tenham imaginado que, em último caso, essa seria sempre a opção salvadora, amplamente testada, para crises de confiança e liquidez, o que explicaria a complacência que se instaurou nos mercados: o FED estaria sempre atento. E, afinal de contas, o mundo estava experimentando o mais forte, o mais longo e o mais amplamente disseminado ciclo de expansão da história moderna.

Pois bem, na crise atual, não apenas os juros norte-americanos foram reduzidos de 5,25% para 1,5%, mas vários outros Bancos Centrais, em ação concertada, fizeram o mesmo nas últimas semanas. Inúmeras medidas vêm sendo tomadas por vários países desenvolvidos. Emprestadores de última instância, os Bancos Centrais passaram a incorporar transitoriamente funções de compradores de última instância, de *market makers* e de *match makers* de última instância. Tesouros passaram a ter autorização legal para capitalizar bancos privados, comprar ativos de suas carteiras e oferecer garantias totais a depositantes e aplicadores. Bancos Centrais e Tesouros passaram a estender um volume crescente de recursos a um número crescente de instituições bancárias e não bancárias, aceitando garantias de maior risco que as normalmente exigidas.

A prioridade absoluta é afastar o pânico, fazer com que o sistema de pagamentos e o mercado interbancário voltem a funcionar e presidir um processo ordenado de venda de ativos, de capitalização e de consolidação do sistema bancário, que passará, inevitavelmente, por um schumpeteriano processo de "destruição criativa". E os bancos que restarem serão submetidos a uma supervisão e regulação mais eficazes que no passado.

Tomará tempo. Será duro. Afinal, as medidas excepcionais fazem sentido, mas vieram tarde para evitar que o pânico se instalasse. A essa altura, os discursos do presidente Bush — como de resto de qualquer presidente isoladamente — não terão maior efeito sobre os mercados. Só a efetiva implementação do programa de emergência, aprovado pelo Congresso norte-americano, um relativo sucesso do programa de retirada dos ativos tóxicos dos balanços dos bancos e um grau de cooperação internacional nunca antes alcançado entre os principais Tesouros e Bancos Centrais dos países desenvolvidos surtirão efeito.

E o Brasil? Bem, o país só teria a ganhar se além de contar, como conta, com um Banco Central atento e atuante fosse capaz de deixar de lado discursos de palanque, bravatas e bazófias para mostrar que entende a gravidade do momento e que, portanto, entre outras coisas, não só vai revisar imediatamente o Orçamento de 2009, como também as metas fiscais indicativas para o próximo triênio.

Os países relativamente menos afetados serão aqueles mais capazes de revelar com atos, e não discursos, sua capacidade de resposta à crise, retendo, assim, a confiança possível do resto do mundo.

ONDE SE LÊ 2008-2009, LEIA-SE 2009-2010
14 de dezembro de 2008

A piada é conhecida — e antiga: quem deixa o cargo faz chegar três envelopes lacrados e numerados a seu sucessor para serem abertos, um de cada vez, apenas em diferentes momentos de crise. Na primeira crise, o envelope, aberto, traz o conselho: "Não deixe que a crise o atinja, jogue toda a culpa no(s) seu(s) antecessor(es)." Na segunda crise, o envelope, aberto, revela a recomendação: "Não permita que a crise o alcance, livre-se de pessoas-chave de sua equipe." Na terceira crise, a sugestão do envelope, aberto, é: "Escreva três cartas para seu sucessor."

O presidente Lula utilizou, durante anos, *ad nauseam*, a sugestão da primeira carta. Esperemos que apenas como espertezas política. Afinal, não lhe seria conveniente reconhecer, de público, algo que ele sabia — ou deveria saber. Que, por exemplo, o Risco Brasil multiplicou-se por quatro e a taxa de câmbio disparou de R$ 2,30 para R$ 3,99 por dólar, entre abril e outubro de 2002 (com todas as implicações sobre os índices de inflação do último trimestre do ano), em larga medida devido a incertezas, não sem fundamento, sobre o que seria o "modo petista de governar" em matéria de política macroeconômica, entre outras.

O segundo envelope, aberto em algum momento em 2005, levou à saída do governo do ministro José Dirceu, na prática, o virtual chefe do governo, o verdadeiro "capitão do time", na expressão do próprio presidente. De lá para cá, o presidente Lula utilizou inúmeras vezes a sugestão da segunda carta, ao jogar ao mar pessoas-chave de seu governo e de seu partido, sempre que crises pudessem eventualmente atingir a sua pessoa. E deixando claro que não hesitaria em utilizar a recomendação contida nesse segundo envelope em eventuais crises futuras.

O presidente Lula ainda não abriu o terceiro envelope. É desnecessário fazê-lo. Em parte, porque o presidente, pessoa bem-humorada, conhece a piada — tanto que a vem seguindo à risca. Em parte, porque ainda tem algum tempo, antes de escrever três cartas a seu sucessor.

Seria interessante, embora meio inútil, imaginar qual seria o conteúdo das três cartas do presidente Lula. Seguramente, a primeira seria redigida de outra maneira. É possível que o atual presidente pense em sugerir a seu sucessor que procure deixar de lado aquilo que virou marca registrada sua: a eterna ladainha do nunca-antes-jamais-na-história-deste-país.

Afinal, já estamos em janeiro de 2008. Passaram-se cinco anos ao longo dos quais o governo Lula beneficiou-se de uma combinação positiva de três ordens de fatores: uma situação internacional extraordinariamente favorável de 2003 a 2007; uma política macroeconômica não petista seguida por Antonio Palocci e Henrique Meirelles; e uma herança não maldita de mudanças estruturais e avanços institucionais alcançados na vigência de administrações anteriores — inclusive de programas na área social que foram mantidos, reagrupados e ampliados.

Com essa base, o governo Lula vem construindo a herança que legará a seu sucessor em 2010. Mas, antes disso, este governo será testado, em 2008 e 2009, de uma maneira que nunca foi desde o seu início, cinco anos atrás.

É verdade que houve um duro teste no início de 2003, pelo qual este governo passou, e bem. E não apenas porque os ventos da economia internacional começaram a soprar a nosso favor. Vale lembrar, neste conturbado início de 2008, que o fundamental foi a capacidade de resposta da área econômica às consequências do pânico que se instaurou nos mercados no segundo semestre de 2002 (no Brasil, por razões conhecidas; nos Estados Unidos, por medo de deflação). O ministro Palocci formou sua equipe com profissionais como Marcos Lisboa, Joaquim Levy e Murilo Portugal, na Fazenda; e Henrique Meirelles, Ilan Goldfajn e Beny Parnes no Banco Central. Essa equipe formulou — e implementou — uma clara resposta de política macroeconômica às turbulências, incertezas e medos que prevaleciam em fins de 2002 e início de 2003.

O aumento do esforço fiscal — anunciado e realizado — e a reafirmação do compromisso inarredável com o controle da inflação revelaram aos brasileiros e ao resto do mundo, mais uma vez, que o Brasil, apesar das aparências em contrário, continuava gradualmente a se transformar em um país mais "normal", isto é, mais previsível, que dispensava tentativas de reinvenção da roda, de radicais rupturas com o passado, de experimentos heterodoxos nunca antes vistos. Um país no qual a política macroeconômica não seria conduzida com argumentos ideológicos ou político-partidários. O governo Lula e a economia brasileira derivaram um enorme benefício dessa percepção de que caminhávamos para nos tornarmos uma nação mais madura. E, principalmente, com capacidade de mostrar certa qualidade nas suas respostas de políticas macroeconômicas e setoriais a situações de crise.

Pois bem, é exatamente essa percepção que estará sendo submetida a duros e múltiplos testes em 2008 e 2009, quando, pela primeira vez, desde que assumiu a Presidência em 2003, o governo Lula não contará com uma situação internacional tão extraordinariamente favorável como até 2007.

Ao mesmo tempo, o país enfrenta deterioração da situação fiscal, maiores pressões inflacionárias, gargalos em infraestrutura, risco de racionamento de energia, excesso de complacência e voluntarismo de seus governantes, continuado aparelhamento e loteamento político de cargos públicos, contínuo fluxo de bizarrices em sua crescente ala "heterodoxa" e uma imensa dificuldade de controlar a excessiva taxa de crescimento dos gastos correntes do setor público. Em parte, porque muitos ainda acham que isso não é problema, mas solução para o "raquitismo" do Estado, o crescimento da economia e a sustentação da base política do governo.

Ao responder a isso em 2008, o presidente Lula já estará, na prática, escrevendo suas cartas a seu sucessor.

Feliz Natal e bom 2009 a todos.

2009

2009

Taxa de crescimento no ano	-0,1 %
Taxa de inflação no ano	4,3 %
Taxa de câmbio no final do ano	R$ 1,74
Mín. R$ 1,70 Máx. R$ 2,45	
Taxa de juros no final do ano	8,75 %
Mín. 8,75 % Máx. 12,75 %	

FEVEREIRO
José Sarney (PMDB-AP) assume a presidência do Senado; Michel Temer (PMDB), a da Câmara dos Deputados.

MARÇO
O governo anuncia queda de 3,6 % no PIB do último trimestre de 2008, em comparação ao trimestre anterior.

Emprego formal tem pior trimestre desde 1999. O país perde 57.751 empregados. No mesmo período de 2008, houve geração líquida de 554.440 empregos.

ABRIL
Anúncio de redução do IPI de eletrodomésticos.

JULHO
Dada a recessão do último trimestre de 2008 e do primeiro de 2009, o Banco Central continua o processo de redução dos juros básicos: entre janeiro e julho, eles passam de 13,75 % para 8,75 % ao ano.

AGOSTO
O governo Lula revisita a campanha "O petróleo é nosso" com o lançamento do marco regulatório das reservas do pré-sal, que prevê mais participação do Estado no setor. Com a mudança do regime de concessão para o de partilha, a Petrobras tem de participar como operadora com, pelo menos, 30 % de todo o campo do pré-sal.

SETEMBRO

Segundo o IBGE, após dois trimestres encolhendo (o último de 2008 e o primeiro de 2009), a economia cresce 1,9 % no segundo trimestre de 2009 em comparação ao primeiro trimestre.

Longa e importante entrevista de Lula ao jornal *Valor* do dia 17.

OUTUBRO

O Rio de Janeiro é eleito sede dos Jogos Olímpicos de 2016.

NOVEMBRO

Capa da revista *The Economist* mostra o Cristo Redentor decolando como um foguete. A matéria, intitulada "Brazil takes off", tem como subtítulo "Latin America's big success story" e se estende por 14 páginas.

DEZEMBRO

Lula anuncia que a ministra da Casa Civil Dilma Rousseff (PT) será candidata à sua sucessão, reiterando que a considera "a melhor gerente do Brasil".

O PIB fecha o ano com retração de 0,13 %, a primeira queda anual em 17 anos.

Crise na Grécia. Primeiro-ministro recém-eleito anuncia ao FMI que o déficit fiscal no país não é, como se supunha, da ordem de 9 %, mas superior a 13 % do PIB.

RESPOSTAS À CRISE E O CRESCIMENTO

11 de janeiro de 2009

Estaremos — no Brasil de 2009 e 2010 — vivendo as consequências do fim de um extraordinário ciclo de expansão da economia mundial. O mais longo, o mais intenso e o mais amplamente disseminado da história moderna. Um ciclo que teve início com os surpreendentes eventos políticos e econômicos do início dos anos 1990 e cujo auge teve lugar no quinquênio que se estende de meados de 2003 ao terceiro trimestre de 2007. Foi preciso mais de um ano para que fossem sepultadas de vez as expectativas de "descolamento" com o setor real e com o mundo dos emergentes.

É evidente, desde setembro de 2008, que a crise que levou ao fim desse ciclo é a mais grave experimentada pela economia mundial nos últimos 70 anos. Uma crise que não será superada em apenas alguns poucos trimestres e cujas consequências nenhum país deixará de sofrer, embora de formas distintas. O Brasil não é e não será uma exceção. Mas o que importa agora é a nossa capacidade de avaliar e de responder de forma apropriada aos desafios, aos riscos e às oportunidades que a crise e sua superação sempre encerram. Para tal, ajudaria muito um maior grau de convergência sobre "aonde queremos chegar".

Começando pela área macroeconômica: o Brasil tem hoje dez anos de um regime cambial de taxas flutuantes, mais de nove anos e meio de um regime monetário de metas de inflação e quase nove anos de vigência da Lei de Responsabilidade Fiscal, tentativa de definir um regime fiscal responsável para o país. Adicionalmente, há mais de dez anos o Brasil criou as bases para um sistema financeiro sólido, fato hoje reconhecido internacionalmente.

A melhor resposta que podemos dar à crise consiste na reafirmação clara do compromisso de avançar na consolidação desses três regimes e em assegurar o funcionamento adequado do nosso sistema de intermediação financeira. Do ponto de vista operacional, os três regimes têm margem para flexibilidade e aperfeiçoamento. Há espaço para reduzir juros, mas o que importa é a consistência entre as políticas fiscal e monetária e a evolução do câmbio em 2009 e adiante.

É sabido que a estabilidade macroeconômica e a estabilidade financeira, fundamentais como possam ser, por si sós não garantem o crescimento sustentado, a médio e longo prazos, da atividade econômica, do investimento e do emprego — que é, com a melhoria continuada dos indicadores sociais, aonde queremos chegar.

A agenda de temas microeconômicos e institucionais assume importância crescente na caracterização tanto da rapidez e qualidade da resposta do governo como dos sinais para que as empresas brasileiras possam se posicionar para aproveitar oportunidades, as que existem e as que surgirão após a superação da crise.

A resposta apropriada do Brasil, com sentido de urgência no momento atual, deveria ser acelerar o passo do destravamento da agenda regulatória, concorrencial e de redução de incertezas jurídicas, estimulando o investimento privado, doméstico e internacional. Como escreveu o ilustre ex-ministro Delfim Netto no *Valor* da semana passada, "a máxima prioridade do governo (...) é aumentar seus gastos de investimento, sacrificando o custeio. (...) esta é a hora de ampliar as concessões de estradas, de saneamento, de geração de energia, de portos etc.". Difícil tarefa, como ilustra o belo artigo de Jerson Kelman e Edvaldo Santana, nesta página, há três dias.

A preocupação com a redução dos efeitos da crise sobre a atividade econômica, o emprego e o investimento não nos deveria deixar perder de vista (sem desconhecer avanços) o muitíssimo que resta por fazer na área social e de reformas.

A educação é o tema central. Aqui residiam, residem e residirão nossas grandes deficiências e nossos grandes desafios. É na qualidade dos *resultados* do processo educacional que se situa, em última análise, a capacidade de um país de adaptar-se continuamente às necessidades da competição internacional e de crescer de forma sustentada. Há muito ainda por fazer nessa área, que exige melhorias significativas em gestão e monitoramento, através de indicadores quantitativos, metas específicas e críveis a serem alcançadas mediante incentivos apropriados que estimulem o mérito e o efetivo desempenho. Em suma, uma difícil luta contra o forte corporativismo "isonomista" de boa parte do sistema.

A saúde sempre será fonte inesgotável de demandas sobre recursos públicos escassos. Com a superindexação dos recursos orçamentários ao PIB nominal, por preceito constitucional, o Brasil, comparativamente, não gasta pouco nessa área, mas essa é a sensação da população. O discurso e a prática aqui — aonde queremos chegar — deveriam ser os da busca da eficiência, da qualidade do gasto e do combate sem tréguas ao desperdício, à fraude, à corrupção e à demagogia no trato do tema.

Sobre reformas, é sabido quão difícil é avançar em épocas que são simultaneamente de crise e pré-eleitorais. Seria um equívoco, contudo, relegar a um plano secundário o debate público voltado para aprofundar o entendimento objetivo — muito deficiente entre nós — das razões pelas quais as reformas previdenciária, trabalhista e tributária terão que ser feitas, ainda que de forma gradual.

É verdade que quando convivem climas de palanque e situações de crise, com todo o potencial de respostas inadequadas que essa combinação propicia, evitar retrocessos é uma forma — embora precária — de tentar avançar.

Mas isso é muito pouco para um país que deveria ter pressa em pelo menos indicar, da forma mais clara possível, o rumo do nosso "aonde queremos chegar" como país que tem confiança em seu futuro. O que significa confiança na própria capacidade de crescer com as três características de uma sociedade na qual vale a pena viver: liberdades individuais, justiça social e eficiência tanto no setor privado quanto, e principalmente agora na crise, no setor público, como gestor de recursos escassos em relação à voracidade das demandas com que se defronta.

RESPOSTAS À CRISE: O USO DE KEYNES
8 de fevereiro de 2009

"Nunca a conjuntura foi tão pouco conjuntural" (André Lara Resende). O que é uma forma de dizer: há que ter senso de perspectiva quando se está em meio a uma crise econômica global do tipo que só ocorre a intervalos que se contam em décadas. Perspectiva não apenas para entender melhor como chegamos à situação atual, ver se há algo a aprender com as experiências de resolução de crises pretéritas, reavaliar o resto do mundo, como também — e tão ou mais relevante — para olhar adiante, sabendo que "o que mais importa agora" é responder adequadamente à crise. O que exige um mínimo de perspectiva.

Relevância e urgência seriam razões suficientes para voltar ao tema de meu artigo anterior neste espaço ("Respostas à crise e o crescimento", 11/1/09). Há outras, que têm a ver com o uso, a meu juízo, indevido, que se vem fazendo entre nós das ideias do maior economista do século passado (o britânico John Maynard Keynes) para defender um determinado tipo de resposta do Brasil à grave crise atual, com referência à forma pela qual teria sido superada a crise dos anos 1930 do século passado. Esta, a mais grave até hoje conhecida e tema de revigorado debate entre os que buscam lições do passado para exigências do presente.

As situações e as respostas de hoje por certo não são e não poderiam ser as mesmas que as de quase 80 anos atrás. Entre 1929 e

1933, por exemplo, o PIB norte-americano declinou, em termos nominais, em mais de 50%, divididos quase meio a meio entre queda real e deflação (queda de preços). O desemprego nos Estados Unidos, quando Roosevelt iniciou seu governo (março de 1933), chegava a 25% da força de trabalho. E, apesar do New Deal, houve uma recessão intensa no país entre março de 1937 (início do segundo mandato de Roosevelt) e maio de 1938, contribuindo para que o nível do PIB nominal que os Estados Unidos haviam alcançado em 1929 só fosse superado em 1940, um ano após o início da Segunda Guerra Mundial.

Keynes tinha convicção sobre a crucial importância da recuperação da economia nos Estados Unidos para o resto do mundo. Instado por amigos norte-americanos, escreveu uma bela carta a Roosevelt em dezembro de 1933. Convidado pela Universidade de Columbia, visitou o país em maio de 1934 e por três semanas entrou em contato com empresários, financistas, políticos e altos funcionários da administração governamental, inclusive com o próprio Roosevelt. Em sua principal palestra pública nessa viagem abordou o tema da retomada à luz de duas perguntas básicas: 1) Que medidas podem ser adotadas para acelerar o retorno à normalização das atividades empresariais? 2) Em que escala, por meio de que expedientes e por quanto tempo são recomendáveis níveis anormais de dispêndio governamental?

Keynes argumentou que a confiança empresarial estava "singularmente escassa" e disse que, por "pelo menos seis meses e provavelmente um ano", a retomada dependeria fundamentalmente dos estímulos supridos pelas autoridades na forma de gastos emergenciais. E insistiu na necessidade de se aumentar a efetividade das políticas de retomada do crescimento em cinco áreas: investimentos em habitação; investimentos em ferrovias; reabertura do mercado de capitais; redução da taxa de juros de longo prazo; e manutenção da política cambial, que fixara uma nova relação (desvalorizada em quase 60%) entre o dólar e o ouro que prevaleceu até 1971.

É importante notar, para propósitos do debate atual, que Keynes falava em "problemas de ignição", em gastos governamentais temporários, emergenciais, contracíclicos, como se diz hoje. Ele escreveu na carta a Roosevelt que, "no segundo capítulo desta história, os dispêndios do governo podem ser reduzidos à medida que o setor privado retome seu papel".

Mas o fato é que muitos, no mundo de então e de hoje, viram e veem a sugestão de Keynes para sair da Depressão como uma "parte permanente do mecanismo de preservação da demanda". Vale citar a explicação de Keynes em correspondência (de 1934) dirigida ao chefe da Divisão de Pesquisa e Planejamento da National Recovery Administration: "A minha *teoria* [ênfase no original] é a mesma, seja o dispêndio realizado pelo governo ou pelo setor privado. (...) apenas no evento de uma transição para o socialismo alguém deveria esperar que o dispêndio governamental desempenhasse o papel predominante de forma mais permanente."

Keynes escreveu novamente a Roosevelt em fevereiro de 1938, com os Estados Unidos de novo em recessão. Além de advogar a sua já conhecida prescrição de aumento de obras públicas, especialmente em serviços de infraestrutura (nos quais via as políticas governamentais recentes como inibidoras do investimento privado), Keynes também sugeriu que a administração Roosevelt adotasse um conjunto diferente de atitudes (mais positivas) para com o investimento privado.

Roosevelt encaminhou a carta ao secretário do Tesouro, que respondeu a Keynes de forma lacônica. Keynes replicou, em março, com as seguintes palavras: "Você precisa ou dar mais encorajamento ao setor empresarial ou assumir você mesmo mais de suas funções (...) suas políticas recentes parecem presumir que você possui mais poder do que efetivamente dispõe." Sábio conselho, que retém surpreendente atualidade no mundo de hoje.

Essas longas digressões me vêm à mente ao ver com frequência no nosso debate atual o nome de Keynes, suas ideias e sua *Teoria geral* utilizados para justificar a elevação de gastos *permanentes* e recorrentes do governo com contratação de pessoal, aumento de salários públicos, custeio de toda ordem. Como se fossem gastos contracíclicos de inspiração keynesiana, destinados não só a responder à crise atual como a assegurar, de forma duradoura, níveis adequados de demanda efetiva e apropriados estímulos ao investimento. Uma postura que torna mais difícil alcançar o objetivo de redução (crível) da taxa de juros reais de longo prazo, tão necessária, entre outras coisas, ao crescimento sustentado da economia brasileira.

RESPOSTAS À CRISE: USOS DO PAC
8 de março de 2009

"Há coisas que nós sabemos que sabemos; há coisas que sabemos que não sabemos; há coisas que não sabemos que sabemos; e há coisas que não sabemos que não sabemos." A tirada foi utilizada por um aprendiz de filósofo da era Bush, Donald Rumsfeld, que não conseguiu se manter como ministro da Defesa de seu país. Talvez porque houvesse coisas em demasia que ele não sabia que não sabia, combinadas com outras que ele sabia que sabia, mas não lhe era possível reconhecer de público.

Na grave crise que ora vive a economia mundial — a mais globalmente sincronizada retração econômica desde os anos 1930 do século passado — também é possível identificar esses quatro tipos de "coisas", além de muitos *Rumsfeld types* nos mundos das finanças, da economia e da política. Afinal, a dúvida é da natureza humana e o futuro é sempre incerto. Como escreveu Fernando Pessoa, "todas as frases do livro da vida, se lidas até o final, terminam numa interrogação". Em espanhol, dizem com orgulho alguns amigos *castellanos*, as frases interrogativas começam com o sinal de interrogação invertido. Lembrança, talvez, de que perguntas devem ser feitas antes e não depois da ocorrência de eventos desastrosos.

Muitas perguntas sobre as quatro possibilidades "rumsfeldianas" no que diz respeito a riscos não foram feitas de forma clara por mercados financeiros, governos e suas agências, enquanto o mundo vivia o auge (2003-2007) do mais intenso e amplo ciclo de expansão da história moderna. Agora, em plena crise, as perguntas mais relevantes são menos relacionadas às causas da crise, importantes como sejam, e mais ligadas à natureza e à qualidade das respostas — nacionais, regionais e globais — que governos (e mercados) podem e devem dar à crise com vistas à sua superação e à retomada gradual do crescimento.

O restante deste artigo se restringe a um tema específico: os possíveis usos do Programa de Aceleração do Crescimento (o plural é deliberado) como um dos elementos do conjunto de respostas do Brasil não apenas para enfrentar a crise atual, mas também para nos reposicionar mais favoravelmente na região e no mundo à medida que a crise global vá sendo enfrentada e, eventualmente, superada ao longo dos próximos trimestres ou anos.

Escrevo no mês seguinte à divulgação dos "novos números" do PAC, originalmente apresentado dois anos atrás, no início de 2007. Era então um apanhado de tudo o que já vinha sendo realizado ou planejado, não só no orçamento de investimentos do governo federal (vale lembrar, algo em torno de apenas 1% do PIB) e nos planos das empresas estatais, como nos investimentos privados previstos para 2007-2010. Esse somatório incluía, conforme o relatório de 2007, nada mais nada menos que 1.646 "ações de governo a serem monitoradas" de forma centralizada na Casa Civil, das quais 912 seriam "obras" e 734 "estudos e projetos em andamento". Seu valor era estimado em R$ 504 bilhões, sendo a esmagadora maioria investimentos que empresas estatais estavam, em fins de 2006, contando realizar no triênio 2007-2010.

No início de 2008, a apresentação da avaliação do PAC havia aumentado para mais de 2 mil as ações do governo sendo monitoradas no âmbito do programa (mais de mil obras e outros tantos estudos e projetos em andamento). Agora, início de 2009, o país toma conhecimento de que o governo decidiu adicionar mais R$ 132 bilhões para o triênio 2007-2010, levando o total de R$ 504 bilhões para R$ 646 bilhões. Além disso, resolveu elevar a estimativa de gastos do programa após 2010 de R$ 189 bilhões para R$ 502 bilhões, apresentando o PAC como um projeto de R$ 1,148 trilhão, em seu conjunto, para 2007-2013. Para muitos, puro keynesianismo contracíclico.

Mas é difícil evitar a percepção de que o PAC vai aumentando em número de obras, projetos e estudos em andamento e, especialmente, no seu valor total estimado para os sete anos que vão de 2007 a 2013 (!). Isso porque, pelos critérios adotados pelo governo, são considerados novos investimentos todas as obras que, mesmo já previstas ou conhecidas ou planejadas e executadas por estados, ainda não haviam sido incorporadas ao PAC. Como escrevi neste espaço cerca de um ano atrás: "No PAC tudo cabe" ("Efeito voracidade", 8/6/08). Poderia adicionar: "É como um generoso, compreensivo e abrangente coração de mãe." Como bem ilustra uma recente portaria de órgão da Presidência da República que define o PAC como "um instrumento de universalização dos benefícios econômicos e sociais para todas as regiões do Brasil".

Ora, é sabido que quando tudo é prioritário nada é prioritário. Desde pelo menos os anos 1950 (primórdios do BNDES e da Petrobras, governo JK) se sabe da importância da seletividade e do critério na escolha dos projetos. E, principalmente, da importância da capacidade de execução, da eficiência no gerenciamento e da cobrança de resultados. O papel do investimento público pode ser fundamental para romper certos pontos de estrangulamento em infraestrutura, para sinalizar novas oportunidades de investimento ao setor privado, para sugerir áreas em que ambos, público e privado, podem atuar conjunta ou complementarmente.

Os programas Brasil em Ação/Avança Brasil do governo FHC definiram, após cuidadosos estudos, entre 40 e 50 projetos prioritários. O modelo de seu gerenciamento, conduzido pela equipe chefiada com competência e profissionalismo por José Paulo Silveira, com sua longa experiência na Petrobras, é hoje utilizado com sucesso por vários estados brasileiros que também definiram relativamente poucos projetos prioritários, compatíveis com a capacidade de execução do próprio estado e de suas empresas.

A contribuição do PAC para o Brasil depende, a meu ver, de maior seletividade, efetiva gestão e resultados operacionais concretos sobre os níveis e a eficácia do investimento público e privado — um dos maiores desafios de médio prazo a enfrentar na área econômica. E não de seu uso como instrumento de retórica política associada à campanha eleitoral que se avizinha.

RESPOSTAS À CRISE: NÓS E OS OUTROS

10 de maio de 2009

"Uma crise como esta não tem uma causa simples, mas, como nação, nós nos endividamos em demasia e deixamos nosso sistema financeiro assumir níveis irresponsáveis de risco." A frase é do atual secretário do Tesouro norte-americano, Tim Geithner. Expressões semelhantes de sofrida singeleza podem ser encontradas em declarações de Ben Bernanke, Larry Summers, Paul Volcker e do próprio presidente dos Estados Unidos, Barack Obama.

O que importa é que todos reconhecem, hoje, os elementos fundamentais da excessiva complacência que levou à situação atual e que tinha, a meu ver, quatro pilares, os três primeiros amplamente debatidos. O quarto, não, e foi dali que vieram, infelizmente, as graves e lamentáveis surpresas dessa crise e do pânico que ela gerou.

O primeiro pilar de complacência foi erigido sobre a suposta sustentabilidade de um padrão de desequilíbrios globais, sem redução dos gastos domésticos (e/ou depreciação cambial) nos principais países deficitários (Estados Unidos, mas também Inglaterra, Espanha, Austrália, França, Itália); além do aumento da demanda doméstica e/ou apreciação cambial nos principais países superavitários (China, Japão, Alemanha, Rússia, Noruega, Arábia Saudita). Como disse o economista Herbert Stein, "se uma situação não pode ser sustentada, ela não o será".

O segundo pilar de complacência estava ligado ao fato de que o endividamento "como nação" mencionado por Geithner refere-se tanto à dívida externa dos Estados Unidos quanto à sua contrapartida doméstica, isto é, o endividamento crescente das famílias norte-americanas (e inglesas e espanholas e...) em relação à própria renda, contando com a valorização permanente dos ativos que adquiriam com o seu endividamento.

O terceiro pilar de complacência foi a confiança, que se mostrou enganosa, no papel do FED (Federal Reserve Bank) e de outros Bancos Centrais de reagir ao estouro de bolhas nos mercados imobiliários ou de ações por meio de abruptas e expressivas reduções de taxas de juros. Afinal, havia sido assim em outubro de 1987, em setembro/outubro de 1998 e após setembro de 2001.

No quarto pilar, há culpas de governos: a aterrorizadora descoberta de que seus "balcanizados" sistemas de regulação e supervisão de instituições financeiras haviam fracassado em detectar problemas sérios de risco sistêmico. E há culpas do setor privado. Como escreveu Paul Volcker: "Dito de maneira direta, o brilhante novo sistema financeiro, a despeito de todos os seus talentosos participantes e de todas as suas ricas recompensas, fracassou no teste de mercado."

Passados quase oito meses, os Tesouros e os Bancos Centrais dos países desenvolvidos foram capazes — a um custo presente e futuro elevado para seus contribuintes — de conter o pânico, apagar os principais focos de incêndio e, afinal, transmitir à opinião pública e aos mercados a ideia de que tinham entendido a situação. E de que sabiam o que fazer para a superação da crise, cujas consequências estarão experimentando em termos de desemprego ainda crescente este ano e em parte de 2010.

No Brasil, não temos problemas sérios em nenhum dos quatro pilares da excessiva complacência que levou os países desenvolvidos à grave recessão que ora enfrentam. Não temos problemas graves em nossas contas externas que exijam dramáticos ajustes de curto prazo. Não tivemos, e não temos, bolhas imobiliárias e crises de crédito derivadas de empréstimos de alto risco a famílias e empresas sem condições de pagá-los. Não temos, de forma complacente, a percepção de que basta o Banco Central reduzir juros nominais para evitar qualquer crise.

Por último, mas não menos importante, resolvemos os problemas sérios de solvência no nosso sistema financeiro privado e público há mais de uma década, com o Proer (Programa de Estímulo à Reestruturação e ao Fortalecimento do Sistema Financeiro Nacional) e o Proes (Programa de Incentivo à Redução do Setor Público Estadual na Atividade Bancária), tão violentamente combatidos pela barulhenta oposição da época.

Creio, porém, haver entre nós um excesso de complacência — de natureza distinta das complacências dos desenvolvidos — que tem a ver com a ideia — que eles não têm — de que a grave crise atual teria demonstrado o fracasso dos mecanismos de mercado e a necessidade de um "novo paradigma teórico" para restabelecer o papel do Estado. Não só na superação da crise, mas também como agente principal do desenvolvimento econômico sustentado, o demiurgo de "outro mundo" que a crise teria tornado possível, desejável e necessário.

Há, por certo, muito o que fazer. No entanto, como notou corretamente o ilustre ex-ministro Delfim Netto (explicando "de onde *não virá* a nova reencarnação keynesiana"), "não precisamos de um Estado 'maior', como querem os novos arquitetos, mas de um Estado 'melhor'"! Estou certo de que o ex-ministro Delfim entende um Estado "melhor" como um Estado indutor eficaz, capaz de criar as condições para que o "ânimo vital" dos empresários privados possa se expressar em termos de decisões de investimento.

Com efeito, o relatório da *growth commission* do Banco Mundial, presidida por um Prêmio Nobel, Michael Spence, enfatiza a existência de governos capazes, confiáveis e efetivos operacionalmente como uma das cinco mais importantes características das experiências bem-sucedidas de crescimento econômico sustentado no longo prazo. "Lideranças políticas de um governo", diz o relatório, "emitem poderosos sinais sobre valores e sobre o que constituem comportamentos aceitáveis e comportamentos inaceitáveis de seus integrantes."

Mesmo para os que acham "que nunca delinquiram mais que o razoável" e que "a virtude não iria longe se a vaidade não lhe fizesse companhia", vale lembrar o que escreveu Adam Smith há 250 anos: "O grande segredo da educação reside em direcionar a vaidade humana para fins pertinentes: o desenvolvimento das qualidades e dos talentos que são os objetos naturais e apropriados de estima e admiração por parte das outras pessoas."

Às mães brasileiras, que desejam que seus filhos desenvolvam, por meio da educação, os talentos e as qualidades que os façam respeitados por quem se dá ao respeito, feliz dia!

RESPOSTAS À CRISE: ECONOMIA E POLÍTICA

14 de junho de 2009

Apesar de aparências em contrário, há limites para o descolamento prolongado entre os mundos da economia e da política. Afinal, não são rios que correm em leitos distintos, mas braços de um mesmo rio que estão e estarão sempre se reencontrando em seus cursos. Também vimos que havia claros limites ao descolamento da crise financeira dos países desenvolvidos, tanto do setor real de suas economias quanto do mundo dos chamados emergentes.

O fato é que a economia é global, embora a política seja domesticamente decidida. E a qualidade e a eficácia das respostas à crise dependem, em boa medida, das interações entre a resiliência, a flexibilidade e a capacidade de adaptação de uma economia e a efetividade do funcionamento de suas infraestruturas político-institucionais. Quanto menor o grau de dissonância entre as duas, mais rápida pode ser a superação da crise em determinada economia — se, como parece, a situação global deixar de se deteriorar e começar a dar indícios de gradual melhora a partir de 2010.

É verdade que estamos, há quase dois anos, em meio à pior crise global desde os anos 1930, que nos atingiu pesado a partir do terceiro trimestre de 2008, como seria inevitável, apesar dos discursos oficiais. Não é menos verdade, porém, que estamos mais bem situados do que a maioria dos países em desenvolvimento, fora da Ásia, para responder a essa crise e superá-la. Por quê?

Porque temos 15 anos de inflação civilizada desde o lançamento do Plano Real; mais de 15 anos de um Banco Central com autonomia operacional; mais de 15 anos desde a renegociação da dívida externa do setor público; mais de 15 anos de início do processo de privatizações; mais de 15 anos de maior abertura da economia brasileira ao resto do mundo. Mais de 12 anos desde a resolução de problemas de liquidez e/ou insolvência em nosso sistema bancário; mais de 12 anos desde a reestruturação das dívidas de 25 estados e 180 municípios com o governo federal. Temos dez anos e meio de um regime de taxas de câmbio flutuante; dez anos de um regime de metas de inflação; mais de nove anos da Lei de Responsabilidade Fiscal; quase nove anos do início do processo de transferências diretas de renda para os mais pobres.

O governo atual soube — ainda que com enormes dificuldades de reconhecê-lo — preservar, ampliar e consolidar o legado que recebeu. Certamente ajudado, em muito, pelo auge do ciclo de expansão da economia mundial no quinquênio 2003-2007, que precedeu e foi uma das causas da crise global. É por tudo isso, e algo mais, que o Brasil é hoje visto como um país mais confiável e previsível por investidores nacionais e estrangeiros, o que, definitivamente, não era o caso 15, 20 anos atrás. É por tudo isso, e algo mais, que há hoje, entre nós — apesar de tudo —, um maior grau de confiança em nosso futuro.

O fato é que somos atualmente uma economia de cerca de US$ 1,5 trilhão, onde o consumo das famílias representa cerca de 1 trilhão (o que é um número relevante em qualquer lugar do mundo), muito embora o consumo do governo seja superior ao investimento total, público e privado, na economia, sendo o investimento federal com recursos orçamentários absolutamente irrisório — pouco mais de 1% do PIB.

Mas as estatísticas das contas públicas mostram que, apesar da *queda* de arrecadação devido à crise (em mais de 5% no primeiro quadrimestre de 2009 sobre igual período de 2008), as despesas totais do governo aumentaram cerca de 19% no período. Já as despesas com pessoal e encargos sociais cresceram cerca de 24%, na mesma base de comparação. Esses são aumentos permanentes, não reversíveis, portanto, não anticíclicos no sentido adequado da expressão, se respostas fossem a uma crise vista como temporária.

Leio na imprensa que o presidente Lula estará em Genebra em breve, para conferência internacional na qual criticará a "ideologia do Estado mínimo". Desconheço pessoas de expressão política, econômica ou intelectual que, entre nós, façam a defesa de tal fantasma. Contudo, a ideia serve à militância. Como serviu à insidiosa, leviana e reiterada campanha (*à la* Goebbels) sobre uma suposta intenção, atribuída ao "governo anterior", de privatizar a Petrobras e o Banco do Brasil. Ou de "acabar com o BNDES", como declarou de forma irresponsável e mentirosa um ex-ministro que trabalhou no próprio governo anterior.

Amartya Sen, Prêmio Nobel de Economia de 1998, em brilhante artigo recente sobre os 250 anos do primeiro grande livro de Adam Smith (1759), nota com propriedade que Smith, tido por muitos que nunca o leram e jamais o lerão, como "o pai-do-conceito-do-deus-Mercado-contra-o-Estado", tinha muito claro que a operação de uma economia de mercado *exige* o que chamou de instituições (do Estado). Além de valores, comportamentos e certo grau de confiança mútua, sem os quais é impossível a uma economia de mercado funcionar de forma adequada.

O presidente Lula tem demonstrado consciência desse fato fundamental, por exemplo, na recente declaração dada à agência de notícias Reuters horas antes da decisão do Copom (Comitê de Política Monetária) sobre redução de juros: "O BC não tem que ficar atendendo apelos eminentemente políticos (...) na hora em que o BC perder a credibilidade no mercado e ninguém acreditar mais nele será pior para o Brasil."

A questão essencial foi bem expressa por um dos "pais fundadores" da democracia norte-americana, James Madison (*The Federalist*, nº 51, 1788), que, certamente, havia lido Smith: "Se os homens fossem anjos, nenhum governo seria necessário. Se os anjos fossem governar os homens, nem controles externos nem controles internos sobre o governo seriam necessários. Na construção de um governo a ser administrado por homens e exercido sobre homens, a grande dificuldade reside no seguinte: é preciso primeiro capacitar o governo a controlar os governados e, em seguida, obrigá-lo a controlar a si próprio". Dura tarefa!

RESPOSTAS À CRISE: MELHORAR O DEBATE?

12 de julho de 2009

"Qual a diferença entre um anglo-saxão, um alemão prussiano e um latino?" O grande matemático John von Neumann brincava: "Para o anglo-saxão, tudo é permitido, exceto o que é proibido; para o prussiano, tudo é proibido, exceto o que é permitido; e, para o latino, tudo o que é proibido é permitido", desde que feito com jeito e sem alarde.

Eduardo Giannetti, que conta essa anedota (sem o meu adendo final), nota que "estereótipos à parte, ela toca em um ponto nevrálgico do ordenamento ético em qualquer sociedade — a identificação e a observação das normas demarcando a fronteira entre o proibido e o permitido". E afirma, corretamente: "Não há convivência humana possível, mesmo nos marcos da nem sempre alegre energia latina, na ausência de interdições."

Afinal, lembra ele, há 250 anos Adam Smith percebeu que, na ausência de "leis de justiça", amplamente acatadas e canalizando o egoísmo privado para a criação de valores publicamente reconhecidos, o mercado pode degenerar numa selva predatória. Com efeito, Smith jamais subestimou a importância de um arcabouço ético-jurídico bem constituído para o sistema de mercado funcionar a contento — assim como para governos poderem funcionar sem degenerar em selvas predatórias, em que cada um procura "defender" e ampliar o seu "espaço" e os de sua grei.

Talvez por isso José Guilherme Merquior insistisse em afirmar que o bom combate não era contra o Estado, mas contra o aparelhamento e o uso do Estado para propósitos ideológico-partidários e contra formas espúrias, indevidas e não transparentes de apropriação privada de recursos públicos.

Por que essas lembranças me vêm à mente? Primeiro, por acompanhar de perto a melhor mídia brasileira, extraordinário instrumento de que o país dispõe para um ativo diálogo consigo mesmo — tanto sobre suas mazelas quanto sobre suas enormes possibilidades. Segundo, por ter sempre presente aquilo que Roberto DaMatta, desenvolvendo tema explorado por Sérgio Buarque de Holanda no indispensável *Raízes do Brasil*, descreveu como nossa relativa "aversão ao cotidiano": a preferência por grandes sonhos e projetos abrangentes em detrimento da busca de eficácia na gestão do dia a dia, necessária para alcançar qualquer objetivo, ainda que definido com base em ousados projetos para o longo prazo.

Apenas um exemplo para ilustrar. Em artigo recente, publicado na página 3 de um dos maiores jornais do país, o presidente da principal instituição de pesquisa e planejamento econômico e social do governo escreveu: "O Estado necessário para o século XXI precisa incorporar novas premissas fundamentais. A primeira passa pela reinvenção do mercado. A segunda compreende a mudança na relação do Estado com a sociedade. A terceira premissa deve convergir para a mudança na relação do Estado para com o fundo público" (sic). O fascinante é que, no mesmo artigo, o autor declarou que, "hoje, pelo menos dois quintos dos brasileiros são analfabetos funcionais". Vá alguém entender a relação disso com as três "premissas".

A terceira razão das lembranças iniciais deste artigo diz respeito às consequências da combinação da grave crise global — que, evidentemente, nos afeta — com a campanha eleitoral, há muito abertamente antecipada pelo governo. Em momentos como este, é fundamental um esforço, entre as pessoas de boa-fé e com honestidade intelectual, por melhorar a qualidade do debate público. O espaço me permite apenas mencionar três razões ou exemplos.

A uma, não existe, a meu ver, uma política macroeconômica de esquerda, progressista e desenvolvimentista à qual se contraporia uma política macroeconômica de direita, monetarista, conservadora e neoliberal. Não há, ou não deveria haver, maniqueísmos nesse campo. Na verdade, há um espectro de políticas macro mais ou menos adequadas do ponto de vista de sua consistência intertemporal. E um legítimo debate profissional sobre o grau de responsabilidade, de coerência e de credibilidade de uma dada política. A qualidade desse tipo de debate tem melhorado no Brasil, apesar das tentativas em contrário.

A duas, não existe, ou não deveria existir, a meu juízo, quando se está discutindo de boa-fé, na prática, a eficácia de uma política pública em uma área definida — seja educação, saúde ou segurança —, uma posição de esquerda ou progressista ou desenvolvimentista em oposição maniqueísta a uma outra posição de direita, ou fiscalista, ou neoliberal. (O economista Milton Friedman, por exemplo, sempre foi um ardoroso defensor da ideia de transferências diretas de renda aos mais pobres, sem quaisquer condições.)

A três, há claros limites para a expansão acelerada dos gastos governamentais, mesmo quando justificáveis como importantes para reduzir injustiças sociais ou mitigar efeitos de crises econômicas, como a atual. Como disse Luiz Felipe Alencastro: "A ideia de que se pode alcançar a justiça social à custa das ações do Estado chegou ao limite. É preciso buscar novos caminhos e mobilizar a sociedade em um ambiente onde atuem mecanismos de mercado."

Concluindo: é desonestidade intelectual, além de falta de ética no debate público, imputar a indivíduos e a supostas escolas de pensamento a que pertenceriam o descaso com o desenvolvimento econômico e a inclusão social, porque essa "preocupação" teria sido já apropriada e transformada em monopólio de autointitulados "social-desenvolvimentistas". Vimos, recentemente, a tentativa de um partido de apropriar-se do monopólio da ética na política. Deu no que deu. O enfrentamento das difíceis escolhas à frente seria mais efetivo se pudéssemos perder menos tempo, talento e energia com falsos dilemas, dicotomias simplistas, diálogos de surdos, pregações dirigidas aos já convertidos e rotulagens destituídas de sentido, exceto para militantes sempre ansiosos por simplórias palavras de ordem. O Brasil merece algo melhor em termos de qualidade de debate público.

RESPOSTAS À CRISE: MAIS ALÉM DE 2010

9 de agosto de 2009

"Não perder a perspectiva é o que mais importa", não se cansa de repetir um personagem do belo *La colmena*, do Prêmio Nobel de Literatura Camilo José Cela. A observação, aparentemente trivial, é relevante para o Brasil do momento, no qual o debate, tanto econômico quanto político, está dominado por questões conjunturais, cujo horizonte temporal se conta em meses, tendo o ano de 2010 como foco e as eleições presidenciais como referência.

Entre os economistas profissionais há uma importante discussão sobre a natureza e os determinantes da recuperação da economia brasileira ainda nesta segunda metade de 2009 e das perspectivas, que são bem melhores, para 2010. Entre os políticos, bem, esperemos que as cenas de baixaria explícita a que assistimos nos últimos dias não sejam o prenúncio do tom da campanha eleitoral que o governo, há muito, decidiu antecipar.

Mas, seja no econômico, seja no político, o desafio do crescimento sustentado — mais além de 2010 — permanecerá no centro do debate ao longo dos próximos meses. A obrigação de olhar para a frente, como resposta à crise global, representará, a meu ver, um avanço em relação às três variantes ou ênfases tradicionais que até há pouco marcaram essa discussão. Primeiro, que nosso crescimento seria muito inferior à média de nossa experiência histórica pré-1980 (sobre a qual muitos ainda lançam idealizados e nostálgicos olhares). Segundo, que nosso crescimento estaria muito aquém de nossas reais possibilidades (por falta de suficiente "vontade política" para crescer mais). Terceiro, que era "inaceitável" que nosso crescimento estivesse muitíssimo abaixo do de países relevantes como China, Índia e outros asiáticos.

Anos atrás, participei de debate que tinha como pergunta básica: "O que faz um país desenvolvido?" A pergunta encerrava uma interessante dupla interpretação: poderia se referir ao que faz com que um país em desenvolvimento se torne um país desenvolvido; ou também indagar o que é hoje e como funciona um país desenvolvido. Em resumo, a discussão evidenciou seis grandes temas que, em termos gerais, se aplicam a ambas as perguntas porque englobam o que precisa ser feito e também o que faz com que certas economias atualmente sejam consideradas desenvolvidas econômica e socialmente.

Espero que o debate sobre o Brasil mais além de 2010 aprofunde pelo menos seis temas inter-relacionados. Primeiro: abertura para o resto do mundo nas dimensões comercial, financeira, de investimento direto, ciência, tecnologia, cultura e inovação. Segundo: infraestrutura e logística em energia, transporte, telecomunicações, portos e rodovias, o que exige regulação apropriada e investimentos públicos *e privados*. Terceiro: investimentos na melhoria da qualidade da educação, onde residem as principais deficiências que comprometem nosso futuro. Quarto: estabilidade macroeconômica e consolidação dos regimes monetário, cambial e especialmente fiscal, o que não é um fim em si mesmo, mas condição indispensável para o crescimento sustentado de longo prazo. Quinto: estímulo ao investimento privado e à melhoria do ambiente de negócios, o que exige estabilidade e previsibilidade das regras do jogo. Sexto: o reconhecimento de que o peso, a voz, o prestígio e a influência que um país possa ter na sua região e no mundo não decorrem apenas de sua dimensão, mas também, e crucialmente, da qualidade de seus investimentos, da eficiência de seus setores privado e público e da efetividade do funcionamento de suas instituições.

Na explicação sobre por que certos países deram mais certo que outros esses seis conjuntos de fatores são essenciais. E sempre vale lembrar que entre as "instituições" de um país estão valores morais, posturas, atitudes e padrões de comportamento ético que definem o grau de confiança mútua, sem a qual uma sociedade moderna não pode funcionar adequadamente.

A respeito desses valores compartilhados, vale reiterar o que já escrevi neste espaço citando passagem de importante relatório elaborado por cerca de 20 economistas de renome internacional para o Banco Mundial: "As lideranças políticas de um país emitem poderosos sinais para o conjunto da sociedade sobre o que constituem padrões aceitáveis e padrões inaceitáveis de comportamento de homens públicos."

Vivemos tempos de excessiva complacência, relativismo moral e uso talvez um tanto exagerado daquilo que Guimarães Rosa imortalizou com seu oximoro "condena de absolvido", como proposto por Riobaldo no julgamento que a jagunçagem faz de Zé Bebelo em memorável passagem da obra-prima que é *Grande sertão: veredas*.

A questão sobre julgamentos, delitos e suas penas foi abordada de forma concisa por Cesare Beccaria em seu pequeno grande clássico, publicado em 1764, que retém surpreendente atualidade: "O fim das penalidades não é atormentar e afligir um ser sensível, nem desfazer um delito já cometido (...) [mas] impedir que o réu cause novos danos aos seus concidadãos e dissuadir os outros de fazer o mesmo." Beccaria nota que a "clemência (...) deveria ser excluída de uma legislação perfeita, em que as penas fossem menores e o método de julgamento, regular e expedito". Isso porque, diz adiante, "mostrar aos homens que os delitos podem ser perdoados e que a pena não é uma inevitável consequência é fomentar a ilusão de impunidade, é fazer crer que as condenações não perdoadas, embora pudessem sê-lo, são antes abusos de força que emanações da justiça".

Mas, apesar de tudo, olhando o Brasil econômico e político com senso de perspectiva, tanto em relação a nosso passado quanto a nosso futuro pós-Lula, é possível discernir uma pulsão entre o moderno e o anacrônico. Acho que não é de todo insensato esperar que o primeiro possa gradualmente prevalecer sobre o segundo. E isso "é o que mais importa", como diria o personagem que abre este artigo.

MUNDO E BRASIL: PÓS-CRISE E PÓS-LULA

11 de outubro de 2009

"O pior já passou e a retomada gradual do crescimento está em curso." Esse foi o mantra reiterado à exaustão durante a recém-concluída reunião anual do Fundo Monetário Internacional e do Banco Mundial em Istambul. O mantra ("no tantrismo, fórmula encantatória que tem o poder de materializar a divindade invocada", segundo o velho *Aurélio*) certamente se aplica, se por "pior" se entende o pânico avassalador que se instaurou nos mercados financeiros e nos governos dos principais países desenvolvidos a partir de setembro de 2008.

A gradual superação da crise, processo ora em andamento, deveu-se em larga medida aos historicamente sem precedentes estímulos fiscais (maiores gastos públicos, redução de impostos, explosivo endividamento público) e estímulos monetários (taxas de juros nominais reduzidas a praticamente zero). Como isso não se mostrou suficiente, os Bancos Centrais tiveram que expandir os seus balanços também de forma inédita, operando não só via custo, mas também via volume de crédito, por meio de uma miríade de programas de compra de ativos dos balanços dos bancos e de expansão de liquidez do sistema, já que os problemas de confiança no sistema privado impediam o funcionamento das intermediações financeiras.

Esse processo acelerou-se extraordinariamente no final de 2008 (o balanço do FED de setembro a dezembro passou de US$ 930 bilhões para US$ 2,3 trilhões, um aumento de quase 150% em quatro meses). O percentual no Banco da Inglaterra foi praticamente igual, 150%, mas em três meses (setembro a novembro). O balanço do Banco Central Europeu, no início de dezembro, superou os € 2 trilhões, quase duas vezes o PIB brasileiro.

Esse avanço — uma necessária resposta ao pânico e à profunda crise de confiança — foi de tal ordem tanto nessa área quanto na área fiscal, que mesmo com uma gradual recuperação do crescimento a partir de agora parece inevitável que, nos próximos anos, observemos que uma das consequências da forma pela qual a crise foi ou está sendo superada nos países desenvolvidos será uma combinação de alguns dos quatro fatores: a) aumento de impostos com eventual elevação da carga tributária como proporção do PIB; b) necessária redução da taxa de crescimento do gasto público em relação ao crescimento do PIB; c) pressões ou expectativas inflacionárias, que se expressam através de aumentos nas taxas longas de juros; d) depreciação das moedas dos países com maiores déficits em conta-corrente no balanço de pagamentos e elevados passivos externos líquidos acumulados.

Qualquer que seja a forma pela qual se combinem no pós-crise esses quatro fatores, o fato é que a grande crise global de crédito de 2007-2009 — e sua forma de "resolução" — deixa cicatrizes e problemas que afetarão, por anos à frente, não só o ritmo do crescimento global, como também a composição da demanda global e da oferta global entre países. Quando se juntam a isso as dificuldades por resolver em muitos dos balanços de grandes bancos internacionais e as complexas negociações sobre regulação e supervisão financeira ora em curso, entende-se por que o grande tema subjacente às discussões em Istambul foi a sustentabilidade da recuperação em andamento e o papel dos países emergentes nesse processo.

A visão predominante é a de que está havendo uma realocação global de capital na direção de países emergentes com melhores fundamentos, estabilidade política, políticas macroeconômicas críveis e consolidadas, sólidos sistemas de intermediação financeira, base produtiva diversificada, capacidade empresarial reconhecida, governos com um mínimo de eficiência operacional, tamanho do mercado doméstico e uma história de integração comercial e financeira com o resto do mundo. O Brasil é um desses países. E relativamente bem posicionado, por tudo o que conseguiu alcançar nos últimos 15, 20 anos (apenas para ficar no período mais recente, sem desmerecer conquistas pretéritas).

De fato, foram os avanços institucionais e as mudanças estruturais dos últimos 15, 20 anos que permitiram ao Brasil não apenas superar os efeitos da crise global após apenas dois trimestres de contração da economia, mas, principalmente, vislumbrar um horizonte de mais 15, 20 anos à frente, o que definitivamente não era o caso cerca de duas décadas atrás.

É verdade que hoje corremos o risco de olhar o futuro do Brasil com os olhos postos apenas na campanha eleitoral e na expectativa dos resultados das eleições de outubro do ano que vem. Contudo, os riscos principais, a meu ver, são os derivados de: excessos de autocomplacência; otimismos ingênuos baseados em variantes do "ninguém segura este país", típico do ciclo militar; percepção — equivocada — de que o gasto público é, além de resposta transitória à crise, o verdadeiro motor de crescimento no longo prazo; e uma fé arraigada na visão de que "Deus é brasileiro" — e que teria escolhido um dos nossos como seu profeta.

É importante que sejamos capazes de reconhecer o feito. Contudo, mais importante, é reconhecer o muito que há por fazer para nos tornarmos um país realmente desenvolvido nas dimensões econômica, social e político-institucional.

Não há mais condições, neste final de governo, para avanços relevantes em áreas fundamentais, como educação (nosso verdadeiro calcanhar de aquiles), infraestrutura, saúde, meio ambiente. Nem tampouco qualquer esperança de criação de projetos viáveis de reformas (mesmo infraconstitucionais) nas áreas previdenciária, trabalhista e tributária. Mas não tenhamos ilusões, o Brasil pós-Lula terá que tentar encará-las, de novo, de uma forma ou de outra, para poder realizar plenamente seu extraordinário potencial de crescimento de longo prazo.

Como diz a milenar sabedoria talmúdica, bem expressa pelo grande rabino Tarphon: "Não sois obrigados a concluir a obra, mas tampouco estais livres para dela desistir."

OS PRÓXIMOS 12 MESES MUITO DIRÃO

8 de novembro de 2009

Dos seis presidentes civis eleitos diretamente pelo voto popular no Brasil pós-1945, nada menos que quatro — Vargas, Quadros, Collor e Lula — tinham ou tem características messiânicas. Um belo livro de José Murilo de Carvalho (*Cidadania no Brasil: o longo caminho*), publicado oito anos atrás, apresenta uma hipótese para esse fenômeno, relevante para o entendimento de nosso passado, de nosso presente e de nosso futuro pós-Lula.

José Murilo nota que o processo de constituição de nossa cidadania seguiu lógica inversa à do caso clássico, tão estudado, da sequência inglesa, "na qual as liberdades civis vieram primeiro, garantidas por um Judiciário cada vez mais independente do Executivo. Com base no exercício das liberdades, expandiram-se os direitos políticos consolidados pelos partidos e pelo Legislativo. Finalmente, pela ação dos partidos e do Congresso, votaram-se os direitos sociais, postos em prática pelo Executivo".

Aqui no Brasil, "primeiro vieram os direitos sociais, implantados em períodos de supressão de direitos políticos e de redução dos direitos civis por um ditador que se tornou popular" (Vargas durante o Estado Novo). "Depois vieram os direitos políticos de maneira também bizarra: a maior expansão do direito de voto deu-se em outro período ditatorial, em que os órgãos de representação política foram transformados em peça decorativa do regime." Finalmente, vieram os direitos civis, embora ainda hoje nem sempre acessíveis às pessoas "comuns".

O autor diz que seria tolo achar que só há um caminho para a cidadania plena. Seu ponto fundamental é que caminhos diferentes afetam o produto final, o tipo de cidadão e de democracia que se gera. Isso é particularmente verdade quando há inversão da sequência.

Uma *primeira* consequência importante é a excessiva valorização do Poder Executivo. Se direitos sociais são implantados em períodos ditatoriais, quando o Legislativo ou está fechado ou é apenas decorativo, cria-se a imagem, para o grosso da população, da centralidade do Executivo. O Estado é visto como todo-poderoso. Na pior hipótese, como repressor e cobrador de impostos; na melhor, como distribuidor paternalista de empregos e favores. A ação política, nessa visão, é orientada sobretudo para a negociação direta com o governo, sem passar pela mediação da representação.

Uma *segunda* consequência dessa forte preferência revelada pelo Executivo é a busca por um messias político, por um salvador da pátria. Como a nossa experiência democrática é relativamente curta e mazelas sociais de toda ordem ainda persistem, pode crescer também a impaciência popular. Daí a busca de soluções mais rápidas por meio de lideranças carismáticas e messiânicas. Como os quatro presidentes mencionados no primeiro parágrafo deste artigo, que, à diferença dos outros dois (JK e FHC), adotaram ou adquiriram certo vezo mandonista e uma propensão ao apelo direto às massas quando defrontados com reais ou percebidas limitações ao exercício mais amplo de seus poderes.

Uma *terceira* consequência da inversão de sequência e da excessiva valorização e hipertrofia do Executivo e seus poderes é a desvalorização do Legislativo e de seus titulares. As eleições legislativas sempre despertam menos interesse do que as do Executivo. A campanha pelas eleições diretas referia-se à escolha do presidente da República, não à defesa de eleições legislativas. Há uma convicção abstrata em torno da importância dos partidos e do Congresso como mecanismos de representação, convicção que não se reflete em avaliação positiva de sua atuação.

Uma *quarta* e fundamental consequência de nossa "sequência inversa" é que esta favoreceu uma visão corporativista dos interesses coletivos. Não se pode dizer que a culpa foi toda do Estado Novo e da clara influência que sobre ele exerceram, por exemplo, os corporativismos do fascismo italiano e do nacional-socialismo alemão. Mas o autor aponta, corretamente, que "o grande êxito de Vargas indica que sua política atingiu um ponto sensível da cultura nacional".

Com efeito, a distribuição dos benefícios sociais por cooptação sucessiva de categorias de trabalhadores para dentro do sindicalismo corporativo encontrou, entre nós, terreno fértil para se enraizar. Os benefícios sociais não eram considerados direitos de todos, eram fruto da negociação de cada categoria com o governo. A sociedade passou a se organizar para garantir os direitos e privilégios distribuídos pelo Estado. E este passou a ser um distribuidor de recursos públicos, sempre escassos em relação à voracidade das demandas com que se defronta.

Seria possível olhar para todos esses fenômenos em perspectiva e, com complacente bonomia, chegar à conclusão de que a democracia brasileira precisa de tempo para, através de seus mecanismos de pesos e contrapesos, fazer ajustes e correções de rumo.

Mas o excesso de complacência é particularmente preocupante neste momento. Por que digo isso? Porque não se trata apenas de reconhecer que a supervalorização do Poder Executivo, a suposta supremacia do Estado sobre a sociedade, o clientelismo, o corporativismo e a busca por messias e salvadores da pátria têm profundas raízes históricas entre nós.

Trata-se de saber, através do debate público, se estamos caminhando para uma clara *reafirmação* política dessa tradição do século passado ou se estamos nos afastando, ainda que gradualmente, desse anacrônico legado e construindo uma sociedade mais moderna. Uma sociedade que não seja contra o Estado, e sim contra — exatamente porque a favor da *res publica* — a apropriação indébita, o uso indevido de recursos públicos e a ocupação e o aparelhamento da máquina pública para servir a interesses eleitorais, corporativistas, partidários e clientelistas. Os próximos 12 meses muito dirão.

COMPLEXA TRANSIÇÃO
13 de dezembro de 2009

"A eleição de 2010 não pode se fazer em torno das pobres alternativas de ou voltar ao passado ou dar continuidade a Lula. A discussão precisa incorporar os horizontes do século XXI e a superação dos problemas que certamente restarão do seu governo." A pertinente observação é do ilustre ex-ministro Delfim Netto (*Folha de S.Paulo*, 11/11/09).

Sobre o século XXI, um respeitado historiador inglês (Eric Hobsbawm) observou que este teria começado com cerca de uma década de antecedência: "o breve século XX" teria tido seu tardio início com a Grande Guerra de 1914 e terminado com os eventos do início dos anos 1990. Tais eventos parecem dar razão a Hobsbawm: a queda do Muro de Berlim e a reunificação da Alemanha; o colapso da URSS e a fragmentação de sua vasta zona de influência em mais de duas dezenas de países; a emergência da China como potência regional e global, após mais de 12 anos de reformas e de integração com a economia mundial; o avanço do processo de integração europeu com o Tratado de Maastricht (1991) e a decisão de lançamento do euro ainda nos anos 1990; o início das reformas econômicas modernizadoras na Índia; a renegociação das dívidas externas do setor público de quase duas dezenas de países "emergentes"; a transformação dos Estados Unidos de país credor do resto do mundo para a posição de país devedor, agravada a partir de 1991, quando passou a incorrer em déficits crescentes em seu balanço de pagamentos.

Em seu conjunto, esses fatores levaram a uma expressiva redução da aversão a risco e a uma extraordinária ampliação das oportunidades de comércio e investimento, doméstico e internacional, em áreas que começavam a se integrar à economia global. Adicionalmente, avanços tecnológicos nas áreas de informática e telecomunicações propiciaram antes impensáveis reduções de custo e aumentos de produtividade. E permitiram que, nos últimos 20 anos, centenas de milhões de pessoas passassem a ter acesso, em tempo real, a informações sobre eventos correntes e sobre padrões de consumo, níveis de renda e de riqueza e estilos de vida em outros países, levando a uma revolução de expectativas por parte de milhões de recém-integrados à economia global.

Do ponto de vista econômico-estrutural, portanto, Hobsbawm estava certo: parece ter ocorrido uma reacomodação de placas tectônicas na economia mundial por volta do início dos anos 1990, gerando um período sem precedentes de expansão da economia global, do comércio internacional (volumes e preços) e dos fluxos internacionais de capitais privados. Um ciclo de expansão global que, como notou Ken Rogoff, foi "o mais intenso, o mais longo e o mais amplamente disseminado da história moderna" — e cujo auge, é ainda Rogoff quem observa, foi alcançado no quinquênio 2003-2007 (algo que o lulopetismo faz questão de ignorar). Auge de exuberância que, sabe-se bem hoje, contribuiu em boa medida para a grande crise global de 2008-2009, cujas consequências ainda estarão se fazendo sentir por alguns anos à frente.

O combate ao pânico avassalador que tomou conta de mercados financeiros e de governos em fins de 2008 e a busca da retomada da atividade econômica nos países desenvolvidos foram conseguidos à custa de uma historicamente sem precedentes intervenção do poder público — Tesouros e Bancos Centrais —, em termos de políticas expansionistas, fiscais, parafiscais e monetárias. Circunstâncias excepcionais exigem respostas excepcionais. Como John Maynard Keynes sabia, e como sabem hoje os governos dos países desenvolvidos, essas medidas devem ter caráter transitório, até que se restabeleça a indispensável confiança dos investidores e consumidores privados.

Mas essas extraordinárias respostas de governos — que estão permitindo uma gradual superação da crise — têm levado ao que parece ser uma nova leitura de Hobsbawm: o século XX estaria terminando só agora, com esta crise — e com o novo "paradigma" que emerge da forma pela qual ela vem sendo enfrentada.

Em sua vertente mais "econômica", o suposto "novo paradigma" conduz a uma reafirmação do papel do Estado, não apenas na superação da crise por meio de medidas extraordinárias e temporárias, de caráter "contracíclico", como também por meio do papel renovado de um Estado que passa a ser o elemento essencial para assegurar, ao longo do tempo, o desenvolvimento econômico e social acelerado.

Em sua vertente mais "política", o novo paradigma procura apresentar a crise atual como o último prego no caixão do "ideário" que teriam representado, nos anos 1980, Ronald Reagan e Margareth Thatcher. A "derrota" de ambos e de seus seguidores, vistos como legião — no Brasil eles seriam para os militantes do lulopetismo, a princípio, qualquer oposicionista —, só agora teria sido consumada, com o enterro, definitivo, das ideias de "Estado mínimo", de "desestruturação do bem-estar social" e de "fundamentalismo de mercado".

A vertente "econômica", sobre o papel ampliado do Estado e de suas empresas, pode e deve ser amplamente debatida, esperemos que com um mínimo de honestidade intelectual e respeito aos fatos e aos outros. A vertente "política" mencionada no parágrafo anterior, ao contrário, é simplesmente um caso de flagrante desonestidade e indigência intelectual, desrespeito aos fatos e aos outros, tentativa de fazer com que uma mentira, e sua rotulagem barata e demagógica, se mil vezes repetida possa assumir foros de veracidade para desavisados e adeptos de estereótipos e para maniqueístas palavras de ordem.

No entanto, é exatamente por conta desse exacerbado clima de palanque que vozes sensatas precisam insistir, como no texto que abre este artigo, para a importância crucial de se lançar um olhar objetivo para 2011 e adiante — o pós-Lula. Um olhar com foco nos problemas que este governo deixará (como, aliás, fazem todos os governos) para seu sucessor. Qualquer que seja seu nome, ele não se chamará Lula.

Feliz Natal e bom 2010.

2010

2010

Taxa de crescimento no ano	7,5 %
Taxa de inflação no ano	5,9 %
Taxa de câmbio no final do ano	R$ 1,66
Mín. R$ 1,65 Máx. R$ 1,90	
Taxa de juros no final do ano	10,75 %
Mín. 8,75 % Máx. 10,75 %	

JANEIRO

O salário mínimo passa a R$ 510. Era de R$ 200 em 1º de janeiro de 2003, início do primeiro mandato de Lula, e de R$ 70 no início do primeiro mandato de FHC.

FEVEREIRO

O governo anuncia novas cédulas do real, com tamanhos diferentes e novos dispositivos para evitar falsificações.

MAIO

Os governos dos países da Zona do Euro fecham acordo para evitar calote da Grécia.

O Senado aprova por unanimidade o projeto de lei da Ficha Limpa, que impede a candidatura de políticos condenados por órgão colegiado da Justiça.

SETEMBRO

A Petrobras arrecada R$ 120,36 bilhões em sua capitalização para investimento na exploração do pré-sal.

O Banco Central mantém a taxa básica de juros em 10,75 % ao ano, após três aumentos.

OUTUBRO

Dilma Rousseff (PT) vence José Serra (PSDB) no segundo turno com 56,05% contra 43,95% dos votos. Será a primeira mulher a presidir o Brasil.

NOVEMBRO

Desemprego atinge 6%, menor nível em oito anos.

DEZEMBRO

A Câmara aprova o modelo de partilha e a criação de fundo social para o pré-sal, mas o governo é derrotado na questão dos *royalties*.

A economia brasileira cresce 7,5% no ano. Dólar acumula queda de 4,42%, valendo R$ 1,666.

EQUILIBRADO DELÍRIO?
10 de janeiro de 2010

"Lula quer uma campanha de comparação entre governos, um duelo com o tucano da vez. Se o PSDB quiser o mesmo (...), ganharão os eleitores e a cultura política do país." Assim escreveu Tereza Cruvinel, sempre muito bem informada sobre assuntos da seara petista, em coluna de um janeiro de outro ano eleitoral (2006), exatos quatro anos atrás.

Trago de volta essa lembrança por três razões: primeiro, porque a jornalista ocupa hoje importante posição no esquema de comunicação oficial do governo. Segundo, porque essa tem sido e, ao que tudo indica, será a linha mestra da campanha do governo e de sua candidata à Presidência. Terceiro, porque, como escrevi à época, não acredito que a "cultura política do país" e seus eleitores tenham algo a ganhar — pelo contrário — com uma obcecada tentativa de concentrar o debate eleitoral de 2010 em uma batalha de marqueteiros e militantes brandindo estatísticas.

Na verdade, o Brasil chega a 2010 mais autoconfiante e respeitado internacionalmente devido, em larga medida, ao trabalho de décadas e ao talento de milhões de brasileiros na agricultura, na pecuária, nas indústrias, nos serviços, no comércio (nacional e internacional), nas empresas privadas (trabalhadores e empresários) e no serviço público digno desse nome. O Brasil não chegou até aqui apenas a partir dos últimos sete anos e movido pela genialidade e tirocínio de *uma* pessoa, por mais que assim pretendam o culto de personalidade e o processo de pré-beatificação ora em curso.

Há muito, muito ainda por fazer neste país — o que não significa desconhecer o feito por várias administrações, inclusive a atual. E é esse muito por fazer que deveria estar no centro do debate público neste ano de 2010, um olhar à frente, e não um olhar posto no espelho retrovisor, voltado para uma estrada já trilhada, em que se comparam os "grandes feitos" de um governo que termina com o de seus antecessores, como se fossem eventos independentes e não relacionados.

Por exemplo, em artigo publicado domingo passado em *O Globo* e na *Folha*, intitulado "Não foi o PT nem o PSDB, foram os dois", o jornalista Elio Gaspari, baseado em trabalho do professor Claudio Salm sobre as PNADs (Pesquisa Nacional por Amostra de Domicílios) de 1996, 2002 e 2008, chamou a atenção do leitor para o fato de que os números indicam que, "desde 1996, a linha de melhoria de vida do 'andar de baixo' é contínua, sem inflexão petista". Vozes discordantes surgirão para debater detalhes, mas o importante é dar eficaz continuidade ao processo.

Assim concluí meu primeiro artigo neste espaço, já lá se vão quase sete anos: "O que é legítimo e razoável esperar do governo Lula é que possa entregar a seu sucessor um país melhor do que aquele que recebeu. Como fez o governo FHC." Foi com a mesma frase que abri, nesta mesma página, meu artigo de 8 janeiro de 2006, adicionando: "Continuo com a mesma visão, agora reforçada por aquilo que, espero, possam ser lições da crise que afetou o PT e o governo Lula desde meados de 2005, entre elas, como notou Roberto DaMatta: 'O abalo da crença de que existem pessoas, partidos e ideologias capazes de mudar magicamente o Brasil'."

Um belo livro de Eduardo Giannetti contém páginas brilhantes sobre as duas lapidares inscrições do templo de Delfos: "Conhece-te a ti mesmo" e "Nada em excesso". Sobre elas deveriam refletir aqueles que não conseguem impor certos limites à empolgação consigo próprio e ao autoelogio, em um processo de "inflação de si" e de "deflação do outro" que em nada contribui, ao contrário, para o desenvolvimento da cultura política do país. Muito menos para o que deveria ser o importante debate de 2010 sobre os rumos do Brasil pós-Lula.

Nesse sentido, tem razão, a meu ver, o governador Aécio Neves quando semanas atrás escreveu que "devemos estar preparados para responder à autoritária armadilha do confronto plebiscitário e ao discurso que, perigosamente, tenta dividir o país ao meio, entre bons e maus, entre pobres e ricos, entre nós e eles". A melhor forma de tentar evitar essa armadilha maniqueísta é, como sugerido pelo governador José Serra, "através de um bom debate" que permita que "as forças com maior lucidez política" possam mostrar ao eleitorado a complexidade dos desafios a enfrentar a partir de 2011. E sem desmerecer avanços realizados, mas reconhecendo problemas que não são nada triviais, em particular nas áreas fiscal, previdenciária, de infraestrutura, de educação e de meio ambiente.

Seria, talvez, esperar demais que o debate eleitoral pudesse ir além da luta pelo controle do aparelho do Estado e que tratasse, também, de duas questões de fundo. A primeira diz respeito a tema que abordei em meu último artigo: a visão, a meu ver, equivocada de que a crise que assolou o mundo desenvolvido a partir do final de 2007 e a forma de sua superação, via explosão do déficit e da dívida pública nos países ricos (temporária, porque terá que ser revertida), teriam representado a emergência de uma nova era, com a vitória de um agora hegemônico capitalismo de Estado. A segunda questão de fundo foi colocada, com a clareza habitual, por José Murilo de Carvalho em entrevista a este jornal (6/12/09). Vale citá-lo: "A construção de uma democracia sem república me parece pouco viável. *República* significa coisa pública, virtude cívica (...), exige predomínio da lei, igualdade perante a mesma, ausência de privilégios e hierarquias sociais, cidadãos ativos, governos responsáveis e eficientes (...). República é incompatível com patrimonialismo, clientelismo, nepotismo, fisiologismo."

"Pode-se argumentar", continua o autor, "como muitos fazem, que nossa democracia não precisa de República, que aos trancos e barrancos vamos construindo a inclusão política e social, e que preocupação com honestidade política, bom governo, valores cívicos e instituições respeitadas é moralismo pequeno-burguês." Mas, como José Murilo, espero que haja um número crescente de brasileiros que discorde dessa posição. Os eleitores dirão.

LULA, O PT E SUAS HERANÇAS: 2002 E 2006

14 de fevereiro de 2010

Este artigo foi publicado neste espaço em julho de 2006. É republicado hoje sem qualquer alteração. Por duas razões: a primeira, porque, como na letra do samba de carnavais de outrora, "recordar é viver". A segunda, muito mais importante, porque o autor acredita que o texto talvez possa reter certo interesse, à luz da insistência do governo atual em um confronto plebiscitário, com foco no passado, em vez de um olhar à frente como, creio eu, seria melhor para o país, onde há tanto por fazer. Portanto, peço ao eventual leitor que adicione, ao título do artigo, e onde mais couber, o ano de 2010.

"A opinião que tens de tua importância te porá a perder", dizia uma das inscrições nas vigas da biblioteca de Montaigne, cujos *Ensaios* há séculos encantam seus leitores. O tema da vaidade dos homens lhe era caro. O belo ensaio dedicado ao assunto começa bem: "Talvez não haja vaidade maior do que sobre ela escrever de forma tão vã." Afinal, sempre vale lembrar o *Eclesiastes*: vaidade das vaidades, tudo é vaidade.

Não sei bem por quê, essas lembranças por vezes me vêm à mente ao ler os pronunciamentos de nosso presidente, cada vez mais encantado consigo mesmo e com o que considera, não só seu superior entendimento das coisas deste mundo, mas também sua autoproclamada capacidade de transformá-lo. Em arroubo recente, nos informou que "só Deus conseguiria consertar em quatro anos o que não foi feito em 500 anos". Ele (Lula), por exemplo, precisaria de oito anos para começar a corrigir erros e omissões seculares e colocar o país no rumo certo, deixando uma extraordinária herança para seu sucessor.

Mas falemos antes sobre as heranças, já por Lula e o PT construídas, com as quais chegaram a 2002 — e chegam às eleições de 2006.

Em 2002, Lula e o PT tinham uma história de mais de 20 anos e, portanto, uma herança que com eles carregavam. Fazia parte dessa herança a ferrenha oposição, em 1994, ao lançamento do real, chamado de "pesadelo", de "estelionato eleitoral" e com duração por eles prevista para poucos meses. Fazia parte dessa herança a oposição às mudanças constitucionais que permitiriam ampliar os investimentos privados em infraestrutura. Fazia parte dessa herança a oposição às privatizações, à redução do número de bancos estaduais e à abertura comercial. Fazia parte dessa herança o plebiscito pela suspensão dos pagamentos das dívidas externa e interna e pelo "rompimento" com o FMI. Fazia parte dessa herança a oposição do PT à LRF (Lei de Responsabilidade Fiscal) no Congresso, a tentativa de derrubá-la no Supremo Tribunal Federal e a aprovação, em dezembro de 2000, por seu diretório nacional, de texto em que o PT declarava sua posição: "A LRF precisa ser radicalmente modificada porque o preço da responsabilidade fiscal não pode ser a irresponsabilidade social." Fazia parte da herança, com a qual o PT e Lula chegaram a 2002, o programa de governo aprovado em dezembro de 2001 pelo seu congresso nacional, a mais alta instância decisória do partido, e que tinha como subtítulo "A ruptura necessária" com tudo aquilo que ali estava.

Essa herança, como é sabido, teve consequências já em 2002. A taxa de câmbio desvalorizou-se em mais de 50% nos seis meses que antecederam a eleição de outubro (de R$ 2,4 em março/abril passou para R$ 3,7 por dólar em setembro/outubro), o Risco-país multiplicou-se por quatro vezes no período, atingindo 2.400 pontos em outubro e a inflação em 2002 alcançou 12,5%, sendo que mais da metade desse aumento foi registrado nos últimos três meses do ano. Como bem notou o economista Armínio Fraga em longa e excelente entrevista ao jornal *Valor* (23/6/06): "A economia estava na UTI, mas isso era a consequência de expectativas em relação ao que o próximo governo faria." E havia fundadas razões para essas expectativas.

A gradual desconstrução dessa herança foi um processo, com carta-compromisso do candidato, timidamente iniciado em fins de junho de 2002 e ainda não concluído, porque há sérias divisões e ambiguidades não resolvidas no PT, no próprio governo e nas forças que o apoiam. É o que mostra a experiência pós-Palocci, em particular no que diz respeito à forte expansão recente do gasto público.

Foi ficando cada vez mais claro, ao longo dos últimos quatro anos, que essa desconstrução da herança construída pelo PT para si próprio em 2002 foi facilitada por três ordens de fatores: um contexto internacional extraordinariamente favorável no quadriênio 2003-2006 (só comparável ao quadriênio 1970-1973, revela estudo recente do FMI); uma política macroeconômica não petista (nenhuma das "estrelas econômicas" do PT ocupou qualquer posição relevante na área mais sensível da política macroeconômica, graças ao médico Palocci e ao apoio que ele recebeu de Lula até o fim de 2005); e uma herança não maldita de inúmeros avanços institucionais e várias mudanças estruturais de enorme serventia ao novo governo nos mais variados setores, inclusive o social, e aos quais o governo Lula soube dar continuidade, ainda que pretendendo ter inventado a roda — em alguns casos com desfaçatez e hipocrisia.

Entretanto, o contexto internacional, que permitiu que o Brasil reduzisse sua vulnerabilidade externa, não será tão favorável nos próximos quatro anos. O ministro Palocci e pessoas-chave de sua equipe não mais emprestam seu concurso ao governo. E, nos últimos quatro anos, os avanços institucionais, o andamento de processos de reforma e a melhoria de contextos regulatórios não foram grandes — pelo contrário.

O discurso sobre "herança maldita", que marcou o imaginário petista, era objetivamente equivocado e trazia seu prazo de validade estampado no rótulo: afinal, em menos de quatro anos o governo Lula se apresentaria ao eleitorado com a própria herança. E, em modernas democracias, o que se pode — e deve — esperar de um governo é que entregue a seu sucessor um país um pouco melhor do que recebeu de seu antecessor. Como fez FHC, sem achar que a "verdadeira" história do país começou com ele e sua gestão.

Qualquer governo, em qualquer país, não só tem os próprios erros e acertos, como também constrói sobre avanços alcançados na vigência de administrações anteriores. O governo Lula não foi, não é e não será exceção a essa regra. Reconhecê-lo — difícil como possa parecer para a vaidade humana — é algo que só beneficiaria a governabilidade futura, qualquer que venha a ser o resultado das urnas em outubro.

FATOS, VERSÕES E BRAVATAS
14 de março de 2010

"Não tenho dúvidas de que o Brasil evoluiu positivamente nos últimos 15 anos. No governo Fernando Henrique, mudanças que hoje temos que reconhecer como muito favoráveis, tais como a consolidação do sistema financeiro — que se revelou muito mais sólido que o de outros países — e a Lei de Responsabilidade Fiscal, representaram claros avanços para a economia. Da mesma forma, no governo Lula, conquistas sociais como a significativa elevação do salário mínimo ou a dimensão alcançada pelo Bolsa Família, bem como a expressiva melhora de emprego formal e do crédito, constituíram exemplos de nosso progresso." O texto é de autoria do atual ministro do Planejamento, Paulo Bernardo, na apresentação do belo livro *Brasil pós-crise: agenda para a próxima década*, organizado por Fabio Giambiagi e Octavio de Barros.

Nessa linha, vale lembrar o que escreveu, mais de sete anos atrás, o coordenador do grupo de transição do então eleito presidente Lula, Antonio Palocci, no seu *Relatório final*, apresentado formalmente no final de 2002 a Lula e aos ministros, já escolhidos. "A instabilidade atual questiona os próprios avanços que se obtiveram com a estabilidade da moeda (...) e um marco institucional fortalecido pela responsabilidade fiscal. Esses foram progressos a serem creditados em boa parte ao governo que ora se encerra, conquistados com os esforços de todos os brasileiros. Não fazemos tábula rasa dos últimos oito anos e não partilhamos da visão daqueles que acham que tudo deva ser reinventado."

Anos mais tarde (2007), em seu livro *Sobre cigarras e formigas*, do qual a citação acima foi extraída, Palocci notaria, corretamente, que "os ganhos obtidos pelo Brasil a partir de 2003 se assentaram sobre avanços realizados em governos anteriores, que deram contribuições importantes para a estabilidade da economia [ao longo dos últimos 25 anos], como (...) a criação do Tesouro Nacional e o fim da conta-movimento do Banco do Brasil (...), a abertura da economia, estimulando ganhos de produtividade na economia nacional (...), o lançamento do real (...), a negociação das dívidas dos estados, a resolução dos problemas dos bancos estaduais [e federais] e a instituição da Lei de Responsabilidade Fiscal. Fazer tábula rasa dessas contribuições seria atentar contra a própria história do país".

O respeito aos fatos, claramente expresso por Paulo Bernardo e Antonio Palocci, se contasse com o respaldo das vozes mais sensatas de seu partido e do movimento lulista, representaria um avanço considerável em direção a um debate público mais sério e de melhor qualidade sobre o país e seu futuro. Um debate voltado para "o que fazer", com vistas a assegurar a gradual consolidação do muito que já alcançamos como país; e, principalmente, para o "como avançar mais e melhor" — e com que tipo de lideranças — no processo de mudança e de continuidade que nos trouxe até aqui.

Para tal, seria fundamental evitar o lamentável maniqueísmo expresso no falso dilema do "nós" contra "eles", em que eles, os outros, seriam toda e qualquer pessoa tida como não entusiasta defensor do lulopetismo (ou do culto à personalidade de Lula). Sempre definidos de forma variada, conforme a audiência e as conveniências do momento: os ricos, a imprensa, as elites, os que são contra os pobres, os que são contra investir no social, os que se opõem à tentativa de nos transformar em um país birracial, os que não querem um país altivo e soberano, os neoliberais, os antidesenvolvimentistas.

Vago, simples e genérico assim. Em suma, uma ressentida e frequentemente raivosa "retórica da divisão", como se fôssemos um país partido em dois. Uma aposta em decisões tomadas por meio de confrontos de natureza plebiscitária, com jargões, palavras de ordem e a versão oficial adotada como verdade, independentemente da análise de dados e fatos.

A ideia de que no mundo da política o que importa é a versão e não o fato tem ampla disseminação entre nós. A aceitação dessa "máxima" tem implicações nada triviais para o debate público, em particular durante períodos eleitorais nos quais, como nas guerras, a verdade figura sempre entre as primeiras vítimas.

Pois veja o eventual leitor: se o que realmente importa não são tanto os fatos, mas as versões sobre os mesmos, por vezes muito distintas e conflitantes, segue-se que as versões que tendem a predominar — pelo menos no prazo relevante para o calendário eleitoral — são aquelas mais constantemente repetidas, aquelas mais bem financiadas por esquemas profissionais dos departamentos de agitação, propaganda e marquetagem política. Afinal, todos aprenderam com Goebbels que uma versão, se mil vezes repetida com convicção e eloquência, pode acabar assumindo foros de verdade. Pelo menos para aqueles — que podem ser a maioria — sem muito tempo ou condições de se debruçar sobre as evidências, os fatos e as distintas interpretações possíveis sobre eles. O problema é particularmente preocupante quando as versões "mil vezes repetidas" estão respaldadas, direta ou indiretamente, pela ampla utilização, sem quaisquer peias, de cargos e recursos públicos em campanhas eleitorais explícitas iniciadas com anos de antecedência, sob o olhar complacente dos que preferem dar menos importância aos fatos e às leis que às versões e às bravatas.

Há quem diga que tudo isso é apenas efeito do calor da hora, expressão das vastas emoções que fazem parte natural de processos eleitorais em sociedades de massa. Para estes, passadas as eleições, e qualquer que seja o seu resultado, o país continuaria — à nossa pragmática maneira — a avançar em seus complexos processos de continuidade e mudança. Bravatas seriam o que são — bravatas simplesmente e nada mais. Será?

CONFIANÇA E CREDIBILIDADE
21 de abril de 2010

O saber simular (parecer aquilo que não é) e o saber dissimular (não parecer aquilo que é) há séculos são considerados expressões de sabedoria política. São três as grandes vantagens da simulação e da dissimulação — escreveu Francis Bacon há 400 anos. "Primeiramente, fingir uma oposição adormecida e surpreender. Pois, se as intenções de um homem são anunciadas, segue-se um toque de alarme para reunir todos os que a elas se opõem. A segunda é resguardar para a própria pessoa um refúgio satisfatório. Pois, se um homem se compromete com alguma declaração, ou bem ele avança ou cai. A terceira é descobrir o que se passa na mente do outro."

Há também três desvantagens, nota o mesmo autor: "A primeira, que a simulação e a dissimulação em geral têm um aspecto de receio que costuma estragar o encaminhamento de qualquer negócio. A segunda, que ambas confundem e desorientam a disposição de muitos que talvez se dispusessem a cooperar. A terceira, e maior de todas, é que elas privam o homem de alguns dos principais instrumentos de ação, isto é, a confiança e a credibilidade."

Na verdade, Bacon sintetizou uma tradição milenar do realismo político, muito anterior a Maquiavel, que sempre considerou que ao governante é lícito aquilo que Jean Bodin denominou "a mentira útil, como se faz com as crianças e os doentes". Todavia, como observou Norberto Bobbio: "A comparação de súditos [ou eleitores] com crianças e doentes fala por si só: as duas imagens mais frequentes pelas quais se reconhece o governante autocrático [ou de instintos e propensões a tal] são as do pai e do médico: os súditos [ou eleitores] não são cidadãos livres, saudáveis e responsáveis. São ou menores de idade que devem ser cuidados e educados, ou doentes que devem ser curados e cuidados." Esse tipo de político, continua Bobbio, pode simular e dissimular "tanto mais impunemente quanto mais os [eleitores] não têm à sua disposição os meios necessários para controlar a veracidade daquilo que lhes foi dito".

Essas observações abriram um artigo que publiquei neste espaço já lá se vão alguns anos ("Descolamentos preocupantes", 8/7/07). Volto a elas por duas razões. A primeira, porque relendo recentemente os *Analects*, de Confúcio, fiquei mais impressionado do que na primeira leitura, décadas atrás, com a recorrência e o papel central, no confucionismo, da importância de uma pessoa ser confiável naquilo que diz, viver de acordo com suas palavras e de ser mais rápido e eficaz nas ações que realiza que no uso do palavreado — que não deveria variar conforme a audiência e as circunstâncias.

A segunda razão tem a ver com o fato de que faltam apenas seis meses para uma eleição de crucial importância para nosso futuro. Uma eleição que não será disputada por um ex-presidente e por um quase ex-presidente (ambos respeitáveis e aos quais o país tanto deve), e sim por candidatos (também respeitáveis) que se apresentam ao eleitorado como alternativas para governar o país no futuro, mirando os próximos quatro anos. É sobre estes últimos — nomes, biografias, experiências, propostas, pessoas e forças que os apoiam — que deveria estar o foco do eleitor e dos meios de comunicação. Tentando avaliar quem poderia, governando, fazer mais — e melhor — na prática, não na quantidade de promessas de campanha.

Não se trata tanto da tradicional demanda por um "programa de governo". Mas de claras definições, não genéricas, sobre a natureza dos desafios a enfrentar e das prioridades da hora e do próximo quadriênio — de maneira que possam ser percebidas, pelo leitor, como algo que lhe diga respeito, que para ele faça sentido, que o ajude a avaliar e refletir sobre sua circunstância, sua comunidade, seu país, seu mundo e seu futuro.

Não deveria ser impossível apresentar ao eleitorado uma visão mais ou menos coerente sobre o muito que há por fazer para tentar assegurar o desenvolvimento econômico, social e tecnológico de forma sustentada. O que exige a consolidação de avanços na área macro, uma visão fiscal de médio e longo prazos, além de muitos avanços adicionais em infraestrutura, bem como nas áreas micro, regulatória, educacional, de reformas e de meio ambiente.

Não é fácil fazê-lo. Nunca foi e nunca será, mas o debate talvez pudesse ajudar a separar discussões e propostas sérias de charlatanismos e demagogias. A distinguir ações efetivas de voluntarismos que se dissolvem no ar. A avaliar a consistência dos IGPPr's (como citou Elio Gaspari), os "Índices Gerais de Promessas Presidenciais", em suas versões A, de ampliadas, e E, de expurgadas, de promessas não cumpridas ou simplesmente esquecidas, porque não eram mesmo destinadas a sobreviver ao curto espaço de uma campanha.

Afinal, "ninguém mais hoje acredita que dois mais dois podem ser cinco desde que haja vontade política", como disse o ilustre ex--ministro Delfim Netto ao se referir ao aparente abandono das ilusões voluntaristas que tanto marcaram o debate econômico e político no Brasil. O próprio ministro acha que seu "ninguém mais" talvez seja um exagero. O fato é que os brasileiros, hoje (talvez em sua maioria), não acreditam mais em mágicas, messianismos, rupturas e bravatas. Graças em larga medida a um quarto de século de democracia e, particularmente, a uma grande imprensa livre e independente, que permite o diálogo do país consigo próprio, o Brasil, quero crer (espero que não ingenuamente), hoje acredita mais em trabalho sério, persistência, coerência, continuidade do que deva ser preservado, mudança pensada do que deva ser mudado, ação operacional consequente, resultados efetivos e ética na política. E em candidatos que tenham o dom "confuciano" de parecerem, e serem, "confiáveis naquilo que dizem" e se propõem a fazer.

O QUE TEMOS A VER COM GREGOS E OUTROS?

9 de maio de 2010

A experiência histórica de séculos, tão bem documentada no belo livro *This time is different*, de Carmen M. Reinhart e Kenneth S. Rogoff, mostra a grande frequência com que, após graves crises, as finanças públicas podem se deteriorar de maneira rápida e profunda. Os riscos associados a essa deterioração são particularmente agudos em países que já experimentavam, antes da crise, elevados ou crescentes déficits fiscais e de balanço de pagamentos; alto ou crescente estoque de dívida pública; significativa proporção dessa dívida detida por estrangeiros, denominada em moeda estrangeira (ou em moeda que o país em questão não emite); elevado grau de rigidez em seu nível e em sua estrutura de gasto público; um alto e crescente gasto com idosos e aposentados; e uma economia pouco competitiva internacionalmente.

Países que já tinham vários desses problemas antes da crise passaram a tê-los fortemente agravados pela natureza da inevitável resposta à crise. Com efeito, a necessidade de conter o pânico e o colapso da confiança nos mercados financeiros levou governos, por meio de seus Tesouros e Bancos Centrais, a uma intervenção historicamente sem precedentes em termos de assistência de liquidez, garantias a depositantes e credores, compra de ativos dos balanços de bancos e injeções de capital em instituições financeiras e não financeiras. As estimativas são de que os países desenvolvidos assumiram compromissos que, se necessário, podem chegar a cerca de 27% de seu PIB conjunto nas várias formas de intervenção mencionadas.

Como consequência, seus déficits fiscais atingiram, na média, a faixa de 8% a 9% do PIB, e o estoque de suas dívidas públicas está estimado para, na média, elevar-se a 100% de seu PIB em dois anos mais. Uma expansão sem precedentes históricos em tempos de paz. No caso mais grave — o da Grécia —, o déficit público chegou a 13,6% do PIB em 2009 e sua dívida pública a mais de 115% do PIB no ano, devendo alcançar 150% em 2014 — mesmo que a Grécia consiga reduzir seu déficit em quase 11 pontos percentuais de seu PIB (de 13,6% para menos de 3%) em 2014. O que é altamente improvável para um país que — como vários outros, e não apenas da área do euro — já vinha seguindo uma forte e insustentável trajetória de expansionismo fiscal e que tinha, como vários outros países, muitas das características mencionadas no primeiro parágrafo deste texto.

O fato é que a questão da "crise das dívidas soberanas" estará na agenda das discussões internacionais por anos à frente. A Eurozona ocupa um lugar especial por uma razão importante: os países que adotam o euro *não podem* esperar resolver problemas de dívida pública através de abruptas e não antecipadas acelerações de inflação e depreciações cambiais. Afinal, individualmente, esses países não emitem a própria moeda, não tendo política monetária e cambial decidida no âmbito nacional.

Esperemos que o Brasil esteja na categoria dos países que *podem mas não querem* incorrer nesse autoengano, porque aprenderam com as experiências — suas e de outros. Países nessa categoria sabem, ou deveriam saber, que não há alternativa a não ser evitar que a irresponsabilidade fiscal leve a dúvidas quanto à solvência de médio e longo prazos de seus setores públicos. E, não menos importante, que é exatamente nos períodos de bonança e de euforia que se deve, precavidamente, como há muito mostraram noruegueses, chilenos e outros, preparar o terreno para tempos mais difíceis, que sempre chegarão.

Nesse sentido, tão ou mais importante que comemorar o décimo aniversário da Lei de Responsabilidade Fiscal é, agora, resistir às inúmeras pressões para que ela seja desrespeitada na prática. E não permitir que o espírito que presidiu à sua elaboração, no final dos anos 1990, seja gradualmente deixado de lado. Como já notei em outra oportunidade, construir uma reputação de comportamento fiscalmente responsável demanda bastante tempo. Já a sua destruição progressiva pode ser realizada em pouco tempo.

Esse é o risco que estamos correndo. No Brasil, todos têm "muito apreço" pelo gasto público que os beneficia — e a seus eleitores. Mas esse "apreço geral", que não está de forma alguma restrito aos anos eleitorais, e a voracidade com que se procura o acesso privilegiado a recursos públicos constituem o ovo da serpente de futuras crises fiscais. E estão por trás da dificuldade de assegurar investimentos em infraestrutura e educação de qualidade e, em última análise, de promover uma aceleração sustentada de nossa taxa de crescimento. Como vem acontecendo com países que não atentaram em tempo hábil para a importância da responsabilidade fiscal como política de longo prazo, ainda que ciclicamente ajustada.

Alguém pode perguntar: e nós com isso? Afinal, estamos em situação muito melhor que vários países da Zona do Euro em termos fiscais, não temos as amarras que eles têm em termos de política monetária e cambial, estamos crescendo em matéria de consumo e investimento, atraindo capital estrangeiro — há confiança no ar. Qual é o problema? O problema no momento é a enorme complacência entre nós com o agravamento de nossa situação fiscal quando se a considera em perspectiva, incluindo todas as elevações de gastos permanentes já contratados e as expectativas de gastos por contratar. Deveríamos estar analisando com atenção os casos de crises de dívida soberana, ora no foco da atenção mundial, não para derivarmos satisfação com nosso melhor desempenho relativo, e sim para aprender grandes lições sobre a importância de não deixar as coisas começarem a fugir de controle nessa área. Parafraseando o grande poeta John Donne, "não me perguntes por quem os sinos dobram, eles [talvez] dobrem por ti".

Mães, feliz dia!

A SEXTA CAMPANHA DE LULA
12 de setembro de 2010

O presidente Lula disputou cinco eleições presidenciais. Na primeira (1989), disputou palmo a palmo com Leonel Brizola o direito de ir para o segundo turno com Fernando Collor. Cerca de década e meia depois, já presidente, agradeceu publicamente a Deus por não ter ganho aquela eleição. Porque, reconheceu, não estava preparado para isso.

Na segunda e na terceira tentativas (1994 e 1998), Lula perdeu no primeiro turno para FHC. Quem sabe um dia, talvez, Lula reconheça que em ambas as ocasiões também não estava preparado para governar o país — nem seu partido tinha quadros para tal. Afinal, em 1994, os principais economistas de seu partido lhe asseguraram que o Plano Real era apenas uma tentativa de estelionato eleitoral, que não duraria mais que alguns meses. Em 1998, Lula e o PT não conseguiram convencer o eleitorado de que tinham alguma ideia coerente sobre o que fazer para enfrentar a crise internacional de 1997-1998 e seus efeitos sobre o país.

Na quarta disputa (2002), Lula apareceu totalmente repaginado por uma competente marquetagem política: o irritado líder sindical foi substituído por um novo personagem, com visual, gestos e postura mais tranquilizadores para a classe média e um discurso na linha do "paz e amor". E a herança que o PT havia construído para si mesmo na área econômica — a oposição ao real, ao Proer (Programa de Estímulo à Reestruturação e ao Fortalecimento do Sistema Financeiro Nacional), à Lei de Responsabilidade Fiscal, bem como seu irresponsável empenho pelo plebiscito (de 2000!) que propunha a suspensão dos pagamentos das dívidas externa e interna — teve de ser gradualmente desconstruída, processo iniciado ainda em 2002. Mas houve segundo turno.

A quinta disputa, em 2006, já se deu em um contexto internacional e doméstico que, do ponto de vista econômico e social, favorecia enormemente o governo, apesar dos escândalos políticos que marcaram o período e que contribuíram para que Lula, que esperava ganhar no primeiro turno, tivesse, outra vez, de disputar um segundo turno.

O ano de 2010 representa, em mais de um sentido, e na visão de legiões de eleitores, uma espécie de sexta campanha presidencial com Lula na disputa, ainda que agora através de interposta pessoa. Foi exclusivamente de Lula a escolha da candidatura oficial. Foi de Lula a decisão de transformar esta eleição em um tipo de plebiscito a favor ou contra o seu nome. É de Lula a clara definição da estratégia geral de seu governo, expressa na litania oficial sobre as heranças malditas pré-2003 e no "nunca antes jamais" pós-2003 — que viraram parte do nosso folclore político.

Não adianta vozes sensatas do PT escreverem que "os ganhos obtidos pelo Brasil a partir de 2003 se assentaram sobre avanços e resultados realizados em governos anteriores (...) fazer tábula rasa dessas contribuições seria atentar contra a própria história do país" (Antonio Palocci). Ou: "Não tenho dúvidas de que o Brasil evoluiu positivamente ao longo dos últimos 15 anos" (Paulo Bernardo).

O fato é que essa *não é* a visão do presidente Lula. Nem tampouco a de sua candidata, que em entrevista recente às páginas amarelas da *Veja* responde com um categórico "discordo" a uma pergunta exatamente sobre esse tema. E vai em frente, com a ladainha da "herança maldita" e do "nunca antes" de 2003, esse suposto marco zero de uma idealizada nova era.

É forçoso reconhecer que essa esperteza retórica (para a qual faltou oposição política à altura), a persistência de Lula (em média, um discurso por dia útil) e, particularmente, seu gradual aprendizado no governo — e seus recursos — lhe renderam muitos frutos e elevada popularidade. Mas o "imbatível carisma", o "inigualável tirocínio" e a "genialidade política sem par", aos quais legiões hoje tecem loas, não lhe permitiram ganhar as eleições de 1989, 1994 e 1998 nem evitar um segundo turno em 2002 e 2006. O que mudou mais: o homem ou as circunstâncias? A resposta é: ambos mudaram.

É claro que as circunstâncias mudaram: além de uma herança não maldita e de uma política macroeconômica não petista (até 2006), nunca será demais repetir — já que este governo decidiu simplesmente ignorar fatos que não lhe convêm e se apropriar indevidamente de outros quando lhe convém — que a economia internacional teve um desempenho excepcional no quinquênio 2003-2007. O que contribuiu para a crise que se lhe seguiu, e para a qual estávamos mais bem preparados, porque nos beneficiamos das realizações até ali alcançadas, inclusive por este governo.

É claro que Lula mudou, e está mudando de novo nesta reta final da campanha, que acredita ser tão sua quanto de sua candidata. Por isso não hesita em assumir agressivamente a linha de frente da campanha, como no recente "pronunciamento à nação", em meio a um programa no horário eleitoral de seu partido.

Graves não são apenas o achincalhe à Justiça Eleitoral, a perda do "senso de medida" e a noção de que a popularidade lhe permite dizer qualquer barbaridade, como "a elite brasileira não sabia o que era capitalismo: foi necessário um metalúrgico entrar na Presidência para ensinar como se faz capitalismo", ou "a elite tenta dar golpe a cada 24 horas neste país", referindo-se aos grandes jornais de circulação diária. Grave também é o fato de que a crise internacional de 2007-2009 (e a necessária resposta dos governos dos países desenvolvidos) foi vista entre nós como configurando não algo temporário e "contracíclico", e sim como uma permanente mudança de paradigma, no sentido de demonstrar a necessidade de um papel de muito maior liderança do governo — e de suas empresas, financeiras e não financeiras (existentes e por criar), no processo de desenvolvimento econômico do país.

Ainda é forte entre nós a ideia de que dois mais dois podem ser cinco — desde que haja vontade política.

DIÁLOGO DE SURDOS?
10 de outubro de 2010

O presidente Lula, com uma arrogância por vezes excessiva, tentou transformar em plebiscito o primeiro turno desta eleição. Como se o que estivesse em jogo fosse seu próprio terceiro mandato (ainda que por interposta pessoa), um referendo sobre seu nome, uma apoteose que consagraria seu personalismo, seu governo e sua capacidade de transferir votos. Mas cerca de 52% dos eleitores votaram em José Serra e Marina Silva, negando a Lula a tão esperada vitória plebiscitária do domingo passado.

Não é de hoje o desejo presidencial: "Lula quer uma campanha de comparação entre governos, um duelo com o tucano da vez. Se o PSDB quiser o mesmo (...), ganharão os eleitores e a cultura política do país." Assim escreveu Tereza Cruvinel, sempre muito bem informada sobre assuntos da seara petista em sua coluna de janeiro de 2006. Não acredito que a "cultura política do país" e seus eleitores tenham muito a ganhar — pelo contrário — com essa obsessão por concentrar o debate eleitoral de 2010 em uma batalha de marqueteiros e militantes.

Afinal, na vida de qualquer país há processos que se desdobram no tempo, complexas interações entre continuidade, mudança e consolidação de avanços alcançados. O Brasil não é exceção a essa regra. Como escreveu Marcos Lisboa, um dos mais brilhantes economistas de sua geração: "Não se deve medir um governo ou uma gestão pelos resultados obtidos durante sua ocorrência, e sim por seus impactos no longo prazo, pelos resultados que são verificados nos anos que se seguem a seu término. Instituições importam e os impactos decorrentes da forma como são geridas ou alteradas se manifestam progressivamente."

Ao que parece, Lula e o núcleo duro à sua volta discordam e estão resolvidos a insistir em uma plebiscitária e maniqueísta "comparação com o governo anterior". Feita por vezes, a meu ver, com desfaçatez e hipocrisia: um discurso primário que, no fundo, procura transmitir uma ideia básica (e equivocada) ao eleitor menos informado: o que de bom está acontecendo no país — e há muita coisa — se deve a Lula e a seu governo; o que há de mau ou por fazer — e há muita, muita coisa por fazer — representam uma herança do período pré-2003, que ainda não pôde ser resolvida porque, afinal de contas, apenas em oito anos de lulopetismo não seria mesmo possível consertar todos os erros acumulados por "outros" governantes ao longo do período pré-2003.

Contudo, talvez seja possível, por meio do debate público informado, estabelecer alguns limites para a desfaçatez e a mentira. Exemplo desta última: a sórdida, leviana e irresponsável acusação de que "o governo anterior" pretendia privatizar a Petrobras, o Banco do Brasil e a Caixa Econômica Federal. Algo que nunca, jamais, esteve em séria consideração. Mas a mentira, milhares de vezes repetida, teve efeito eleitoral na disputa pelo segundo turno em 2006 — por falta de resposta política à altura antes, durante e depois.

Exemplos de desfaçatez: o governo Lula não "recebeu o país com a inflação e o câmbio fugindo do controle", como já li, responsabilizando o governo anterior. A inflação estava sob controle desde que o real foi lançado, no governo Itamar Franco, com FHC na Fazenda. E se aumentou para 12,5% em 2002 foi porque o câmbio disparou, expressando receios sobre o futuro. Receios não sem fundamento, à luz da herança que o PT havia construído para si próprio até o início de sua gradual desconstrução, ocorrida apenas a partir de meados de 2002. O PT tinha e tem suas heranças.

O governo Lula *não teve* de resolver problemas graves de liquidez e solvência de parte do setor bancário brasileiro, público e privado, solucionados na segunda metade dos anos 1990 pelo governo FHC. Pelo contrário, o PT se opôs, e veementemente, ao Proer (Programa de Estímulo à Reestruturação e ao Fortalecimento do Sistema Financeiro Nacional) e ao Proes (Programa de Incentivo à Redução do Setor Público Estadual na Atividade Bancária) e perseguiu seus responsáveis por anos no Congresso e na Justiça. O governo Lula herdou um sistema financeiro sólido que não só não apresentou problemas na crise recente, como ajudou o país a rapidamente superá-la. Suprema ironia ver, na televisão, Lula oferecer a "nossa tecnologia do Proer" ao companheiro Bush em 2008.

O governo Lula *não teve* que reestruturar as dívidas de 25 de nossos 27 estados e de cerca de 180 municípios que estavam, muitos, pré--insolventes, incapazes de arcar com os compromissos com a União. Todos estão solventes há mais de 13 anos, uma herança que, junto com a Lei de Responsabilidade Fiscal, de maio de 2000 — antes, sim, do lulopetismo, que a ela se opôs —, nada tem de maldita, muito pelo contrário, como sabem as pessoas de boa-fé.

As pessoas que têm memória e honestidade intelectual também sabem que as transferências diretas de renda à população mais pobre não começaram com Lula — que se manifestou contra elas em discurso feito já como presidente em abril de 2003. O governo Lula abandonou sua ideia original de distribuir cupons de alimentação e adotou, consolidou e ampliou — mérito seu — os projetos existentes. O que Lula reconheceu no parágrafo de abertura (caput) da Medida Provisória que editou em setembro de 2003, consolidando os programas herdados do governo anterior.

Outros exemplos. Sobre salário mínimo: não é verdade que tenha começado a ter aumento real no governo Lula, como quer a propaganda. Sobre privatização: o discurso ideológico simplesmente ignora os resultados para o conjunto da população e, indiretamente, para o atual governo.

O monólogo do "nunca antes" não ajuda o diálogo do país consigo mesmo. O ilustre ex-ministro Delfim Netto bem que tentou: "A eleição de 2010 não pode se fazer em torno das pobres alternativas de ou voltar ao passado ou dar continuidade a Lula. A discussão precisa incorporar os horizontes do século XXI e a superação dos problemas que certamente restarão de seu governo."

RECÔNDITA (DES)HARMONIA?
14 de novembro de 2010

"Pode-se argumentar, como muitos fazem, que nossa democracia não precisa de República, que aos trancos e barrancos vamos construindo a inclusão política e social, e que preocupação com honestidade política, bom governo, valores cívicos e instituições respeitadas é moralismo pequeno-burguês." Mas, como o autor da citação (José Murilo de Carvalho), espero que haja um número crescente de brasileiros que discorde dessa posição. Os eleitores dirão.

As linhas acima concluíram meu artigo de 10 de janeiro de 2010 neste espaço. Bem, dos 135,8 milhões de potenciais eleitores brasileiros, 55,7 milhões disseram "Dilma"; 43,7 milhões disseram "Serra"; e 36,4 milhões ou se abstiveram de votar, ou anularam seu voto, ou votaram em branco. Maioria é maioria e teremos, pelos próximos quatro anos uma presidente de todos, e não apenas dos 41% (do total de potenciais eleitores) que a sufragaram explicitamente nas urnas.

O processo eleitoral e seu resultado mostraram que existe, sim, uma "opinião pública" no Brasil. Que esta não é "esquálida", como Hugo Chávez denomina a oposição que se lhe faz. Para ele, "eu não sou um indivíduo, eu sou o povo". Por aqui tivemos nosso presidente afirmando, pouco antes do primeiro turno, que "a opinião pública somos nós".

Porém, dois domingos atrás, em suas primeiras declarações lidas já como presidente eleita, Dilma Rousseff deu a entender que estaria preparada para deixar de lado os discursos de palanque e a excessiva dependência tanto de Lula quanto do sistema de "marquetagem" política para, efetivamente, se dedicar a governar o país em nome de todos — a princípio, até 2014.

Afinal, como disse o presidente do PT em entrevista ao jornal *O Globo* no domingo passado, no PT "não existe esse negócio de definir projeto de poder por número de anos. Normalmente são vertentes autoritárias que trabalham com projetos de poder de longo prazo (...), o nazismo é que trabalhava com projeto de décadas".

Mas o presidente do PT sabe que seu partido usa o discurso da "comparação de dois projetos para o país". Um seria o projeto de um "novo modelo", que reúne desejos que ou não haviam ocorrido antes a nenhum outro partido político ou ninguém, nunca antes, havia sido capaz de implementar com tanta sabedoria, engenho e arte.

Existe um problema no debate, a meu ver, simplório e equivocado desse discurso maniqueísta dos dois projetos: o bom e o mau. Problema que é, em boa parte, das oposições, como muito bem situado no contexto atual por José Álvaro Moisés em seu artigo de domingo passado no caderno *Aliás* deste jornal ("Qual oposição?", 7/11/10).

Existe também um problema não resolvido dentro do lulopetismo e bem expresso, desde o início, pelo ex-ministro José Dirceu, o ex--capitão do time, o grande operador político do governo (enquanto lá esteve) e dos bastidores do PT (até o presente). Vale lembrar que a resposta do partido em nota oficial de março de 2004 ao escândalo Waldomiro Diniz — hoje prescrito e arquivado — foi a de propor... mudanças na política econômica do governo Lula!

Mais de 20 meses depois, em entrevista concedida no dia 27 de novembro de 2005, Dirceu, além de dizer que Lula é "personagem difícil" que está "indo devagar na implantação de um governo de esquerda", reconheceu "que deveria ter saído do governo quando Lula optou, perto do final de 2004, por seguir o caminho defendido por Palocci". Não o fez, porque ainda esperava mudanças. Afinal, como notou Tereza Cruvinel (em 23/11/04), sempre muito bem informada sobre esses assuntos, "o PT tem dois objetivos agora: reconquistar a coordenação política do governo para o ministro José Dirceu e mudar os rumos da política econômica".

Há muita gente no PT que acha que esses rumos vêm mudando desde que Palocci e Paulo Bernardo tiveram derrotada a sua proposta de contenção da velocidade de crescimento das despesas primárias do governo, no final de 2005. É público e notório o nome de quem disparou o tiro de misericórdia na proposta. Como observou Merval Pereira: "Nem nos tempos do todo-poderoso José Dirceu a Casa Civil tinha a audácia de ir tão longe no enfrentamento da política econômica." O silêncio de Lula à época foi revelador do que viria.

A presidente eleita sabe que tem uma tarefa hercúlea pela frente a partir de agora. A presidente eleita sabe que as lideranças políticas de um governo, por meio de suas posturas, ações e critérios na escolha de suas equipes, emitem poderosos sinais sobre os limites do que constituem comportamentos inaceitáveis no trato da coisa pública. A presidente eleita sabe, espero eu, que o Brasil de hoje não começou a ser construído em 2003, ainda que — como o presidente atual — tenha dificuldade política em reconhecê-lo de público.

A presidente eleita sabe que o momento da escolha do núcleo duro de seu governo e de seus 37 ministros será definidor das expectativas quanto aos próximos quatro anos. Aguarda-se, com especial interesse, o anúncio da composição completa da equipe econômica da presidente eleita — à qual desejo boa sorte.

O grande risco que corremos é o do excesso de complacência e voluntarismo. O Brasil — e seu futuro governo — tem desafios incríveis à frente. Nas questões de infraestrutura (física e institucional). No nível (excessivo), na composição (distorcida) e na eficiência (precária) do gasto público e da arrecadação tributária. Na deficiente qualidade de nossos níveis educacionais, quando comparados aos níveis — muitíssimo melhores — de países que conosco competem. Na necessidade de lidar com questões de longo prazo nas áreas previdenciária, trabalhista e tributária.

Em suma, são tarefas que exigem mais ação consistente e menos discursos de palanque, os quais, esperamos, sejam muito menos frequentes a partir de agora.

2011

2011

Taxa de crescimento no ano	4,0 %
Taxa de inflação no ano	6,5 %
Taxa de câmbio no final do ano	R$ 1,87
Mín. R$ 1,54 Máx. R$ 1,91	
Taxa de juros no final do ano	11 %
Mín. 11 % Máx. 12,50 %	

JANEIRO
Dilma Rousseff (PT) toma posse como presidente do Brasil. Seu ministério conta com 37 pastas.

FEVEREIRO
Para barrar a alta da inflação, o governo Dilma anuncia um bloqueio recorde de R$ 50 bilhões nas intenções de gastos federais.

ABRIL
Pela primeira vez desde 2005, a inflação ultrapassa a meta fixada pelo governo. O IPCA chega a 6,51 % em 12 meses.

JUNHO
O ministro-chefe da Casa Civil, Antonio Palocci (PT), deixa o cargo quase um mês após a publicação de uma reportagem pela *Folha de S.Paulo*, segundo a qual seu patrimônio aumentou 20 vezes entre 2006 e 2010. É a primeira crise política do novo governo. Seis outros ministros sairiam do governo até o fim do ano.

JULHO
Selic atinge 12,5 % ao ano.
Dólar chega a R$ 1,543, valor mais baixo desde janeiro de 1999, época do início da flutuação do real.

OUTUBRO

O Senado aprova a Lei de Acesso à Informação. Aprova também a nova distribuição dos *royalties* do petróleo, decisão que contraria os interesses dos estados do Rio de Janeiro e do Espírito Santo.

NOVEMBRO

O governo Dilma cria a Comissão Nacional da Verdade para apurar violações aos direitos humanos, como o desaparecimento de presos políticos durante o período de 1946 a 1988.

DEZEMBRO

O Banco Central estabelece juros básicos em 11%. O agravamento da crise econômica na Europa tende a reduzir a inflação brasileira em 2012.

The Guardian eleva o Brasil à categoria de sexta maior economia do mundo, ultrapassando o Reino Unido, fenômeno permitido pela valorização inédita do real no ano.

O CORRER DA VIDA...

9 de janeiro de 2011

Não pude assistir, mas li com atenção o importante discurso de posse de nossa nova presidente. Importante porque foi o primeiro desde o discurso lido na noite de sua vitória nas urnas. Importante porque a presidente assumiu compromissos para os próximos quatro anos. Importante porque a presidente disse ali coisas que não dissera tão explicitamente durante a campanha eleitoral.

Acho que o discurso deve ser levado a sério. Afinal, não é mais um dos milhares de improvisos, *sueltos y salidas* do ex-presidente, que nos acostumamos a ouvir com talvez excessiva condescendência e bonomia nos últimos oito anos. A nova presidente apresentou-se não como chefe de facção política (afinal, cerca de 50 milhões de pessoas ou nela não votaram, ou votaram em branco, ou anularam seus votos), mas como presidente de todos os brasileiros.

E anunciou compromissos firmes para o futuro, alguns dos quais merecem ser lidos, relidos e cobrados nos próximos quatro anos (alguns mencionados a seguir). E há parágrafos importantes explicitando algo que não poderia ser dito dessa forma na campanha e com profundas implicações para nosso futuro. Disse a presidente: "O Brasil optou, ao longo de sua história, por construir um Estado provedor de serviços básicos e de previdência social pública. Isso significa custos elevados para toda a sociedade." Preço a pagar pela "garantia do alento da aposentadoria para todos e de serviços de saúde e educação universais".

A propósito, vale a pena acompanhar mais de perto a crucial discussão do momento em muitos países europeus. Como notou Kenneth Rogoff, "nenhum fator de risco é mais perigoso para uma moeda que a recusa a enfrentar as realidades fiscais". A nossa presidente deu a entender que não pretende se recusar a enfrentar as nossas flagrantes realidades e irrealidades fiscais ao falar em fazer mais — *e melhor* — com os recursos existentes, controlar a velocidade de crescimento dos gastos governamentais e mudar sua composição a favor do investimento.

Desejo boa sorte à nossa presidente ao lidar com a voracidade de sua "base de sustentação política" — tanto no Congresso Nacional como na sociedade, à luz das expectativas geradas desde o início de 2006, quando teria ocorrido uma inflexão "histórica" na direção do "novo desenvolvimentismo", o que um importante ministro de Estado à época (hoje governador) chamou publicamente de "o fim da era Palocci na economia".

O então presidente Lula pediu-lhe que maneirasse, mas o fato é que essa é a visão de parte importante do seu partido, que acha que a atual presidente recebeu das urnas um mandato para dar continuidade à política econômica *pós-2006* na área fiscal e no papel de um "Estado provedor" *redefinido*. (Ver o interessante artigo de Amir Khair, "Mudanças na política econômica", publicado neste jornal em 28 de novembro de 2010.)

A presidente eleita, contudo, não deixou margem a qualquer dúvida em seu discurso: "Já faz parte de nossa cultura recente a convicção de que a inflação desorganiza a economia e degrada a renda do trabalhador. Não permitiremos, sob nenhuma hipótese, que essa prática volte a corroer nosso tecido econômico e a castigar as famílias mais pobres."

Implícito nesse parágrafo está o reconhecimento de que a "nossa cultura recente" é uma cultura que só foi possível graças ao Plano Real. Um programa de estabilização, vale lembrar (quando se lê um parágrafo como este acima), ao qual o PT *se opôs* à época, considerando-o um pesadelo, algo que não duraria mais que alguns meses, uma simples tentativa de "estelionato eleitoral".

Pois bem, em 1º de março de 2011 teremos 17 anos de inflação sob controle. Tem razão, pois, a nossa presidente ao afirmar em seu discurso de posse: "Um governo se alicerça no acúmulo de conquistas realizadas ao longo da história. Ele sempre será, ao seu tempo, mudança e continuidade. Por isso, ao saudar os extraordinários avanços recentes, é justo lembrar que muitos, a seu tempo e a seu modo, deram grandes contribuições às conquistas do Brasil de hoje."

Um reconhecimento que seu antecessor no cargo nunca teve a generosidade política de fazer, ao contrário, preferindo sempre a ladainha do "nunca antes" — de um país que teria começado a ser construído a partir de 2003, com sua chegada ao poder. Na verdade, Lula jamais reconheceu tampouco o fato irretorquível de que o Brasil, durante os anos de seu governo, beneficiou-se enormemente de uma situação econômica internacional que, *para nós*, foi extraordinariamente favorável, exceto por um breve período de fins de 2008, início de 2009.

A nossa presidente, pelo menos, reconhece que fatos não deixam de existir porque são ignorados, e que é muito difícil para um político, porque popular, reescrever a história de um país complexo como o Brasil à luz de seus interesses eleitorais: "É importante lembrar que o destino de um país não se resume à ação de seu governo."

Mas o que importa agora é o olhar à frente. O discurso de posse da nova presidente — se levado a sério, como, obviamente, deve ser — contém compromissos importantes a serem cobrados. Menciono dois, em particular: "Eu e meu vice, Michel Temer, fomos eleitos por uma ampla coligação partidária. Estamos construindo com eles um governo onde capacidade profissional, liderança e disposição de servir ao país serão os critérios fundamentais." E "serei rígida na defesa do interesse público. Não haverá compromisso com o erro, o desvio e o malfeito. A corrupção será combatida permanentemente, e os órgãos de controle e investigação terão todo o meu respaldo para atuarem com firmeza e autonomia".

Como escreveu mestre Guimarães Rosa no início da belíssima citação com a qual a nova presidente concluiu seu discurso: "O correr da vida embrulha tudo..."

DILMA, LIDANDO COM O "PÓS-LULA"

13 de março de 2011

A expressão "pós-Lula", por estranho que pareça, causa desconforto e mesmo irritação a muitos adeptos do lulopetismo. A princípio, não deveria ser assim. Afinal, é um fato inegável que "o cara" não é mais *de jure* e *de facto* o presidente da República há exatos dois meses e 13 dias. Nesse sentido, a expressão "o pós-Lula" poderia, e deveria, ser entendida apenas como uma forma abreviada, e portanto melhor, de se referir ao "período que se segue ao término dos oito anos da administração do presidente Luiz Inácio Lula da Silva". Simples assim. Factual e incontroverso, não?

Não, dizem lulopetistas que respeito. E é importante, a meu ver, tentar entender suas razões. Primeiro, porque veem no uso da expressão "pós-Lula" disfarçada ironia e inconfessáveis propósitos políticos, todos expressando veladas expectativas e obscuros desejos de que o ex-presidente possa "sair de cena", privando a sociedade brasileira de sua marcante presença, de seus conselhos, opiniões e lições de vida.

Vale lembrar que foi isso o que fez em 2003 o então — como ainda hoje — estrategista-mor do petismo (José Dirceu), reagindo a um comentário público do então ex-presidente Fernando Henrique Cardoso: "Ele deveria estar calado em casa, de pijama e chinelos cuidando dos netos." Que eu tenha tomado conhecimento, ninguém sugeriu o mesmo a Lula. Que, por sinal, disse mais de uma vez que mostraria a todos "como deve se comportar um ex-presidente quando desencarna". Deixo ao eventual leitor imaginar a qual (ou a quais) ex-presidente(s) se referia Lula.

Há uma segunda razão para o desconforto e a irritação com a expressão "pós-Lula", por vezes interpretada como uma tentativa de excluir do rol das possibilidades futuras "o retorno" de Lula à Presidência da República em 2014 ou 2018 — o que exigiria sua constante presença e visibilidade nos meios de comunicação. Essa possibilidade de retorno certamente existe não só para o principal estrategista do lulismo (o próprio Lula) como também para o estrategista-mor do petismo. Tanto é assim que um dos mais fiéis escudeiros do ex-presidente, hoje ministro importante do governo Dilma Rousseff, já disse em entrevista que se a presidente Dilma fizer um bom governo será candidata à reeleição. Se não, o lulopetismo deverá ter Lula de volta em 2014 (ou 2018). Como falar em pós-Lula nesse contexto?

Há uma terceira, e talvez mais importante razão para o desconforto e a irritação com o uso da expressão "pós-Lula": a visão de que ela teria o propósito de tentar "desconstruir" o governo Lula, chamando a atenção para alguns de seus legados e heranças mais problemáticos. A administração da presidente Dilma Rousseff estaria obrigada — ainda que pisando em ovos — a lidar com tais legados e heranças nos primeiros meses e anos de seu mandato.

A nova presidente começou bem seu governo em algumas áreas, marcando claramente — falemos com franqueza — suas diferenças com a herança recebida dos anos Lula. Vamos a dois exemplos visíveis a olho nu. Primeiro, as anunciadas mudanças, ora em curso, na condução da política externa, com o objetivo de recuperar parte da credibilidade que havia sido perdida pela diplomacia brasileira. Segundo, discursos (lidos) pela nova presidente — em especial o mais recente, no evento comemorativo dos 90 anos da *Folha de S.Paulo*, sobre o papel da liberdade de imprensa — mostraram uma convicção e um respeito à diversidade de opiniões que Lula raramente foi capaz de expressar. Vide seu famoso "a opinião pública somos nós", seus reiterados alentos aos adeptos do "controle social" da mídia e suas acusações a tentativas "golpistas" (sic) da grande imprensa.

A nova presidente deu sinais — e tomou certas decisões — que evidenciaram ter percebido claramente quão difícil será lidar com o pós-Lula na área política. No Executivo federal e em suas empresas e agências, todas as facções e correntes do PT, do PMDB e dos principais partidos aliados estão representadas desde o governo passado, vale dizer, ocupando espaços em uma máquina pública crescentemente aparelhada. Os 37 ministérios e mais de uma centena de empresas e órgãos do Executivo com suas respectivas parafernálias não parecem suficientes para as voracidades envolvidas. A presidente teve de interferir pessoalmente em vários casos de conflito de interesse para tentar manter seu compromisso de posse: "(...) formar um governo em que capacidade profissional, liderança e disposição de servir ao país serão os critérios fundamentais."

É, contudo, no campo da economia que se colocam hoje as questões mais prementes a lidar neste pós-Lula de maiores riscos e incertezas — no Brasil e no mundo. Nesse contexto, são imperdíveis tanto as perguntas quanto as respostas da extensa e reveladora entrevista concedida pelo ministro da Fazenda, Guido Mantega, a Eleonora de Lucena (*Folha de S.Paulo*, 27/2/11). Provocado, ele afirma que "o governo Dilma não é parecido nem com Lula 1, nem com Lula 2. É parecido com Lula 3". E elabora longamente sobre o tema. O que me trouxe à memória um excelente artigo da competente Rosângela Bittar, publicado no *Valor* de maio de 2006, poucas semanas após a substituição de Antonio Palocci por Mantega no ministério. O título do artigo era revelador de seu conteúdo: "A arte de mudar negando mudanças".

É isso, a meu ver, o que a situação exigirá do governo Dilma na área econômica, para lidar com as consequências da vasta expansão de gastos públicos de boa parte do Lula 2. E, principalmente, com as expectativas que esse expansionismo gerou nas amplas "bases de sustentação" do governo quanto às possibilidades futuras de acesso — direto ou indireto — ao erário. O verbo "lidar" tem vários significados possíveis na rica língua portuguesa. No caso, todos se aplicam.

O PRIMEIRO INVERNO DO GOVERNO DILMA

12 de junho de 2011

"Quando 40 invernos assediarem teu semblante" é a abertura de um dos mais belos sonetos de Shakespeare. À época, 40 anos era uma idade respeitável, a beleza era peregrina e, não mais que de repente, a força e o espírito da juventude se esvaíam. Hoje, chegar aos 80 invernos não é a raridade excepcional de antanho. Muitos — e muitas — o fazem. Mas chegar aos 80 mantendo extrema lucidez no infindável diálogo entre passado e futuro (seu próprio, do seu país e do mundo) é raro, muito raro. Quando, além disso, se chega aos 80 com invejável sentido de humor e marcante presença na vida política e no debate de temas de interesse público é quase um desaforo.

"Pois bem, é o que sempre fez, e faz hoje, nessa idade, o presidente Fernando Henrique Cardoso, com quem tive o privilégio e o prazer de trabalhar na última década de meus quase 40 invernos de serviço público. A amizade, que já existia, só fez se consolidar desde então. Espero que, quando o Brasil puder alcançar um mínimo de perspectiva histórica sobre nosso passado recente, se possa fazer justiça a Fernando Henrique Cardoso — à sua pessoa e a seu governo. Que venham os 90 invernos. Afinal, como escreveu Chaucer: 'Tão curta a vida, tão longo o ofício de aprender.'"

O texto acima, com o título "Oitenta invernos: homenagem a FHC", deve estar disponível nos próximos dias em um site que recolheu contribuições de dezenas de amigos e antigos colaboradores do ex-presidente, parte das comemorações de seu aniversário, no dia 18 agora.

Por que utilizá-lo aqui? A primeira razão (e a menos importante) é que há exatos oito anos comecei a escrever neste generoso espaço. E meu primeiro artigo ("Falsos dilemas, difíceis escolhas..."), publicado em 8 de junho de 2003, abria com a seguinte frase: "Nos últimos 12 meses, o Brasil mostrou ao mundo que continua avançando em termos de maturidade política e nível do debate econômico — apesar das aparências em contrário." O governo Lula — à época em que isso foi escrito — tinha exatamente a mesma idade do governo Dilma Rousseff, que chega agora a seu primeiro e turbulento inverno, com problemas domésticos não triviais à frente, na área política e na área econômica — e as águas de ambas não correm sempre em leitos distintos como muitos parecem pensar. E não é demais lembrar que a atual presidente não contará com o contexto internacional tão extraordinariamente favorável que tanto beneficiou o país e o governo anterior de fins de 2002 a fins de 2008 — fato jamais reconhecido por Lula.

A segunda razão é que vivi de modo intenso, ou acompanhei com enorme interesse, várias transições de governo: de Itamar Franco para FHC, deste para Lula, e de Lula para Dilma. E, por que não dizer, de FH 1 para FH 2 e de Lula 1 para Lula 2. Ao cabo de todos esses subperíodos, isto é, em todos os junhos (de 1995, de 1999, de 2003, de 2007 e agora de 2011) eu poderia ter parafraseado a abertura do artigo de 2003: "Nos últimos 12 meses, o Brasil mostrou ao mundo que..." Achava, como acho, que o Brasil tem um lado moderno que, "apesar das aparências em contrário", está, ainda que muito gradualmente, prevalecendo sobre nosso lado anacrônico — que não pode e não deve ser subestimado.

O mesmo artigo de 2003 terminava com a seguinte observação: "Não estamos começando do zero um processo de criação das bases para um sustentado crescimento com mudança estrutural e aumento de produtividade. Esse processo já vem ocorrendo há muitos anos e é importante que se lhe dê continuidade. O mesmo se aplica ao desenvolvimento social. Em outras palavras, o que é legítimo e razoável esperar do governo Lula é que possa entregar a seu sucessor um país melhor do que aquele que recebeu. Como fez o governo FHC."

Como fizeram governos anteriores. Como fez Lula (ainda que se achando uma espécie de "inventor do Brasil"). Como esperamos que faça Dilma Rousseff, ainda que com o semblante de seu governo assediado pelos quatro invernos que terá de enfrentar em condições políticas e econômicas muito menos favoráveis que as de seu antecessor. Antonio Palocci lhe fará falta.

Um estrangeiro, olhando o tamanho da base de sustentação política do atual governo no Congresso Nacional, poderia achar que os mais de 70% de apoio permitiriam ao Executivo um navegar tranquilo pelas águas da política, assegurando a governabilidade e a harmonia com o Legislativo. No entanto, como notou Norberto Bobbio, "nos países não apenas capazes de formar um governo, mas de efetivamente governar, existe uma relação entre grupos e programas em torno de certas questões de fundo (...). [Mas] num sistema de partidos complicados, onde por governabilidade se entende até a difícil operação de formar um governo, não se fazem alianças com base em opções de fundo (...) [e sim através de processos] que por vezes tornam impossíveis as opções de fundo."

A presidente Dilma Rousseff sabe disso e citou mestre Guimarães Rosa em seu discurso de posse: "(...) a vida é assim: esquenta e esfria, aperta e daí afrouxa, sossega e depois desinquieta. O que ela quer da gente é coragem." Ninguém duvida que nossa presidente tem coragem. Assim como tem gana, garra e determinação. Mas o exercício do cargo, em um país complexo como o nosso, com uma democracia de massas, um sistema político precário e a voracidade infinda das várias facções de seus correligionários e de suas bases políticas, exige muito mais que a sempre necessária coragem.

O Brasil é um país admirável, porém difícil de entender e de administrar, política e economicamente, como cedo descobre quem se propõe a fazê-lo. Assim como Lula, Dilma dá a impressão de que chega ao seu primeiro inverno como presidente com a percepção de que nada é fácil — e tudo é mais duro do que antes parecia.

LIÇÕES DA BEIRA DO ABISMO?
14 de agosto de 2011

O pânico que assalta os mercados financeiros e as bolsas de valores neste início de agosto é de natureza distinta — embora relacionada — da do pânico avassalador que se instaurou nos mercados e nos governos dos principais países desenvolvidos após o colapso do Lehman Brothers de setembro de 2008. Ali ocorreu um gravíssimo colapso de confiança no sistema de intermediação financeira do mundo desenvolvido, de consequências imprevisíveis — não fora a, historicamente sem precedentes, resposta dos governos em termos de estímulos fiscais (mais gastos, menos impostos, mais dívida) e monetários (taxas de juros reais negativas e expansão inédita dos balanços de bancos centrais).

Essas respostas à crise levaram a uma *acentuada e simultânea* elevação de déficits fiscais e de estoques de dívida pública em praticamente todos os países desenvolvidos. Além disso, há dívidas privadas, particularmente de instituições financeiras e de famílias que estão em áreas não claramente mapeadas, que podem representar passivos contingentes do setor público em muitos países.

Como notou o economista Gustavo Franco em entrevista recente à *Folha de S.Paulo*, "o que estamos vivendo é o esgotamento do crescimento do Estado nas grandes democracias ocidentais e no Japão, onde os níveis de endividamento público ultrapassaram medidas habitualmente aceitas de responsabilidade fiscal. (...) O enredo do impasse americano é global e, por isso mesmo, foi tão impactante. É uma prévia do que vai ser visto em muitos países. É como se fosse o fim de uma era de keynesianismo fácil, onde tudo sempre se resolve com o gasto público, socializando perdas, ou acomodando sucessivas e inesgotáveis 'conquistas' e coalizões cada vez maiores".

Qualquer semelhança com outros países não é mera coincidência. O que importa é que, na fase em que estamos, os impasses e as disfuncionalidades do mundo político, que eram, na prática, desconsiderados pelo mundo econômico, passaram a despertar uma inusitada atenção. Particularmente nos Estados Unidos e na Europa, por seus efeitos potencialmente negativos sobre expectativas quanto ao curso da atividade econômica, do investimento, do emprego e do crescimento no médio e no longo prazos, que não dependem apenas das políticas macro (monetária e fiscal), mas de fatores como infraestrutura (física, humana e institucional), inovação, produtividade, ambiente geral de negócios, confiança da economia privada.

O ex-ministro Delfim Netto expressou com clareza a questão básica em artigo no jornal *Valor Econômico* na semana passada: "É preciso insistir que o aumento da demanda pública [pela ampliação do gasto] pode ser eficaz para ampliar o uso dos recursos 'desempregados' pela queda da demanda do setor privado *se, e unicamente se*, estimular um aumento do consumo ou do investimento do próprio setor privado. *O problema com um certo keynesianismo é esquecer Keynes*. O resultado final do aumento da demanda pública só será funcional se alterar as 'expectativas' do consumidor (...) e recuperar o espírito animal do investidor."

O que aconteceu no mundo desenvolvido nos últimos quatro anos (agosto de 2007 a agosto de 2011) foi: 1) um dramático encurtamento do espaço para medidas adicionais de expansão fiscal e monetária; e 2) não menos importante, uma crescente percepção da necessidade de reformas em outras áreas para que o crescimento de médio e longo prazos possa ser retomado em bases sustentáveis. Esses fatos encerram importantes lições para o Brasil — que, felizmente, ainda tem margem de manobra na área macro e deveria, agora, aproveitar as janelas da oportunidade para incluir nas suas "respostas à crise" mudanças mais estruturais das quais depende nosso desenvolvimento futuro.

A esse respeito, não creio que o Brasil tenha adotado medidas "keynesianas" apenas como resposta à crise. Na verdade, a decisão de expandir fortemente o gasto público antecedeu a crise e remonta àquilo que muitos denominam "inflexão desenvolvimentista pós-março de 2006". A crise constituiu um bom álibi para justificar uma política fiscal expansionista, que já vinha sendo praticada e foi acelerada como "resposta" à crise (como vários outros países estavam fazendo). E, mais importante, continuou sendo praticada mesmo depois que a crise foi tida como superada em meados de 2009, levando a um superaquecimento da economia em 2010 e ao aumento das expectativas inflacionárias.

No Brasil de agosto de 2011, a crise atual está sendo vista por muitos como uma histórica janela de oportunidade... mas para uma significativa redução dos juros. A possibilidade certamente existe, dependendo do contexto internacional e da extensão na queda da taxa de crescimento da economia global e dos preços de *commodities*. E a crônica da redução antecipada dos juros é vista como iniciando uma espécie de círculo virtuoso: redução do custo da dívida pública, potencial aumento do espaço para gastos públicos e para uma eventual diminuição da carga tributária. Em suma, pela segunda vez a crise internacional está oferecendo ao país um álibi para que este faça aquilo que gostaria de fazer de qualquer maneira.

Discute-se pouco a possibilidade de tentar recuperar, ainda que sob outra roupagem, o espírito de uma proposta de fins de 2005, então tida como rudimentar. Não seria a hora de aproveitar a janela de oportunidade histórica e as "lições da beira do abismo" de europeus e norte-americanos e repensar a ideia de um controle de médio e longo prazos da velocidade do crescimento dos gastos do governo e de seu continuado aumento em relação ao Produto Interno Bruto? Se apresentado de maneira crível, com base legal e compromisso firme do governo e de uma presidente que sabe o que quer, isso seria de inestimável ajuda para uma queda expressiva das taxas de juros nominais e reais, nosso não obscuro objeto de desejo.

OUSADIA E RESPONSABILIDADE
11 de setembro de 2011

"Nunca a conjuntura foi tão pouco conjuntural", diz André Lara Resende. De fato, os Estados Unidos, a Europa e o Japão, por exemplo, não retornaram ainda, passados quatro anos, ao nível de renda real por habitante que haviam alcançado em 2007. E terão, no futuro próximo, um crescimento ainda mais baixo que o projetado até há pouco, dadas as consequências tanto da crise de 2007-2008 quanto das respostas a ela, que levaram à expansão vertiginosa de suas dívidas públicas.

A crise nos países desenvolvidos não era — como foi dito no Brasil — apenas uma "marolinha" no restante do mundo em desenvolvimento. Sempre me pareceu equivocada a ideia de que os países emergentes houvessem adquirido uma dinâmica própria que lhes asseguraria a capacidade de seguir crescendo de forma sustentada, independentemente do que acontecesse no mundo desenvolvido.

Acredito que não só nos Estados Unidos, na Europa e no Japão, mas também em vários países, entre os quais o Brasil, como poucas vezes na história, a resolução dos problemas mais urgentes nunca esteve tão dependente da perspectiva de equacionamento de problemas e desafios estruturais, de médio e longo prazos. E quero ilustrar tal observação com um comentário sobre a recente decisão do nosso Banco Central

(BC) de reduzir os juros. Decisão que teria sido baseada em quatro hipóteses básicas.

Primeiro, a possibilidade de deterioração adicional das expectativas quanto à evolução da economia mundial e maiores riscos e incertezas quanto ao comércio internacional, e aos mercados de capitais, de dívida soberana e de intermediação financeira.

Segundo, em parte por conta disso, a possibilidade de uma desaceleração da economia brasileira mais acentuada do que aquela que já vinha ocorrendo — e que já era maior que a anteriormente prevista pelo governo para 2011-2012.

Terceiro, a hipótese de que, apesar de a inflação brasileira acumulada nos últimos 12 meses se encontrar acima de 7%, esta, a partir do último trimestre de 2011, entraria numa trajetória declinante (em grande parte por causa dos efeitos combinados das duas hipóteses anteriores), o que permitiria uma gradual convergência para o centro da meta de inflação (4,5%) no final de 2012.

Quarto e último, mas não menos importante, uma avaliação positiva por parte do BC sobre a firmeza do compromisso da presidente e do Ministério da Fazenda com maior controle fiscal em 2011 e também em 2012 e 2013. Compromissos que seriam expressos em metas críveis (que o BC teria incorporado), e não em declarações de intenções.

As duas primeiras hipóteses das quatro mencionadas não devem ser descartadas e podem exigir, entre outras respostas, redução de juros que, diga-se de passagem, muitos no mercado já antecipavam, embora a maioria para outubro. A terceira hipótese envolve percepções sobre o grau de compromisso do BC e do governo com o regime de metas de inflação e com a convergência para o centro da meta estabelecida pelo governo. Se ensaios de antecipação pública, pelo governo, do que deveriam ser as decisões futuras do BC se tornarem rotina, não há dúvida de que a credibilidade do Banco Central — que existe — será erodida. E com isso também se esvairá a credibilidade do regime de metas como mecanismo de formação de expectativas quanto ao curso futuro da inflação.

Mas é a quarta hipótese a mais fundamental das apostas do BC. E a mais problemática, a mais difícil de ser alcançada e a mais controvertida, como sabem os que se deram ao trabalho de procurar entender a questão. A propósito, há um trabalho imperdível do ilustre ex-ministro Delfim Netto intitulado "A agenda fiscal" no belo livro organizado por Fabio Giambiagi e Octavio de Barros *O Brasil pós-crise: agenda para a próxima década*. Esse artigo deveria ser de leitura quase obrigatória para aqueles que, no governo ou fora dele, acham que a resolução do problema dos juros no Brasil depende da "estatização do Banco Central".

Aliás, desculpe-me o ilustre ex-ministro, mas, com todo o respeito, considerei uma enorme injustiça, para dizer o mínimo, a afirmação de que, "pela primeira vez em duas décadas o BC é efetivamente um órgão de Estado". Uma enorme injustiça para com servidores públicos exemplares e para com pessoas decentes e de espírito público que lá trabalharam e que não viam a instituição como outra coisa que não um órgão de Estado.

E como disse muito corretamente o ex-ministro no mesmo artigo, referindo-se à política monetária, "ela é uma arte que comporta visões alternativas diante dos problemas do futuro. Como os efeitos monetários se fazem sentir ao longo do tempo, só este é capaz de dizer *a posteriori* se a perspectiva escolhida foi certa ou errada".

Mas uma coisa é apoiar a decisão recente do BC. Outra, diferente, é saudar sua pretensa "estatização" (sem a qual a decisão não teria sido tomada?). E outra, ainda mais controvertida, é afirmar desde agora que há uma definida política fiscal de longo prazo no governo Dilma Rousseff. Pode ser que haja. Esperemos que sim. O tempo dirá. Em breve. Porém, sem responsável ousadia nessa área não será possível assegurar o desejado declínio, sustentado com o passar do tempo, das taxas de juros na economia brasileira, por mais "estatizado" que seja o Banco Central.

Vale concluir com o ex-ministro Delfim Netto no artigo do livro citado: "A única forma possível para que a agenda fiscal dê uma contribuição decisiva para a política econômica (...) será o compromisso do poder incumbente eleito em 2010 de realizar um longo, paciente, responsável e cuidadoso programa de controle do aumento das despesas de seu custeio." As sugestões do ex-ministro para uma nova política previdenciária e orçamentária, bem como uma nova política de pessoal, estão reunidas em apenas duas páginas no final de seu artigo.

Vale lê-las. Ou relê-las.

ENCRUZILHADAS, NOSSAS E DE OUTROS

9 de outubro de 2011

"Em economia, as coisas demoram mais tempo para acontecer do que você pensa (que demorariam) e, então, elas acontecem mais rápido do que você pensava que elas poderiam acontecer." A frase, de Rudi Dornbusch, foi relembrada por Larry Summers em um de seus inúmeros artigos sobre a crise europeia publicados em jornal recentemente. De fato, em mercados financeiros, as percepções quanto a risco e solvência de países, empresas e, principalmente, bancos podem ser tão importantes quanto as realidades de suas respectivas situações.

Um país, por exemplo, será considerado ou não insolvente não apenas em função do nível e da estrutura de suas dívidas e de avaliações sobre sua capacidade de honrá-las, mas também em função de suas políticas domésticas e de percepções sobre o contexto político mais amplo, nacional, regional e global em que estão inseridos o próprio país e os bancos que o financiam.

Exatas duas semanas atrás participei de um painel de debates, em Washington, acerca de reestruturações de dívidas públicas, tema que me é caro há 20 anos. O interesse e a preocupação da audiência eram com a situação europeia em geral e, em particular, com a Grécia de hoje. Coube-me falar sobre se as reestruturações do início dos anos 1990 teriam, ou não, alguma relevância para o atual contexto greco--europeu.

Ocupei meu tempo com três questões:

- primeiro, por que foram necessários sete anos (1982 a 1989) para que os governos dos países desenvolvidos chegassem ao anúncio do Plano Brady?
- segundo, por que o plano foi bem-sucedido?
- terceiro, haveria algo no espírito e na visão de médio e longo prazos no conceito do plano que pudesse ser útil para entender o sério problema de dívida soberana e os problemas de balanços de bancos na Europa de hoje?

Por que sete anos de acrimoniosos debates e extraordinário custo econômico e social para tantos países endividados? Primeiro, porque esses países sofreram três grandes golpes praticamente simultâneos no início dos anos 1980: os efeitos da dramática elevação das taxas de juros norte-americanas decidida pelo FED (Federal Reserve Bank) sob Paul Volcker; os efeitos do segundo choque do petróleo; e os efeitos da grave recessão sincronizada nos países ricos em 1982. Segundo, porque crises dessa magnitude demandam algum tempo para que, por meio do debate de novos e melhores dados, de novas e melhores interpretações e do reconhecimento de que fatos não deixam de existir porque são negados, se explorem mais a fundo as convergências possíveis.

Mas em boa parte também porque grandes bancos de países desenvolvidos simplesmente não estavam preparados para reconhecer, nos seus balanços, deságios expressivos dos valores de seus empréstimos a países endividados, dadas as implicações para seu capital. Por sete anos os reguladores e supervisores bancários tiveram que mostrar flexibilidade e monitorar de perto as provisões e reservas dos grandes bancos. O Plano Brady, anunciado em março de 1989, representou o reconhecimento oficial, afinal, de que um dólar no balanço dos bancos não valia exatamente 100 centavos, que as obrigações de vários países endividados não poderiam ser honradas nas bases originalmente contratadas e que havia uma solução, via substituição negociada da dívida antiga — reduzida — por novos instrumentos da dívida.

Por que o plano foi bem-sucedido? Por três razões, a meu ver. Primeiro, porque não era uma camisa de força geral nem para devedores nem para credores, contudo reconhecia, na partida, que cada caso era um caso e que as negociações seriam complexas porque envolveriam redução ou do estoque da dívida ou de seu serviço. Segundo, porque os credores privados sabiam do apoio de governos dos países desenvolvidos às renegociações e que os Estados Unidos, pelo menos, estavam dispostos a fazer, sob certas condições, emissões especiais de títulos de 30 anos para garantir o pagamento do principal ao fim do período. Terceiro, porque os credores perceberam logo que não teriam a escolha de ficar de fora da negociação e de seu resultado se, ao final, este lhes parecesse inadequado. Que o plano foi bem-sucedido pode ser visto pelo fato de que cerca de 18 países, 11 na América Latina, cada qual à sua maneira, reestruturaram suas dívidas externas.

Sobre a terceira questão — se haveria algo útil da experiência passada para a Europa —, só posso dizer que havia, sim, no processo que levou ao Plano Brady, uma visão de que os principais fatores de risco para um país estão ligados a dificuldades de lideranças políticas, tanto de devedores quanto de credores, para reconhecer realidades fiscais de curto, de médio e de longo prazos — aí envolvidas necessidades fiscais de eventuais resoluções de crises bancárias. Nessas áreas, não faz muito sentido pretender dar lições a outros sobre como proceder. É melhor dar o exemplo. Ou, pelo menos, reconhecer coisas positivas nos outros.

Em discurso de dez dias atrás, o presidente do Fed, Ben Bernanke, mencionou o que os Estados Unidos poderiam aprender com bem-sucedidos países emergentes em termos de crescimento de longo prazo. E vale ler a lista de Bernanke pensando no Brasil: "A importância de políticas fiscais disciplinadas; os benefícios da abertura comercial; a necessidade de encorajar a formação privada de capital enquanto se realizam necessários investimentos públicos; o foco no retorno do investimento em educação e na promoção do avanço tecnológico; e a importância de um contexto regulatório que encoraje o empreendedorismo."

Deixo ao leitor avaliar se estamos em condições de dar lições a outros países, mais ricos em todas essas áreas. E se talvez não fosse melhor estarmos mais voltados para nossas próprias encruzilhadas, que não são as mesmas com que se defrontam os países ricos. Mas não menos importantes por causa disso. Muito pelo contrário.

PEDRO MALAN

RITMOS DA POLÍTICA E DA ECONOMIA

13 de novembro de 2011

A presidente Dilma Rousseff tentará formar um ministério que possa chamar de seu em 2012. O que não era o caso daquele com o qual começou a governar: quase 40 ministros, muitos herdados das composições do ex-presidente Lula; milhares de cargos de confiança já devidamente ocupados; 15 partidos na base aliada, todos com expectativas de "direitos" a serem conquistados ao assegurarem uma grande maioria no Congresso Nacional.

A presidente sabe, de sua experiência na Casa Civil de Lula e de seus primeiros dez meses na Presidência, quão difícil é o desafio que tem pela frente, à luz de compromissos assumidos em seu discurso de posse: "Estamos construindo um governo onde capacidade profissional, liderança e disposição de servir ao país serão os critérios fundamentais. (...) Serei rígida na defesa do interesse público. Não haverá compromisso com o erro, o desvio e o malfeito. A corrupção será combatida permanentemente, e os órgãos de controle e investigação terão todo o meu respaldo para atuarem com firmeza e autonomia."

Norberto Bobbio distingue, além do governo do *poder visível*, que em democracias como a nossa é exercido publicamente, à luz do sol, e sob controle da opinião pública, de duas outras faixas de poder: o *poder semissubmerso*, esse vasto espaço ocupado pelos órgãos e entidades públicas por meio dos quais se exerce o dia a dia operacional das políticas governamentais; e a faixa de *poder invisível*, que pode ser dirigido a lutar contra o Estado — organizações criminosas e associações de delinquência de todo tipo — e pode ser um *poder invisível* formado e organizado não para combater o poder público, mas para extrair benefícios ilícitos e buscar vantagens que com uma ação feita à luz do sol não seria possível.

O problema, com frequência, são as relações espúrias entre os poderes invisíveis e semissubmersos, aos quais se refere Bobbio, quando o poder visível não dá sinais muito claros sobre o que constituem comportamentos inaceitáveis na gestão da coisa pública.

A presidente Dilma, a esse respeito, tem dado sinais e tomado decisões que pelo menos a diferenciam da complacência talvez excessiva de seu antecessor. Embora sem nunca perder de vista as limitações que lhe impõe a necessidade de manter unida sua vasta e heterogênea base aliada.

O tempo dirá como a presidente conseguirá estabelecer um delicado equilíbrio entre essa necessidade e o peso — que sabe potencialmente importante — da opinião pública que se expressa através da mídia livre e independente. A política tem seus próprios tempos, que podem ser longos, permitindo que certas práticas e comportamentos deitem raízes — para o bem ou para o mal.

Permita-me o eventual leitor uma breve digressão sobre a crise europeia antes de voltar ao Brasil e aos ritmos da economia e da política.

Não é por acaso que os países que enfrentam hoje as maiores dificuldades sejam exatamente os que já tinham, antes da crise iniciada em 2007, déficits fiscais e de balanço de pagamento mais expressivos e/ou estoques da dívida pública mais elevados e/ou problemas de competitividade internacional e baixo crescimento.

O euro eliminou a possibilidade de políticas monetária e cambial independentes. Há apenas política fiscal e reformas estruturais. Que agora terão de ser feitas em condições muito mais difíceis. Os tempos da economia e da política convergiram. A lição para eles — e para nós — é que nos momentos de bonança é que se deve procurar diagnosticar e encaminhar soluções para problemas de longo prazo, por mais "irrealista" que isso pareça do ponto de vista político.

Em artigo recente neste *Espaço Aberto*, comentando a decisão do Banco Central de dar início no final de agosto à trajetória de redução das taxas de juros, mencionei as quatro razões do banco:

- agravamento maior que o esperado da crise internacional;
- redução maior que a esperada da taxa de crescimento da economia brasileira;
- confiança na convergência da inflação para mais próximo do centro da meta ao final de 2012;

- e confiança no "programa fiscal do governo". Notei à época que este era o "calcanhar de aquiles" da estratégia de redução sustentada dos juros reais. Continuo achando. E tomo a liberdade de relembrar uma experiência.

No dia 9 de setembro de 1998, exatas três semanas após a decretação da moratória russa e com a eclosão das graves preocupações com risco sistêmico associadas a problemas com alguns grandes fundos de *hedge* norte-americanos, o *Diário Oficial* publicou um decreto e uma medida provisória. O decreto criou uma Comissão de Controle Fiscal com amplos poderes para tomar decisões de contenção de gastos ainda nos últimos três meses e três semanas de 1998. A medida provisória, em um de seus artigos, diz: "O Poder Executivo apresentará, até 15 de novembro de 1998, Programa de Ajuste Fiscal para o triênio 1999-2001."

Por que menciono isso?

Primeiro, porque foi esse programa — executado rigorosamente no triênio seguinte — que permitiu que o regime de flutuação cambial e o de metas de inflação se consolidassem no Brasil, a partir de 1999, o que beneficiou enormemente o governo Lula.

Segundo, porque creio que algo semelhante, e talvez mais ambicioso, é necessário agora. Um programa fiscal para pelo menos o triênio 2012-2014 que seja crível e executado de forma a prover as bases para uma estratégia sustentada de redução de taxas de juros nominais e reais, com inflação convergindo para a meta também de forma crível. Um programa fiscal para o triênio que falta à atual presidente e que seja a operacionalização do compromisso que assumiu em seu discurso de posse: fazer mais, e *melhor*, com os recursos existentes, controlar a velocidade de crescimento dos gastos governamentais, mudando sua composição em favor do investimento público.

2012

2012

Taxa de crescimento no ano	1,9 %
Taxa de inflação no ano	5,8 %
Taxa de câmbio no final do ano	R$ 2,05
Mín. R$ 1,70 Máx. R$ 2,14	
Taxa de juros no final do ano	7,25 %
Mín. 7,25 % Máx. 10,50 %	

JANEIRO

O Brasil tira 10 milhões da pobreza. Pela primeira vez a classe E representa menos de 1% dos 49 milhões de domicílios brasileiros, de acordo com o IBGE.

FEVEREIRO

Em busca de investimentos, o governo concede à iniciativa privada os terminais dos aeroportos de Guarulhos (SP), Viracopos (SP) e Brasília, arrecadando R$ 24,5 bilhões.

O STF considera a Lei da Ficha Limpa constitucional e ela passa a valer já nas eleições municipais de 2012.

MARÇO

O IBGE anuncia o crescimento do PIB de 2011: 2,7%. Porém, como em março de 2015 a metodologia de cálculo foi mudada, o PIB de 2011 é ajustado para 3,97%.

MAIO

Para baixar os juros, o governo muda as regras da poupança, atrelando a remuneração aos juros básicos.

Entra em vigor a Lei de Acesso à Informação, que obriga os órgãos públicos a fornecer informações sobre suas atividades a qualquer cidadão.

O governo anuncia desconto no IPI, após meses de baixa na venda de carros e aumento de estoques. Com isso as vendas têm os melhores meses de junho e julho da história, com recorde de emplacamentos em agosto.

JUNHO

Vinte anos após a histórica Rio 92, o Brasil sedia a Conferência do Clima da ONU.

JULHO

Em meio à crise de confiança no euro, o presidente do Banco Central Europeu, Mario Draghi, anuncia que a instituição fará o que for necessário para preservar a estabilidade da moeda.

AGOSTO

O STF condena 25 dos 37 réus do Mensalão.

O Palácio do Planalto decide começar a reduzir os juros.

OUTUBRO

Dilma sanciona o novo Código Florestal.

Com o resultado das eleições, os três maiores partidos do país (PT, PMDB e PSDB) vão governar quase 50% do eleitorado. O PT consegue eleger o prefeito em São Paulo, com a vitória de Fernando Haddad sobre José Serra (PSDB), além de conquistar o maior número de prefeituras em cidades grandes.

NOVEMBRO

O Banco Central mantém a Selic em 7,25% ao ano, na mínima histórica, após dez cortes consecutivos na taxa básica de juros.

Dilma sanciona a Lei dos Royalties do Petróleo e veta artigo que reduz a fatia de estados produtores e aumenta a de não produtores nos contratos em vigor.

Juros do crédito atingem menor valor em 18 anos.

VIVENDO E APRENDENDO
12 de fevereiro de 2012

A grande maioria da população, em qualquer país, está de tal forma assoberbada por afazeres e responsabilidades do dia a dia de sua vida privada que não tem tempo para o cultivo da memória sobre o passado, não tem muito interesse em problemas coletivos de médio e longo prazos à frente, tampouco tem tempo e paciência para com detalhes acerca de discussões técnicas ou excesso de informações estatísticas.

Isso não impede, contudo, que por vezes se forme uma "opinião popular" a respeito de determinados temas. Opinião que pode, sim, ser influenciada pela "opinião pública", que se constitui e se transforma pelo debate aberto entre os que têm memória e interesse em problemas à frente e estão dispostos a investir tempo nesse debate.

Mas, como notou Albert Hirschman, "muitas das pessoas que participam desses debates têm apenas uma opinião inicial, aproximada e um tanto incerta sobre as questões de políticas públicas envolvidas. Não obstante o ar de convicção com que anunciam suas opiniões, as posições mais articuladas surgem apenas através do debate — cuja função é desenvolver novos argumentos, bem como gerar novas informações. Como resultado, posições finais podem estar a alguma distância das opiniões originalmente mantidas — e não apenas como resultado de compromissos políticos com forças opostas".

Nós, brasileiros, sabemos que isso aconteceu no Brasil. Uma oposição barulhenta e por vezes irresponsável foi obrigada a mudar gradualmente de posições quando passou a assumir, democraticamente, responsabilidades de governo. O discurso da ruptura necessária, a falsa certeza de um superior modo de governar, a pretensa superioridade moral e o maniqueísmo do "nós" *versus* "eles" e do famoso "a opinião pública somos nós" tiveram de ceder lugar à responsabilidade e ao pragmatismo necessários ao ato de governar, para todos.

Muitos de nós, brasileiros, sabemos que a gradual desconstrução da herança que o lulopetismo construiu para si nas suas duas primeiras décadas teve início com o processo que levou ao crucial parágrafo da carta-compromisso de junho de 2002 e à civilizada transição do governo Fernando Henrique Cardoso para o de Luiz Inácio Lula da Silva. E continuou com a preservação das linhas básicas dos regimes monetário, fiscal e cambial, com o fim das críticas abertas ao Proer (Programa de Estímulo à Reestruturação e ao Fortalecimento do Sistema Financeiro Nacional), na verdade, oferecido publicamente por Lula a George W. Bush. A lista é longa. O que importa é que esse processo continua, como mostram as privatizações da semana passada.

A esse respeito vale notar que muitos dos que defenderam (como eu) as mudanças constitucionais realizadas em meados dos anos 1990, bem como o subsequente regime de concessão da Lei do Petróleo de 1997, não o fizeram por motivações de natureza político-ideológica. A posição que tínhamos era de um pragmatismo responsável que havia chegado à conclusão de que o volume de investimento que o Brasil (não o governo FHC) precisava realizar a médio e longo prazos nas várias áreas de infraestrutura era de tal magnitude que simplesmente não poderia ter lugar apenas com os gastos governamentais, de empresas e de bancos públicos. Era imperativo, portanto, abrir oportunidades, então vedadas ou restringidas, ao setor privado (doméstico e internacional), pensando no desenvolvimento do país.

Pois bem, o lulopetismo conseguiu o feito de, ao mesmo tempo que se beneficiava, como governo, dos resultados do processo de privatização, apresentar esse processo como uma dilapidação do patrimônio do povo brasileiro, que caberia interromper e denunciar *ad nauseam*. As oposições atuais não foram capazes de enfrentar abertamente — ou não o desejaram — essa discussão. Ao contrário, não só a evitarem, como tiveram, a meu ver, um discurso defensivo, quando não equivocado, nas eleições de 2006 e 2010.

O que o governo Dilma Rousseff fez, após anos e anos de hesitações durante o governo anterior (em função de controvérsias entre suas inúmeras facções, correntes e movimentos), foi exatamente chegar à mesma conclusão a que havíamos chegado há mais de 15 anos para outros casos: não havia futuro para os grandes aeroportos brasileiros com a continuidade do "modelo Infraero". Nem na gestão nem na capacidade de realização eficaz dos investimentos absolutamente necessários, após anos de negligência, ineficiência e procrastinação.

O presidente da Odebrecht Infraestrutura, que integrou um dos consórcios que disputaram os leilões da semana passada, disse em entrevista ao jornal *O Globo* crer que está em curso "uma evolução do modelo estatal antigo". E também que acredita que "o modelo de parceria público-privada no qual a Infraero fica com 49% das novas empresas é temporário, embora importante para romper com o paradigma dos aeroportos estatais". E mais: "Gradualmente, o governo perceberá que faz mais sentido direcionar recursos públicos escassos para áreas em que o Estado precisa estar mais presente, como a educação e o saneamento." Espero que ele tenha razão.

Quero concluir com uma observação sobre a expressão, que virou uma espécie de mantra, repetido à exaustão e de forma eloquente por lideranças políticas e econômicas dos mais variados países para demonstrar sua férrea determinação em superar não só dificuldades existentes, como expectativas de quaisquer dificuldades futuras: "Faremos tudo o que for necessário para..." (a lista é longa).

Isso vai do "Yes we can" norte-americano ao "Whatever it takes..." europeu e ao típico do nosso governo: "Não permitiremos que..." (a lista é longa). O penúltimo filme de Woody Allen tinha como título, em inglês, a expressão *Whatever works* (o que quer que funcione). A tradução desse título para o português foi mais alentadora: *Pode dar certo*. Estaremos torcendo para tal, pensando na observação de Albert Hirschman, no que já avançamos e no muito que ainda falta por avançar.

PEDRO MALAN

EM BUSCA DO TEMPO PERDIDO
11 de março de 2012

A sempre inteligente revista britânica *The Economist*, que já existia havia quase 30 anos quando Marcel Proust nasceu, acaba de criar, exatos 90 anos após a morte do grande escritor, um "índice Proust", que procura medir o "tempo perdido", ou melhor, a extensão do retrocesso (em anos) causado pela grave crise econômica, financeira e fiscal que há quase meia década assola o mundo desenvolvido.

A medida até agora mais simples desse retrocesso já era preocupante: entre os 34 países mais "desenvolvidos", 28 não haviam alcançado, em 2011, o nível de produto *per capita* que tinham em 2007. A revista utiliza mais seis indicadores, além do PIB: consumo privado, desemprego, salário real, preços de ativos financeiros, preços de habitação e riqueza familiar. Uma média de retrocessos — tempo perdido em anos — em cada uma das três categorias em que estão agrupados esses indicadores produz o "índice Proust".

Alguns dos resultados: para a Grécia, o relógio teria sido atrasado em 12 anos. Irlanda, Itália, Portugal e Espanha teriam "perdido" sete anos ou mais. A Inglaterra, oito. Os Estados Unidos, epicentro do abalo sísmico que afetou a economia mundial, estariam, na média dos indicadores acima, com um atraso de dez anos. A revista não apresenta índices de Proust para países "em desenvolvimento". Mas é sabido que, entre os 150 membros desse grupo, cerca de 33 teriam, em 2011, renda *per capita* inferior à que tinham em 2007.

Isso não significa, de forma alguma, uma projeção para os anos à frente que seriam necessários para recuperar os anos "perdidos". É sabido que médias desse tipo podem encobrir tanto ou mais do que revelam. E que alguns dos indicadores do índice em questão podem mudar muito mais rapidamente que outros, por exemplo, os preços de ativos, após longos períodos de declínio. O fato é que, em definitivo, não era uma "marolinha", como se disse por aqui.

Os países de alta renda, cujas dificuldades têm consequências de ordem sistêmica, em seu conjunto, deverão crescer menos de 2% entre 2007 e 2012, enquanto no mesmo período a China, a Índia e o Brasil deverão crescer — e por razões distintas — cerca de, respectivamente, 56%, 43% e 21%. Fica cada vez mais claro que essa crise está levando a uma mudança estrutural na composição da demanda e da oferta globais. E exigindo, de todos os países, respostas adequadas em termos de políticas domésticas — para além da área econômica.

Não é apenas o mundo desenvolvido que se precisa lançar numa proustiana busca do tempo perdido para "recuperá-lo" — através de uma melhor memória de seu passado, base para uma visão de seu futuro. Permito-me ilustrar tal ponto reproduzindo um texto recente: "Os principais obstáculos do rápido desenvolvimento econômico são internos e não externos. Entre as restrições óbvias estão falhas de governança, gastos desnecessários com subsídios (...), um histórico terrível em termos de educação e saúde para a maioria da população, leis trabalhistas rígidas, infraestrutura inadequada e restrições ao uso eficiente da terra."

Como diria o grande Ancelmo Gois, "deve ser duro viver em um país assim". Apesar de soar muito familiar, a observação foi feita em um livro recém-lançado, *A Índia após a crise mundial*, de Shankar Acharya, ex-assessor econômico do chefe de governo indiano. O que sugere que até para um país que deve crescer mais que o dobro do Brasil entre 2007 e 2012 existe uma enorme necessidade de "buscar o tempo perdido". Mesmo porque as deficiências aqui mencionadas constituem oportunidades de investimento e apontam para a necessidade de continuidade no processo de reformas que permitiu o enorme progresso daquele país.

A grande lição não deveria passar despercebida para nós, brasileiros. E talvez não esteja. Em meu artigo neste espaço no segundo domingo do mês passado ("Vivendo e aprendendo", 12/2/12), escrevi que os leilões de concessão ao setor privado dos aeroportos de Guarulhos, Viracopos e Brasília vinham com um atraso de muitos anos, mas representavam, afinal, uma vitória do pragmatismo sobre a ideologia. Uma busca do tempo perdido para recuperá-lo — pensando no futuro.

Pois bem, nas últimas semanas tivemos outro exemplo: com 14 anos de atraso (tempo perdido) os fatos e os argumentos acabaram prevalecendo sobre a ideologia e o corporativismo. O governo Dilma Rousseff, afinal convencido de que o regime de previdência dos servidores públicos era absolutamente insustentável no médio e no longo prazos, decidiu mobilizar-se para mudá-lo, mostrando um entendimento que faltou ao governo Lula.

Existem muitos outros avanços possíveis e necessários exatamente agora, quando fica cada vez mais claro que o crescimento econômico sustentado a taxas superiores a 4% ao ano exige uma taxa de investimento privado mais elevada, especialmente em infraestrutura. Há que ampliar o regime de concessões (já que o lulopetismo não pode ouvir falar em privatizações) nessas áreas. E isso é urgente.

A ideia de que o problema fundamental do crescimento brasileiro é reduzir os juros e desvalorizar o câmbio ainda é muito arraigada entre nós, assim como a suposição equivocada de que o governo pode colocar as taxas reais de juros e câmbio no patamar que quiser. Menos arraigada entre nós é a necessidade de entender por que certos países foram bem-sucedidos e outros estão sendo no presente, caso dos asiáticos. Estes construíram um complexo e eficiente sistema educacional e uma invejável estrutura logística de transportes, cadeias de suprimentos e mecanismos pragmáticos de cooperação regional, sem perder de vista a sua integração com o resto do mundo.

É muito importante extrair dessas experiências — nada ideológicas — as lições corretas para o nosso futuro.

FATALIDADES E VOLUNTARISMOS
13 de maio de 2012

"A austeridade não é uma fatalidade", disse o novo presidente da França no dia de sua vitória, domingo passado. Os gregos, que votaram nesse mesmo dia, parecem estar de acordo, assim como muitos outros europeus. A frase de efeito de François Hollande não é incorreta, mas precisa ser situada no contexto do drama em que se debate a Europa desde 2007. Com particular intensidade desde que, há exatos dois anos, os ministros da Fazenda europeus viraram o segundo fim de semana de maio acertando a forma de evitar o então iminente calote grego e o efeito contágio que isso teria sobre outros países da região — e sobre seus bancos.

Os gregos antigos entendiam de tragédias e as expressavam em seus poemas épicos por meio de belas metáforas. Na *Ilíada*, o herói atacava uma cidade que sabia que não conseguiria conquistar; a cidade se defendia valorosamente, sabendo que no final seria derrotada. Uma pessoa culta como Hollande talvez estivesse querendo dizer, metaforicamente, que as coisas não precisam acontecer porque os deuses dos gregos antigos assim decidiram. E que nossa vida e nosso futuro estão em nossas mãos — como sempre estiveram. Nesse sentido, é correto dizer que a austeridade, como muitas outras coisas na vida, não é uma fatalidade.

Mas a frase de Hollande, já como presidente eleito, expressou de forma sintética o sentimento de milhões de europeus. E deu renovado alento a um falso dilema, mais uma genérica dicotomia entre os defensores da "austeridade" e seus antípodas, os defensores do "crescimento", como se essa fosse a fundamental, óbvia — e fácil — opção europeia.

Afinal, por que alguém preferiria sofrer as agruras da "austeridade" quando poderia, livremente, escolher maior crescimento, renda e emprego, votando em quem se proponha a trazê-los de volta — pela força de sua vontade e capacidade para tal empreitada?

A propósito, *Linhas de falha*, o belo livro de Raghuram G. Rajan, teve sua edição brasileira lançada na semana passada. Vale citar o trecho a seguir: "Governos democráticos não são programados para pensar em ações que têm custos a curto prazo, mas que produzem ganhos a longo prazo — que é o típico padrão de retorno de qualquer investimento. Que por vezes governos façam esses investimentos é uma consequência ou de uma liderança incomumente corajosa ou de um eleitorado que compreende os custos de adiar escolhas difíceis. Liderança corajosa é coisa rara. Também é raro um eleitorado informado e comprometido, porque os próprios especialistas são muito confusos (...), o debate não leva a um consenso, os moderados entre o eleitorado não sabem bem no que acreditar, e o resultado é que as escolhas de políticas seguem o caminho do menor desconforto — até que a situação se torne insustentável."

Contudo, como diz adiante o autor, "as democracias são necessariamente generosas, enquanto os mercados e a natureza não são". E nas inevitáveis respostas a situações que se tornam insustentáveis, muitos governos podem atingir os limites de sua capacidade (de tributar, de gastar, de se endividar, de reformar, de gerir, de investir), ficando tentados a seguir cursos indesejáveis de ação. Enquanto os políticos hesitam em empreender ações dolorosas, mas necessárias, para colocar a economia no rumo apropriado para o crescimento de longo prazo, os problemas se agravam e se tornam mais difíceis de resolver. Como diz Rajan, "mais anos à deriva" levarão ao aumento dos encargos da dívida pública, a mais direitos (ou expectativas de direitos) frustrados ou inacessíveis e a um crescente número de desfavorecidos.

Devo dizer que estou entre os inúmeros admiradores da "construção europeia" após a Segunda Guerra Mundial. O que os europeus investiram nesse processo, por mais de 60 anos, permite certa confiança de que serão capazes, ainda que a elevados custos, de se erguer à altura dos enormes desafios atuais. Porque as lideranças políticas, econômicas e culturais europeias sabem o que está em jogo. E, apesar de seu conturbado processo decisório, deverão fazer o necessário.

O necessário hoje, a meu ver, já está acontecendo. Esse debate sobre "austeridade *versus* crescimento", quando assim generalizado, é um falso debate. No entanto, mesmo novas lideranças políticas eleitas para fazer *whatever it takes* (o que quer que seja necessário) a fim de retomar o crescimento sabem, e muito bem, que essa retomada, em muitos países (inclusive na França), não pode ser realizada por meio do aumento adicional dos seus já elevados déficits fiscais anuais e de seus não menos elevados estoques de dívida pública. Na verdade, para muitos países, é fundamental reduzi-los e não apenas não aumentá-los.

A discussão econômica séria hoje na Europa não é sobre se há ou não necessidade de ajustes fiscais. É sobre a possibilidade de recalibrá--los de maneira crível e factível (numa perspectiva de médio prazo) para que a necessária redução dos déficits e dos estoques de dívida seja menos intensamente concentrada nos primeiros anos e, portanto, não tenha efeitos tão negativos sobre o crescimento. Isso é possível e, em alguns casos, necessário. Mas a agenda do crescimento europeu, como a nossa, transcende de muito essa questão.

Por certo há limites para a austeridade que podem ser de natureza econômica ou político-social, e que sempre dependem do contexto específico de cada país. Também é verdade que há limites para o crescimento que são ou deveriam ser conhecidos. Governos não decidem, por meio de atos de vontade política, as taxas de crescimento futuro de uma economia — só os ingênuos, ou arrogantes, pensam assim.

Em resumo, há limites para a austeridade, há limites para o crescimento e há limites para o voluntarismo. Nenhum deles é uma fatalidade. Ainda bem.

EUROPA E BRASIL, URGÊNCIAS NO GRADUALISMO
10 de junho de 2012

"Não é que as lideranças políticas europeias não saibam o que fazer; o que elas não sabem é como se reeleger depois de tentarem fazer o que precisa ser feito." A frase de efeito do então presidente do Conselho de Ministros da Fazenda da União Europeia, Jean-Claude Juncker, pode ser lida como uma defensiva ironia sobre conflitos entre as prioridades do contexto político doméstico e as necessidades de ação coletiva — e coordenadas no âmbito europeu.

No mundo real, que nem sempre é o das promessas de campanha, as "soluções" para questões de fundo exigem ações que se desdobram no tempo e, portanto, demandam uma perspectiva gradualista. Mas — lá como cá — há urgências no gradualismo, paradoxal como possa parecer. Assim como há necessidade de que a estratégia gradualista seja percebida como algo factível, com um mínimo de coerência, derivada de comprometimentos críveis, e não apenas de exercícios retóricos como as reiteradas reafirmações da intenção de "fazer o que for necessário".

Segue um breve comentário sobre o que me parece mais urgente no gradualismo europeu, antes de outro breve comentário sobre o que considero mais urgente no gradualismo brasileiro.

"Santa Mario" era o título de um relatório do Institute of International Finance publicado às vésperas do Natal do ano passado, quando o presidente do BCE (Banco Central Europeu), Mario Draghi, anunciou que a instituição estaria fornecendo empréstimos de três anos em quantidades ilimitadas a bancos da região, a uma taxa de 1% ao ano, em duas operações: no final de dezembro e no final de fevereiro. Centenas de bancos se candidataram e, nas duas operações, tomaram € 1,02 trilhão, levando o balanço do BCE de € 2 trilhões para € 3 trilhões em dois meses. A dupla operação acalmou os mercados por algum tempo, enquanto durou a expectativa de que o Banco Central Europeu estaria pronto a fazer "o que quer que fosse necessário", sempre.

Draghi sempre deixou claro que a ação do BCE era parte de suas responsabilidades de assegurar liquidez ao sistema financeiro europeu, mas que era fundamental que os governos dos países do euro chegassem a um acordo coletivo sobre um "novo pacto fiscal", além de outras reformas que dependiam do contexto de cada país.

"A sequência é importante", escreveu Draghi mais de uma vez. "A restauração e/ou a preservação de confiança no curto prazo depende de uma âncora no longo prazo." É certo que a ação do BCE precisa ser complementada com ações em outras áreas. E o presidente da instituição insiste, corretamente, na urgência de avançar, ainda que gradualmente, na resolução desse problema de ação coletiva.

Hoje, junho de 2012, a principal "urgência no gradualismo" europeu é interromper de maneira crível o processo de causação circular cumulativa entre problemas de balanços de bancos e de dívidas de países soberanos. Por que a principal urgência? Porque, em se tratando de bancos em dificuldades, "as coisas acontecem mais rápido do que você pensava que pudessem acontecer". E o espaço fiscal para um governo, sozinho, lidar com problemas de bancos grandes pode não existir. Portanto, uma solução cooperativa precisa ser encontrada — e rápido.

E nós? O Brasil não tem crise bancária nem crise de dívida soberana, ambas se reforçando. Mas há outra urgência, não menos trivial, com que se defronta a Europa e que, no geral, é a principal urgência no gradualismo brasileiro: assegurar uma rápida elevação sustentada dos investimentos privados e públicos, com elevação da produtividade e da competitividade do país.

O debate público no Brasil vem mostrando uma convergência grande, para não dizer um quase consenso, sobre a prioridade básica atualmente: aumentar os investimentos e a produtividade do capital e da mão de obra para que o país possa crescer de forma sustentada a taxas bem mais elevadas que os 2,5%, ou pouco mais, que podem vir a ser a média de 2011-2012.

Demos por assentado que as mudanças serão graduais, como sempre, no Brasil e alhures. Porém, no momento, dadas as prioridades conferidas aos investimentos, deveria haver um renovado sentido de urgência em, pelo menos, acelerar, e muito, o processo de concessões ao setor privado em várias áreas de infraestrutura (aeroportos, estradas, portos, energias); retomar o processo de licitação das áreas para exploração do petróleo e gás, interrompidas desde 2008; avaliar de maneira fria e objetiva se a "política de conteúdo nacional" não poderia estar levando a atrasos nos cronogramas de investimentos (públicos e privados); conferir prioridade absoluta à necessidade de redução do chamado custo Brasil para os investidores nacionais e estrangeiros (com foco no que se pode fazer no curto prazo que seja consistente com uma estratégia gradualista, e que não sejam meras respostas a miríades de demandas específicas); definir as reais prioridades na efetiva execução dos milhares de obras do PAC (Programa de Aceleração do Crescimento); buscar formas para alimentar a participação dos investimentos no gasto público em relação aos outros gastos. Esses são apenas exemplos de coisas que a presidente Dilma Rousseff pode decidir, e fazer acontecer, em seu mandato.

A presidente já demostrou que tem plena consciência dessa urgência. E que tem a coragem para fazer o necessário. A presidente sabe que não há nenhuma pessoa séria torcendo contra o país ou desejando o fracasso de seu governo (à diferença de certa oposição irresponsável em passado recente). A presidente sabe que tem de lidar com problemas em sua amplíssima base de sustentação no Congresso Nacional, com as várias facções do próprio partido e com os inúmeros corporativismos do setor público, para avançar nas áreas citadas — se é que o "objetivo" de elevar a taxa de investimento para 22%-23% do PIB em seu mandato não se trata apenas da expressão de um desejo.

PEDRO MALAN

A MAIORIDADE DO REAL E OS PRÓXIMOS 18 ANOS

8 de julho de 2012

Há exatamente uma semana o real completou os primeiros 18 anos do que espero seja a longa vida de uma moeda que veio para ficar como um dos símbolos do avanço institucional do país. Os brasileiros que tinham 18 anos em 1994 — e, portanto, todos os que estão hoje na faixa dos 36, 40 anos — provavelmente não têm qualquer lembrança pessoal significativa, isto é, vivida, da marcha da insensatez que foi a evolução do processo inflacionário no Brasil pré-real.

Vale lembrar: no meio século que vai de meados dos anos 1940 a meados dos anos 1990, o Brasil só teve três anos de inflação inferior a 10% (nos anos 1940). Entre 1950 e 1980 a taxa média de inflação foi da ordem de 25%, 30% ao ano. Do início dos anos 1980 (quando chegou a 100%) até o real, a taxa média anual foi superior a 600%, passando dos 1.000% em 1989 e chegando a quase 2.500% em 1993. Na literatura econômica há uma palavra para isso: hiperinflação.

Ainda era muito precária à época a percepção, que hoje felizmente existe, de que a inflação é um imposto. E o mais injusto de todos, porque incide principalmente sobre os mais pobres. Não por acaso os indicadores de concentração de renda e riqueza no Brasil nas últimas décadas — sejam os índices de Gini, sejam as parcelas de renda apropriadas pelo 1% mais rico e pelos 20% mais pobres — mostram que os piores anos de desigualdade na concentração de renda no Brasil foram no final da década de 1980 e no início da de 1990.

O povo brasileiro entendeu, muito rapidamente, que o controle da inflação propiciado pelo real era algo que redundava em seu benefício. E hoje a inflação baixa é vista como objetivo da sociedade e obrigação de qualquer governo minimamente responsável. Não é um fim em si mesmo, como sempre afirmamos, mas uma condição indispensável para que outros objetivos econômicos e sociais possam ser alcançados. Afinal, com inflação alta, crônica e crescente, não há possibilidade alguma de verdadeira inclusão social, tampouco de crescimento sustentado.

O que quero dizer com isso? Que a importância e o significado do real, que ora atinge sua maioridade, transcende de muito a derrota da hiperinflação em 1994. E que a agenda do Brasil pós-hiperinflação se confundia com a própria agenda do desenvolvimento econômico e social do país, que pôde, sem a zoeira da inflação, começar a alargar seus horizontes e procurar tornar-se um país mais normal, mais previsível, mais confiável, mais competitivo. Um país talvez capaz de crescer de forma sustentada, com inflação sob controle, com maior justiça social, menos pobreza, com as finanças públicas em ordem, infraestrutura decente, melhor educação e maior eficiência nos setores público e privado.

Como sabemos, 18 anos é pouco para a magnitude dessa empreitada. Mas o Brasil não começou com o real e já havia avançado muito em períodos anteriores, apesar de aparências em contrário. Agora é preciso contemplar os próximos 18 anos. Afinal, 2030 está logo ali adiante, quando os que chegaram à sua maioridade com o real — como meu filho mais moço — terão dobrado de idade.

Quem viver até lá acompanhará as tentativas do governo atual, e os labores dos governos que se lhe seguirão, de lidar com as urgências constantemente postas e repostas pelo sempre fugidio "momento presente" — que exigem respostas no curto prazo por parte dos responsáveis por políticas públicas. Respostas que serão tão mais adequadas quanto mais levarem em conta objetivos de longo prazo: políticas de Estado, e não apenas do governo de turno; para a próxima geração, e não somente para a próxima eleição.

Como procurou fazer o governo Fernando Henrique Cardoso nessa área de respostas a problemas que precisavam ser encarados com firmeza — e o foram. Exemplos: a resolução de problemas de liquidez e solvência no sistema bancário nacional, privado e público; a reestruturação das dívidas de estados e municípios insolventes do ponto de vista fiscal e desde então sem problemas mais sérios nessa área; a Lei de Responsabilidade Fiscal de maio de 2000, marco de mudança histórica nas finanças públicas brasileiras; o reconhecimento de que as necessidades de investimentos do país (não do governo) superavam a capacidade do setor público e de suas empresas, exigindo mudanças, até mesmo constitucionais, que abrissem espaço ao investimento privado, doméstico e internacional.

É verdade que o ex-presidente Lula nunca reconheceu de público quanto seu governo se beneficiou desses avanços. Ao contrário, preferiu caracterizá-los como herança maldita, algo que não o engrandece. Mas não importa, a presidente Dilma Rousseff fez tal reconhecimento de público de maneira muito explícita em mais de uma ocasião, desde seu relevante discurso de posse. Conforme já haviam feito importantes ministros de Lula, como Antonio Palocci e Paulo Bernardo.

A propósito, é importante reconhecer que o governo Dilma, à diferença de seu antecessor, que nem sequer tentou (ou porque não quis, ou porque não pôde, ou talvez porque o extraordinário vento a favor que pegou da economia mundial lhe permitiu evitar incorrer em custos políticos domésticos), está procurando enfrentar certas "urgências do gradualismo" — para as quais deveria ter apoio de quem pensa no longo prazo —, como a mudança do insustentável regime de previdência do setor público e as "inexoráveis" concessões ao setor privado em áreas de infraestrutura. Para não falar nas necessárias resistências do Executivo às insaciáveis demandas de sua vastíssima "base de apoio" por contínua expansão dos gastos públicos no curto, no médio e no longo prazos.

Debates desse tipo são fundamentais quando se olha à frente. Afinal, teremos nada menos que cinco eleições presidenciais nos próximos 18 anos.

EUROPA E BRASIL, ALGO A VER?

12 de agosto de 2012

Duas semanas atrás, o presidente do BCE (Banco Central Europeu), Mario Draghi, fez uma importante palestra para uma atenta plateia de analistas e investidores, em Londres, sobre as responsabilidades da instituição quanto ao euro. O discurso de 26 de julho teve grande repercussão nos mercados.

Primeiro, porque na reunião de cúpula de 28, 29 de junho passado o comunicado dos chefes de Estado dizia: "Nós reafirmamos o nosso compromisso firme de fazer o que for necessário para assegurar a estabilidade financeira na Eurozona, em particular quanto ao uso dos instrumentos existentes (European Financial Stability Facility — EFSF e European Stability Mechanism — ESM) de maneira flexível e eficiente, de modo a estabilizar os mercados." O forte discurso de Draghi foi lido, de início, como um sinal de que as conversações intraeurozona estavam avançando.

Segundo, e mais importante, porque Draghi, referindo-se aos custos proibitivos que alguns países europeus estavam pagando para refinanciar suas dívidas (leia-se Espanha e Itália), afirmou: "Na medida em que estes *spreads* impedem o funcionamento dos canais de transmissão da política monetária e envolvem riscos de conversibilidade na Zona do Euro, eles se situam no âmbito do nosso mandato (...) e, nos termos do seu mandato, o BCE está pronto a fazer o que for necessário (*whatever it takes*) para preservar o euro." E emendou: "Acreditem em mim, isso seria suficiente."

O recurso retórico dessa última frase foi o que moveu corações, mentes e nervos nos mercados. Afinal, parecia que havia luz no fim do túnel e que talvez estivessem sendo reduzidas gradualmente as conhecidas resistências alemãs, baseadas tanto em seu jogo político doméstico como na interpretação do tratado europeu que proíbe que o BCE estenda créditos a países soberanos (apenas a instituições financeiras ou a entes que possam receber "licença bancária" e atuar como se instituições financeiras fossem).

Mas o primeiro-ministro da Itália, Mario Monti, em entrevista ao *Wall Street Journal* na semana passada, após ressaltar a importância da parte do comunicado dos chefes de Estado acima citada, afirma, com base naquele compromisso: "Se eu fosse presidente do BCE me sentiria moral e politicamente protegido para dar passos ousados no momento apropriado." Muitos, e não apenas na Espanha e na Itália, pensavam como Monti, ao acharem que Draghi estaria preparando o terreno para ação do BCE.

Draghi tem sido cauteloso desde seu discurso londrino. Quem escalou e subiu o tom foi o outro Mario (Monti), que, em entrevista ao periódico *Der Spiegel*, também na semana passada, disse algo que surpreendeu os que conhecem bem seu estilo sereno, equilibrado e cuidadoso no uso das palavras. Monti disse que "os governos não podem se colocar em uma situação de total dependência de seus Congressos na escolha de políticas para salvar o euro". E mais: que a Europa estava mostrando "traços de 'dissolução psicológica' nessa crise" e que suas lideranças políticas estavam "fazendo pouco para contê-la". A imprensa registrou que Angela Merkel, em suas férias nos Alpes, ligou para Monti para lhe assegurar que faria... "o que fosse necessário" para salvar o euro.

O fato é que a escalada de Monti expressa o sentido de urgência que passou a prevalecer nos países mais afetados, à luz dos riscos crescentes para sua continuada participação no projeto de moeda única. Não é segredo para ninguém que estimativas detalhadas estão sendo feitas tanto pelo setor privado como pelo setor oficial sobre os custos, por exemplo, de uma saída da Grécia. Essas estimativas, necessariamente, têm de incluir o previsível efeito contágio sobre outros países vulneráveis, uma vez que fique evidente que a Eurozona enfrentou, realmente, uma "primeira" saída.

A visão que ainda prevalece parece ser a de que, no momento, uma ou mais saídas do euro seriam arriscadas e envolveriam altíssimos custos para o conjunto. Mas, também, à medida que o tempo passa, é cada vez mais arriscada e potencialmente mais custosa a demora excessiva em tomar decisões à altura do desafio. E o país-chave para tais decisões é uma Alemanha internamente dividida sobre o que fazer agora.

Por que é importante para nós, brasileiros, entender o que ocorre — e o que pode ocorrer — na Europa? Porque a crise europeia está contribuindo para desacelerar o crescimento dos Estados Unidos, como reconheceu o presidente do FED (Federal Reserve Bank), Ben Bernanke, também na semana passada. Europa em crise e Estados Unidos desacelerando provocam efeitos negativos sobre as taxas de crescimento asiáticas e, portanto, afetam o restante do mundo. Relatório recente do Fundo Monetário Internacional com foco no efeito dos "Systemic-5" — Estados Unidos, China, Eurozona, Japão e Inglaterra — mostra isso claramente.

A crise com a qual se depara o mundo desenvolvido há cinco anos não será superada por alguns anos mais. Não era — e não é — uma "marolinha", como se pretendeu por aqui. Foram-se as expectativas de que os países emergentes teriam se "descolado" dos problemas do mundo desenvolvido e, em suas interações, adquirido uma dinâmica própria que lhes asseguraria um crescimento sustentado no longo prazo, independentemente do que ocorresse no mundo desenvolvido.

Ficou claro para a maioria dos países emergentes que eles também, assim como os países mais ricos, enfrentam dois tipos de risco: uma desaceleração cíclica que já não se conta em poucos meses; e uma erosão de mais longo prazo no seu crescimento potencial. O primeiro risco pode ser administrado, ainda que a um custo alto no curto e no médio prazos. O segundo é muito maior, porque envolve questões mais estruturais, como produtividade e competitividade internacional, tecnologia e inovação, capital físico e humano, marcos regulatórios e instituições modernas que favoreçam o investimento público e privado, doméstico e internacional. Tudo isso tem a ver conosco.

INTERESSE NACIONAL, SOBERANIA E DEMOCRACIA

11 de novembro de 2012

O resultado da eleição presidencial nos Estados Unidos mostrou um país literalmente rachado ao meio. O Parlamento grego aprovou por 153 votos (em 300) reformas demandadas por credores oficiais. A Alemanha de hoje está profundamente dividida sobre a extensão de seu papel na resolução da crise do euro. A transição de poder na China foi marcada por longas e intensas disputas internas. O governo espanhol vive dúvidas hamletianas sobre formalizar ou não um pedido de ajuda extra ao restante da Europa. A questão sobre como se caracterizam, e se exercem na prática, o "interesse nacional" e a soberania de um país (no curto, no médio e no longo prazos) voltou a ficar relevante para o debate. Inclusive no caso do Brasil e dos outros três Bric.

George Kennan, brilhante intelectual e diplomata norte-americano, não tinha o extraordinário sentido de marketing de Jim O'Neill, o economista da Goldman Saches que cunhou o acrônimo Bric para designar os quatro países que Kennan havia chamado, quase uma década antes, de "países-monstros" (*monster countries*) do mundo: China, Índia, Rússia e Brasil — além dos Estados Unidos.

Pensando mais no seu país, Kennan notou que países de grande território, populosos e com boa dimensão econômica teriam uma característica comum, que chamou de *hubris of inordinate size* e definiu como "uma certa falta de modéstia na autoimagem nacional do grande Estado — um sentimento de que o papel do país no mundo deve ser o equivalente a seu tamanho, com a consequente tendência relativa a presunçosas pretensões e ambições (...). Em geral, o país de grande dimensão tem uma vulnerabilidade a sonhos de poder e glória para os quais são menos facilmente inclinados os países menores".

Em texto para discussão publicado dois anos e meio atrás, procurei avaliar se seria possível extrair algo relevante para o Brasil da experiência dos três outros Bric na definição de seus respectivos interesses nacionais. Três daquelas "lições" me parecem ainda mais válidas hoje.

A primeira é que China, Índia e Rússia têm objetivos de longo prazo em termos de seus interesses nacionais e, portanto, as políticas e ações domésticas e internacionais através das quais buscam esses objetivos devem ser políticas de Estado e não do governo de turno (como a busca das seguranças alimentar, energética e militar). Políticas que não dependem de pessoas específicas, de culto à personalidade do grande líder, do grande timoneiro, do grande guia e genial mentor.

A segunda lição reside na percepção de que, na área internacional, a apropriada execução das políticas de Estado requer uma cuidadosa e realista avaliação daquilo que os chineses chamam de *comprehensive national power*, que é constituído pelos recursos econômicos, políticos, militares, diplomáticos, científico-tecnológicos e culturais de que dispõe o país. Avaliações irrealistas desses recursos podem levar a patéticas aventuras e a discursos marcados pela dissonância cognitiva entre o querer e o poder.

A terceira lição está relacionada ao fato de que os três países-monstros pensam e exercitam a busca de seus interesses nacionais em termos de círculos concêntricos, que vão dos problemas domésticos ao círculo mais amplo dos problemas globais, passando pelos círculos intermediários que os analistas desses países chamam de "vizinhança imediata" e "vizinhança estendida". China, Índia e Rússia e suas lideranças sabem que o peso, a influência, o prestígio e a força da voz de cada um no mundo é função de sua capacidade de equacionar problemas domésticos e do reconhecimento de sua *gravitas* por parte de suas "vizinhanças".

Nesse contexto, e indo além dos Bric, cabe perguntar: regimes democráticos têm mais ou menos dificuldades para definir com clareza seus interesses nacionais? Em livro recente, o decano dos estudos norte-americanos sobre poder (*hard and soft*) nas relações internacionais, Joseph S. Nye Jr., escreve: "Numa democracia, o interesse nacional é simplesmente aquilo que os cidadãos, após deliberação apropriada, afirmam que é (...). Lideranças políticas e especialistas podem apontar para os custos de indulgência em certos valores, mas se um público informado discorda os especialistas não podem negar a legitimidade dessas opiniões."

É claro que o fundamental dessa visão é a expressão "após deliberação apropriada por parte de um público informado". O que nem sempre ocorre em algumas democracias. E se mesmo após tais deliberações por parte de um público informado emerge um país profundamente dividido ou uma posição que não seja muito mais que a expressão de um vago desejo?

A expressão de desejos coletivos não se traduz, naturalmente, em políticas que transformem os desejos em realidade. Como escreveu Paul Volcker em seu relatório ("Boas intenções corrompidas: o escândalo do programa Petróleo por Alimentos") para a Organização das Nações Unidas: "Após mais de 50 anos de experiência, tive inúmeras oportunidades de observar em primeira mão a frustração das boas intenções: debates infindáveis, defesa de interesses muito especiais, falta de visão ampla e oportunidades perdidas entre o impasse político e a inépcia administrativa."

A propósito, quero concluir lembrando o mote constitucional de um grande país, o Canadá, que pode ser visto como síntese de seu interesse nacional: *Peace, order, and good government.* Trivial e genérico como possa parecer a alguns, é seguramente uma tríade muito mais relevante para qualquer país do que "conflito, desordem e mau governo" — infelizmente, muito mais disseminada neste nosso mundo de quase 200 países legalmente soberanos. Cada um à sua maneira, e com seus conflitos de interesses internos, tentando situar onde estaria seu "interesse nacional" em meio a esse espesso nevoeiro da segunda década do século XXI.

A DECISIVA SEGUNDA METADE
9 de dezembro de 2012

Dilma Rousseff não contou na primeira metade de seu mandato — e não contará na segunda — com um contexto internacional favorável como contou o ex-presidente Lula, embora este nunca tenha reconhecido quanto dele se beneficiou. E se Lula preferiu "esquecer" esse fato, o governo Dilma se viu obrigado a chamar a atenção — com insistência — para a crise no mundo desenvolvido. Seu ministro da Fazenda chegou a afirmar que se não fosse a crise internacional o Brasil poderia estar crescendo em torno de 4,5% a 5% ao ano.

O fato é que há países que estão respondendo bem à crise com que se defrontam os Estados Unidos, a Europa e o Japão. Para ficar apenas aqui na América Latina, as taxas de crescimento no biênio 2011-2012 no Chile, na Colômbia, no Peru e no México são — em muito — superiores à brasileira. As taxas de inflação nesses quatro países são — em muito — inferiores à brasileira. E as taxas de investimento nesses quatro países estão na faixa dos 23% a 25%, ante os 18% a 19% do Brasil.

Há um quase consenso entre economistas brasileiros das mais variadas persuasões de que a chave para o nosso crescimento econômico sustentado é o aumento da nossa taxa de investimento dos atuais 18%-19% para níveis próximos aos das taxas dos quatro países latino-americanos citados (que já são abaixo dos asiáticos). Volto aqui ao tema do artigo publicado neste espaço em 10 de junho deste ano

("Europa e Brasil, urgências no gradualismo"), agora com referência mais específica aos problemas do setor de petróleo e gás.

Em 7 de setembro de 2009, a então chefe da Casa Civil e óbvia candidata à Presidência concedeu ao jornal *Financial Times* longa e detalhada entrevista sobre o assunto. A primeira e natural pergunta do jornalista foi: por que mudar o regime de concessão para o de partilha?

Dilma Rousseff foi muito clara ao apresentar, e reiterar, nessa importante entrevista as suas três razões básicas: baixo risco exploratório no pré-sal, alta taxa de retorno sobre o investimento na área e reservas potenciais de petróleo e gás que poderiam chegar a dezenas de bilhões de barris de petróleo equivalente. Eis a conclusão ou o corolário natural que a então ministra defendeu com convicção: "Nós [governo] queremos uma fatia maior das receitas deste petróleo." Daí a decisão de mudança do regime de concessões para partilha. (A propósito, acaba de sair um bom livro sobre o tema, editado por Fabio Giambiagi e Luiz Paulo Velloso Lucas).

Deixemos de lado uma pergunta fundamental: era mesmo preciso mudar totalmente a Lei do Petróleo de 1997 apenas para aumentar a fatia do governo? (O regime de concessões, adaptado, já permitiria isso, dizem especialistas, por meio do aumento da "participação especial" para os novos campos do pré-sal.) A questão relevante, no entanto, após a controvertida decisão da mudança de regime, passou a ser a viabilização dos investimentos para a empreitada, principalmente com a Petrobras tendo de assumir a posição de operadora, com pelo menos 30% de todos os campos do pré-sal a serem explorados.

Em entrevista a este jornal há exatos três anos (2/12/09), Sergio Gabrielli, então presidente da Petrobras, diz o seguinte: "Hoje, a Petrobras tem um plano de investimentos de US$ 174 bilhões para cinco anos [2009-2013] que vai aumentar. Quanto eu não sei ainda. Mas, com certeza, é maior. E US$ 174 bilhões em cinco anos significa cerca de US$ 35 bilhões por ano." E acrescenta: "A Petrobras não é capaz de gerar caixa livre para fazer esse investimento." Em 2009 a companhia levantou US$ 31 bilhões de dívida nova (fato enfatizado pela ministra-chefe da Casa Civil na citada entrevista de 7 de setembro, supondo que captações adicionais não seriam problema, dadas as suas três razões básicas já mencionadas).

Mas Gabrielli nota que a Petrobras tem de respeitar certos limites na relação dívida/capital próprio. E que seria necessário fazer uma capitalização da estatal — o que veio a ser feito. Sobre a capacidade de endividamento futuro da empresa, Gabrielli refere-se ao "potencial de produção" de quatro campos, diz que em outros quatro não se sabe qual o volume, e que "das áreas não concedidas, ninguém sabe nada". E continuamos não sabendo, porque não há leilões nem para o pré-sal nem para nenhuma outra área, inclusive em terra, desde dezembro de 2008 — quatro anos atrás. Tempo precioso.

A pergunta fundamental continua sendo: a mudança de regime de concessão para o de partilha aumentou os incentivos ao investimento público e privado (doméstico e internacional) no setor de petróleo e gás e em sua cadeia? Em outras palavras: para a mesma expectativa quanto às possibilidades de produção potencial do pré-sal o ambiente de negócios melhora, piora, ou é indiferente no que se refere ao regime escolhido?

Os casos do petróleo e da energia elétrica não são isolados. As mesmas controvérsias sobre os papéis relativos do Estado, de empresas públicas e do setor privado existem em outras áreas, como portos, aeroportos, rodovias, ferrovias, trens-bala, saneamento, abastecimento de água. A convivência de diferentes visões por vezes levou a paralisias decisórias, as quais a presidente Dilma vem, à sua maneira, procurando enfrentar.

Vale concluir com pertinente observação de Felipe González, ex-primeiro-ministro da Espanha: "Paradoxalmente, o grande problema da ideologia é que ela obscurece o debate de ideias sobre a ação do poder público, ao tratar como grandes questões políticas e morais problemas específicos que deveriam ser enfrentados como questões de eficiência operacional do setor público, quando não há diferenças de vulto sobre os objetivos a alcançar, e sim sobre as formas mais eficazes de fazê-lo."

Até 2014 teremos, talvez, alguma indicação adicional sobre essa questão.

Até lá, um feliz Natal e um próspero Ano-Novo a todos!

2013

2013

Taxa de crescimento no ano	3,0 %
Taxa de inflação no ano	5,9 %
Taxa de câmbio no final do ano	R$ 2,36
Mín. R$ 1,94 Máx. R$ 2,45	
Taxa de juros no final do ano	10 %
Mín. 7,25 % Máx. 10 %	

JANEIRO

A pedido do governo federal, prefeitos de capital e governadores postergam para junho o aumento da tarifa dos transportes públicos.

ABRIL

Preços de produtos alimentícios sofrem forte alta nos primeiros meses do ano devido a fenômenos climáticos. Tomate vira símbolo da alta na inflação.

JUNHO

Documentos vazados por Edward Snowden, ex-analista da Agência de Segurança Nacional norte-americana, revelam que Dilma e a Petrobras foram espionadas pelos EUA.

Um movimento contra o aumento do preço da tarifa de ônibus em algumas capitais desencadeia uma série de protestos em todo o país. Manifestações diárias levam milhões de pessoas às ruas contra a corrupção e por melhorias nos serviços públicos, com inúmeros confrontos com a polícia.

Após manifestação popular no dia 20, Dilma propõe cinco pactos e um plebiscito que autorize Constituinte para reforma política.

JULHO

O governo lança programa para levar mais médicos, inclusive estrangeiros, a regiões carentes do país.

SETEMBRO

Dilma sanciona lei que destina 75% dos *royalties* do petróleo para a educação e 25% para a saúde.

O PIB registra retração de 0,5% no terceiro trimestre. No acumulado do ano, cresce 2,3%.

OUTUBRO

Na primeira rodada de licitação do pré-sal sob regime de partilha, Campo de Libra é arrematado pelo valor mínimo por consórcio formado entre Petrobras e quatro empresas estrangeiras. A estatal fica com 40%.

NOVEMBRO

Condenados pelo Mensalão começam a se entregar à PF para cumprir pena. São presos José Dirceu, José Genoino, Marcos Valério e outros.

O Banco Central sobe a taxa de juros, que volta ao nível de 10% ao ano após 22 meses.

O TEMPO DIRÁ. OU NÃO

13 de janeiro de 2013

Coincidência ou não, vale o simbolismo: o governo escolheu dois 7 de Setembro (2009 e 2012), dias de nossa Independência, para anunciar mudanças importantes nos regimes de concessão nas áreas de petróleo e energia elétrica.

No caso do petróleo, observei em artigo anterior ("A decisiva segunda metade", 9/12/12): "Deixemos de lado uma pergunta fundamental: era mesmo preciso mudar totalmente a Lei do Petróleo de 1997 apenas para aumentar a fatia do governo? (O regime de concessões, adaptado, já permitiria isso, dizem especialistas, por meio de aumento da 'participação especial' para os novos campos do pré-sal). A questão relevante, no entanto, após a controvertida decisão da mudança de regime, passou a ser a viabilização dos investimentos para a empreitada, principalmente com a Petrobras tendo de assumir a posição de operadora, com pelo menos 30% de todos os campos do pré-sal a serem explorados."

Opiniões à parte, é fato que a mudança de regime atrasou o processo, que há quatro anos não há licitações de *nenhuma área* e que a Petrobras, como notou o renomado especialista em energia Adriano

Pires, é a única grande empresa do mundo que, apesar de o petróleo estar a mais de US$ 100 o barril, perde dinheiro quando vende gasolina (cujo consumo aumentou 60% de 2008 a 2012). Isso porque paga mais caro pela gasolina que importa do que recebe pela gasolina que vende, já que seus preços estão controlados por decisão do acionista majoritário, o que certamente afeta a sua capacidade de investimento. Investimentos que passariam de US$ 174 bilhões (2009-2013) para US$ 225 bilhões (2010-2014 e 2011-2015) e para US$ 236 bilhões (2012-2016). Haja Tesouro.

No dia 7 de setembro de 2012, a presidente Dilma Rousseff anunciou mudanças na legislação sobre o setor elétrico. O governo federal tem o direito, estabelecido em lei, de renovar ou não a concessão de geradoras de energia quando os seus contratos terminam. Era sabido que vários deles, importantes, expiravam em 2015-2017. O governo, buscando o objetivo meritório de reduzir o custo da energia, decidiu propor a renovação antecipada (para 2013) das concessões às empresas de geração e de transmissão que aceitassem reduzir desde logo (em 2013) as tarifas aos níveis desejados pelo governo.

De novo a questão fundamental, como no caso do petróleo, é: as novas regras contribuirão ou não para aumentar o grau de confiança dos investidores no setor de geração de energia? Em particular, e para usar outras palavras, as novas tarifas (20% mais baixas), tal como estabelecido, permitem às empresas cobrir os custos de operação e manutenção — além de efetivar os investimentos necessários à expansão de seus negócios? Há quem diga que sim. Há quem diga que o governo federal terá, cedo ou tarde, de capitalizar as geradoras da Eletrobras, que seguiu a orientação de seus acionistas controladores de reduzir em mais de 20% a sua receita. E há novos riscos. Haja Tesouro...

Os casos do petróleo e da energia elétrica não são isolados. Problemas assemelhados existem em outras áreas, como portos, aeroportos, rodovias, ferrovias, trens-bala, saneamento, abastecimento de água. O papel do Estado e o do setor privado continuam sendo tema de infindável controvérsia na própria sociedade e, certamente, no âmbito do próprio governo, no qual convivem diferentes posições sobre o tema. Que contribuem, talvez, para confirmar o chiste de Luís da Câmara Cascudo: "O Brasil não tem problemas, apenas soluções adiadas."

Em momentos como este, é fundamental um esforço para melhorar a qualidade do debate público. Apenas quatro observações a esse respeito:

Primeiro, não deveria existir uma política macroeconômica de esquerda, progressista e desenvolvimentista, à qual se contraporia uma política macroeconômica de direita, monetarista, conservadora e "neoliberal". Na verdade, em cada contexto há um espectro de políticas macro mais ou menos adequadas do ponto de vista de sua consistência intertemporal. E um legítimo debate profissional sobre o grau de responsabilidade, de coerência e de credibilidade de uma dada política.

Segundo, não deveria existir, a meu juízo, quando se está discutindo, de boa-fé, na prática, a eficácia de uma política pública específica em uma área definida — seja educação, saúde, ou segurança —, uma posição de esquerda, ou progressista, ou desenvolvimentista em oposição maniqueísta a uma outra posição de direita, ou fiscalista, ou "neoliberal".

Terceiro, há claros limites para a expansão acelerada dos gastos governamentais, ainda quando justificados como fundamentais para reduzir injustiças sociais e mitigar efeitos cíclicos de crises econômicas. Como escreveu Luiz Felipe de Alencastro: "A ideia de que se pode alcançar a justiça social à custa das ações do Estado chegou ao limite. É preciso buscar novos caminhos e mobilizar a sociedade em um ambiente onde também atuem mecanismos de mercado."

Quarto, é desonestidade intelectual, além de falta de ética no debate público, imputar a indivíduos, e a supostas escolas de pensamento a que pertenceriam, o descaso com o desenvolvimento econômico e a inclusão social, porque essa "preocupação" teria sido já apropriada e transformada em monopólio de autointitulados "social-desenvolvimentistas". Vimos, recentemente, a tentativa de um partido de se apropriar do monopólio da ética na política. Deu no que deu. O enfrentamento dos difíceis desafios à frente seria mais efetivo se pudéssemos perder menos tempo, talento e energia com falsos dilemas, dicotomias simplórias, diálogos de surdos, pregações dirigidas aos já convertidos e rotulagens destituídas de sentido, exceto para militantes ansiosos por palavras de ordem.

O Brasil merece algo melhor em termos de qualidade de debate público. E acho que, apesar das tentativas em contrário, estamos avançando.

MARCADOS DESCOMPASSOS
14 de abril de 2013

O Brasil é um país extraordinário em sua rica diversidade e enorme potencial, mas é um país complexo de entender e difícil de administrar — como cedo ou tarde percebem aqueles que se dispõem a fazê-lo. Há custos de aprendizado, que levam os governantes a um gradual reconhecimento da existência dos limites do possível às suas ações no relativamente curto prazo de seus mandatos.

O fato é que no Brasil de hoje convivem, em mutante simbiose, partes modernas (que adquiriram expressão relevante) e partes anacrônicas (que não podem ser subestimadas). E, talvez por isso, o Brasil não comporte mais variantes de messianismos salvacionistas, voluntarismos extremados e improvisados exercícios de autoridade. Mesmo quando o governo tem popularidade e exibe avassaladora maioria no Congresso Nacional — embora exigindo complexas concessões por parte do Executivo.

Na raiz desse aparente paradoxo está uma questão de fundo colocada, com a clareza habitual, por José Murilo de Carvalho: "A construção de uma democracia sem república me parece pouco viável. República significa coisa pública, virtude cívica (...), exige predomínio da lei, igualdade perante a mesma, ausência de privilégios e hierarquias sociais, cidadãos ativos, governos responsáveis e eficientes (...), república é incompatível com patrimonialismo clientelismo, nepotismo e fisiologismo."

Escreve o autor: "Pode-se argumentar, como muitos fazem, que nossa democracia não precisa de república, que aos trancos e barrancos vamos construindo a inclusão política e social, e que preocupação com honestidade política, bom governo, valores cívicos e instituições respeitadas é moralismo pequeno-burguês." Como José Murilo, no entanto, espero que possa haver um número crescente de brasileiros que discorde dessa postura. "Os eleitores é que dirão" — esta é a aposta (legítima) que fez o governo, ao se lançar com armas, bagagens e antecedência de quase dois anos na campanha de sua reeleição. Com a convicção de que esses eleitores votarão com o bolso. E que, portanto, os altos níveis de emprego e a evolução da renda disponível das famílias decidiriam por antecipação as eleições do ano que vem. Como disse um ministro em campanha, "para o povo, PIB é emprego e renda", ou seja, o que conta é o crescimento da renda real das famílias nos períodos que antecedem a eleição. O resto seria o resto, de importância relativa para aqueles que estão com olhos ora fixados apenas no resultado de outubro de 2014.

Pois bem, o resto não é o resto. Paul Krugman, o influente Prêmio Nobel de Economia, tinha e tem toda razão ao escrever, já lá se vão mais de duas décadas: "A capacidade que tem um país de melhorar os padrões de vida de sua população ao longo do tempo depende quase inteiramente [*almost entirely*, no original inglês] de sua capacidade de aumentar o seu produto por trabalhador" — isto é, a produtividade de sua economia.

Como bom economista, Paul Krugman nota que isso exige capital, trabalho, tecnologia e inovação. Ele também discute por que a ideia de produtividade, por ser tida como complexa, não é fácil de ser levada à arena política e ao debate público. Mas insiste com a frase famosa, após analisar *cinco* maneiras de aumentar o consumo por habitante de um país (qualquer que seja): "A produtividade não é tudo, mas no longo prazo é quase tudo."

Em pesquisa recente, ainda por publicar, Regis Bonelli e Julia Fontes retomam o tema krugmaniano da sustentabilidade através do tempo de marcados descompassos entre *intenções* de gasto em consumo e restrições de oferta derivadas de problemas de baixa produtividade. Os autores adotam uma perspectiva de longo prazo (1980 a 2010, com projeções tentativas para 2010-2020), com especial atenção conferida à nossa extraordinariamente rápida transição demográfica.

Regis Bonelli e Julia Fontes mostram que nosso crescimento futuro estará ainda mais dependente de aumentos de produtividade e, simultaneamente, ainda mais limitado pelos efeitos de nossa nova demografia sobre a oferta de trabalho. Como já se disse, o Brasil está correndo o risco de ficar velho antes que chegue aos níveis de renda *per capita* próximos dos que desfrutam hoje os países desenvolvidos.

Mas a economia brasileira enfrenta atualmente outros descompassos que não são de tão longo prazo, embora não menos relevantes para o nosso futuro: as intenções de gasto doméstico — público e privado, em consumo e investimento — excedem em muito a capacidade doméstica de atendê-las, dadas as intenções de poupança pública (que é negativa) e de poupança privada (que é relativamente reduzida).

O resultado dos processos de ajuste a esse descompasso é sempre — *ex-post* — uma cambiante combinação de pressões inflacionárias, déficits de balanço de pagamentos em conta-corrente (expressando a necessidade de poupança externa) e, quando existe financiamento, endividamento adicional de famílias e do governo. Esse descompasso *ex-ante*, quando significativo e prolongado, afeta as expectativas quanto ao curso futuro do câmbio, dos salários e dos juros — e, portanto, do investimento e do crescimento futuro.

Nos próximos 19 anos de vida do real, nós teremos nada menos do que cinco eleições presidenciais: 2014, 2018, 2022, 2026 e 2030. E uma eleição presidencial é sempre, talvez, uma oportunidade para que o país possa tentar aprofundar e melhorar a qualidade do debate público *informado* sobre crescimento, emprego e renda. Com foco na imperiosa necessidade de aumentar, em muito, a produtividade e a competitividade internacional de suas empresas e a eficiência operacional do governo na gestão da coisa pública — aí incluídos os investimentos em infraestrutura — e na melhoria da qualidade da educação, áreas nas quais há ainda muito, mas muito mesmo, o que fazer nos anos à frente.

DIFÍCIL TRAVESSIA

9 de junho de 2013

Em artigo publicado neste espaço ("Fatos, versões e bravatas", em 14/3/10), citei textos escritos por Antonio Palocci e Paulo Bernardo, que registraram seu reconhecimento da herança positiva que o governo Lula havia recebido do governo anterior. Segue o parágrafo que, à época, escrevi sobre os dois depoimentos: "O respeito aos fatos, claramente expresso por Paulo Bernardo e Antonio Palocci, se contasse com o respaldo das vozes mais sensatas de seu partido e do movimento lulista, representaria um avanço considerável em direção a um debate público mais sério e de melhor qualidade sobre o país e seu futuro. Um debate voltado para 'o que fazer', com vistas a assegurar a gradual consolidação do muito que já alcançamos como país; e, principalmente, para o 'como avançar mais e melhor' — e com que tipo de lideranças — no processo de mudança e de continuidade que nos trouxe até aqui."

A presidente Dilma Rousseff, em seu discurso de posse, também teve um momento de generosidade para com governos anteriores, algo que Lula nunca se permitiu. E escreveu bela carta pública ao presidente Fernando Henrique Cardoso por ocasião de seus 80 anos, exatos dois anos atrás.

Eu não pretendia mais voltar a esse tema após esses gestos. Mas o prematuro lançamento da campanha pela reeleição da presidente, com quase dois anos de antecedência, e, ao que tudo indica, o que vem por aí, a julgar pelas comemorações pelos "últimos dez anos", sugerem que voltarão à tona variantes retóricas do "nunca antes na história deste país". E, de novo, a tentativa de reescrever a história e estabelecer a data da primeira posse de Lula, em 2003, como o marco zero de uma suposta nova era. A ideia de que no mundo da política o que importa é a versão e não o fato tem ampla disseminação entre nós. A aceitação dessa "máxima" tem implicações nada triviais para o debate público, em particular durante períodos eleitorais nos quais, como nas guerras, a verdade figura entre as primeiras vítimas.

Pois veja o eventual leitor: se o que realmente importa não são tanto os fatos, mas suas versões, por vezes muito distintas e conflitantes, segue-se que as versões que tendem a predominar — pelo menos no prazo relevante para o calendário eleitoral — são aquelas mais constantemente repetidas, aquelas mais bem financiadas por esquemas profissionais dos departamentos de agitação, propaganda e marquetagem política.

Há quem diga que tudo isso é apenas efeito do calor da hora, expressão das vastas emoções que fazem parte natural de processos eleitorais em sociedades de massa. Para estes, passadas as eleições, e qualquer que seja o seu resultado, o país continuaria — à nossa pragmática maneira — a avançar em seus complexos processos de continuidade e mudança.

A propósito, meu último artigo neste espaço ("Marcados descompassos", em 14/4/13) termina expressando a esperança de que o país possa melhorar a qualidade do debate público *informado* sobre crescimento, emprego e renda. Com foco na imperiosa necessidade de aumentar, em muito, a produtividade e a competitividade internacional de suas empresas e a eficiência operacional do governo na gestão da coisa pública — aí incluídos os investimentos em infraestrutura.

Pois bem, a respeito dessa última área, vale reler a longa entrevista concedida a este jornal seis meses atrás (2/1/13) pelo presidente da EPL (Empresa de Planejamento e Logística), há muitos e muitos anos o homem-chave e de confiança de nossa presidente nesse campo. Disse ele: "Se a gente pegar os planos nacionais de logística de transporte e de logística portuária e outros estudos do governo, teremos que investir perto de R$ 400 bilhões em cinco anos. Vamos dizer que tenho de investir outros R$ 20 bilhões para não gerar novo passivo e ser preventivo. Então a necessidade de investimento seria de R$ 100 bilhões por ano. Resolvendo isso, posso dizer que em cinco anos não teríamos mais problemas de infraestrutura." Deixo ao leitor avaliar, com base em sua experiência, quão crível é essa última assertiva.

Perguntado como seriam os próximos passos, disse o presidente da EPL: "Vamos avaliar todos os estudos preparados até agora e quantificar qual o investimento prioritário. A ideia é levar isso para o Conit [Conselho Nacional de Integração de Políticas de Transporte], que será formado pelo governo e pela iniciativa privada. Ele vai validar quais as ações prioritárias que faltam ser adotadas. A partir da validação do Conit, a EPL vai começar a preparar os projetos para execução. Aí, mais uma vez, voltamos para o Conit, que aprova ou não. Em 2013, também vamos fazer uma ampla pesquisa em todas as rodovias, ferrovias e portos para saber tudo o que é movimentado no país. Vamos simular como a rede se comporta. E aí identificar com mais precisão as prioridades." Deixo ao leitor avaliar quão eficaz é esse processo.

O presidente da EPL disse ainda: "A gente está fazendo 10 mil quilômetros de ferrovias, duplicando 5 mil quilômetros de rodovias, são

R$ 50 bilhões para portos. O PAC [Programa de Aceleração do Crescimento] tem R$ 20 bilhões para imobilidade interna." E defende o trem de alta velocidade: "Precisamos resolver todos os problemas e um deles é como as pessoas se deslocam no eixo Rio-São Paulo." Deixo ao leitor avaliar o conjunto dos três últimos parágrafos à luz de sua vivência.

A entrevista foi concedida a este jornal quase seis meses atrás. Mas não se passaram somente esses meses. Passaram-se dez anos, cinco meses e dez dias desde que um mesmo governo está no poder, como quer a propaganda eleitoral oficial.

Desde junho de 2003 tenho o exorbitante privilégio de escrever nesta página deste excelente jornal, que teve, tem e terá papel histórico no diálogo do país consigo mesmo. A generosidade de seus editores permitiu a publicação de cerca de 100 artigos ao longo destes dez anos. O encorajamento de leitores me faz persistir.

O FUTURO DA "NOVA ERA"
11 de agosto de 2013

"O Brasil não tem problemas, apenas soluções adiadas." O chiste de Luís da Câmara Cascudo pode ser lido — embora não deva — como expressando uma aconchegante e ilusória confiança no poder regenerador da passagem do tempo. Tipo: a cada dia basta a sua pena. Ou como na enganosa esperança de que "no fim tudo acaba bem, se não está bem é porque não acabou ainda". O que sempre depende de como se define (e redefine) o que é o fim — e o significado de acabar.

Bem-humoradas afirmações dessa natureza podem justificar tendências à procrastinação e à aceitação um tanto passiva de todo tipo de atrasos — e dos custos econômicos e sociais neles envolvidos —, por várias razões. Quero mencionar duas que considero relevantes para os decisivos meses à frente.

A primeira pode estar ligada à nossa obsessão pelo futuro: nossa fé no que virá como que nos exime daquilo que, de Sérgio Buarque de Holanda a Roberto DaMatta, é tido como nossa relativa aversão aos miúdos labores do cotidiano. Gostamos de pensar grande: discussões específicas ou técnicas sobre como melhor gerir, na prática, a coisa pública em áreas definidas têm, entre nós, muito menos apelo do que retóricas conclamações por novos modelos de desenvolvimento, novos projetos nacionais, novas políticas industriais ou "novas matrizes macroeconômicas".

A segunda razão tem a ver com a forma pela qual uma sociedade e seus governos identificam os principais problemas a enfrentar. As manifestações recentes indicam o que vem por aí em termos de novas demandas (inclusive da base aliada) e de novas tentativas de respostas de um governo totalmente focado em ganhar as eleições de 2014 (uma definição do "fim" e do "acabar bem").

Alguém dirá, e com razão: ora, os principais candidatos de oposição estão igualmente com os olhos fixos no período até outubro de 2014 e adiante. É verdade, mas o que estará em foco nos próximos 15 meses são as respostas do "poder incumbente", ao qual cabe o dever de bem governar o país e responder a seus problemas, incluídos os identificados nos movimentos de rua, sobre os quais o lulopetismo acreditava, até junho, deter o monopólio.

A propósito, vale lembrar uma observação de Jared Diamond (em seu livro *Colapso: como as sociedades escolhem o fracasso ou o sucesso*): "Mesmo quando uma sociedade foi capaz de antecipar, perceber e tentar resolver um problema, ela pode ainda fracassar em fazê-lo, por óbvias razões possíveis: o problema pode estar além das suas capacidades; a solução pode existir, mas ser proibitivamente custosa: os esforços podem ser do tipo muito pouco e muito tarde, e algumas soluções tentadas podem agravar o problema."

Como sabemos, um país pode não fracassar, mas desperdiçar inúmeras oportunidades. E isso pode ter efeitos consideráveis sobre seu futuro, levando a um relativo atraso econômico e social em relação a países que foram capazes de adotar medidas de políticas públicas nas áreas macro, micro, institucional, regulatória e de reformas, favoráveis ao crescimento com competitividade internacional.

O problema, talvez mais fundamental, é que hoje, em muitos países, desenvolvidos ou não, o Estado não pode mais (ou pode cada vez menos), além de investir em infraestrutura, sustentar o custo de seu endividamento e corresponder aos desejos por maiores gastos públicos a fim de assegurar direitos existentes e expectativas de novos direitos por alcançar.

Educação, saúde, transporte, segurança e muitos outros serviços públicos que as pessoas (no mundo desenvolvido em especial), por mais de meio século, se acostumaram a ter providos por seus governos estão ficando agora claramente fora do "espaço" de orçamentos públicos razoavelmente controlados ou, pelo menos, fora daquilo que as pessoas estariam propensas a aceitar como a tributação requerida para pagar por tais serviços.

Essa discussão é particularmente relevante no Brasil de hoje. As razões principais vão se tornando cada vez mais conhecidas entre nós. Para resumir ao extremo, no Brasil, tanto no que diz respeito ao gasto público quanto à tributação, temos três problemas: o nível de ambos é excessivo; a composição de ambos é distorcida; e a eficiência de ambos é precária, como mostram de forma contundente analistas, pesquisas e manifestações. E a combinação desses três problemas é altamente deletéria para os investimentos e o crescimento sustentado que todos almejamos.

Governos que se acostumaram a culpar governos passados e — quando conveniente — o restante do mundo por seus problemas ficam desorientados ao serem alcançados pelas consequências das próprias ações e omissões ao longo de mais de dez anos. Na verdade, do ponto de vista da economia, desde a "inflexão desenvolvimentista" de 2006, quando uma nova equipe econômica entrou em campo com a convicção de que a demanda sempre cria a própria oferta e assegurando o crescimento da produção doméstica.

Talvez tenham descoberto, após sete anos, que nem sempre é assim, que a expansão sustentada da oferta depende não só do gasto público e dos financiamentos concedidos por bancos oficiais, mas também do grau de confiança de investidores privados no ambiente geral de negócios, na qualidade do contexto regulatório, na estabilidade das regras do jogo e no compromisso do governo com a responsabilidade fiscal e o controle da inflação.

E que, por vezes, excessos na política de estímulo à demanda (na suposição de que a oferta sempre responde) podem levar ao aumento de pressões inflacionárias e ao aumento das importações e dos déficits do balanço de pagamentos, por conta da nossa baixa taxa de poupança privada e da nossa poupança pública negativa. Tentar desarmar o que André Lara Resende chamou de "a armadilha brasileira" será tarefa da próxima administração — qualquer que seja o resultado das urnas.

SOB O IMPÉRIO DA RETÓRICA ELEITORAL
10 de novembro de 2013

Em debate recente, por ocasião do lançamento do excelente livro de André Lara Resende (*Os limites do possível: a economia além da conjuntura*), procurei sugerir que havia certa unidade relacionando os vários ensaios ali reunidos. E que, no meu entender, essa unidade era proveniente de cinco eixos básicos.

Primeiro, uma visão que, raríssimas vezes na história foi tão importante, vá além da conjuntura. Tanto no mundo como no Brasil de hoje, "nunca a conjuntura foi tão pouco conjuntural".

Segundo, que as relações entre economia e política, que nunca deixaram de existir, mas foram subestimadas no longo período de euforia pré-crise, voltaram a assumir novas e intensas interações, no Brasil e no mundo.

Terceiro, que as discussões relevantes sobre a teoria e a prática da política macroeconômica em economias abertas haviam voltado a se tornar interessantes intelectualmente — no mundo como no Brasil.

Quarto, que processos de mudança em democracias envolvem um informado debate público. A experiência mostra que esse debate permite que pessoas e grupos formem (ou mudem) sua opinião durante o processo, bem como evidencia que em sociedades complexas aumentam os problemas que requerem a contribuição expressiva de competências técnicas para sua solução.

Quinto e último, que o aprender com experiências passadas, nossas e de outros, depende da existência de arcabouços conceituais minimamente coerentes que permitam aos participantes do debate situar e estruturar a discussão sobre lições a serem aprendidas e sobre velhos e novos — sempre mais tentadores — erros a serem evitados.

Por que essa extensa introdução? Talvez porque tenho a impressão de que vivemos hoje sob os efeitos deletérios — sobre os cinco pontos mencionados — do excessivamente prematuro lançamento da campanha pela reeleição do atual governo, com quase dois anos de antecipação.

Vivemos desde então sob o império do efêmero, com um governo utilizando as instrumentalidades do poder e sua competente e onipresente máquina de marquetagem política totalmente focado no caminho até outubro de 2014. Como se não houvesse um amanhã após essa data ou apenas algo a ser considerado depois da (esperada) vitória nas urnas.

Há consequências preocupantes no império de uma excessivamente prolongada retórica eleitoral que, em vez de permitir, como seria desejável, um aumento da qualidade do debate (ou, pelo menos, uma compreensão mais adequada por parte do eleitorado sobre a natureza dos desafios a enfrentar), leva, ao contrário, a uma excessiva simplificação desse debate. E a uma lamentável rotulagem que procura desqualificar *a priori* argumentos de interlocutores, atribuindo-lhes filiações a supostas correntes de pensamento, com nomes tidos como pejorativos, e que, portanto, não mereceriam atenção, por equivocados ou movidos por inconfessáveis propósitos — políticos ou não.

O ex-ministro Delfim Netto, influente conselheiro de nossa presidente, notou que a "lamentável" antecipação da campanha eleitoral "introduziu um viés político na análise que dificulta o acordo sobre o que se deva fazer para recuperar um crescimento mais robusto sem pressionar a taxa da inflação".

Vale lembrar, apenas para ilustrar, dois exemplos de diálogo e entendimento. Um que foi realizado com relativo sucesso; outro que foi tentado, não funcionou à época, mas que terá de ser considerado, de novo, em 2015.

Primeiro exemplo: em 2002, o então presidente Fernando Henrique Cardoso tomou o cuidado de deixar claro aos seus ministros que as "instrumentalidades" do poder não seriam utilizadas com propósitos eleitorais e que eles não deveriam se envolver pessoalmente em abertas campanhas políticas no exercício do cargo. E instruiu a todos que procurassem manter o diálogo possível com os chefes de equipes dos principais candidatos, em suas respectivas áreas.

A transição civilizada que tivemos de FHC para Lula (2002-2003), pelo menos na área econômica, em muito se deveu a essa orientação presidencial e à presença de um interlocutor pragmático, Antonio Palocci, capaz de ouvir com atenção e rapidamente entender por que a taxa de câmbio real/dólar foi de R$ 2,3 a R$ 4 entre abril e outubro de 2002 e por que o risco Brasil chegou quase a 25% no mesmo período. E foi capaz de formar uma equipe que sabia o que deveria ser feito na ocasião. Até hoje tenho dúvidas se muitos dos seus chegaram a compreender o que eram as expressões de receios sobre o que poderia ser a condução da política macroeconômica pós-2003. Os sinais emitidos ainda em 2014 para 2015 e adiante também serão essenciais.

O segundo exemplo é ainda mais relevante. Em fins de 2005, os ministros Palocci e Paulo Bernardo tentaram convencer o Palácio do Planalto de que seria importante pensar em uma política de médio e longo prazos (e em sua adequada implementação) que procurasse não cortar despesas primárias do governo, como se disse à época, e sim limitar a sua velocidade de crescimento, que vinha sendo superior às taxas de crescimento da economia. Como, em geral, até hoje.

A proposta, como é sabido, contou — e conta — com o apoio de vários ex-ministros da Fazenda, como Maílson da Nobrega, Delfim Netto e este que ora escreve, mas não foi aceita pelo Planalto, sob o argumento de que gasto era vida, e que a proposta seria rudimentar.

Pois bem, a uma variante qualquer dessa proposta o poder incumbente que resultará das urnas de 2014 terá de voltar a partir de 2015. Talvez isso não possa ser dito em campanha porque, dada a nossa história, dificilmente esse mandato seria dado pelas urnas. Contudo, os que pretendem chegar à Presidência — ou nela permanecer — deveriam saber que não haverá como deixar de enfrentar esse desafio a partir de 2015.

Afinal, fatos não deixam de existir porque são ignorados em campanha eleitoral.

2014

2014

Taxa de crescimento no ano	0,5 %
Taxa de inflação no ano	6,4 %
Taxa de câmbio no final do ano	R$ 2,66
Mín. R$ 2,19 Máx. R$ 2,74	
Taxa de juros no final do ano	11,75 %
Mín. 10,50 % Máx. 11,75 %	

MARÇO

A PF deflagra a Operação Lava-Jato e inicia o desmonte do esquema de corrupção montado na Petrobras. É preso o ex-diretor de Refino e Abastecimento da estatal Paulo Roberto Costa.

Nos primeiros três meses do ano, a geração de empregos na indústria paulista registra uma das menores taxas desde 2006.

ABRIL

O PSB anuncia a formação da chapa Eduardo Campos–Marina Silva para disputar a Presidência. A chapa seria formalizada em junho.

JUNHO

A dois dias do início da Copa do Mundo no Brasil, Dilma faz pronunciamento na TV para defender a organização do evento e atacar os "pessimistas".

Dilma (PT) é candidata à reeleição. Aécio Neves (PSDB) é apresentado como principal candidato da oposição à Presidência.

AGOSTO

O candidato à Presidência pelo PSB, Eduardo Campos, de 49 anos, morre em acidente aéreo em Santos (SP).

O Brasil entra em "recessão técnica": o PIB no primeiro trimestre é revisado e registra queda de 0,2 %; o do segundo trimestre cai 0,6 %.

SETEMBRO

Marina Silva (PSB) assume a candidatura à Presidência em substituição a Eduardo Campos e apresenta crescimento meteórico nas intenções de voto.

No calor do cenário pré-eleitoral, a Bolsa chega a variar 37,65%, saindo dos 44 mil pontos (em meados de março) até encostar em 62 mil.

OUTUBRO

Dilma (PT) vence Aécio Neves (PSDB) no segundo turno das eleições, com 51,64% dos votos válidos, contra 48,6%. Marina (PSB) sai da disputa no primeiro turno.

NOVEMBRO

Em nova fase da Operação Lava-Jato, a PF prende mais de 20 pessoas, a maioria executivos de empreiteiras com contratos com a Petrobras.

Grupos de manifestantes vão às ruas pedir o *impeachment* de Dilma.

O Palácio do Planalto confirma Joaquim Levy como ministro da Fazenda, e Nelson Barbosa à frente do Planejamento. Alexandre Tombini continua no comando do Banco Central.

DEZEMBRO

A aprovação do governo Dilma sobe para 52% após as eleições, depois de ter despencado durante os protestos de 2013.

A Comissão Nacional da Verdade entrega seu relatório final a Dilma com informações sobre torturas durante a ditadura militar. Responsabiliza 377 pessoas.

Graça Foster, presidente da Petrobras, coloca o cargo à disposição diante das denúncias de pagamento de propina para a concessão de contratos na estatal.

NEM MÍNIMO NEM MÁXIMO, SÓ MAIS EFICIENTE

12 de janeiro de 2014

"Não é possível esperar apenas pelas iniciativas particulares e deixá-las atuar desarticuladamente, sem ligação entre si. Por que esperar apenas pela iniciativa privada? Por que não deverá o governo provocar ou chamar a si incumbências que não interessem a ela ou sejam superiores às suas possibilidades?" Forte afirmação e não menos fortes perguntas.

Permita-me o eventual leitor, uma impertinência: em qual das últimas oito, nove décadas de nossa história o trecho transcrito teria sido escrito? A resposta está adiante, neste artigo. Mas me atrevo a levantar a hipótese de que haja, de longa data, uma expressiva corrente de opinião no "Brasil profundo" que subscreve — hoje —, se não a precisa formulação acima, o espírito que a anima e cuja chama permanece viva entre nós.

Dois exemplos recentes apenas para ilustrar o ponto.

Primeiro, a sistemática campanha contra as privatizações dos anos 1990 (como sendo dilapidações do "patrimônio público") e sua demonização como expediente eleitoreiro em 2002, 2006 e 2010 — para a qual faltou resposta à altura.

Segundo, o longo período — além de Lula, mais quase três anos já na gestão Dilma Rousseff — até que as várias correntes internas do partido no governo e aliados pudessem aceitar, após alguns experimentos malogrados, a ideia de concessões de maior vulto ao setor privado na área de infraestrutura — o que, felizmente para o país, começou a acontecer no final do ano passado. Mas tempo precioso foi perdido pelo Brasil — em termos de menor investimento e menor crescimento por dúvidas hamletianas que têm tradição entre nós.

Para ficar apenas no período "mais recente": as duas Grandes Guerras do século passado e, em particular, a Grande Depressão dos anos 1930 marcaram uma tendência ao intervencionismo estatal que se observou em escala internacional e que, obviamente, encontrou eco e experiência pretérita no Brasil. O que houve de novo na natureza da intervenção que se esboçou a partir dos anos 1930 foi sua utilização parcial e incipiente para tentar uma aceleração no ritmo de investimento em infraestrutura e indústria de base, visando a uma transformação da estrutura produtiva, diferente da que o setor privado realizaria — ou não — na ausência da intervenção governamental.

Como resultado, entre as questões recorrentes mais relevantes de economia política nas últimas décadas no Brasil — até o presente — estão, em maior ou menor grau, diferenças de percepções (menores hoje que no passado) quanto à forma e à extensão tanto da participação externa quanto da intervenção do setor público na vida econômica.

Não menos importante foram — e continuam sendo — as diferentes percepções (também menores hoje que no passado) acerca das melhores formas institucionais de reduzir e/ou arbitrar conflitos de interesses derivados da vertiginosa expansão do número de assalariados urbanos no país nas últimas sete décadas. O Brasil é hoje o quarto maior país do mundo em termos de população urbana. As demandas daí derivadas são extraordinárias.

As associadas exigências de maiores e melhores investimentos em infraestrutura e em capital humano são consideradas "intensivas em Estado". Mas em muitos países, hoje, governos encontram dificuldades crescentes para fazer face às expectativas de suas populações. Educação, saúde, transporte, segurança, entre outros serviços que o público por várias décadas esperava que seus governos provessem, estão ficando além dos orçamentos públicos razoáveis ou, ao menos, além daquilo que parcelas expressivas da população acham aceitável em termos de impostos, taxas e contribuições adicionais para financiar a provisão de tais serviços. Qualquer semelhança com países que conhecemos melhor não é mera coincidência.

Voltando ao início, a afirmação e as duas perguntas do parágrafo que abre este artigo são de uma ilustre e influente personalidade da vida pública brasileira (Edmundo Macedo Soares e Silva) e foram publicadas em dezembro de 1944 no Boletim do Círculo de Técnicos Militares sob o título "A engenharia brasileira no projeto de Volta Redonda: um capítulo do planejamento econômico". Passaram-se quase 70 anos. Temos uma relativamente longa história de acertos — e de desacertos — no combinar o público e o privado (doméstico e internacional) na promoção do desenvolvimento econômico e social do país.

Tenho para mim que as épocas em que mais avançamos, ou tivemos mais acertos, foram aquelas em que as decisões envolvidas tinham menor vezo ideológico, mais transparência, mais confiança na cooperação público/privado e mais pragmatismo. E que perdemos tempo precioso, especialmente nos investimentos em infraestrutura, quando foi mais forte o peso da ideologia, da falta de transparência e da desconfiança entre os dois setores.

Em suma, e para concluir, o que se requer é uma combinação de um Estado *eficiente*, que viva sob o primado da lei e seja administrado por governos obrigados a prestar contas a seus cidadãos.

Não é necessário, por certo, "apenas esperar" pela iniciativa privada, mas é necessário, sempre, que governos expliquem e prestem contas ao Parlamento e aos seus cidadãos das razões, por exemplo, que podem levá-lo a conceder acesso privilegiado a recursos escassos a determinados grupos específicos (por meio de subsídios, créditos, isenções e proteções comerciais). Ou quando resolvem "chamar a si incumbências" que consideram que não poderiam ser deixadas a outrem.

Mesmo porque, nesse último caso, é possível que uma discussão aberta, transparente e não ideologizada mostre situações em que há "incumbências", existentes ou programadas, que poderiam estar além das possibilidades técnicas, humanas, financeiras e fiscais do próprio Estado — e de suas empresas.

ARMADILHAS POR DESTRAVAR
9 de fevereiro de 2014

> "*Pretendemos ser caçadores de tesouros na floresta, mas nossos recursos se esgotam na tentativa de escapar das emboscadas. O eventual sucesso é precisamente ter escapado das emboscadas. É um sucesso, sem dúvida, mas não aquele que buscávamos.*"
>
> L. KOLAKOWSKI, CITADO POR ANDRÉ LARA RESENDE

No mundo real, não apenas pessoas, mas também países e seus governos podem se ver enredados em situações como a acima descrita. Espero interessar o leitor no tema de emboscadas e armadilhas entre nós, em particular armadilhas que países constroem para si próprios, esgotando seus recursos na tentativa de delas escapar e comprometendo seu desenvolvimento futuro no processo.

Os percalços de nossos amigos argentinos e a gravidade do drama venezuelano vêm naturalmente à lembrança: sequências de autoemboscadas e autoarmadilhas que constituem, em si mesmas, duas crônicas distintas de crises preanunciadas. Que esperemos possam ser mitigadas.

No Brasil, acho eu, não precisamos de crises para tentar escapar das emboscadas e tentar desarmar as armadilhas postas, ou autoimpostas, no passado ou no presente. Mas algo diferente (e não apenas na retórica) terá de ocorrer, de preferência começando agora, ainda em 2014, se não a partir de 2015, seja o que resulte das urnas. E com uma visão de médio e longo prazos que não seja apenas a de permanecer no poder.

Ao que tudo indica, o chamado "poder incumbente" desde 2003 considera que já mostrou sua resposta ao desafio indicado na transcrição que abre esta coluna: uma narrativa que contempla visão de passado, do presente e de seu futuro no poder. A seguir, resumo ao extremo minha leitura da armadilha retórica dessa visão, correndo o risco de não lhe fazer justiça.

Sobre o passado, parece haver uma ideia matriz que permite abordar qualquer tema com ardente eloquência e absoluta convicção. Tal ideia poderia, talvez, ser assim enunciada: "Problemas de hoje — quaisquer que sejam — são facilmente explicáveis porque no passado não foram resolvidos como deveriam." Entenda-se por passado qualquer subperíodo anterior ao início de 2003 — do Descobrimento a 2002. Portanto, os governos Lula e Dilma Rousseff, que estão no poder há "apenas" 11 anos, não podem ser responsabilizados por "coisas" "que outros" (entendam-se governos, elites, direitas etc.) não puderam, não quiseram ou não tiveram a competência para resolver. Como estariam — e só agora, nos últimos 11 anos — sendo resolvidos pelos governos Lula e Dilma.

Sabemos todos que o importante é o futuro. Mas a narrativa oficial sobre o passado é fundamental para o resto do argumento acerca do presente como história e sobre seu futuro-no-poder. Porque é com base em argumentos retóricos — do tipo "fizemos em dez anos o que não foi feito em um século neste país" (Lula na Fecomércio), ou "a estabilidade é uma conquista dos últimos dez anos" (Dilma em Belo Horizonte) etc. — que a narrativa oficial justifica a necessidade de ganhar o que realmente importa no presente (a eleição de outubro). O tema fundamental do discurso de campanha oficial é uma variante da campanha de Juan Domingo Perón para a sua volta ao poder no início dos anos 1970: *"Perón lo hizo — y lo hará."*

Sobre o futuro, talvez para evitar uma discussão centrada nos inegáveis problemas do presente, a narrativa oficial realiza algo que os franceses chamam de "fuga para adiante". Por exemplo, o ex-presidente Lula já se refere à sua possível volta em 2018, se lhe "encherem muito a paciência". É seu direito pleitear o cargo. Mas o horizonte do tempo foi estendido. Em discurso público para a sua militância na presença da presidente Dilma, disse já estar pensando em 2022, nas comemorações dos 200 anos de nossa Independência, quando ambos mostrariam quanto haviam mudado o país "nos últimos 20 anos". Como na campanha de Ronald Reagan por sua reeleição nos anos 1980, o lema parece ser *"you ain't see nothing yet"* (você ainda não viu nada).

Este artigo faz uma distinção, talvez indevida, entre armadilhas retóricas, que têm a ver com narrativas e discursos políticos (que buscam persuadir o eventual eleitor e afetar o resultado das urnas), e armadilhas "econômicas", que têm a ver com fatos e percepções sobre o fato de milhões de indivíduos e empresas que "votarem" quase todos os dias por meio de suas decisões de consumo, poupança, investimento, endividamento, horas de trabalho e outras. Armadilhas retóricas seriam, a princípio, mais fáceis de desarmar. Já desarmar as "econômicas" é mais difícil no curto prazo, porque exigem ações críveis e resultados mensuráveis, além de mudanças em discursos e narrativas.

Os dois tipos de armadilhas podem reforçar-se mutuamente, seja para agravar uma situação, seja para procurar resolvê-la, buscando as convergências possíveis ali onde é mais necessário avançar, pois é ali que o nosso crescimento futuro está sendo comprometido. Por nossas fragilidades na área fiscal, por nossas deficiências na infraestrutura física, por armadilhas autoimpostas nas áreas de energia elétrica e de exploração de petróleo e gás, pela precariedade de nosso sistema educacional e pela dificuldade de elevar a produtividade total e a competitividade internacional de nossa economia.

Alguém dirá: isso não mobiliza o eleitorado. Pode ser verdade. Mais uma razão para tentar fazê-lo. E eu começaria por tentar interessar mais o respeitável público quanto ao maior risco que temos: o gasto público e seu nível (comparativamente muito alto); sua composição (enviesada contra o investimento público); e sua eficiência operacional (que deixa, e muito, a desejar). Há efeitos sobre carga tributária, dívida pública, inflação e crescimento. Será preciso voltar a variantes de propostas tidas como rudimentares (em fins de 2005) e agora talvez com um horizonte de pelo menos três anos (como em 1999-2001). Não há desdouro nisso.

VINTE ANOS DO REAL: SIGNIFICADO E FUTURO

9 de março de 2014

Passados 20 anos, deitou raízes entre nós a percepção de que é obrigação de *qualquer* governo preservar a estabilidade do poder de compra da moeda do país. E vale lembrar, mais uma vez, que para os envolvidos com o real e sua consolidação, o controle da inflação nunca foi um objetivo único, um fim em si mesmo, uma estação a que se chegasse, e pronto.

Para nós, a agenda brasileira pós-1994 seria a própria agenda do desenvolvimento econômico e social do país. O que o real fez foi permitir que o Brasil, antes drogado pela inflação desmedida, pudesse descortinar de forma menos obscura a natureza e a dimensão dos outros (inúmeros) desafios por enfrentar. Procurando tornar-se um país capaz de crescer de forma sustentável, com inflação sob controle, mais justiça social, finanças públicas em ordem e maior eficiência nos setores público e privado.

Como sabemos, 20 anos é pouco para a magnitude dessa empreitada. Sabemos também que a capacidade que têm governos (e sociedades) de identificar desafios, riscos e oportunidades depende da qualidade do seu entendimento sobre o seu passado. É difícil que alguém saiba para onde vai (ou pode ir, ou gostaria de ir) se não sabe de onde veio, como veio e como se encontra agora.

E o que temos agora? Temos hoje cerca de 20 anos de inflação relativamente civilizada desde o lançamento do real. Não é coisa pouca para um país que foi recordista mundial de inflação acumulada nos 30 anos do início dos anos 1960 ao início dos anos 1990. Temos hoje mais de 20 anos desde que restabelecemos o nosso relacionamento com a comunidade financeira internacional, renegociando nossa dívida externa pública com credores privados e oficiais.

Temos hoje mais de 20 anos desde que demos um salto qualitativo e quantitativo no processo de abertura de nossa economia ao comércio internacional. Temos hoje bem mais de 20 anos desde que iniciamos o processo de privatização/concessão no Brasil, infelizmente interrompido durante longo tempo e só recentemente retomado. Temos mais de 20 anos de autonomia operacional do Banco Central na condução da política monetária — e existe hoje uma percepção mais ampla de quão fundamental para o país é preservar a credibilidade dessa instituição.

Passaram-se 17 anos desde que resolvemos problemas de liquidez e de solvência bancária, tanto no setor público quanto no privado — e desde então nunca mais tivemos problemas sérios em grandes bancos. Temos mais 15 anos, feitos em janeiro de 2014, de um regime de taxa de câmbio flutuante. Teremos, em junho agora, 15 anos do regime monetário de metas de inflação. Temos quase 14 anos desde que, em maio de 2000, foi aprovada a crucial Lei de Responsabilidade Fiscal.

Temos 13 anos decorridos desde o início dos processos de transferência direta de renda para as populações mais pobres do país por meio dos vários programas criados a partir de 2001 — consolidados e ampliados por Lula a partir de outubro de 2003. Como é sabido, qualquer governo em qualquer parte do mundo constrói, sim, sobre avanços alcançados pelo país na vigência de administrações anteriores. O Brasil não é exceção a essa regra. Olhando os últimos 20 anos, há elementos de continuidade e de mudança, assim como há acertos e erros em todos os governos.

Mirando à frente, deveria ser possível, com um mínimo de boa-fé, honestidade intelectual e de recusa ao uso de rotulagens vazias, buscar construir as convergências possíveis (ou clarificar diferenças de forma honesta) pensando na próxima geração. A seguir, apenas dois exemplos de questões sobre as quais um debate sério me parece inadiável para um país que pretende, e pode, mostrar que é capaz de escapar da chamada "armadilha da renda média", que aqui ainda é cerca de um quarto da renda média atual dos principais países desenvolvidos.

O Brasil tem hoje a quarta maior população urbana do mundo. E esta aumentou em mais de 150 milhões de pessoas nos últimos 60 anos. Nossas carências sociais e de infraestrutura urbana são enormes e se expressam sob a forma de demandas por mais e melhor saúde, educação, emprego e renda e por mais e melhor infraestrutura de transporte, energia e saneamento. Que são tidas, todas, como altamente "intensivas em Estado". Que para tal precisaria tributar, endividar-se e gastar ou transferir os recursos assim obtidos — sempre escassos em relação às demandas e expectativas. Nosso futuro depende de mais clareza nessa discussão — e sobre prioridades no uso de recursos escassos. Há prioridades que estimulam maior crescimento, outras que o inibem. A questão não é sobre a necessidade de Estado, mas sobre a forma como governos específicos atuam.

O outro desafio vem da extraordinária velocidade de transcrição demográfica no Brasil. A população brasileira, que crescia a 3,1% ao ano na década de 1950 e a 2,4% no início dos anos 1980, está crescendo a 0,7% ao ano nesta década, na qual a faixa etária até 29 anos está diminuindo. A faixa até 39 anos diminuirá na próxima década, quando a população estará crescendo a 0,44% ao ano. Como escreveu Fabio Giambiagi, esse é "um desafio cujas dimensões ainda não foram percebidas pela opinião pública — e, o que é mais grave, nem pelo governo".

Os efeitos dessa transição já se fazem sentir hoje na oferta de mão de obra e na população ocupada. A partir de agora, o crescimento da população ativa "garante" pouco mais de um ponto percentual de crescimento do PIB. Como mostram vários estudos, crescer muito, além disso (1,2% a 1,4%), só com aumentos de produtividade. Que dependem de acumulação de capital físico e humano por trabalhador, de inovações técnicas e de mudanças nas áreas previdenciária, trabalhista e tributária.

Agenda para os próximos 20 anos. Com o real.

REDUZIDO ESPAÇO DE MANOBRA

13 de abril de 2014

Em junho próximo, o governo Dilma Rousseff deve definir a meta de inflação para 2016. O mais provável é que, sem muito alarde, seja reafirmada a meta em vigor há anos, ou seja, 4,5%, mais ou menos dois pontos percentuais. O momento não sugere mudança, já que, em reiteradas declarações, nossa presidente e seu ministro da Fazenda insistem em que a inflação está "há dez anos" *dentro da meta*. Dado que a inflação média anual nos quatro anos do governo Dilma deverá ficar em cerca de 6% ou pouco mais, a expressão "dentro da meta" passou a significar "abaixo do teto da meta", que é de 6,5%.

Alguém poderia perguntar: e qual é o problema disso, se a meta está sendo cumprida? Deixando claro que não há nenhum desastre à vista nessa área, o fato é que há problemas, sim. E o que é grave: o espaço para manobra, e para erro, fica cada vez mais reduzido.

Na verdade, a inflação só está "dentro da meta/abaixo de seu teto" porque, preocupado com determinados itens de peso no cálculo do índice oficial de preços ao consumidor, o governo recorreu ao controle direto ou indireto de preços administrados, que cresceram apenas no insustentável nível de 1,5% em 2013, enquanto os preços livres aumentaram 7,3% — e os serviços, mais de 8%.

Com efeito, estimativas hoje disponíveis mostram que acumulamos uma "inflação reprimida" da ordem de 1,5 ponto percentual no IPCA (Índice Nacional de Preços ao Consumidor Amplo). Em outras palavras, na ausência dos vários controles sobre preços administrados direta ou indiretamente pelo governo, a inflação brasileira estaria hoje certamente acima de 7%. Não há, portanto, espaço para o discurso do "estamos dentro da meta/abaixo do teto". Na realidade, não estamos.

Certamente teremos de voltar a uma inflação "dentro da meta" em 2015 e reduzi-la ainda mais em 2016 para que o discurso de que o objetivo é convergir ao longo do tempo para perto do centro da meta (4,5%) possa ter um mínimo de credibilidade. Uma estratégia de convergência que hoje, definitivamente, não depende apenas do Banco Central (BC) — o qual, justiça lhe seja feita, não embarcou no discurso do "abaixo de 6,5%" como a definição aceitável do "cumprir a meta".

O fato é que as expectativas quanto ao curso futuro da inflação estão há alguns anos desancoradas dos 4,5% do centro da meta. Supondo que esta não seja alterada agora em junho, e levando em conta que a inflação efetiva (isto é, não represada pelos controles de preços, que não se sustentam no tempo) hoje está bem acima do teto de meta, seria preciso reduzir essa inflação efetiva atual em pelo menos dois pontos percentuais.

E isso pode demandar de dois a três anos a partir de agora. A não ser que alguém espere que o BC possa elevar as taxas de juros para o *whatever it takes* (o nível que for necessário), ou que o real valorize e se mantenha como tal por tempo relevante, ou que uma baixíssima taxa de crescimento force a queda da inflação por falta de demanda.

Pelo menos pelos próximos seis ou nove meses o espaço de manobra para qualquer ação efetiva é extremamente reduzido — como o é ainda mais o espaço para novos erros. Situações difíceis não implicam inexistência de opções. Mas estas podem exigir, para a recuperação da confiança abalada, que o horizonte de tempo da política macroeconômica relevante *não seja* apenas o ano-calendário em curso, tampouco os próximos 12 meses, mas um período mais longo, à frente.

Refiro-me ao nosso verdadeiro calcanhar de aquiles, nossa situação fiscal, que está a exigir uma sinalização: algo que seja factível, crível e defendido com convicção ainda neste ano de 2014. Falo do anúncio de uma decisão de começar a elaborar desde agora um programa fiscal para o triênio 2015-2017.

Estou convencido de que isso seria de interesse do país e de que poderia ser de interesse da própria presidente Dilma, bem como dos outros principais candidatos ao cargo nas eleições de outubro. Afinal, estamos tratando da recuperação de uma margem de manobra, hoje muito reduzida, para respostas adequadas na política econômica — parte crucial da recuperação da confiança no Brasil.

Como já notei neste espaço, isso já foi feito mais de uma vez no passado recente, em 1998-1999 e em 2002-2003, e funcionou. Agora, em 2014, apesar da evidente recuperação da economia norte-americana e do clima mais confiante na capacidade da Europa de resolver gradualmente seus inúmeros problemas, não há nenhuma possibilidade de volta a um contexto internacional tão favorável quanto aquele que tanto beneficiou, por boa parte do tempo, o governo Lula.

Mais uma razão, se preciso for, para que o Brasil passe desde agora a fazer as coisas mais urgentes. A começar por destravar as inúmeras armadilhas visíveis à frente — algumas de "nossa" própria montagem, em particular nas áreas de energia elétrica, óleo e gás e infraestrutura.

Entre as urgências no gradualismo está a questão fiscal, que envolve o nível, a composição e a eficiência tanto do gasto público quanto da arrecadação do governo. Daí a sugestão de um esforço, tendo em vista o próximo triênio, que tenha uma clara diretiva presidencial, expressa com crível convicção, de que é preciso dar início a um programa de redução da velocidade de crescimento das despesas primárias do governo em relação à velocidade de crescimento da economia. Bem como aumentar a participação dos investimentos em relação aos demais gastos.

Fica difícil quando se aceita a famosa frase de Néstor Kirchner: "Para mim, gasto é investimento." Ela expressa bem uma postura muita difundida entre nós. Mas sempre caberá perguntar: qualquer gasto? Porque haja Tesouro, haja carga tributária, haja aumento de dívida bruta, haja impostos sobre as gerações futuras, se *qualquer gasto* for considerado sempre investimento em "alguma coisa". Sem definição clara de prioridades, sem fazer escolhas difíceis, sem avaliar o reduzido espaço para manobra — e para erro.

MAIS DO MESMO?
8 de junho de 2014

Dois anos atrás, em artigo neste espaço (10/06) sobre o que considerava "urgências no gradualismo" em algumas áreas-chave para a retomada dos investimentos no país, concluí com o seguinte parágrafo: "A presidente já demonstrou que tem plena consciência dessa urgência. E que tem a coragem para fazer o necessário. A presidente sabe que não há nenhuma pessoa séria torcendo contra o país ou desejando o fracasso de seu governo (à diferença de certa oposição irresponsável em um passado recente). A presidente sabe que tem de lidar com problemas em sua amplíssima base de sustentação no Congresso Nacional, com as várias facções do próprio partido e com os inúmeros corporativismos do setor público, para avançar nas áreas mencionadas — se é que o 'objetivo' de elevar a taxa de investimento para 22%-23% do PIB em seu mandato não se trata apenas da expressão de um desejo."

Pois bem, era um desejo. Continuamos em torno dos 18%. Como era não mais que um desejo o crescimento da ordem de 4% a 5% ao ano (ou mais) tantas vezes prometido, que corre o sério risco de ficar, na média, abaixo de 2% no quadriênio 2011-2014, e com uma inflação (reprimida) talvez acima de 6% na média do mesmo período. A lista das "urgências no gradualismo" aumentou muito desde 2012. A recuperação da confiança de investidores e consumidores, hoje, exige ainda maiores esforços.

E não só na área da política macroeconômica, fundamental como sempre será. A experiência mostra que há dois tipos distintos de risco nessa empreitada: o de desacelerações cíclicas e o de mais longo prazo, associados a uma erosão do crescimento potencial da economia. O primeiro é relativamente menos complicado de lidar. O segundo é mais grave. Nós temos os dois. E ambos têm suas urgências.

A primeira delas é reconhecer que a combinação — por quatro anos — de muito baixo crescimento e de inflação que resiste a baixar dos 6% é expressão de problemas mais fundamentais. Algo difícil para o governo atual. Em parte, porque está, desde pelo menos 2012, totalmente fixado nas eleições de outubro. Em parte, porque já optou, há muito, por uma "narrativa" que lhe permite escapar, até as eleições, de discutir a sério o presente, apenas reescrevendo à sua maneira a história passada e projetando, para si, um luminoso futuro.

Mas já vimos esse filme. O governo tem procurado explicar as suas dificuldades atuais insistindo no fato de que estamos sofrendo os efeitos da crise internacional. Porém, o pico do pânico dessa mesma crise internacional se deu em 2008-2009 nos Estados Unidos e em 2010-2012 na Europa. E aos brasileiros foi dito que o Brasil teria sido "o último país a entrar na crise e o primeiro a dela sair", graças à nossa "nova matriz macroeconômica", que havia levado ao (insustentável) crescimento de 7,5% em 2010. E nossos governantes de então propuseram, em 2010, "mais do mesmo" para o quadriênio 2011-2014.

Agora leio na imprensa que a presidente Dilma Rousseff teria respondido, no exterior, com um lacônico "não sei" à pergunta de um jornalista sobre "por que o Brasil cresce pouco". Deve ter tido suas razões. Uma das que se me ocorreram, relendo a imperdível entrevista concedida pela presidente a Mônica Bergamo, da *Folha de S.Paulo*, em 28 de julho de 2013, é quase autoexplicativa.

"Nós temos que aumentar a taxa de investimento no Brasil", disse a presidente. "Tanto que tomamos medidas fundamentais para que isso ocorra. Reduzimos os juros. Desoneramos as folhas de pagamento. Reduzimos a tarifa de energia. E fizemos um programa ousado de formação profissional, o Pronatec [Programa Nacional de Acesso ao Ensino

Técnico e Emprego]. (...) As medidas de redução de custeio nós tomamos. Todas. (...) De agosto [de 2013] até o início do ano que vem [2014] faremos várias concessões: rodovias, ferrovias, aeroportos, portos, o que vai contribuir para a ampliação dos investimentos." A jornalista perguntou sobre inflação e a presidente respondeu: "Ela está negativa agora" (acrescentando que fazia acompanhamento diário da taxa da inflação e que, no dia da entrevista, ela havia sido de -0,02%). Era um dia de julho de 2013, as manifestações de junho ainda estavam vivas.

Confiante na sua capacidade de cooptação dos "movimentos", o governo fez uma aposta de que reverteria o quadro a seu favor em poucos meses, restaurando nas pesquisas os pontos de popularidade perdida. Vieram as açodadas cinco propostas. E, principalmente, a decisão de enfatizar, ao extremo, que ao eleitorado o que interessava era emprego e renda, sendo o crescimento do PIB e o nível geral de preços etéreas abstrações para a esmagadora maioria. E a renda real e o emprego estariam muito bem até as eleições de outubro — pelo menos. O depois era... o depois.

O problema é que não se deve subestimar a perspicácia do eleitorado. Este pode demorar um pouco, mas acaba, talvez, se dando conta de que taxas de crescimento muito baixas combinadas com taxas de inflação renitentemente elevadas em algum momento podem, sim, pôr em risco a preservação da sua renda real e do seu sonhado melhor emprego.

É bem possível que essa percepção não alcance parcela expressiva do eleitorado antes de outubro. E é bem possível que a máquina de propaganda do governo, com seus vastos recursos e amplo uso das instrumentalidades do poder, convença mais da metade dos eleitores de que eles devem votar de olhos postos nas "conquistas", que seriam — todas — "dos últimos 12 anos", e que "eles" (quaisquer oposições) iriam destruí-las se eleitos fossem. É lamentável, pela mentira, desfaçatez e hipocrisia, mas alguns dirão: "Isso é do jogo simbólico da política." Como já foi feito no passado.

O que realmente importa é que problemas de curto, médio e longo prazos estão levando a essa preocupante combinação — há quatro anos — de muito baixo crescimento e relativamente alta inflação. Que não deixarão de existir pela força da propaganda e das bravatas da campanha. E mais: esses problemas terão de ser enfrentados depois de outubro qualquer que seja o resultado das urnas. Ao que tudo indica, o discurso do "mais do mesmo" tem prazo de validade estampado no rótulo.

A PRECÁRIA RETÓRICA DOS 12 X 8 ANOS
13 de julho de 2014

"O que você considera uma pessoa normal?", perguntou um amigo ao neurologista Oliver Sacks, achando que ele não levaria a pergunta a sério. Mas Sacks sugeriu que uma pessoa normal talvez fosse aquela capaz de contar a própria história: suas origens, o que tinha feito na vida, as circunstâncias em que se encontra hoje, para onde achava que estava indo — ou desejaria ir — e o que estava fazendo para tal. Em *O círculo dos mentirosos*, Jean-Claude Carrière, o autor da pergunta, conta essa história e se pergunta: podemos dizer de uma sociedade o que se diz de um indivíduo?

Em outras palavras, que uma sociedade "normal" precisa ser capaz de contar sua própria história, identificar-se, situar-se com naturalidade no curso do tempo histórico seu e do mundo que é sua circunstância? O "normal" não seria uma sociedade dotada de ordenada memória, constantemente ativada e animada pelas exigências do presente, capaz de encontrar em si os elementos que fundassem sua autoestima, sem a qual é impossível encarar o futuro com um mínimo de confiança? Creio que as perguntas de Carrièrre não são irrelevantes. Afinal, um país digno desse nome precisa ter alguma consciência social de seu passado e algum vislumbre de seus futuros possíveis e ainda, muito importante, identificar os principais desafios de seu fugidio presente por meio do infindável diálogo entre seu passado e seu futuro.

Para descer um pouco à terra: estamos no Brasil de meados de 2014, a dois meses das eleições que definirão os próximos quatro anos — e bem adiante. É fundamental mirar esse futuro sem desconhecer os cada vez mais visíveis problemas do presente e tampouco os processos e decisões que a eles nos levaram. Como já notei mais de uma vez neste espaço, há importantes armadilhas, algumas autoimpostas recentemente, que terão de ser destravadas.

Mas, além de desativar armadilhas, há muito, muito ainda a fazer neste país — o que não significa desconhecer o feito por várias administrações, inclusive a atual —, e é esse muito por fazer que deveria estar no centro do debate público. Um olhar à frente e não um olhar no retrovisor voltado para estradas já trilhadas. Entendo a estratégia eleitoral do lulopetismo, embora lamente que ela não ajude em nada — ao contrário — na busca das convergências possíveis, que poderiam talvez contribuir para reduzir as incertezas do presente.

Escrevi neste espaço em 2006, reescrevi em 2010, quando a mesma estratégia foi seguida, e de novo, agora: não acredito que "a cultura política" do país e seus eleitores tivessem ou tenham algo a ganhar — ao contrário — com uma obcecada tentativa de transformar o debate eleitoral de 2014 em uma batalha de aguerridos marqueteiros, militantes e blogueiros. E mais, creio que o discurso retórico dos "12 anos do lulopetismo *versus* os 8 anos de FHC", tão caro aos estrategistas marqueteiros, não se sustenta em seus próprios termos.

Por que digo isso? Porque o primeiro mandato de Lula foi distinto do segundo e os quatro anos de Dilma Rousseff, distintos daqueles oito. A tentativa de descrever o conjunto dos 12 anos como marcados por grande unidade na condução de uma política econômica que poderia ser projetada para o futuro pode justificar-se apenas como expediente eleitoral. Esperemos.

Em longa e imperdível entrevista concedida à *Folha de S.Paulo* em 27 de fevereiro de 2011, a jornalista Eleonora de Lucena pergunta ao ministro Guido Mantega, da Fazenda, se o novo governo seria mais parecido com Lula 1 ou Lula 2. O ministro responde algo como: nem Lula 1 nem Lula 2, será um Lula 3. Deixo ao leitor interpretar o que seria o Lula 4 e vou utilizar apenas a categorização da entrevistadora e do ministro.

Lula 1 beneficiou-se, e muito, como é ou deveria ser sabido, de uma combinação positiva de três ordens de fatores: uma situação internacional extraordinariamente favorável; uma política macroeconômica não petista seguida por Antonio Palocci (ministro da Fazenda) e Henrique Meirelles (presidente do Banco Central); e uma herança não maldita de mudanças estruturais e avanços institucionais alcançados na vigência de administrações anteriores — inclusive de programas na área social que foram mantidos, reagrupados e ampliados. Lula 1 começou a terminar quando saíram do governo simultaneamente, além do ministro Palocci, o vice-ministro Murilo Portugal, seu secretário do Tesouro, Joaquim Levy, e seu secretário de Política Econômica, Marcos Lisboa, entre outros, em março de 2006.

Lula 2 assumiu com nova equipe e nova concepção sobre o crucial papel do Estado e de suas empresas no desenvolvimento do país. O Programa de Aceleração do Crescimento e suas sucessivas e cada vez mais ambiciosas versões foi, em parte, a expressão dessa nova postura. A crise internacional, agravada após setembro de 2008, forneceu um grande álibi para a ampliação da política dita "keynesiana", que vinha sendo praticada desde 2007. O que levou aos insustentáveis 7,5% de crescimento em 2010. Só possíveis porque tivemos (efeito China) outro extraordinário surto de melhora nos termos de troca.

Dilma começou 2011 tendo de lidar com as consequências do superaquecimento de 2010. Mas ainda em 2011 surgiu a ideia da "nova matriz macroeconômica", que não deu certo em outro contexto internacional. A história é muito recente, mas suas consequências são cada vez mais visíveis.

O que importa é que o que estará em votação agora são os últimos quatro anos — afinal, é a atual presidente que busca sua reeleição. E, mais obviamente, os próximos quatro anos. É uma votação sobre o presente e principalmente sobre o futuro, e não uma votação sobre um passado cada vez mais distante.

É precária a retórica dos 12 x 8. Mesmo porque a história dos últimos 12 anos, como quer que se a interprete, não seria possível sem avanços alcançados nos oito anos anteriores. Na verdade, não apenas destes oito, fundamentais como possam ter sido. A história do Brasil, definitivamente, não começou em 2003. Como, aliás, em nenhum país "normal".

FAZENDO O DIABO
12 de outubro de 2014

E assim falou Lula — "Portanto, se aqui for dito alguma coisa que eu já disse, é um defeito político, na verdade, um defeito genérico do político brasileiro, mas que, segundo os comunicadores, é sempre importante a gente repetir a mesma coisa muitas vezes, até que esta coisa se torne quase que uma verdade absoluta para todos nós" — em discurso na sessão de abertura da Marcha a Brasília em Defesa dos Municípios, no início do seu segundo mandato (10/4/07).

Essa postura não era nova, como já mostrara o bordão sobre herança maldita após 2003, mas sua prática continuada ao longo do segundo mandato permitiria a Lula um arroubo extra de arrogância ao afirmar, às vésperas das eleições de 2010: "A opinião pública somos nós." Talvez porque se sentisse à beira de uma vitória que pretendia de caráter plebiscitário. Como é sabido, o PT disputou até agora (mérito seu, devemos reconhecer) nada menos que sete eleições presidenciais desde 1989, perdeu as três primeiras (duas no primeiro turno), ganhou as três seguintes e disputa agora, bem situado, sua sétima eleição presidencial.

Cabe lembrar que em nenhuma das eleições que ganhou (e da que ainda espera ganhar) o eleitorado brasileiro lhe concedeu a graça de uma vitória no primeiro turno. É difícil, pois, entender o arrogante "a opinião pública somos nós" de 2010. Assim como é difícil aceitar a simplória visão de que a complexa, rica e diversa sociedade brasileira caiba na camisa de força da divisão entre o recorrente "nós" do petismo e o conjunto, nada desprezível, daqueles que têm opiniões distintas e recusam a rotulagem fácil como instrumento de desqualificação. Parte expressiva dos 142 milhões de eleitores brasileiros tem todo o direito de perguntar "nós quem?", ao saber que uma mesma coisa deve ser repetida muitas vezes até que essa coisa se torne uma verdade quase absoluta — e para todos nós.

Quatro meses atrás escrevi neste espaço: é bem possível que a máquina de propaganda do governo, com seus vastos recursos e amplo uso das instrumentalidades do poder, convença mais da metade dos eleitores de que eles devem votar de olhos postos nas "conquistas", que seriam — todas — "dos últimos 12 anos" e que "eles" (quaisquer oposições relevantes) iriam destruí-las se eleitos fossem. É lamentável, pela mentira, desfaçatez e hipocrisia, mas alguns dirão: "Isto é do jogo simbólico da política." Como já foi feito no passado.

Fernando Gabeira foi ao ponto que importa em seu artigo em *O Globo* de domingo passado (5/10/04): "Uma vitória do PT, creio, não pode ser atribuída apenas à sua capacidade de mentir e de atacar. *Não se deve nunca acusar o adversário pela própria derrota.* Se não for possível resistir aos ataques e às mentiras do PT, isso significa que ele vai ficar eternamente no poder. Por que mudaria de tática?"

Com efeito, por que mudaria de tática, se não tivemos respostas políticas adequadas a deslavadas mentiras do tipo "eles" queriam (ou iriam, se eleitos) privatizar a Petrobras, o Banco do Brasil, a Caixa e o BNDES. Ou do tipo "eles são contra, e, se eleitos, vão acabar com o Bolsa Família, o Minha Casa Minha Vida e outros programas sociais do governo". Ou "eles" não aumentaram o salário mínimo em termos reais — o que é mentira, e de má-fé. Ou ainda a mentira de que os programas de transferência direta de renda para os mais pobres sejam uma criação petista, quando a medida provisória do governo Lula, mais de dez meses e meio após a sua posse, lista os programas que havia herdado do governo anterior, e os consolida, após reconhecer que eram uma ideia muito melhor do que a alternativa ["Fome Zero"] que tentara implantar por mais de dez meses. Não é correto, como sabe qualquer pessoa minimamente informada, que a estabilidade tenha sido uma conquista dos anos pós-2003.

A presidente chega à decisão do segundo turno carregando consigo três tipos de heranças — duas da própria lavra. Sobre a primeira, muito já escrevi neste espaço e posso agora apenas resumir. O Brasil não começou em 2003; os últimos 12 anos foram marcados por três períodos distintos: um Lula do primeiro mandato, que começou a acabar em março/abril de 2006; um Lula 2 diferente até 2010; e o governo Dilma, que foi um Lula 2 muito mais problemático. A nova estratégia de marquetagem política, após afirmar não ser possível voltar ao "passado", volta a 12 ou 16 anos atrás (1998-2002) para acusar adversários de "terem quebrado por três vezes". Uma mentira e uma tática diversionista para evitar discutir os sérios problemas que hoje enfrenta o país e os difíceis quatro anos à frente.

A segunda herança — e esta é a que importa agora — é a que o governo Dilma construiu para si (ou para o seu sucessor) nos últimos quatro anos. E na qual só vê elementos positivos, com os únicos problemas preocupantes sendo derivados da situação internacional. No front doméstico as coisas estariam absolutamente sob controle: inflação dentro da meta, situação fiscal sem problemas de credibilidade, investimento e crescimento sempre prestes a melhorar um dia. O fato é que a combinação — há quatro anos — de muito baixo crescimento, muito baixo investimento e relativamente alta e renitente inflação, que gera preocupações legítimas, constitui manifestação de problemas (não apenas de curto prazo) que não deixarão de existir porque são ignorados pela força da propaganda e de bravatas de campanha.

A terceira herança é a que a presidente Dilma vem construindo em seus discursos e debates de campanha, em especial nos últimos dois meses, criando para si própria armadilhas adicionais às que construiu com as políticas que implementou ao longo de seus quatro anos. São estas que estão sob o escrutínio agora, quando a presidente pede ao eleitorado mais quatro anos do mesmo, já que não reconhece problemas e, portanto, não vê necessidade de mudanças para enfrentá-los.

JOGANDO AGORA OS PRÓXIMOS QUATRO ANOS

9 de novembro de 2014

Meu amigo Everardo Maciel, em brilhante e recente discurso de posse na Academia Internacional de Direito e Economia, citou a bela frase de Raymond Aron a uma turma de alunos: "Decerto, este curso não se destina a ensinar o que vocês devem pensar; mas desejaria que ele lhes ensinasse duas virtudes intelectuais: a primeira, o respeito aos fatos; e a segunda, o respeito aos outros." Lembrei-me da observação de Norberto Bobbio sobre a maior lição de sua vida: "Aprendi a respeitar as ideias alheias, a deter-me diante do segredo de cada consciência, a compreender antes de discutir e a discutir antes de condenar. E a detestar fanáticos com todas as minhas forças."

As sábias lições de Aron e Bobbio talvez, quem sabe, pudessem ter maior presença no fundamental debate público brasileiro nos próximos quatro anos. Quanto mais não seja, porque, passadas as eleições, espera-se que não seja possível ao "novo" governo continuar com seus marqueteiros e sua militância "chamada às armas", como nas semanas pré-eleição. Agora, trata-se de governar um país complexo, rico em sua diversidade e de enorme potencial. Mas com sérios desafios de curto, médio e longo prazos à frente, impossíveis de se conciliarem com marquetagem/militância, insistente retórica contra um vago "eles" e plebiscitos sobre questões que não comportam simples respostas.

Na verdade, será com seus atos concretos, e não com discursos e gerúndios, que a presidente Dilma Rousseff estará definindo agora, isto é, nos próximos dois a seis meses, todo o seu segundo mandato. E em circunstâncias que não lhe são muito favoráveis. Em boa medida, como notei em meu artigo anterior neste espaço ("Fazendo o diabo", 12/10/14), pela pesada herança que deixa para si própria. Primeiro, pelas consequências de suas ações e omissões ao longo, pelo menos, dos últimos quatro anos; pelas implicações dos legados que criou para si (ou permitiu que seus marqueteiros criassem); pelo teor de seu discurso de campanha e pela forma "estarrecedora" com a qual procurou descontruir seus dois principais adversários.

Na área econômica, pela taxativa recusa de reconhecer problemas sérios: quanto ao crescimento, que será negativo em termos *per capita* em 2014 e de menos de 1% *per capita*, na média, nos quatro anos de seu primeiro mandato; quanto à inflação, que vai pelo quarto ano consecutivo de novo roçar o teto da meta; e quanto ao grave desequilíbrio causado no setor elétrico por sua Medida Provisória nº 579, de fins de 2012, bem como a problemas com a Petrobras e o etanol.

As contas a pagar estão chegando, todas, e rápido: para o contribuinte, para o consumidor, para as empresas, para o investidor, para o Tesouro. E não há mais como culpar "heranças malditas", a situação internacional, a mídia, um cambiante "eles", e assim por diante. As heranças com as quais o governo iniciará seu democraticamente conquistado segundo mandato são da própria lavra.

Vale lembrar, a propósito, que cerca de ano e meio atrás (24/6/13) a presidente Dilma convocou reunião com governadores, prefeitos e lideranças partidárias, em Brasília, para que ouvissem o que seriam as respostas do governo às manifestações de rua que haviam marcado aquele mês. Ali, a presidente propôs cinco pactos. E, em entrevista à *Folha de S.Paulo* (29/7/13), anunciou um sexto: Pela Verdade.

Mas o pacto que nos interessa aqui e agora (apresentado, se me lembro bem, em primeiro lugar entre os cinco) era aquele sobre "responsabilidade fiscal", sendo esta definida como "controle de gastos para garantir a estabilidade da economia e conter a inflação". À época, junho de 2013, o governo vinha reafirmando seu compromisso com um esforço fiscal de 2,3% do PIB. Também este ano, até as eleições, procurou manter a ficção de que estaria empenhado em realizar um esforço fiscal perto de 1,9% — sem mágicas contábeis do tipo das que subtraíram credibilidade à política fiscal adotada.

Em sua extensa entrevista aos principais jornais do Brasil, publicada na sexta-feira (7/11/14), a presidente voltou ao tema do pacto, que havia ficado completamente esquecido durante a campanha (que durou bem mais que um ano e meio). Na verdade, passaram-se nove longos anos, desde que, ao final de 2005, a então chefe da Casa Civil da Presidência da República detonou o embrião de uma sugestão em andamento na área econômica do governo, tachando a proposta de "rudimentar" e asseverando que "gasto é vida".

Na entrevista de sexta-feira, passados nove anos, a presidente reeleita afirma que "ao longo do governo, você descobre que várias coisas estão desajustadas. Várias contas que podem ser reduzidas, (...) o que vamos tentar é um processo de ajuste em todas as contas do governo, vamos revisitar cada uma e olhar com lupa o que dá para reduzir, o que dá para tirar, o que dá para modificar e o que dá para mandar para o Congresso".

O reconhecimento, ainda que tardio, tentativo e um tanto tortuoso (o que vamos tentar fazer, o que quer que venha a ser, não é o que "eles" fariam), deve ser saudado porque representa não só uma imperiosa necessidade, como também a busca de uma credibilidade e um rumo meio que perdidos na área fiscal. Que, como se sabe, envolve o nível, a composição e a eficiência do gasto público e da carga tributária.

Todos os jornais registraram as palavras da presidente de que "vamos fazer o dever de casa", em termos de combate à inflação e de controle da velocidade de crescimento do gasto público. No agregado, muitíssimo acima do crescimento do PIB nos últimos anos.

Todos registraram também as palavras com as quais, caracteristicamente, mandou seu recado aos leitores: "Estou dizendo que vou manter o emprego e a renda. Ponham na cabeça isso."

A presidente sabe, quero crer, que será com ações efetivas e não com palavras que estará jogando, a partir de agora, o Brasil dos próximos quatro anos. Pessoalmente, eu lhe desejo boa sorte. Mas sempre com as lições de Aron e Bobbio na cabeça.

QUADRIÊNIOS, VELHOS E NOVOS
14 de dezembro de 2014

Em discurso para a militância na presença de Dilma Rousseff, durante a campanha eleitoral deste ano, Lula disse que já se via com ela em 2022, nas comemorações de nossos 200 anos de Independência, defendendo tudo o que haviam conseguido conquistar "nos últimos 20 anos". É perfeitamente legítimo a qualquer pessoa expressar de público suas "memórias do futuro", para usar a bela expressão de Borges para caracterizar desejos, expectativas, sonhos e planos, quer se realizem ou não.

Mas, antes de chegar às eleições de 2022, há que passar por 2018. E não será fácil explicar então as conquistas dos "últimos 16 anos" como se fossem um coerente e singular período passível de ser entendido como um todo, como a marquetagem política tentou na eleição recente, com o discurso dos "últimos 12 anos". Porque Lula 1 foi diferente de Lula 2, Dilma 1 foi diferente de Lula 2 e Dilma 2 será diferente de Dilma 1 e também o mais difícil dos quatro quadriênios. Quem viver verá. Ou já está vendo.

Este artigo procura olhar à frente. Afinal, é nisto que os brasileiros estão interessados: no que esperar para 2015 e adiante, no quadriênio. A escolha pela presidente Dilma de Joaquim Levy para ministro da Fazenda (excelente escolha, diga-se de passagem), a confirmação de Alexandre Tombini no Banco Central e a indicação de Nelson Barbosa para o Planejamento (que havia deixado o cargo de vice-ministro da Fazenda, dizem, por discordar do excesso de manipulações contábeis nas contas fiscais do governo) sugerem que estavam certos os que insistiam, há muito tempo, que a perda da credibilidade da política governamental nessa área — para não falar de outras — era de tal ordem que o discurso do "mais do mesmo", no qual o atual governo insistiu até 26 de outubro negando-se a reconhecer seus cada vez mais graves problemas (condição *sine qua non* para resolvê-los), estava com seu prazo de validade estampado no rótulo — qualquer que fosse o resultado das urnas.

Agora, olhando o difícil começo de Dilma 2, vale um rápido lembrar de traços essenciais dos começos de Lula 1, Lula 2 e Dilma 1, não por gosto pelo passado ou por um enganoso "recordar é viver", mas porque há nessa perspectiva, a meu ver, algo relevante para avaliar os desafios do próximo quadriênio. Muitos dos protagonistas são os mesmos, o que talvez desperte algum interesse nesse "exercício de memória", que deve sempre ser feito — e por qualquer um — lembrando trecho da *Oração dos Velhos*: "Senhor, não me atrevo a reclamar uma memória melhor, dê-me, porém, uma crescente humildade e menos suscetibilidade quando a minha memória esbarrar na dos outros."

Lula 1 beneficiou-se, e muito, como é ou deveria ser sabido, de uma combinação positiva de três ordens de fatores: uma situação internacional extraordinariamente favorável; uma política macroeconômica não petista seguida por Antonio Palocci (ministro da Fazenda) e Henrique Meirelles (presidente do Banco Central); e uma herança não maldita de mudanças estruturais e avanços institucionais alcançados na vigência de administrações anteriores — inclusive de programas na área social que foram mantidos, reagrupados e ampliados. Lula 1 começou a terminar quando saíram do governo simultaneamente, além do ministro Palocci, o vice-ministro Murilo Portugal, seu secretário do Tesouro, Joaquim Levy, e seu secretário de Política Econômica, Marcos Lisboa, entre outros, em março de 2006.

Lula 2 assumiu com nova equipe e nova concepção sobre o crucial papel do Estado e de suas empresas no desenvolvimento do país. O Programa de Aceleração do Crescimento e suas sucessivas e cada vez mais ambiciosas versões foram, em parte, a expressão dessa nova postura. A crise internacional, agravada após setembro de 2008, forneceu um grande álibi para a ampliação da política dita "keynesiana", que vinha sendo praticada desde 2007. O que levou aos insustentáveis 7,5% de crescimento em 2010. Só possível porque tivemos (efeito China) outro extraordinário surto de melhora nos termos de troca.

Dilma 1 começou 2011 tendo de lidar com consequências do superaquecimento da economia de fins de 2009 a 2010. Ao longo de parte de 2011 foi feito um esforço para conter o expansionismo excessivo (algo que, até hoje, muito do "fogo amigo" dos seus considera um equívoco). A "nova matriz da política macroeconômica", as indefinições e as idas e vindas da política de concessões ao setor privado em infraestrutura, os quase cinco anos perdidos pela ausência de licitações para exploração do petróleo, os vários tipos de ônus impostos à Petrobras e a desastrada mudança no setor de energia elétrica no final de 2012, com suas consequências, impuseram pesada herança que Dilma 1 deixa para Dilma 2.

Mas situações difíceis não significam inexistência de opções. Há necessidade de sinalizações sobre elas — e para os próximos quatro anos. Não se trata apenas, como já disseram lideranças do governo, de um temporário esforço para "acalmar mercados" e agências de *rating* até que voltem a soar os atabaques das próximas eleições, muito antes de 2018. Há que sinalizar os próximos quatro anos. Nesse sentido, serão importantes os termos do discurso de posse, bem como a escolha de presidentes de empresas estatais e, particularmente, das equipes de ministérios-chave, como Minas e Energia, Educação, Trabalho, Relações Exteriores, e de outros entre os mais de 30 ainda por definir.

Lula, reeleito em outubro de 2006, só completou a formação de seu ministério, se me lembro bem, em março de 2007. Dilma, reeleita, terá muito mais dificuldade e menos tempo para formar um ministério à altura do momento e que possa chamar de seu. Em um contexto que, por razões cada vez mais visíveis, será muito provavelmente o mais difícil quadriênio dos efetivamente decorridos "últimos 20 anos".

Bom Natal a todos!

2015

2015

Taxa de crescimento no ano	-3,5 %
Taxa de inflação no ano	10,7 %
Taxa de câmbio no final do ano	R$ 3,96
Mín. R$ 2,57 Máx. R$ 4,18	
Taxa de juros no final do ano	14,25 %
Mín. 12,25 % Máx. 14,25 %	

JANEIRO
Dilma toma posse para o seu segundo período como presidente do Brasil.

FEVEREIRO
Eduardo Cunha (PMDB-RJ) é eleito presidente da Câmara dos Deputados. Renan Calheiros (PMDB-AL) é reeleito presidente do Senado.

A Câmara instala uma CPI para investigar desvios na Petrobras.

MARÇO
Novos protestos pedem a saída da presidente Dilma da Presidência.

A Operação Lava-Jato completa um ano: a "Lista de Janot" inclui o nome de 54 políticos.

JUNHO
Em decisão inédita, Tribunal de Contas da União dá a Dilma 30 dias para que ela explique as contas públicas de 2014.

AGOSTO
Pesquisa do Datafolha aponta que 71 % dos brasileiros reprovam o governo Dilma.

SETEMBRO

Economia recua 1,7% no terceiro trimestre. País continua em recessão.

Dólar opera em alta e passa de R$ 4 pela primeira vez na história.

Standard & Poor's tira grau de investimento do Brasil. Nota é rebaixada de BBB- para BB+.

OUTUBRO

Em decisão inédita, o TSE reabre ação para investigar a campanha que reelegeu Dilma (PT) e Michel Temer (PMDB).

DEZEMBRO

Acuado por ação no Conselho de Ética, o presidente da Câmara, Eduardo Cunha (PMDB-RJ), decide acolher uma das denúncias contra Dilma por crime de responsabilidade.

Vazamento de carta de Temer em que diz a Dilma que passou os quatro primeiros anos de governo como "vice decorativo" fragiliza a presidente petista.

Após 11 meses no cargo, Joaquim Levy deixa a Fazenda. Nelson Barbosa assume.

A FORÇA DA REALIDADE
8 de fevereiro de 2015

"Entendo os que são contra, esta é uma posição que já foi minha", disse o então presidente da República Ernesto Geisel cerca de 40 anos atrás, em cadeia nacional de televisão, ao anunciar, entre outras decisões, a abertura do Brasil a investimentos privados na área do petróleo por meio de contratos de risco. *Cartas a um jovem petroleiro*, do qual extraí tal lembrança, é um excelente livro de Jorge Camargo, que trabalhou por 27 anos na Petrobras, onde fez brilhante carreira. Livro para todos os interessados no setor, na Petrobras e na grande crise que a empresa ora atravessa.

A crise sugere que há algo mais disfuncional no processo decisório do governo brasileiro, desde a crise internacional de 2008-2009, que vem se agravando nos últimos quatro anos. Embora seja sempre possível buscar raízes históricas mais profundas, este artigo procura apenas sugerir que há elementos comuns em áreas nas quais estamos enredados, como Petrobras, energia elétrica e concessões ao setor privado em infraestrutura. Para não mencionar o meritório, imperativo e inadiável esforço em andamento para recuperar uma credibilidade na área fiscal que havia praticamente desaparecido no final de 2014.

A propósito, vale lembrar uma observação de Jared Diamond em seu livro *Colapso: como as sociedades escolhem o fracasso ou o sucesso*: "Mesmo quando uma sociedade foi capaz de antecipar, perceber e tentar resolver um problema, ela pode ainda fracassar em fazê-lo, por óbvias razões possíveis: o problema pode estar além das suas capacidades; a solução pode existir, mas ser proibitivamente custosa: os esforços podem ser do tipo muito pouco e muito tarde, e algumas soluções tentadas podem agravar o problema." Não nos faltam exemplos de situações como essas.

No caso da Petrobras, é possível argumentar que, mesmo na ausência da Operação Lava-Jato, a empresa teria de rever seus planos de investimentos e seu plano de negócios em função de fatos econômicos e financeiros internos e externos. O preço do barril do petróleo desabou, mas não desabaram os custos para produzi-lo. O programa de investimento da Petrobras, que contemplava para os próximos cinco anos um investimento médio anual de US$ 44 bilhões, terá de ser revisto. A dívida da empresa, que é quase 80% em dólar, tem seu serviço em reais aumentado com câmbio mais desvalorizado.

A obrigatoriedade de ter a Petrobras como operadora de todos os campos do pré-sal, e com pelo menos 30% de participação, passou a representar um ônus excessivo para a estatal, que já tem uma dívida de cerca de 5 (cinco vezes superior à sua geração de caixa). A exigência de conteúdo nacional vem gerando atrasos e estouro de orçamento. A Sete Brasil é um problema. Em suma, a decisão anunciada em 7 de setembro de 2009 (data escolhida a dedo) de mudar o regime de concessão para partilha vem gerando para a Petrobras obstáculos que ela teria de enfrentar mesmo que não estivesse em curso a Operação Lava-Jato. A empresa, com excelentes quadros técnicos, não merecia passar pelo que está passando — preço sendo pago pela indevida aparelhagem política na última década.

Na área de energia elétrica, há certamente o peso negativo da maior escassez hídrica em décadas, porém o inevitável racionamento (ou que nome venha a ter) não se deve apenas a esse fator. A desastrada decisão política anunciada também num 7 de setembro, mas de 2012, e consubstanciada na Medida Provisória nº 579 no fim daquele ano, teve consequências desastrosas, que os consumidores e contribuintes estão pagando em suas contas desde 2014 — e continuarão a pagar por mais alguns anos. Excesso de voluntarismo, arrogância e pressa eleitoral não costumam ser bons conselheiros. O ganho de curto prazo (a passageira redução de tarifas de 2013) transformou-se para os consumidores em salgada conta por anos à frente e desestruturou o equilíbrio financeiro das empresas do setor. Para quê, mesmo? Jared Diamond teria mais um exemplo para a sua coleção de disfuncionalidades de processos decisórios.

Sobre o processo decisório no mais alto dos níveis, vale lembrar algo que disse o ex-presidente Lula em longa e memorável entrevista ao *Valor*, em 17 de setembro de 2009: "Tenho cobrado sistematicamente da Vale a construção de siderúrgicas no país. A Vale não pode se dar ao luxo de exportar apenas minério de ferro. (...) A Petrobras apresentou estudo mostrando que deveria adiar o cronograma de investimentos dela. Convoquei o conselho da Petrobras para dizer: olha, este é um momento em que não se pode recuar. (...) Que a Petrobras construa refinarias, estimule a construção de estaleiros. Leva uma refinaria para o Ceará, um estaleiro para Pernambuco. Este é o papel do governo. (...) Não pense que foi fácil fazer o Banco do Brasil comprar a Nossa Caixa em São Paulo. (...) Quando fui comprar 50% do Votorantim, tive que me lixar para a especulação. (...) Não conheço ninguém que tenha a capacidade gerencial da Dilma."

É mais fácil enganar os outros que convencê-los de que foram enganados, teria dito Mark Twain. Mas Eduardo Giannetti, em seu magnífico *Autoengano*, argumenta com brilho que ainda mais fácil que enganar os outros é enganar a si mesmo. Nietzsche deu um bom exemplo, em seu estilo inconfundível: "Eu fiz isto, diz minha memória. Eu não posso ter feito isto, diz meu orgulho. E permanece inflexível. A memória cede."

A frase de Geisel que abre este artigo é um bom exemplo de que a realidade por vezes se impõe com força (no caso, a quase quadruplicação dos preços do petróleo e suas consequências para um país como o nosso, que importava mais de 85% do seu consumo doméstico). E isso exigiu, como reconheceu o então presidente, mudanças de antigas e caras posições. Orgulho e memória cederam à realidade.

O processo decisório hoje no Brasil parece, com frequência, ser refém de uma mistura de orgulho, seletiva memória e dificuldade em reconhecer que as consequências das ações e omissões passadas sempre acabam por nos alcançar — não apenas o governo, mas todos os brasileiros.

A FORÇA DA REALIDADE 2
12 de abril de 2015

"O meu livro propõe que renunciemos às abstrações do moralismo e da ideologia e procuremos, em vez disso, o verdadeiro conteúdo das escolhas possíveis, limitadas, como elas são, pela própria realidade." A observação de Raymond Aron, em livro publicado no terrível ano de 1938, continua atual.

Mas, observa Tony Judt em seu belíssimo *O peso da reponsabilidade*, Aron dava por certo que "os seres humanos têm crenças e são movidos por elas de várias maneiras, e isso é tão parte da realidade quanto a disposição de armamentos e as forças de produção". O realismo, na visão de Aron, era simplesmente irrealista "se ignorasse os julgamentos morais que os cidadãos fazem sobre os governos, ou os interesses dos atores em uma sociedade".

O título do meu último artigo neste espaço foi "A força da realidade" (8/2/15). Por que volto ao tema? Porque essa força continua se impondo ao governo atual no sentido "aroniano" da palavra, obrigando a uma reconsideração não só de planos e intenções pretéritos, como também reconsiderações de crenças no poder de discursos e promessas sobre o futuro. Em particular, de crenças sobre os poderes do governo e do Estado — e os limites ao exercício desse poder quando seus recursos, nunca ilimitados, escasseiam relativamente a crescentes demandas.

Estamos desde o final de outubro do ano passado nesse processo (que não é trivial nem será de curta duração) de modificar políticas e crenças arraigadas. Mudanças cuja necessidade era explicitamente negada pela presidente-candidata até o resultado das urnas. A vitória foi apresentada pelos de sua grei como reconhecimento do sucesso da política que vinha sendo seguida e como um voto de apoio à sua continuidade. A escolha de Joaquim Levy para a Fazenda representou uma ruptura com essa complacente visão, dando início a um processo de mudança abrupta de curso ali onde era mais imperioso e urgente: restaurar, ainda que gradualmente, a credibilidade do governo na área fiscal — que havia simplesmente desaparecido no final de 2014 — entre a opinião pública razoavelmente informada.

Mas a visão do governo, reiteradamente repetida, é de que essas mudanças de curso são passageiras e que o crescimento logo voltará. São ajustes fiscais e correções de algumas distorções, recalibragens de alguns "erros de dosagem", e não erros no próprio processo decisório e/ou na concepção de medidas desde Lula 2 e levados literalmente ao limite em Dilma 2. Todavia não é o contexto internacional, por incerto que seja, a razão de nossas sérias dificuldades atuais. As razões residem em políticas, decisões e crenças domésticas.

O PAC (Programa de Aceleração do Crescimento), anunciado em março de 2007, expressava a crença na "inflexão nacional-desenvolvimentista pós-Palocci", a virada de Lula 1 para Lula 2. Eram mais de 1.600 "ações do governo", das quais mais de 900 eram obras, e mais de 700, "estudos e projetos em andamento". Todo o conjunto a ser monitorado pela Casa Civil, então ocupada pela atual presidente.

Na revisão do PAC em 2009, o número de "ações do governo" subiu para mais de 2.200. O valor dos investimentos previstos, cerca de R$ 1 trilhão, reiterava a crença na "aceleração do crescimento" por meio da elevação das expectativas de maiores gastos públicos, considerada, desde antes da crise internacional, uma política "keynesiana".

A crise internacional, que chegou ao ponto máximo de tensão no último trimestre de 2008, exigiu uma resposta "keynesiana" da maioria dos países. O Brasil, que já vinha praticando tal política havia quase dois anos, ampliou-lhe o escopo durante o pior da crise (último trimestre de 2008 e primeiro de 2009) e continuou com as políticas, ampliadas, após a recuperação de 2009, levando ao superaquecimento da economia em 2010 e aos insustentáveis 7,5%.

Os anos de 2009 a 2014 foram marcados por duas grandes crenças. Primeiro, a crença na descoberta de "uma nova matriz macroeconômica" que poderia sustentar um crescimento elevado com inflação baixa e sem problemas de balanço de pagamentos. Mesmo em um quadro de progressiva e séria deterioração da credibilidade da política fiscal — em particular no triênio 2012-2014. Segundo, a crença de que as empresas estatais, os bancos públicos federais, o financiamento externo e, em última análise, o Tesouro e o governo federal sempre "arrumariam um jeito" de providenciar os recursos necessários para os ambiciosos projetos do governo. Afinal, os objetivos eram nobres e legítimos: a geração de emprego e renda.

Tudo parecia desejável — e possível. Erguer não uma nem duas, mas quatro refinarias no país (e comprar mais duas no exterior). Fazer a Vale construir siderúrgicas (plural) no Brasil. Criar uma empresa para encomendar a sete estaleiros (alguns a serem construídos, outros ampliados) nada menos que 29 sondas, 31 plataformas e 88 navios. Ter outra empresa (Empresa de Planejamento e Logística — EPL) analisando "perto de 4 mil projetos e dez cadeias logísticas e selecionando mais de 400 como ações prioritárias e essenciais". Etc.

Por trás de todos esses — chamemo-los assim — processos decisórios havia uma crença, arraigada entre nós, de que a demanda (desejada, planejada) ou as intenções e expectativas de gasto em consumo e investimento, público e privado, geram a própria oferta. O problema é que caso a oferta doméstica não responda em prazo hábil às demandas — pública e privada — o país (qualquer país) experimenta, como o Brasil já fez inúmeras vezes no passado e faz agora de novo, uma combinação de pressões inflacionárias com desequilíbrios de balanço de pagamentos.

Estes passam a requerer desvalorização real do câmbio e contenção do crescimento dos gastos públicos e privados, além de levar — para além do ajuste fiscal de curto e médio prazos — à necessidade imperiosa de busca por eficiência, produtividade e competitividade internacional. Há muito, muito o que "revisitar", para usar o verbo empregado pelo ministro Eduardo Braga (de Minas e Energia), na semana passada, em relação à sua área. Afinal, a conta chegou.

TUDO MUITO POUCO USUAL
14 de junho de 2015

"Ficará cada vez mais claro quão pouco usual foi a última década", escreveu a revista *The Economist* em julho de 2013. E tem razão: a década de 2003-2013 foi muito pouco usual, como quer que se defina a expressão. Porque na sua primeira metade foi marcada pelos anos de auge (2003-2008) do que Ken Rogoff chamou de "o mais longo, o mais forte e o mais amplamente disseminado ciclo de expansão da história moderna". Com uma súbita caída do pano no último trimestre de 2008.

E a sua segunda metade, de fins de 2008 até pelo menos 2013, foi marcada pelos efeitos da maior crise econômica e financeira desde os anos 1930 e pelas consequências, nada triviais, do tipo de respostas de política econômica por parte dos países desenvolvidos — e da China. Se esses dois quinquênios (2003-2013) não foram *unusuais*, é difícil imaginar o que seriam.

No Brasil também está ficando progressivamente mais claro quão pouco usual foi a década de 2003-2004 a 2013-2014. E o quanto de nossos sérios problemas nessa dificílima transição de Dilma 1 para Dilma 2 têm raízes em processos decisórios e crenças seguidas há mais de oito anos, desde a virada de Lula 1 para Lula 2 — e mantidas nos anos que se lhe seguiram.

De meados de 2003 a meados de 2008, o primeiro quinquênio da década "pouco usual", o Brasil, como é ou deveria ser sabido, beneficiou-se, e muito, de uma combinação de três fatores. Primeiro, uma situação internacional extraordinariamente favorável, que lhe permitiu acumular US$ 190 bilhões de superávits comerciais, ter superávit em conta-corrente em cada um dos cinco anos de 2003 a 2007 e acumular quase US$ 200 bilhões de reservas internacionais no período. Segundo, uma condução da política macroeconômica que, enquanto lá estiveram o ministro Antonio Palocci e sua equipe (até março de 2006), foi na prática a continuidade da política macroeconômica de FHC 2. Terceiro, por uma herança não maldita de avanços feitos pelo Brasil na vigência de administrações anteriores. Creio que brasileiros razoavelmente informados sabem quão pouco usual foi esse primeiro quinquênio. E quão pouco usual — e diferente — foi o período subsequente.

Com efeito, a virada de Lula 1 para Lula 2 foi marcada por uma autodeclarada "inflexão desenvolvimentista" cujo objetivo era acelerar o crescimento econômico pela liderança do Estado e de suas empresas. O PAC (Programa de Aceleração do Crescimento), que Eduardo Giannetti chamou de "Programa de Abuso da Credibilidade", foi a expressão mercadológica dessa inflexão. Seu anúncio, no início de 2007, contemplava mais de 1.600 "ações de governo" (mais de 900 obras e mais de 700 "estudos e projetos em andamento"). Com o PAC, e o crédito oficial, o Brasil começou a fazer política de estímulo à demanda mais de um ano e meio antes da eclosão da crise global de fins de 2008. Na "revisão" do PAC do início de 2009, o número de ações do governo havia passado para mais de 2.200, das quais cerca de metade seriam obras. O investimento esperado: mais de US$ 1 trilhão.

A capa da *Economist* de novembro de 2009, com a estátua do Cristo Redentor decolando como um míssil, captava bem o espírito do momento: não só a política "anticíclica" adotada desde 2007 mas também sua ampliação como resposta à crise de 2008-2009 pareciam ter despertado o "espírito animal de investidores internos e externos". O Brasil parecia ter, finalmente, descoberto como alcançar uma trajetória de crescimento elevado de forma sustentada. A política dita "keynesiana" parecia ter funcionado, e muito bem, de 2007 a 2009. Por que não lhe dar continuidade?

Foi o que o Brasil fez, e pelo quarto ano consecutivo em 2010, na suposição de que os estímulos ao consumo, privado e público, levariam certamente a uma grande expansão da oferta doméstica, portanto, do emprego e do salário real. E veio o insustentável superaquecimento da economia — 7,5% no ano em termos reais. A crescente euforia assegurou a eleição de Dilma Rousseff em 2010.

Bem que houve, em 2011, uma tentativa de lidar com o superaquecimento de 2010 e seus previsíveis efeitos em termos de pressões inflacionárias e déficits crescentes do balanço de pagamentos. Que são inevitáveis quando a demanda cresce muito mais rapidamente que a oferta doméstica no horizonte de tempo relevante. Mas o esforço foi abandonado no segundo semestre de 2011 e surgiu a velha "nova matriz macroeconômica", para tentar o que seria um crescimento acelerado em novas bases.

E vieram o programa integrado do investimento em logística, a criação de mais uma estatal para gerenciá-lo e o anúncio, três anos atrás, de um programa com ambições excessivas: 10 mil quilômetros de ferrovias, 5 mil quilômetros de rodovias, portos e aeroportos. Com o presidente da nova EPL (Empresa de Planejamento e Logística) afirmando, na virada de 2012 para 2013, que com R$ 500 bilhões ele "zeraria" o déficit de infraestrutura do Brasil em cinco anos.

E vieram as decisões sobre o setor elétrico (Medida Provisória nº 579), a imposição de ônus excessivos à Petrobras (controle de preços, construção de quatro refinarias, 30% de participação mínima obrigatória em qualquer campo do pré-sal, a criação da Sete Brasil para encomendar a construção de 29 sondas a vários estaleiros, alguns por construir). Como escrevi neste espaço: "Tudo parecia possível, porque desejável — se apenas houvesse vontade política."

Para o Brasil pós-outubro de 2014 talvez esteja começando a ficar um pouco mais claro que as sérias dificuldades atuais exigem mais que alguns poucos "ajustes", algumas poucas correções de "malfeitos", algumas poucas recalibragens de alguns erros de "dosagem". Essas exigências, imperiosas na área fiscal, expressam também problemas mais profundos de oferta, agravados por consequências de decisões tomadas desde o início de 2007. Estamos, talvez, no começo do fim de um ciclo, ao longo do qual uma determinada visão e uma determinada política ultrapassaram, por larga margem, sua funcionalidade, relevância e utilidade.

NARRATIVAS — MODOS DE USAR
12 de julho de 2015

"Há situações verossímeis que não são verdadeiras. E vice-versa. O êxito da atividade jornalística está em mostrar a diferença", escreveu Alberto Dines tempos atrás. O italiano Umberto Eco, cujo mais novo romance, que acaba de ser lançado no Brasil e tem o jornalismo como tema, parece concordar com Dines: "É preciso filtrar, distinguir — aprofundar a informação através de análises e comentários." Nisso estamos no Brasil de hoje. E até que indo bem.

A mídia brasileira, a meu ver (sei que outros discordam), no geral tem feito muito bom trabalho no sentido de atender aos apelos de Dines e Eco. Como apontou o editorial da revista *Época* no fim de semana passado, "é pelos jornais, sejam eles impressos ou digitais, que se sente o pulso e se desvenda a alma de um país".

Esse sentir e esse desvendar podem, com a passagem do tempo, assumir a forma de narrativas que procuram conferir algum sentido interpretativo mais geral ao fluxo de informações, argumentos — e posições que vão se formando. Essas narrativas estão em constante competição entre si por mentes e corações dos membros de uma sociedade. É verdade que umas podem ser mais resistentes que outras à passagem do tempo e aos ventos do mundo. Mas o poder das narrativas não deve ser subestimado.

Toda a sociedade organizada precisa ter alguma consciência social de seu passado, base para entender o presente, e saber que as opções futuras — que sempre existem — não são atos de voluntarismo explícito. Afinal, os homens não fazem história "como bem a entendem", e as escolhas de hoje são, em boa medida, afetadas pelas consequências de escolhas feitas no passado. Essa é a função social das narrativas. Porque é difícil alguém saber dizer para onde está indo, ou poderia ir, se não souber explicar de onde veio e onde acha que se encontra agora — sem negação de problemas nem excessivas ilusões.

Todo debate político, econômico ou social tem por trás, de uma forma ou outra, uma narrativa ou esboço de narrativa por meio dos quais se procura exercer a arte da persuasão: convencer "o outro" de seu argumento, mostrar que aquela narrativa lhe diz respeito, pode lhe ser útil, ajuda-o a entender melhor o que está acontecendo à sua volta e permite melhores escolhas, para si e para o país. Nisso estamos. Aprendendo.

Os brasileiros, hoje, querem entender o que está acontecendo, ou melhor, o que lhes está acontecendo. E, principalmente, o que o governo atual tem a dizer sobre o presente — e sobre os próximos três anos. Creio que os brasileiros, em sua grande maioria, não estão mais interessados — se é que estiveram um dia — no discurso (na narrativa) do "nunca antes na história", nas comparações com um governo iniciado 20 anos atrás, nas eternas bravatas de campanha e no discurso do "nós contra eles" (quaisquer oposições). Afinal, o lulopetismo está no poder há 12 anos, seis meses e dez dias.

E o que o lulopetismo tem a dizer aos brasileiros nestes difíceis meados de 2015? Que foi um contexto internacional adverso? Que foi a falta de chuva? Que pretende, apesar de tudo, seguir sempre adiante com o que chama "seu projeto" — que é o de continuar no poder no pós-Dilma 2? A narrativa lulopetista, que nunca foi considerada verdadeira por parte expressiva da população brasileira, deixou de ser verossímil para a grande maioria. Há que mudar seu discurso e sua prática. E nisso está o governo, paradoxalmente, desde fins de outubro de 2014, quando a narrativa era outra, agora em tortuoso processo de revisão.

Assim como estão aprendendo gregos e não gregos europeus, cada qual com sua narrativa sobre o processo pelo qual chegaram à situação atual, e sobre como lidar com ela — olhando à frente. Este artigo foi escrito antes de se tornar público o resultado das intensas negociações deste fim de semana entre o governo grego e os demais governos europeus para evitar uma saída desordenada da Grécia da Zona do Euro. Os governos europeus são hoje, por larga margem, os principais credores da Grécia, detendo, direta ou indiretamente, mais de US$ 400 bilhões. Não é fácil.

De fato, os gregos estão lidando com governos tão legítima e democraticamente eleitos quanto o deles. E se o governo grego tem de levar em conta a opinião pública grega (cuja maioria, diga-se de passagem, é contra a saída do euro), os demais governos também são obrigados a ouvir a própria opinião pública doméstica. E muitos sabem qual seria o resultado de um plebiscito sobre ajuda adicional à Grécia (sem condições) em seus respectivos territórios.

O plebiscito grego de domingo passado não foi o primeiro e não deverá ser o último na Europa. Desde 1992, que me lembre, houve plebiscitos na Dinamarca, na França, na Irlanda (dois em cada) e na Holanda. Após alguns deles, observei, anos atrás: "Na Europa, em particular, é forte a reação daqueles com receio do desemprego, da reforma trabalhista, da globalização, da privatização e de mudanças no *welfare state* europeu. Esse tipo de insatisfação é o principal problema político para os governos europeus hoje, porque, paradoxalmente, é uma insatisfação voltada tanto contra o precário desempenho econômico dos últimos anos quanto contra as reformas que poderiam melhorá-lo." Qualquer semelhança com um país que conhecemos um pouco melhor não é mera coincidência.

Já que induzi o eventual leitor a pensar no Brasil, eu não poderia concluir este artigo, em julho de 2015, sem relembrar que poucos dias atrás o real completou 21 anos, tornando-se mais longevo que a duração do ciclo de governos militares (1964-1985). Que o real tenha vindo para ficar como a definitiva moeda brasileira, símbolo de um avanço institucional memorável após décadas de inflação crônica, alta e crescente. Que o ciclo militar tenha ficado definitivamente para trás e que o Estado democrático de direito — e republicano — ora em construção entre nós esteja, como o real, para sempre em nosso futuro.

VERDADEIRO, FALSO E FICTÍCIO

9 de agosto de 2015

O título deste artigo é o subtítulo de um belo livro de ensaios do italiano Carlo Ginzburg (*O fio e os rastros*), cativante homenagem àqueles que "têm como ofício alguma coisa que é parte da vida de todos: destrinçar o entrelaçamento do verdadeiro, falso e fictício que é a trama de nosso estar no mundo".

O excelente e oportuno artigo de André Lara Resende "Corrupção e capital cívico" (no *Valor* de 31/7/15) merece leitura e reflexão por parte de todos os que estamos envolvidos pelo espesso nevoeiro de uma crise que é, a um só tempo, política, econômica e de valores — a trama de nosso viver no Brasil e no mundo de 2015.

Mas a urdidura dessa trama que nos trouxe ao nevoeiro atual não surgiu de repente, como uma surpresa de origens exógenas. Pelo contrário, a trama foi sendo construída aqui mesmo, por ações e omissões muito nossas, brasileiras, ao longo de muitos anos. É verdade que é sempre possível (por vezes necessário) voltar no tempo para identificar em distantes passados as origens maiores de nossos males e atrasos. Ou para dar o devido valor a nossos avanços.

Também é verdade que temos um mesmo governo há mais de 12 anos e sete meses, e que este tem responsabilidades, das quais não pode se eximir, pelas críticas situações econômica, política e de valores em que nos encontramos. Pode ser doloroso o processo de destrinçar o entrelaçamento a que se refere Ginzburg.

O fato de uma situação ser muito difícil não significa que não existam opções e escolhas, ainda que difíceis, a serem feitas. E, por paradoxal que possa parecer, a crise poderia, talvez, estimular a busca das convergências e das cooperações possíveis para a adoção de medidas voltadas a uma necessária recuperação gradual da confiança ao longo dos próximos meses e anos.

Parece haver um elusivo quase consenso sobre essa imperiosa necessidade de maior confiança, mas uma miríade de visões sobre as maneiras mais eficazes de alcançá-la. Não é que não se tenha ideia do que fazer. O que as pessoas parecem não saber é como se pode viabilizar politicamente aquilo que precisa ser feito.

"O recurso mais escasso não é dinheiro, mas coordenação", disse um arquiteto chileno de passagem pelo Brasil. Ele se referia especificamente a "intervenções urbanas". Todavia, os problemas de falta de coordenação valem para tudo: é preciso coordenação na área política, coordenação na área econômica, coordenação entre as duas áreas e coordenação entre o Executivo e o Legislativo. Estamos com carência em todas essas dimensões exatamente no momento em que mais são necessárias.

Vale lembrar que em seu discurso de posse, em janeiro de 2011, a presidente Dilma Rousseff, eleita para seu primeiro mandato, afirmou: "O Brasil optou, ao longo de sua história, por construir um Estado provedor de serviços básicos e de previdência social pública. Isso significa custos elevados para toda a sociedade." Preço a pagar, disse ela, pela "garantia do alento da aposentadoria para todos, e de serviços de saúde e educação universais". No mesmo discurso, a presidente deu a entender que não se recusaria a enfrentar nossas flagrantes realidades e irrealidades fiscais, ao prometer fazer mais — e melhor — com os recursos existentes, controlar a velocidade de crescimento dos gastos governamentais e mudar sua composição em favor do investimento.

Quatro anos e meio depois, seu novo ministro da Fazenda, Joaquim Levy, volta ao tema, agora com renovado e apropriado sentido de urgência, em artigo publicado na *Folha de S.Paulo* na última semana: "Manter estes mecanismos [de transferência de recursos do Tesouro através da folha do setor público, da previdência e de inúmeros outros programas] exigirá avaliação permanente de sua sustentabilidade e dos resultados obtidos. Dada a atual carga tributária, é urgente reforçar a avaliação da qualidade do gasto, inclusive o obrigatório, cujo volume reduz a latitude dos governos federal, estadual e municipal para investir na infraestrutura."

Nesse contexto, as crescentes demandas por maiores gastos públicos para a promoção do desenvolvimento econômico e social com frequência excedem a capacidade do Estado de tributar e se endividar para atendê-las. Desejos não configuram políticas e nem tudo é possível porque desejável. E, como bem observou Ken Rogoff anos atrás, "nenhum fator de risco é mais perigoso para uma moeda que a recusa de lideranças políticas em enfrentar realidades fiscais".

Esse enfrentamento não pode se restringir à área fiscal ou mesmo à área macroeconômica, em que a percepção de estabilidade e consistência intertemporal é condição necessária, embora não suficiente para o crescimento econômico. Como vem afirmando Mario Draghi desde que assumiu a presidência do Banco Central Europeu, "é mais fácil manter a confiança no curto prazo se há uma âncora no futuro". O sequenciamento das ações de curto, médio e longo prazos é facilitado pela existência de um claro e crível objetivo futuro. A confiança, diz ele, "funciona do futuro para o presente".

Volto ao tema do brilhante artigo de André Lara Resende, esperando que o significado da expressão "capital cívico" possa assumir relevância crescente no debate sobre nossa situação — e nosso futuro.

Capital cívico é o estoque de crenças e valores que estimulam a confiança e a propensão a cooperar e a coordenar as atividades entre as pessoas de uma sociedade. Estas são traços culturais, forjadas ao longo da história, reforçadas pela experiência de cooperação bem-sucedida.

A forma como a população avalia o Estado e suas instituições é uma boa aproximação do capital cívico. Onde este é alto, o Estado é visto como aliado confiável. Onde o capital cívico é baixo, o Estado é percebido como um criador de dificuldades para todos e de vantagens para seus ocupantes, funcionando como poderoso fator de erosão do capital cívico. As boas instituições são imprescindíveis para a sua preservação. Como o Brasil está aprendendo, ao tentar distinguir verdadeiro, falso e fictício.

TRANSIÇÃO, TRAVESSIA: PARA...

13 de setembro de 2015

"Lógico que houve erro. Se não houvesse erro não teríamos chegado aonde nós chegamos, e Dilma reconhece isso. Acho que houve alguns equívocos na questão econômica. Acho que o PT cometeu desvios porque começou a fazer política igual aos outros partidos e o PT era para ser diferente de verdade." Assim falou o ex-presidente Lula em Montes Claros duas semanas atrás, onde deu seu recado: "Se for necessário, vou para a disputa." A julgar pelas declarações em Assunção e Buenos Aires nos últimos dias, Lula está achando que vai ser necessário — com os olhos postos na transição do PT até outubro de 2016 e na própria travessia até outubro de 2018 na busca do que denomina "o nosso projeto" — permanecer no poder.

A presidente Dilma é mais parcimoniosa: "Se cometemos erros, e isso é possível, vamos superá-los." A marquetagem política deixou evidente a linha a ser seguida desde o programa oficial do partido no início de agosto, ao insistir no bordão do "durante os últimos seis anos, evitamos que a crise afetasse o Brasil, o emprego e a renda do trabalhador". Na entrevista ao *Valor* desta sexta-feira a presidente foi um pouco além no reconhecimento da enrascada atual, admitindo que "aplicou, por um período de tempo excessivo, uma política anticíclica agressiva", mas reiterou que só em novembro de 2014 é que "ficou muito claro o fim do ciclo das *commodities*".

Seu ministro mais chegado (Aloizio Mercadante) já tinha dito à *Folha de S.Paulo*, no dia 6: "Estávamos em intensa campanha, debatendo, viajando, e quando chegou o fim da campanha o mundo era outro. Isso impactou muito as finanças públicas. Fomos além do que podíamos na política anticíclica, na desoneração de impostos, no esforço por manter os investimentos, de manter os gastos."

Na verdade, como sabem os razoavelmente bem informados, o gasto público não foi "mantido". Ele cresceu, por anos, muito acima do crescimento da economia: o investimento está em queda desde o terceiro trimestre de 2013; a produção industrial, em declínio há oito trimestres; a inflação esteve roçando o teto da meta em praticamente todos os últimos anos. Decisões desastrosas foram tomadas sobre a Petrobras e o setor elétrico. O Brasil entrou em recessão no segundo trimestre de 2014.

Inúmeros analistas respeitados chamaram — por anos — a atenção, com argumentos e evidências, para as nuvens espessas que se acumulavam no horizonte. Mas o emprego, a renda e a massa salarial real pareciam bem até o segundo trimestre de 2014 e era isso que importava ao governo e a seus marqueteiros: chegar às eleições de outubro de 2014 e ganhar. Até lá o governo vendeu a continuidade da política que vinha implementando havia anos — e esta, agora se vê com mais clareza, fracassou. E muito pior: a conta chegou, e pesada, para todos.

O que importa a esta altura, em que é preciso olhar à frente para essa difícil, tortuosa e torturante "transição" (para 2016) ou "travessia" (para 2018), não é mais insistir em que a presidente e seu governo façam adicionais confissões explícitas de erros e *mea-culpa*. Isso não vai ocorrer de forma clara por parte de Dilma e do seu núcleo duro. Já Lula tem outras razões, e muito suas, como criador, para procurar dissociar-se um pouco do que considera erros de sua sucessora — ou criatura, apesar do seu partido estar no poder há mais de 12 anos e oito meses.

Nem são mais necessárias confissões, porque a opinião pública minimamente informada já sabe — e/ou sente no seu dia a dia — que houve uma ruptura entre a visão e a versão que vinha sendo propagada pelo governo até o fim de outubro de 2014 e a visão que vem sendo, aos poucos, explicitada meio que relutantemente desde novembro/dezembro do ano passado, mas de maneira não muito convincente.

Por que digo isso? Porque, apesar dos reconhecidos esforços dos ministros da área econômica, parece-me faltar liderança e convicção com coordenação onde elas mais importam: na ação efetiva do governo em seu conjunto. Não se trata agora de reconhecer erros do passado, e sim de mostrar que há um entendimento sobre o que fazer. E que esse entendimento se expresse em ações e propostas efetivas (de curto, médio e longo prazos). Não há uma saída que, em poucos meses, assegure uma firme ancoragem de expectativas sobre a recuperação do crescimento, do investimento, da renda e do emprego, como procura dar a entender a área política do governo.

Mas os ministros da área econômica têm toda razão ao enfatizar a importância crucial de que o drama fiscal brasileiro seja mais bem entendido pela classe política e pela população em geral. Essa necessidade (e dificuldade) não é só nossa: "Durante anos, a opinião pública demonstrou profunda indiferença em relação a todos os aspectos das finanças públicas, inclusive endividamento, compensações [salariais] e pensões. A única exceção são os impostos, com os quais todos se preocupam. Talvez a indiferença seja forte demais."

O trecho acima, extraído de um artigo traduzido do inglês e publicado em *O Globo* de 30 de julho de 2010, refere-se aos descalabros fiscais que teriam levado à insolvência pequenos governos locais da Califórnia, nos Estados Unidos. Como diria o grande Ancelmo Gois, "deve ser duro viver num lugar assim". Mas também entre nós talvez a indiferença seja forte demais quando se consideram não as legítimas preocupações individuais, e sim os números agregados de compensações, pensões, dívidas e impostos. E essa indiferença terá de diminuir gradualmente, dadas a "transição" e/ou a "travessia" que vêm por aí.

Escrevi parte deste artigo ouvindo o "Va, pensiero", belíssimo coro da ópera *Nabucco*, de Verdi, e me lembrando da histórica apresentação da Orquestra do Teatro da Ópera de Roma em que a audiência insistiu em um bis do coro, com o qual o maestro (Muti) acabou concordando. Emocionante ver o teatro repleto cantando com o coro e subindo o tom ao chegar ao "oh, mia patria, sì bella e perduta!".

O OCASO DE UMA NARRATIVA
11 de outubro de 2015

"O momento mais perigoso para um mau governo é, normalmente, aquele em que ele começa a se remodelar." A observação é de Alexis de Tocqueville sobre a França de seu tempo. Há sempre a possibilidade de exceções que confirmem a regra. Quem sabe veremos uma. Afinal, o Brasil já enfrentou — e superou — momentos de grande incerteza: ou econômica, ou política, ou ambas ao mesmo tempo e se reforçando mutuamente.

Mas a situação atual é inédita, porque as simultâneas incertezas, econômica e política, que já existiriam naturalmente — por força de ações e omissões muito nossas —, estão sendo reforçadas por um processo de investigação de abrangência sem paralelo na história "deste país", como a decorrente da Operação Lava-Jato, afetando pessoas físicas (privadas e públicas) e pessoas jurídicas (estatais e privadas). Processo penoso e longe de terminar.

Como foi longo e tortuoso o processo de chegar à situação de descalabro alcançada em 2014. Como está sendo longa e custosa para a presidente Dilma a tentativa de recuperar a credibilidade perdida, paradoxalmente com particular intensidade logo após sua vitória nas urnas. As causas foram muitas e, segundo o ilustre ex-ministro Delfim Netto no artigo "Finalmente" (*Folha de S.Paulo*, 7/10/15), "talvez o mais importante" tenha sido "não ter explicado clara e diretamente a seus eleitores (...) por que era impossível continuar com o sonho político, social e econômico construído pelo marketing eleitoral que a elegeu".

Dado que isso foi feito com seu conhecimento e aprovação, creio que para Dilma teria sido impensável, à época, dar tal explicação a seu eleitorado. Tanto é assim que, passado quase um ano, o discurso oficial continua sendo constituído por variantes de um mesmo argumento básico, reiteradamente repetido — inclusive há alguns dias pelo novo ministro-chefe da Casa Civil, Jacques Wagner. Em resumo que talvez não faça justiça ao argumento: durante seis anos (desde 2008 até fins de 2014) os governos Lula e Dilma expandiram e preservaram o que realmente importava: o emprego e a renda do trabalhador brasileiro, apesar da crise internacional.

Mas, não mais que de repente, no final de 2014 o governo se deu conta de que "o mundo havia mudado" (para pior) e talvez o governo tivesse esticado muito além da conta a política "anticíclica" que vinha seguindo desde 2008 (na verdade, desde o início de 2007). E que essa política lhe havia fugido do controle, o que exigiria ajustes e um ministro da Fazenda não petista. Mas tão logo foram concluídos certos ajustes fiscais (recalibragens de "erros de dosagem") e feitas algumas correções de rumo, o país retomaria logo, logo o crescimento do investimento, da renda e do emprego. Ainda antes do final de 2015.

Pois bem, sabe-se há vários meses que isso não vai acontecer rapidamente e que 2016 e, muito provavelmente, também 2017 serão anos de um processo de mudança muito mais complexo que um rápido e transitório "ajuste" nas contas públicas, que traria, naturalmente, o crescimento de volta. O ministro Joaquim Levy, da Fazenda, vem chamando a atenção, corretamente, para o fato de que sem a equação fiscal encaminhada de maneira crível não haverá recuperação, dada a incerteza vigente. E que mesmo com o reequilíbrio fiscal permitindo a redução das taxas de juros logo adiante não há garantia de sustentação do crescimento se não houver o terceiro elemento, de reformas de médio e longo prazos que reduzam o custo de investir e criar emprego.

Isso é uma agenda para vários anos de um governo que tenha lideranças políticas convictas do caminho a seguir — e que se coordena para tal seja no âmbito interno do próprio governo, seja nas relações do Executivo com o Congresso. Não é o que vimos no último ano. As falhas de coordenação internas, o intenso "fogo amigo" e a falta de convicção são patentes e ficaram evidentes como fratura exposta por ocasião da trapalhada do envio ao Legislativo de um Orçamento deficitário para 2016, com a afirmação de que este estaria já "no osso" quanto ao nível de gastos.

As falhas de coordenação dentro do Executivo e nas relações deste com o Congresso chegaram a um alto ponto de combustão nos últimos dias, exatamente quando o governo achava que havia, com sua minirreforma ministerial, recomposto e ampliado sua base de apoio — tiro que parece ter saído pela culatra. Esses eventos não contribuem em nada para reduzir as incertezas na economia — e o crescente "fogo amigo" a que estará sendo submetido o ministro Levy.

A observação do ilustre ex-ministro Delfim Netto talvez tenha, estou seguro que involuntariamente, contribuído para isso ao dar explicação adicional à extraordinária perda da popularidade de Dilma: "Quando, sem anestesia, não comunicou, apenas fez saber aos que a apoiaram que se apropriaria da política econômica de seu adversário, perdeu, automaticamente, mais de 2/3 [de seus eleitores] e ficou reduzida à aprovação de hoje." Nesse mesmo dia, a *Folha de S.Paulo* abriu seu influente "Painel" (na página 4) com a frase: "Ministros e petistas preveem a saída de Levy na virada do ano." Mas, diz ainda a nota, "apesar das pressões, Dilma resiste a tirá-lo. E mesmo o ex-presidente Lula, que criticou publicamente o ajuste fiscal, vê o desembarque, neste momento, como inoportuno".

A expressão "neste momento" é intrigante (para não falar em "desembarque"). A impressão que dá a um observador distante é que há no ar um "movimento" em gestação, por ora em fogo brando, porém consistente, para, eventualmente, atribuir à política econômica "do ministro Levy" — não do governo do PT, de Dilma e de Lula — a responsabilidade pelo desolador quadro atual: desemprego em forte alta, na direção de ultrapassar os 10% em 2016, e inflação beirando os 10% em 2015, comendo a renda real do trabalhador. Os dois objetivos que realmente importavam (emprego e renda) e que justificariam *tudo* o que foi feito a partir de 2007. Incluído o descalabro nas finanças públicas, que se tornou evidente no ano passado, quando a conta finalmente estourou.

2016

2016

Taxa de crescimento no ano	-3,5 %
Taxa de inflação no ano	6,3 %
Taxa de câmbio no final do ano	R$ 3,26
Mín. R$ 3,11 Máx. R$ 4,16	
Taxa de juros no final do ano	13,75 %
Mín. 13,75 % Máx. 14,25 %	

JANEIRO

Alta do dólar tem novo recorde: R$ 4,16.

Contas do governo de 2015 apresentam rombo recorde de R$ 114,9 bilhões. É o segundo ano seguido de déficit fiscal primário e o pior resultado das contas públicas desde o início da série histórica, em 1997.

MARÇO

Dilma é alvo do maior protesto nacional a favor de seu *impeachment*.

O STF define os "ritos do *impeachment*".

Posse de Lula como ministro da Casa Civil termina com liberação de "grampo" em telefonema entre ele e Dilma. STF suspende a nomeação de Lula e a instabilidade no governo aumenta.

ABRIL

A Comissão Especial do Impeachment de Dilma na Câmara começa a analisar o parecer do relator.

A bolsa fecha em alta em meio à subida de preços das *commodities* no exterior e após a Comissão Especial aprovar o parecer favorável à abertura do *impeachment*.

Com 367 votos a favor, o processo de *impeachment* contra Dilma é aprovado na Câmara e segue para o Senado.

MAIO

O *impeachment* contra Dilma é aberto no Senado e a presidente é afastada por 180 dias. Temer assume como presidente em exercício.

Temer nomeia Henrique Meirelles ministro da Fazenda.

JUNHO

Ilan Goldfajn é nomeado presidente do Banco Central.

AGOSTO

Por 61 votos a favor e 20 contra, o Senado afasta Dilma definitivamente do cargo. Michel Temer é o novo presidente do Brasil.

Começam os Jogos Olímpicos Rio-2016.

SETEMBRO

A Câmara cassa o mandato de Eduardo Cunha (PMDB-RJ) por 450 votos a 10 e nove abstenções. O deputado é acusado de mentir à CPI da Petrobras ao negar, durante seu depoimento, em março de 2015, ser titular de contas no exterior.

Nos nove primeiros meses do ano, o PIB cai 4% em relação ao mesmo período de 2015.

OUTUBRO

Eduardo Cunha é preso, acusado de receber propina de contrato de exploração de petróleo no Benim (África) e de usar contas na Suíça para lavar o dinheiro.

O Banco Central baixa juros para 14% ao ano. É a primeira redução em quatro anos.

De janeiro a outubro, a arrecadação tem queda real de 3,47% em relação ao mesmo período de 2015.

As eleições municipais revelam a ruína do eleitorado petista. Candidatos que empunham a bandeira da novidade na política são eleitos, caso de João Doria (PSDB), em São Paulo, e Alexandre Khalil (PHS), em Belo Horizonte. Candidaturas conservadoras, como a de Marcelo Crivella (PR), eleito prefeito do Rio de Janeiro, também angariam votos.

NOVEMBRO

A recessão atinge em cheio as contas dos estados e muitos não conseguem manter serviços e pagamentos.

A Petrobras anuncia queda no preço da gasolina e do diesel nas refinarias.

Os deputados retiram seis propostas do projeto anticorrupção preparado pelo Ministério Público Federal, desfigurando o pacote, e o texto segue para o Senado.

DEZEMBRO

O Senado aprova a PEC (Proposta de Emenda à Constituição) que restringe os gastos públicos.

Renan Calheiros (PMDB-AL) é afastado da presidência do Senado após tornar-se réu por peculato.

O DÉCIMO QUARTO ANO DO LULOPETISMO NO PODER

10 de janeiro de 2016

"Dilma, lidando com o 'pós-Lula'" foi o título de artigo que publiquei neste espaço quase cinco anos atrás (13/3/11). À época, a expressão "pós-Lula" causava marcado desconforto a muitos, que resistiam a vê-la como forma abreviada de se referir ao período que se seguiria ao término dos oito anos (2003-2010) da administração Lula. O artigo explorava possíveis razões do desconforto com a expressão.

Agora, neste início do crucial ano de 2016, estamos vivendo uma situação em que Lula e o PT já estão "lidando" com o "pós-Dilma", isto é, focando no futuro de ambos, mesmo anos antes do que consideram de público a única legítima data-limite (2018) para se falar abertamente sobre o pós-Dilma. O fato é que antes de 2018 vêm as eleições de outubro de 2016. E antes disso Lula, o PT e os movimentos sociais, sobre os quais têm grande influência, estarão se posicionando e/ou reposicionando em relação ao governo Dilma — à luz do desempenho da economia e de seus próprios, e prioritários, instintos de sobrevivência política.

Lula e o PT já foram capazes de cometer enorme injustiça com o competente ex-ministro Joaquim Levy, responsabilizando-o, e não ao governo Dilma, pelo péssimo desempenho econômico de 2015 — contratado muitos anos antes, desde a gestão Lula 2. Foram inúmeros os manifestos e pronunciamentos do lulopetismo, no correr de 2015, contra a "política econômica do ministro Levy" e a favor da "retomada imediata do crescimento". Para os dessa grei, apenas uma questão de "vontade política". Tenho certeza de que esse não é o caso do novo ministro da Fazenda, Nelson Barbosa.

Mas o ano que se inicia é o décimo quarto — e crucial — ano do lulopetismo no poder. Crucial para Dilma, para o PT e para Lula. E muito mais importante para o Brasil, dadas a lastimável situação em que se encontra a sua economia, a disfuncionalidade de sua política e as consequências da Operação Lava-Jato, inédito processo de investigação, ora em curso, sobre ligações perigosas entre pessoas (públicas e privadas) e empresas (privadas e estatais). Nunca antes na história deste país tivemos o grau de incerteza que resulta da interação dessas situações de crise.

Sairemos dela um dia, estou seguro, embora a um custo que ainda não nos é dado avaliar exatamente. Contudo, sabemos que está sendo e será, ao fim e ao cabo, muito alto em termos de empregos que foram perdidos, de renda e emprego que não foram gerados, de renda real perdida para a inflação, de queda de produção, de investimento que não se realizou, de poupança que se evaporou e de sonhos e expectativas frustrados, especialmente para aqueles que haviam adquirido a sensação de um permanentemente conquistado melhor padrão de vida para si e os seus. É duro encarar por alguns anos a realidade mesmo em países ricos, com renda *per capita* de três a seis vezes maior que a nossa. Aqui é bem pior a sensação de mal-estar com ilusões perdidas.

O mal-estar pode ser especialmente daninho para a necessária recuperação de um maior grau de confiança no país (que certamente existe), mas principalmente, agora, de confiança no governo e em sua capacidade de coordenação com o Congresso e de comunicação transparente com a sociedade — que deixa, e muito, a desejar.

Para tal, o governo precisaria dar demonstrações críveis à sociedade de que: a) tem um diagnóstico adequado da situação (neste início de 2016): b) tem um entendimento, que faça sentido para a população, do processo pelo qual chegamos (o país) à situação atual (o passado recente); e c) não menos importante, com base em a) e b), que tem um conjunto de ações, não pura retórica nem proveniente de indevida "gerundização da política" (do tipo "vamos estar fazendo", "vamos estar providenciando", "vamos estar estudando"). Afinal, estamos entrando no décimo quarto ano do lulopetismo no poder.

Não é verdade, como por vezes parece insistir o governo, que tenhamos chegado à situação atual de repente, não mais que de repente, surpreendidos apenas no final de 2014, após o resultado das urnas. Agora, em abril deste ano, completaremos dois anos de uma recessão que começou em abril de 2014. E cujas bases foram, no fundamental, sendo lançadas por ações, omissões e erros do governo ao longo de anos anteriores a 2014 — na verdade, anteriores a Dilma 1, apenas continuados e acentuados em seu período.

Para a difícil tarefa de entender o presente, e poder vislumbrar o tipo de ações que este e o futuro exigem, é preciso ter alguma narrativa minimamente coerente sobre o passado por meio do qual chegamos à situação atual. Não qualquer narrativa, destinada a militantes partidários e aos simpatizantes de sempre, mas uma narrativa que parcela expressiva da opinião pública brasileira considere que lhe pareça fazer sentido, dizer-lhe respeito, ser-lhe útil, ajudá-la a entender um pouco mais a sua circunstância, o seu futuro e dos seus. Isso é tarefa para lideranças políticas capazes de se comunicar de forma convincente e respeitosa para com a inteligência dos brasileiros.

Pode parecer fácil. Não é. Tanto é assim que nem o governo — que, afinal, tem a responsabilidade principal — nem as oposições estão sendo capazes de fazê-lo. Mas acho que temos avançado, apesar das aparências em contrário. Ao menos há menor espaço para a mentira, a desfaçatez e a hipocrisia. E certamente menor espaço para erros associados a velhas e perigosas ilusões que não têm futuro.

Como escreveu Paul Volcker em seu famoso relatório para a Organização das Nações Unidas ("Boas intenções corrompidas: o escândalo do programa Petróleo por Alimentos"): "Após mais de 50 anos de experiência, tive inúmeras oportunidades de observar em primeira mão a frustração das boas intenções: debates infindáveis, defesa de interesses muito especiais, falta de visão ampla e oportunidades perdidas entre o impasse político e a inépcia administrativa."

Como diria o grande Ancelmo Gois: "Deve ser duro viver em países assim."

O TEMPO É CURTO

14 de fevereiro de 2016

"Agora que as coisas ficaram mais difíceis, os eleitores se tornaram mais céticos em relação aos políticos (...). Esse ceticismo seria saudável caso se esperasse pouco do governo. O fato, porém, é que dele ainda muito se espera e muito se exige. O resultado pode ser uma mistura tóxica e instável: a dependência força o governo a expandir-se e a sobrecarregar-se demais, enquanto o ceticismo o priva de legitimidade e exacerba os reveses, transformando-os em crise (...) a disfunção caminha de mãos dadas com a desordem." Esse texto é de um belo livro de John Micklethwait e Adrian Wooldridge, *A quarta revolução*, cujo subtítulo é *A corrida global para reinventar o Estado*.

Os autores tratam dos casos dos países democráticos desenvolvidos e da "competição" com o capitalismo de Estado, do tipo chinês, pela necessária e continuada readaptação do Estado em ambos os contextos. Mas qualquer leitor brasileiro minimamente informado haverá de perceber a relevância da mistura paradoxal, tóxica, instável — e insustentável — entre excessiva dependência do governo e excessivo ceticismo em relação ao Executivo, ao Legislativo e à interação de ambos, que caracteriza a disfuncional situação do Brasil de hoje.

Não chegamos até aqui por acaso. Há uma história que não pode ser ignorada e que levou muitos anos sendo "construída". Com especial diligência nos últimos oito anos, como se a expansão do Estado, de suas empresas e de seus bancos não conhecesse limites. O que importa agora é o esforço coletivo para tentar superar a situação atual. Não haverá consenso, palavra sempre elusiva, mas o debate ao longo dos últimos anos vem permitindo graus de convergência não irrelevantes em torno do que seria preciso fazer, por quê e como. A Reforma Fiscal (aí incluída a Reforma da Previdência) é a questão "econômica" fundamental, sem a qual a dívida pública mostrará trajetória insustentável e não haverá retomada do crescimento.

Não é que não se saiba o que fazer. O que não se sabe (principalmente um governo dividido e sem convicção parece não saber) é como tornar politicamente viável o que precisa ser feito. Em uma democracia de massas isso depende da capacidade de convencer pessoas. E para convencer pessoas é preciso ter convicção, argumentos e evidências. Em outro contexto, Joseph Nye Jr. escreveu: "Em uma democracia, o interesse nacional é simplesmente aquilo que os cidadãos, após deliberação apropriada, afirmam que é. (...) lideranças políticas e especialistas podem apontar para os custos de indulgência em certos valores, mas, se um público informado discorda, os especialistas não podem negar a legitimidade dessas opiniões."

É claro que o fundamental dessa opinião são as expressões "após deliberação apropriada" e "por um público informado". O que nem sempre ocorre. E se mesmo após tais deliberações por um público informado emerge um país profundamente dividido ou uma posição que não seja muito mais que a expressão de um vago desejo? Afinal, a expressão de desejos coletivos não se traduz, naturalmente, em políticas, mudanças legislativas e ações operacionais de governo que transformem desejos e opiniões em realidade.

Os governos Lula e Dilma tentaram resolver esse tipo de questão por meio de uma vertiginosa expansão de "instâncias de comunicação e negociação" com a sociedade. Decreto presidencial de maio de 2014 "normatizou" nada menos que nove dessas instâncias: conselhos de políticas públicas; comissões de políticas públicas; conferências nacionais; mesas de diálogo; fóruns interconselhos; audiências públicas; consultas públicas; ambientes virtuais de participação social; e ouvidoria pública federal. Rezava o decreto: "A convocação de cada uma dessas instâncias caberá à Secretaria-Geral da Presidência da República, que editará portarias com as rotinas e métodos de escolha dos integrantes e periodicidades dos encontros."

À época, vários integrantes do governo e simpatizantes do processo afirmaram que o decreto apenas formalizava e consolidava uma prática de "comunicação e negociação" com a sociedade há muito estabelecida. Alguns chegaram a mencionar que já existiam milhares dessas instâncias em funcionamento. Devia ser árdua a tarefa do ex-ministro Gilberto Carvalho. Deve ser árdua a tarefa do ministro Miguel Rossetto. Deve ser difícil ao governo Dilma gerenciar mais de três dezenas de "ministérios", Congresso, governadores e prefeitos, além de milhares dessas "instâncias", nestes momentos difíceis em que vivemos.

Sabemos agora que o governo atual acaba de reviver um meio desativado Conselhão, criado logo no início do primeiro governo Lula. Com quase 100 participantes, Lula atribuiu-lhes a responsabilidade por encaminhar "soluções" para grandes temas nacionais, incluída aí a Reforma da Previdência — 14 anos atrás! Esta semana reúne-se outro fórum nacional, presidido pelo ministro do Trabalho e da Previdência (mais quatro outros) e reunindo corporações sindicais, empresariais e de aposentados, para discutir a "retomada do crescimento" e a Reforma da Previdência. Quem sabe um dia...

Exatamente há um ano (8/2/15), abri meu artigo neste espaço com as seguintes linhas: "Entendo os que são contra, essa é uma posição que já foi minha", disse o então presidente da República Ernesto Geisel cerca de 40 anos atrás, em cadeia nacional de televisão, ao anunciar, entre outras decisões, "a abertura do Brasil a investimentos privados na área do petróleo por meio de contratos de risco". "A força da realidade" (título do artigo) exigiu, como reconheceu o orgulhoso então presidente, mudanças em antigas e caras posições suas. Talvez a presidente Dilma tenha — à sua maneira — de fazer algo parecido. Não haveria desdouro nisso. Depende do tempo de que considere dispor.

OS DOIS GUMES DA LÂMINA
13 de março de 2016

"O passado é uma terra estrangeira: eles lá fazem as coisas de modo diferente", escreveu L.P. Hartley (em *O mensageiro*, 1953). O tempo do verbo é instigante: fazem, não faziam ou fizeram. Afinal, a terra estrangeira do passado pode ser visitada, no presente, por viajantes interessados em saber como eles fazem por lá. E por que viajam? Porque cada geração visita, aprende, interpreta e por vezes reescreve o passado, à luz de exigências interrogativas impostas pelo presente e de sonhos, desejos — e temores — sobre o futuro. Há encruzilhadas-chave nesse infindável diálogo.

O Brasil encontra-se hoje — como raras vezes em nossa história — em um desses angustiantes momentos definidores de sua trajetória futura. É óbvio que não há soluções simples e as que parecem sê-lo estão erradas (tanto na economia como na política). Não haverá uma grande batalha que tudo defina. Não há um dia D. Não há um(a) salvador(a) da pátria (como o Brasil, espero, tenha aprendido ou esteja aprendendo). Mas é imperativo acelerar o processo de ampliação do espaço das convergências possíveis.

Na área econômica, é mais do que chegada a hora de avançar na tentativa de convencer governos (nos três níveis), políticos e eleitores a aceitar a existência de restrições à tendência natural do Estado à expansão de suas incumbências, com frequência por pressão da própria sociedade. O Estado, porém, apenas redistribuiu recursos que por ele transitam e que lhe vêm da tributação, do endividamento, da venda de ativos, do imposto inflacionário e/ou do uso sub-reptício de poupanças compulsórias. Tem aumentado, gradualmente, a percepção de que há claros limites para esse processo de expansão, quando o Estado já se sobrecarregou de obrigações. Ao dispersar em excesso suas atividades, o Estado fica suscetível a ceder ainda mais a interesses isolados, a persistir em fazer promessas que não pode cumprir, a criar expectativas de mais direitos por adquirir e a assumir metas e objetivos inalcançáveis — que acabam, com frequência, em retumbantes problemas de dívidas por equacionar.

Como afirmei em artigo neste espaço ("Nem mínimo nem máximo, só mais eficiente", em 12/1/14) sobre um descabido, primitivo e maniqueísta "debate" sobre o Estado (que não deveria ser nem mínimo nem máximo, apenas mais eficiente naquilo que faz e se propõe a fazer): "É possível que uma discussão aberta, transparente e não ideologizada mostre situações em que há 'incumbências', existentes ou programadas, que poderiam estar além das possibilidades técnicas, humanas, financeiras e fiscais do próprio Estado — e de suas empresas." Faltou acrescentar: como vem demonstrando cabalmente a nossa experiência nos últimos anos.

Apenas uma ilustração exemplar, e típica, do dito acima: há cerca de dois anos (21/4/14) a presidente Dilma declarou que, "só em 2014, estão em construção ou contratados para serem construídos aqui no Brasil 18 plataformas, 28 sondas de perfuração e 43 navios-tanque (...). Graças à política de compras da Petrobras, iniciada no governo Lula e desenvolvida no meu governo, renasceu uma indústria naval dinâmica e competitiva, que irá disputar o mercado com as maiores indústrias navais do mundo".

Este é apenas um entre incontáveis exemplos de voluntarismo explícito em outras áreas, como petróleo e gás, energia elétrica e concessões em infraestrutura (ferrovias, rodovias, saneamento, trens-bala etc.). Exemplos adicionais podem ser encontrados na memorável, reveladora e imperdível longa entrevista do ex-presidente Lula no auge da "inflação de si", ao jornal *Valor* (17/9/09).

Essas lembranças me vieram à mente ao reler uma conferência de Larry Summers, ex-secretário do Tesouro dos Estados Unidos, sobre uma discussão específica de política pública em seu país, mas que tem uma aplicação mais geral — e relevante para a necessidade que teremos, nos próximos anos, de lidar com consequências de descaminhos como os mencionados acima.

Disse Summers: "A primeira coisa que você sempre tem de se perguntar ao propor mudanças em uma importante política pública é: 'Bem, esta política foi posta em vigor por alguma razão? Talvez seja uma boa razão e a política deva permanecer: existe sempre alguma presunção a favor do *status quo* e, portanto, você devia ter razões convincentes para superar tal presunção." Summers concluiu: "Mas você também pode chegar à conclusão de que não há nada na história da implementação daquela política que gere qualquer razão para acreditar que ela seja funcional, numa base continuada, hoje."

O Brasil precisará aprofundar essa questão, conforme respeitados economistas brasileiros, em número crescente, vêm insistindo: análises cuidadosas, não ideologizadas, baseadas nas melhores evidências e informações disponíveis, que permitam avaliar não conjeturas e opiniões, mas projetos, políticas e programas em execução e/ou em estudo. A experiência mostrará que as grandes diferenças na área de políticas públicas não residem nos objetivos gerais a serem alcançados, e sim nas formas mais eficazes de implementá-las.

Quero concluir este artigo nestes dias turbulentos, com espesso nevoeiro à frente e um governo à deriva, com duas observações de dois exemplares "espectadores engajados". Uma, de Raymond Aron, que escreveu: "A sociedade moderna precisa ser vista sem arroubos de indignação ou de entusiasmo." A outra, de Eduardo Giannetti, que expressou preocupação semelhante: "A lâmina da serenidade precisa de dois gumes, para eliminar excessos de otimismo e de pessimismo."

Estamos precisando, agentes políticos, agentes econômicos e espectadores engajados, usar um pouco mais os dois gumes das lâminas de Aron e Giannetti. Porque, não nos iludamos, estaremos "no sereno" por alguns anos mais. O futuro é terra estrangeira.

HERANÇAS E FUTUROS: MODOS DE USAR

12 de junho de 2016

"Em discurso para a militância na presença de Dilma Rousseff, durante a campanha eleitoral de 2014, Lula disse que já se via com ela, em 2022, nas comemorações de nossos 200 anos de Independência, defendendo tudo o que haviam conseguido conquistar 'nos últimos 20 anos'." Assim abri artigo neste espaço em 14 de dezembro de 2014 ("Quadriênios, velhos e novos"), que continuava: "É perfeitamente legítimo a qualquer pessoa expressar de público suas 'memórias do futuro', para usar a bela expressão de Borges para caracterizar desejos, expectativas, sonhos e planos, quer se realizem, quer não."

No caso, a probabilidade de realização do sonho certamente diminuiu. E não apenas pelo ocorrido desde as eleições de 2014. Mas também pela crescente percepção da opinião pública de que as crises econômicas e políticas em que o país está enredado têm raízes mais profundas em nosso passado — e ainda em desacertos na condução da economia iniciados em 2006 e gradualmente ampliados ao longo destes últimos anos, culminando na inédita recessão em que estamos desde abril/maio de 2014.

Observei no artigo anterior que antes de chegar às eleições de 2022, haveria, óbvio, que passar por 2018. E que não seria fácil explicar, então, as conquistas dos "últimos 16 anos" como se fossem um coerente e singular período passível de ser entendido como um todo, como a marquetagem política tentou na eleição de 2014, com o discurso dos "últimos 12 anos". Por quê? "Porque Lula 1 foi diferente de Lula 2, Dilma 1 diferente de Lula 2 e Dilma 2 será diferente de Dilma 1 e também o mais difícil dos quatro quadriênios. Quem viver verá. Ou já está vendo", escrevi em dezembro de 2014.

Mas muito antes disso (no artigo "Mais do mesmo", publicado em 8 de junho de 2014), eu já havia observado que a política econômica de Dilma 1 trazia seu prazo de validade (outubro de 2014) estampado no rótulo e que teria de ser mudada — qualquer que fosse o resultado das urnas. A tentativa de fazer o diabo para ganhar as eleições a qualquer custo agravou ainda mais o quadro de descalabro fiscal que constitui, entre outros, herança terrível para qualquer governo.

Este artigo está sendo publicado antes de o governo interino de Michel Temer inteirar um mês. Os governos do PT, sob Lula e Dilma, haviam completado 13 anos, quatro meses e 12 dias por ocasião do afastamento da presidente. Há exatos 13 anos tenho o privilégio de escrever neste espaço tratando de interações entre economia e política no período. Peço licença ao leitor para resumir ao extremo aspectos do processo por meio do qual chegamos à situação atual antes de um breve comentário sobre os primeiros dias do governo interino de Temer na área econômica.

Lula 1 beneficiou-se e muito, como é ou deveria ser sabido, de uma combinação positiva de três ordens de fatores: uma situação internacional extraordinariamente favorável; uma política macroeconômica não petista seguida por Antonio Palocci e Henrique Meirelles; e uma herança não maldita de mudanças estruturais e avanços institucionais alcançados na vigência de administrações anteriores — inclusive de programas na área social que foram mantidos, reagrupados e ampliados. Lula 1 começou a terminar em março de 2006, quando, além de Palocci, saíram do governo Murilo Portugal, Joaquim Levy e o secretário Marcos Lisboa, entre muitos outros.

Lula 2 assumiu com nova equipe e com a decisão já tomada de aumentar o papel do Estado e de suas empresas e bancos no desenvolvimento do país. O Programa de Aceleração do Crescimento, anunciado com pompa no início de 2007, (e suas sucessivas e cada vez mais ambiciosas versões) foi, em parte, a expressão desta nova postura: uma política expansionista de natureza pró-cíclica. A crise internacional, agravada após setembro de 2008, forneceu um grande álibi para a ampliação dessa política expansionista, agora transfigurada em uma respeitável, porque keynesiana, política anticíclica. E que, ainda ampliada em 2009 com a euforia do pré-sal, levou aos insustentáveis 7,5% de crescimento em 2010. Só possível porque tivemos (efeito China) outro extraordinário surto de melhora nos termos de troca.

Dilma 1 começou 2011 tendo de lidar com as consequências do superaquecimento. Até meados do ano foi feito um esforço para conter o expansionismo excessivo (esforço considerado equivocado pelo "fogo amigo" de alguns de seus companheiros do PT). A "nova matriz", as indefinições e as idas e vindas da política de concessões ao setor privado em infraestrutura, os quase cinco anos perdidos pela ausência de licitações para exploração do petróleo, os vários tipos de ônus impostos à Petrobras, a desastrada mudança no setor de energia elétrica no final de 2012 e suas consequências, além da degradação das contas públicas, impuseram a pesadíssima herança que Dilma 1 deixou para Dilma 2 — e para o governo interino de Temer.

Situações muito difíceis não implicam, porém, inexistência de opções. E as primeiras são por escolher pessoas adequadas para postos-chave. Na área econômica, e nos seus primeiros dias, Temer e o ministro da Fazenda, Henrique Meirelles, acertaram em cheio na escolha de Ilan Goldfajn para o Banco Central, de Pedro Parente para a presidência da Petrobras, de Maria Silvia Bastos Marques para chefiar o BNDES e de Eduardo Guardia para comandar a Secretaria Executiva do Ministério da Fazenda, entre outros. Todos têm experiência, profissionalismo, capacidade técnica, maturidade e visão realista dos problemas a enfrentar na economia, para começar a recuperar a credibilidade perdida nas áreas da gestão macroeconômica e setorial que hoje tolhem a retomada do crescimento.

Todos sabem que, em última análise, nas arenas do Legislativo e do Judiciário decisões-chave terão de ser tomadas, mas que o Executivo tem de formular sua agenda. E que gente boa é capaz de atrair e reter gente boa, de dentro e de fora do setor público. Em ambos, há muitas pessoas competentes em condições de e com vontade de servir ao país, e não de ocupar espaço na máquina pública para a aparelhagem política em benefício próprio e/ou de partido no poder.

HERANÇA NÃO RECONHECIDA
11 de setembro de 2016

O século XX destruiu religiões seculares que prometiam, para seus seguidores, a salvação aqui na Terra: fascismo, estalinismo, nazismo, maoismo e outros "ismos" que viraram "wasms" (o "já era" da gíria carioca). Restaram duas grandes formas de acreditar: religiões tradicionais que prometem a seus fiéis a salvação na vida eterna, após a morte, e nacionalismos variados, inclusive em suas manifestações mais preocupantes, como o nacional-populismo e o nacional-estatismo, que costumam andar juntos e ainda prometem a salvação terrena para os seus seguidores, beneficiários e demais crentes.

Crenças são o que são, matérias de fé ou paixões da imaginação que correspondem, com frequência, a emotivas necessidades humanas. Há diferentes graus do acreditar, mas, como bem disse Fernando Pessoa, "o que há de bom ou mau em qualquer crença, *qualquer*, é o modo como se crê. O bem ou o mal estão no psiquismo do crente, não na crença em si". Em outras palavras, o mau de uma crença e o mal que ela pode causar estão nos que utilizam a força do acreditar como critério de verdade. Pior, quando creem que "sua verdade" poderia, pela força da repetição, prevalecer sobre mentes e corações de incrédulos ou portadores de outras crenças. E, pior ainda, quando creem que as instrumentalidades do poder do Estado devem ser utilizadas para tal propósito. Não costuma dar certo.

A experiência brasileira pós-2006 é sugestiva a esse respeito. O ilustre ex-ministro Nelson Barbosa deu significativa contribuição a esse necessário debate em artigo publicado (em inglês) em 2010 sobre políticas contracíclicas no Brasil. Ali se lê: "*Em 2006* [ênfase minha], o governo Lula se decidiu por papel mais ativo do Estado na promoção do desenvolvimento econômico e na redução da desigualdade." Após apresentar avaliação das realizações alcançadas entre a decisão de 2006 até a data em que o artigo foi escrito (fins de 2009/início de 2010) o autor apresenta "as quatro principais lições da experiência brasileira".

A primeira das lições: "Para se engajar em políticas anticíclicas o país precisa ter uma situação fiscal estável e reservas internacionais em nível confortável." A segunda lição: "As ações governamentais são facilitadas pela existência de mecanismos de proteção social e dos tradicionais instrumentos do Estado desenvolvimentista, como bancos públicos, empresas estatais, política industrial (desonerações e incentivos financeiros) e investimento público." A terceira lição: "A importância da regulação prudencial para prevenir crises e combater seus efeitos."

Finalmente, a quarta lição tem a ver com o que o autor chama de "a economia política da governança sob Lula" e assim a define: "As autoridades governamentais não perderam muito tempo debatendo as implicações ideológicas de cada iniciativa de política. Em vez de se preocupar com estratégias de saída de determinadas políticas enquanto a crise se desenvolvia, as autoridades enfatizaram a necessidade de rápida e maciça ação do governo, para evitar que a economia entrasse em uma espiral descendente de recessão e deflação (sic)."

Uma discussão atualizada, para 2016, do status das "lições de 2010" é importante para o entendimento de duas perguntas-chave para o futuro: onde estamos e por que estamos onde estamos? Com base nesse necessário entendimento, é preciso discutir as ações do governo visando ao futuro, sem as ilusões voluntaristas que marcaram o período Lula 2 e, particularmente, a "economia política da governança sob Dilma Rousseff" a partir do segundo semestre de 2011, culminando no desastre dos anos recentes.

Em entrevista à revista *Veja* (7/9/16) a senadora Katia Abreu, ex-ministra de Dilma e amiga próxima, afirma: "Em 2014 ela cometeu o erro de demorar a perceber que aquele modelo (...) de aquecer a economia via Estado não funcionava mais (...). [Ela] pode não dizer com todas as letras e da forma como as pessoas gostariam que ela dissesse, mas ela reconhece isso."

Pois bem, a ex-presidente terá tempo agora para refletir mais sobre essa experiência e, talvez, se dar conta da importância para as finanças públicas e para a retomada do crescimento do Brasil de algo que ela intuiu, e chegou a expressar, mas tarde demais para quem esteve na posição de chefe da Casa Civil por mais de cinco anos e na Presidência por outros mais de cinco anos.

Disse a presidente em entrevista coletiva (7/11/14), poucos dias após a reeleição: "Ao longo do governo, você descobre que várias coisas estão desajustadas. Várias contas que podem ser reduzidas (...), o que vamos tentar é um processo de ajuste em todas as contas do governo, vamos revisitar cada uma e olhar com lupa o que dá para reduzir, o que dá para tirar, o que dá para modificar e o que dá para mandar para o Congresso." Pois bem, isso terá de ser feito por outros. O lulopetismo, apesar dos 13 anos e pouco, não se ligou muito nesses "problemas menores" — nem nos maiores gastos. Muito antes pelo contrário.

Todos os jornais registraram com ênfase as palavras de Dilma nessa mesma entrevista — "vamos fazer o dever de casa" — em termos de combate à inflação e ao controle da velocidade de crescimento do gasto público, que vinha crescendo, havia muitos e muitos anos, muito acima do crescimento do PIB e da receita. Mas jornais registraram também as palavras com as quais Dilma, à sua maneira, mandou seu recado a jornalistas e leitores: "Estou dizendo que vou manter o emprego e a renda. Ponham na cabeça isso."

Os brasileiros sabem o que lhes aconteceu, e de inédito, nessas duas áreas: o desemprego deve alcançar 12 milhões de pessoas e a renda *real* por habitante no país terá declinado cerca de 9 % no triênio 2014-2016. Que adjetivo dar a essa herança que o lulopetismo deixa a seu(s) sucessor(es), que com ela terá(terão) de lidar, sob uma ferrenha oposição que não reconhece suas indeléveis impressões digitais nessa mesma herança?

ALVOROÇO — MUNDO E BRASIL
11 de dezembro de 2016

"Não existe nada estável no mundo: o alvoroço é a nossa única música", escreveu o poeta John Keats a seu irmão em 1818. A frase faz sentido, a julgar pela experiência dos últimos 200 anos, e segue relevante, hoje, para o mundo e para o Brasil neste final do surpreendente ano de 2016. Afinal, não é todo ano que temos a eleição de um Donald Trump, um Brexit, nacional-populismos e tiranias em ascensão no mundo e, no Brasil, o fim do ciclo do "projeto" petista.

O alvoroço (*uproar* no original inglês) não é a nossa única música, (existem as boas), mas os graus de incerteza na política, na economia e, particularmente, na interação entre ambos — nos âmbitos nacional, regional e global — vêm aumentando de forma assustadora. E não foi algo que ocorreu de repente, não mais que de repente. Não se trata apenas de um fenômeno cíclico, passageiro. Não existe esse tal de "novo normal" à frente, que alguns procuram — em vão — identificar. André Lara Resende está correto ao insistir na observação de que tanto no Brasil como no mundo "nunca a conjuntura foi tão pouco conjuntural".

Segue um breve comentário sobre o contexto global e sobre o Brasil atuais e os desafios à frente, em particular para o crucial biênio 2017-2018, no qual definiremos boa parte da próxima década.

Sobre o mundo: o rearranjo de placas tectônicas ocorrido no início dos anos 1990 — após a queda do Muro de Berlim, a reunificação da Alemanha, o colapso do império soviético, a emergência da China como potência econômica, a decisão europeia de lançar o euro e os déficits externos crescentes dos Estados Unidos — permitiu que o mundo experimentasse aquilo que Ken Rogoff chamou de o mais longo, o mais intenso e o mais amplamente disseminado ciclo de expressão da história moderna, que se estendeu do início dos 1990 até crise de 2008-2009. Segundo o Fundo Monetário Internacional, cerca de 600 milhões de pessoas se integraram à economia global como trabalhadores e consumidores urbanos entre 1990 e 2007. Desde então, o mundo experimentou as consequências tanto da crise quanto das necessárias respostas a ela.

Mas os eleitores, em particular na Europa, há muito vinham expressando, tanto em plebiscitos como em eleições regulares, sua insatisfação com o que consideravam relativa perda de soberania nacional. Na raiz do problema, indivíduos sentindo-se inseguros, ameaçados, prejudicados ou mesmo já vitimados pelos efeitos sobre empregos domésticos, derivados de importações de bens e serviços e imigrações. Não menos importante, pelos efeitos também da rapidez avassaladora das mudanças tecnológicas e da globalização sobre a demanda por mão de obra.

A frase de Keats que abre este artigo é uma das epígrafes de um belíssimo livro de Thomas McCraw, *O profeta da inovação: Joseph Schumpeter e a destruição criativa*. Essa última expressão — destruição criativa — era, segundo Schumpeter, o "elemento essencial" do funcionamento do que ele chamava de "a máquina capitalista". Imbatível na geração de renda e riqueza, mas, como os ventos e as águas, sujeita a inconstâncias, instabilidades e disrupções, o que pode gerar — e gera — mal-estar e descontentes.

Tão ou mais importante é que a máquina capitalista, embora imbatível na geração de renda e riqueza, não o é na sua distribuição, o que levou à intervenção de governos no processo. E também às hoje chamadas economias sociais de mercado, das quais existem inúmeras variedades com os mais distintos graus de eficácia na tentativa de preservar a inovação e de limitar os experimentos que podem se mostrar, como bem o sabemos, verdadeiras "criações destrutivas" de emprego, renda, riqueza, crescimento — e de solvência fiscal.

O Brasil, sempre sujeito aos ventos do mundo, encontra-se agora, como raras vezes em nossa história, em um desses angustiantes momentos definidores de sua trajetória futura. É óbvio que não há soluções simples. E as que parecem ser simples estão erradas, na economia e na política. Não haverá uma grande batalha que tudo definirá. Não há uma panaceia nem haverá um dia D. Não há um(a) salvador(a) da pátria, como o Brasil, espero, tenha aprendido. É imperativo, contudo, acelerar o processo de ampliação do espaço das convergências possíveis. Para tal, é preciso um sério esforço por evitar que a polarização atual se agrave com a intolerância daqueles que veem em qualquer interlocutor potencial ou bem um cúmplice de suas ilusões ou um inimigo a ser abatido.

Concluo com meu comentário sobre uma observação de Jared Diamond: "Mesmo quando uma sociedade foi capaz de antecipar, perceber e tentar resolver um problema, ela pode ainda fracassar em fazê-lo, por óbvias razões possíveis: o problema pode estar além das suas capacidades; a solução pode existir mas ser proibitivamente custosa: os esforços podem ser do tipo muito pouco e muito tarde, e algumas soluções tentadas podem agravar o problema."

É verdade, mas, a meu ver, por mais difíceis que sejam, os problemas do Brasil não estão além das nossas capacidades. As soluções podem ter custos, porém, com definição de prioridades, estes podem ser mitigados e não tornados proibitivos pela procrastinação e pelo *too little too late*. E, por último, algumas soluções tentadas podem agravar o problema, como também o sabemos, no entanto é sempre possível aprender com a experiência e não incorrer em velhos erros, como no nosso passado recente.

Vem daí a minha esperançosa confiança no futuro. Porque há hoje, talvez por causa da crise, maior consciência da natureza dos desafios a enfrentar. Na macroeconomia, em especial na área fiscal (três níveis de governo), na promoção do investimento privado em infraestrutura, nos setores de óleo, gás e energia elétrica, na fundamental área da educação, na previdência, na saúde e na busca de igualdade de oportunidades — e perante a lei. Mas alvoroço, algazarra e algaravia continuarão conosco — e com o mundo — pelos próximos anos.

Feliz Natal!

2017

2017

Taxa de crescimento no ano	1,0 %
Taxa de inflação no ano	2,9 %
Taxa de câmbio no final do ano	R$ 3,31
Mín. R$ 3,06 Máx. R$ 3,38	
Taxa de juros no final do ano	7 %
Mín. 7 % Máx. 13 %	

ABRIL

Após as delações de executivos da construtora Odebrecht, o STF autoriza a abertura de inquérito contra políticos com foro privilegiado (oito ministros, três governadores, 24 senadores e 39 deputados).

Paralisações em diversas capitais marcam protestos contra as reformas trabalhista e previdenciária.

MAIO

A delação da JBS é divulgada e atinge principalmente o presidente Temer e o senador Aécio Neves (PSDB).

Em depoimento ao juiz Sergio Moro, Lula nega ser o proprietário de um tríplex no Guarujá (SP).

JUNHO

A Procuradoria-Geral da República denuncia Temer ao STF por corrupção passiva. Pela primeira vez um presidente é denunciado criminalmente no exercício da função.

A chapa Dilma-Temer é absolvida no TSE.

JULHO

Moro condena Lula a nove anos e meio de prisão no caso do tríplex.

Temer sanciona a reforma trabalhista.

AGOSTO

A Câmara barra a denúncia da Procuradoria-Geral da República contra o presidente Temer.

SETEMBRO

Em depoimento, Lula se defende das acusações de seu ex-ministro Antonio Palocci ao juiz Sergio Moro.

A impopularidade de Temer bate recorde. Apenas 3% dos brasileiros consideram o governo do presidente bom (Ibope).

OUTUBRO

O Senado decide manter o mandato de Aécio Neves após a denúncia da Procuradoria-Geral da República.

A Câmara decide arquivar mais uma denúncia contra Temer.

NOVEMBRO

IPCA: em 2,5% no acumulado até novembro.

DEZEMBRO

O PIB cresce 1% em 2017, após dois anos de retração.

O Banco Central anuncia taxa básica de juros a 7% ao ano, a mínima histórica desde a adoção do regime de metas da inflação, em 1999.

Pelo menos cinco estados não pagam em dia o 13º salário dos servidores.

2017-2018: UM BIÊNIO CRUCIAL

8 de janeiro de 2017

O Brasil mudou, o Brasil está mudando, o Brasil continuará a mudar. Apesar — e por causa — de nossos inúmeros, inegáveis e, por vezes, assustadores desafios de curto, médio e longo prazos. Porque os governos e a sociedade que os elege não têm alternativa senão procurar enfrentar tais desafios, antes que percepções de custos crescentes gerem crises mais sérias.

Em artigo neste espaço ("O que temos a ver com gregos e outros?"), em 9 de maio de 2010 — décimo aniversário da Lei de Responsabilidade Fiscal —, após comentar a crise na Zona do Euro, escrevi, em meio ao nosso enganoso clima de 2010, que "era nos períodos de bonança e de euforia que se deveria precavidamente preparar o terreno para tempos mais difíceis — que sempre chegarão".

Observei que tão ou mais importante que comemorar a primeira década da lei seria resistir à miríade de pressões existentes para desvirtuá-la e não permitir que o espírito que presidiu à sua elaboração, no final dos anos 1990, fosse gradualmente deixado de lado. Isso seria, a meu ver, "o ovo da serpente" de futuras crises fiscais, que estariam por trás de dificuldades em assegurar o crescimento sustentável da economia.

Pois bem, os tempos mais difíceis nos chegaram, e com força historicamente inédita, nos últimos três anos. A recessão atual começou, não por acaso, no segundo trimestre de 2014, a recuperação sendo muito gradual: o nível de renda real *per capita* de 2013 não deverá ser alcançado antes do início dos anos 2020; os sinos do poeta ("não me perguntes por quem os sinos dobram...") dobram agora para nos alertar, mais uma vez, que o tempo não está correndo a nosso favor; há limites para a procrastinação e corremos sério risco de ficar para trás, de virar um país velho antes de nos tornarmos um país mais rico.

A preocupação, bem expressa pela atual equipe econômica do governo federal, com o equacionamento do grave desequilíbrio de nossas contas públicas e com a necessidade de reformas para o crescimento é hoje expressa também por governadores e prefeitos, a cuja posse assistimos no domingo passado. A conta chegou para todos, e não é mais possível contemporizar. Há decisões difíceis à frente, em especial nas áreas de pessoal e previdência, cujas contas, em número expressivo de estados, superam em muito os limites estabelecidos pela legislação.

Permito-me lembrar um episódio em que a junção de liderança política e de procedimentos adequados para construir consensos foi bem-sucedida. A percepção de crise na previdência dos Estados Unidos no início dos anos 1980, com implicações de longo prazo, levou à criação de uma comissão bipartidária de alto nível para propor uma solução. Quatro importantes passos foram acordados por seus membros, na partida.

O primeiro foi delimitar com clareza o problema que estavam responsáveis por resolver. O segundo foi conseguir que todos concordassem com as dimensões numéricas do problema — "todos têm direito a desenvolver as próprias opiniões, mas ninguém tem o direito de criar os próprios fatos". O terceiro foi manter informado sobre os trabalhos o próprio presidente da República. O quarto foi promover o consenso de que, uma vez alcançado o acordo na comissão, todos o defenderiam contra emendas que o desfigurassem. A proposta da comissão foi aprovada pelo Congresso e promulgada em 1983, permitindo o funcionamento da Seguridade Social por décadas.

É isso que o governo federal está tentando alcançar com o imprescindível projeto de Reforma da Previdência enviado ao Congresso no mês passado. Vale lembrar que cerca de 16 anos atrás deixamos de avançar — por um voto — nesse processo de reforma. Vale lembrar também que em 2010 o excelente livro *Demografia, a ameaça invisível: o dilema previdenciário que o Brasil se recusa a encarar*, publicado por Fabio Giambiagi e Paulo Tafner, teve o respaldo público de nada menos que *dez* ex-ministros da Fazenda do Brasil. Já citei em artigo neste espaço ("Vinte anos do real: significado e futuro", em 9/3/14) a pertinente observação de Giambiagi sobre nossa previdência: "Este é um desafio cujas dimensões ainda não foram percebidas pela opinião pública — e, o que é mais grave, nem pelo governo."

Pois bem, o governo do presidente Michel Temer teve a coragem de, reconhecendo a situação insustentável das contas da previdência no Brasil, enfrentar esse desafio que outros, erroneamente, preferiram evitar. Espera-se que o Legislativo possa aprovar o projeto até meados de 2017, reduzindo essa grande incerteza que ora paira sobre o futuro das contas públicas e o crescimento do país. Hoje, governadores e prefeitos no Brasil têm a obrigação de conhecer bem os gastos (nível *e* composição, em particular de pessoal e encargos previdenciários) e as receitas (nível *e* composição) de seus respectivos estados e municípios.

É sabido que governadores e prefeitos estão muito preocupados com a evolução de sua receita corrente líquida e solicitando ajuda ao governo federal para lidar com os custos de suas dívidas para com a União. Mas o governo federal tem toda a razão em exigir contrapartidas dos estados e municípios para o equacionamento de suas contas públicas no médio e no longo prazos. A propósito, há um excelente artigo recente de Murilo Portugal descrevendo a evolução do processo de negociação com estados e municípios desde a Emenda Constitucional de março de 1993 até a Lei de Responsabilidade Fiscal. É uma pena que depois de tudo, por ações, omissões, complacências, equívocos e flagrantes desrespeitos à lei, tenhamos chegado à situação a que chegamos. Mas esta terá de ser enfrentada, como o foi nos anos 1990.

Continuo acreditando na frase de abertura deste artigo, palavras que utilizei com frequência no passado. O país tem, sim, capacidade de resposta — e os anos de 2017 e 2018 constituem biênio crucial para o vislumbre dos caminhos, na próxima década, desse "anacronismo-promessa chamado Brasil", na expressão-síntese de Eduardo Giannetti.

PRESSÃO ESTRUTURAL POR GASTOS PÚBLICOS (1)
12 de março de 2017

Este é o primeiro de uma série de três artigos sobre três processos de mudanças de longo prazo que marcaram nossa experiência em décadas passadas e continuarão a marcar em décadas vindouras. Muito além dos debates de 2017-2018 e dos próximos mandatos presidenciais de 2019-2022 e 2023-2026.

As três mudanças de longo prazo estão na raiz da pressão estrutural por maiores gastos públicos no Brasil. Uma pressão que acabou por tornar imperativas a emenda constitucional sobre limites à expansão continuada desses gastos e a Reforma da Previdência, ora no Congresso, sem a qual, entre outras, o Brasil não terá condições de retomar o crescimento sustentado com inflação sob controle e maior justiça social.

O primeiro processo de mudança, como pano de fundo, é o elo crucial entre mudanças demográficas e urbanização: o Brasil é hoje a terceira maior democracia de massas urbanas do mundo. O Brasil será um *case* (estudo de caso) de relevância e interesse global, dada a sua extraordinariamente rápida transição nessa área.

O segundo processo diz respeito às nossas flagrantes necessidades e carências de infraestrutura "física" (transporte, energia, portos, saneamento) e à força histórica do apelo ao "desenvolvimento nacional", tido por muitos como "intensivo em Estado".

O terceiro processo de mudança de longo prazo está ligado às nossas não menos flagrantes necessidades e carências de infraestrutura "humana" (educação, saúde, segurança) e às legítimas pressões por menos desigualdade na distribuição de renda e de oportunidades.

Esses três processos de mudança têm exigido respostas por parte de sucessivos governos — democráticos (como no Brasil de 1946-1964 e de 1985 ao presente) ou centralizadores e autoritários (como em 1937-1945 e 1964-1985). Todos, sem exceção, tentaram e continuam tentando responder aos desafios postos por essas mudanças nas circunstâncias e restrições de sua época.

Regimes democráticos permitem uma ampla gama de expressões dessas demandas. Mas nas suas respostas a elas estão sujeitos a ritos do Parlamento e a decisões judiciais. Já os regimes centralizadores/autoritários podem restringir a expressão dessas demandas, por um lado, e, por outro, serem mais seletivos no atendimento daquelas a que decidem responder — ou ignorar. O restante deste artigo trata da extraordinária singularidade brasileira no quesito demografia/urbanização.

O Brasil é o quinto maior país do mundo em termos de população (e extensão territorial) e o quarto maior em termos de população *urbana*. É o terceiro em termos do aumento, *em números absolutos*, da população urbana entre 1950 e o presente, superando o aumento equivalente dos Estados Unidos no período. Enquanto nossa população total aumentou cerca de quatro vezes entre 1950 e 2017 (de 51,9 milhões para 207,6 milhões estimados), a nossa população urbana passou de 36% do total, em 1950, para cerca de 86% em 2017 (isto é, de 18,7 milhões para 178 milhões, um aumento de 9,5 vezes). Nem nos Estados Unidos o aumento absoluto da população urbana no período chegou aos nossos quase 160 milhões (178 milhões menos 18,7 milhões). Nem as populações urbanas da China e da Índia no período se multiplicaram por um fator de 9,5 vezes. Somos hoje a terceira maior democracia de massas urbanas do mundo, após Índia e Estados Unidos.

Mais importante são a rapidez vertiginosa com que cresceu nossa população (total e urbana) desde o pós-guerra e a velocidade não menos vertiginosa com que nossas taxas de crescimento populacional vieram declinando no curto espaço de pouco mais que uma geração, desde os anos 1990. De taxas de crescimento que chegaram a superar os 3% ao ano nas décadas de 1950 e 60 (média de 2,8% ao ano entre as décadas de 1950 e 80), passamos hoje, em 2017, a uma taxa de crescimento populacional da ordem de 0,77%, que declinará para menos de 0,4% na segunda metade da próxima década.

Nossa população total, hoje de 207,6 milhões, chegará aos 218 milhões por volta de 2025, alcançará seu ponto máximo de pouco mais de 228 milhões no início dos anos 2040 e começará a declinar, voltando aos 218 milhões em 2060. A partir de 2050 apenas a faixa etária dos 60 anos de idade ou mais estará crescendo, relativamente às demais como proporção de população total.

A expectativa de vida *ao nascer* de um brasileiro, em meados da década de 1940, era da ordem de 45 anos. Hoje a expectativa de vida ao nascer é de mais de 75 anos (79 para mulheres e 72 para homens). Mas, para quem chega aos 55 anos (próximo da idade média de quem se aposenta por tempo de contribuição), a expectativa de vida é de 81 anos, ou seja, 26 anos mais. Para quem chega aos 65 anos, a expectativa é de 82 anos para homens e 85 para mulheres.

Os idosos representam hoje 12 entre cada 100 trabalhadores. Em meados da próxima década devemos chegar a 18 para cada 100. Em 2050 chegaremos a 30%. Em 2060, dado que só a faixa etária dos 60 anos ou mais estará crescendo e todas as outras estarão diminuindo, os idosos representarão cerca de 45% do total. Parece longe? Infelizmente, não.

Sem mudanças como as contempladas na PEC (Proposta de Emenda Constitucional) ora em discussão, os benefícios previdenciários e os déficits da área cresceriam, aceleradamente, nos próximos dez anos, reduzindo a participação de outras áreas no Orçamento, incluídos os gastos com educação, segurança e serviços na área de saúde, exatamente quando estarão aumentando as demandas derivadas do crescimento rápido da população relativa de idosos no conjunto da população.

É muito real o risco de ficarmos "velhos" muito antes de ficarmos "ricos", por exemplo: chegar, pelo menos, ao nível de renda *per capita* de países do sul da Europa, que têm de 50% a 66% da renda *per capita* dos Estados Unidos (o Brasil tem hoje pouco menos de 30%, na mesma base de comparação). Corremos o risco de um "futuro adiado" — mais uma vez —, e por vários anos, se não nos erguermos à altura dos conhecidos e nada triviais desafios do presente. Como estamos tentando — forçados por uma crise, contratada muitos anos antes de 2014.

PRESSÃO ESTRUTURAL POR GASTOS PÚBLICOS (2)
9 de abril de 2017

Este é o segundo de uma série de três artigos sobre processos de mudança de longo prazo que estão na raiz da pressão constante por maiores gastos públicos no Brasil. O primeiro ("Pressão estrutural por gastos públicos 1", de 12/3/17) tratou do elo fundamental entre transição demográfica e nossa transformação na terceira maior democracia de massas urbanas do mundo, depois da Índia e dos Estados Unidos. Nenhum outro país de expressão relevante multiplicou sua população urbana por um fator de 9,5 vezes, como o Brasil o fez entre 1950 e os dias atuais (nem China nem Índia).

Tão ou mais importante foi a rapidez com que passamos de taxas de crescimento populacional de 3% ao ano nas décadas de 1950 e 60 (média de 2,8% entre os anos de 1950 e 80) para os menos de 0,8% de hoje (e 0,4% em dez anos mais), com a crescente participação de idosos. O artigo anterior concluiu com os dois parágrafos a seguir.

Sem mudanças como as contempladas na PEC (Proposta de Emenda Constitucional) ora em discussão, os benefícios previdenciários e os déficits da área cresceriam, aceleradamente, nos próximos dez anos, reduzindo a participação de outras áreas no Orçamento, incluídos os gastos com educação, segurança e serviços na área de saúde, exatamente quando estarão aumentando as demandas derivadas do crescimento rápido da população relativa de idosos no conjunto da população.

É muito real o risco de ficarmos "velhos" muito antes de ficarmos "ricos", por exemplo: chegar, pelo menos, ao nível de renda *per capi-*

ta de países do sul da Europa, que têm de 50% a 66% da renda *per capita* dos Estados Unidos (o Brasil tem hoje pouco menos de 30%, na mesma base de comparação). Corremos o risco de um "futuro adiado" — mais uma vez —, e por vários anos, se não nos erguermos à altura dos conhecidos e nada triviais desafios do presente. Como estamos tentando — forçados por uma crise contratada muitos anos antes de 2014.

O segundo processo de mudanças de longo prazo na raiz da pressão estrutural por maiores gastos públicos está relacionado às nossas flagrantes necessidades e carências de infraestrutura "física" — que exigem respostas de governos — e à força histórica do apelo ao "desenvolvimento nacional", tido por muitos como, necessariamente, "intensivo em Estado".

No meio século que se estende de meados dos anos 1930 até o fim do regime militar, em 1985, as preocupações com a infraestrutura "física" (energia, transporte, comunicações, portos e indústrias de base) dominaram, na prática, outras preocupações, tão legítimas quanto, caso da chamada infraestrutura "humana" (educação, saúde, segurança) e de questões relacionadas à pobreza e à desigualdade de oportunidades (tema do próximo artigo).

Na raiz dessa implícita escolha — e governar é fazer escolhas, estabelecer prioridades — estiveram tanto a escassez relativa de recursos para avançar simultaneamente nas duas frentes quanto as crenças, as opiniões e os interesses prevalecentes à época (e não apenas no Brasil), marcados pela força da prioridade conferida ao "desenvolvimento nacional".

Na visão de uma parte expressiva das elites brasileiras civis, militares e empresariais, o "governar é abrir estradas" do presidente Washington Luís, dito há cerca de 90 anos, havia ficado definitivamente para trás já nos anos 1940: "Não é possível esperar apenas pelas iniciativas particulares e deixá-las atuar desarticuladamente entre si. Por que esperar apenas pela iniciativa privada? Por que não deverá o governo provocar ou chamar a si incumbências que não interessem a ela ou sejam superiores às suas possibilidades?"

As crenças subjacentes a essa forte afirmação, e às duas não menos fortes perguntas, poderiam ser, e na verdade o foram, reiteradas incontáveis vezes no Brasil no período de 70 anos que vai de meados dos anos 1940 até 2014, com especial e renovado vigor no período 2007-2014, quando a conta finalmente chegou.

Sobre nossa relativamente longa história de acertos — e de desacertos — no combinar o público e o privado (doméstico e internacional) na promoção do desenvolvimento econômico do país, escrevi neste espaço mais de três anos atrás ("Nem mínimo nem máximo, só mais eficiente", em 12/1/14): "Tenho para mim que as épocas em que mais avançamos, ou tivemos mais acertos, foram aquelas em que as decisões envolvidas tinham menor vezo ideológico, mais transparência, mais confiança na cooperação público/privado e mais pragmatismo. E que perdemos tempo precioso, especialmente nos investimentos em infraestrutura, quando foi mais forte o peso da ideologia, da falta de transparência e da desconfiança entre os dois setores."

Se conseguíssemos evitar os genéricos e maniqueístas debates sobre o tamanho "ideal" do Estado para nos concentrarmos na eficiência e na ineficiência e nos benefícios e nos custos de sua miríade de atividades e programas seria possível, talvez, que uma discussão aberta, transparente e não ideologizada mostrasse situações em que haja "incumbências", existentes ou programadas, que poderiam estar além das possibilidades técnicas, humanas, financeiras e fiscais do próprio Estado — de suas empresas e de seus bancos. Como ficou amplamente demonstrado, com a experiência do Brasil pós-PAC (Programa de Aceleração do Crescimento) e com o excesso de voluntarismos que este engendrou.

O desconhecimento de limites às ações de governos pode levar a uma mistura tóxica de políticas *ad hoc*, ora intervencionistas, ora complacentes (e não apenas na área macro, também nas áreas micro e de reformas), que podem resultar, no limite, no descalabro das finanças públicas, na queda da produtividade e na armadilha do baixo crescimento futuro — real e potencial. Como mostrou a experiência do longo ciclo encerrado em 2014, paradoxalmente com uma "pírrica" vitória nas urnas, após peculiaríssima e historicamente inédita campanha que manteve até o fim o discurso de que seria possível dar continuidade à política econômica que vinha sendo seguida nos últimos anos, e que, levada ao limite, conduziu o país à pior crise de sua história.

PEDRO MALAN

PRESSÃO ESTRUTURAL POR GASTOS PÚBLICOS (3)

14 de maio de 2017

Este é o terceiro artigo com o título acima, tentativa de contribuir para um borgiano "não impossível diálogo" sobre três fatores que operam no longo prazo e exercem pressão estrutural por maiores gastos públicos no Brasil. Como não haverá possibilidade de atender a todas as demandas derivadas dessa pressão, o país terá de implementar algo a que não está muito acostumado: fazer escolhas e definir prioridades.

O primeiro artigo (em 12/3/17) procurou tratar do pano de fundo: os processos de transição demográfica e de urbanização que nos transformaram, em poucas décadas, na terceira maior democracia de massas urbanas do mundo — chegaremos às eleições de outubro de 2018 com quase 150 milhões de eleitores, a princípio, aptos para votar. O Brasil é um *case study* de relevância e de interesse global.

O segundo artigo (9/4/17) tratou das exigências e demandas por mais e melhor infraestrutura "física" (energia, transporte, comunicações, portos), num país que tende a ver nossas flagrantes necessidades e carências nessas áreas como exigindo respostas e ações "intensivas em Estado". E são, não para o Estado investidor direto, mas para um Estado eficaz e competente na criação de regras estáveis e previsíveis, que reduzam os riscos e o custo de capital para investidores privados.

O presente artigo trata de outra forma de pressão estrutural que também exige respostas em termos de ações de governos, que são as demandas e as exigências por infraestrutura "humana" (educação, saúde, segurança), incluídas as legítimas pressões pela redução da pobreza absoluta e da excessiva desigualdade na distribuição de renda e de oportunidades — que são, também, tidas como exigindo intensa ação do Estado.

Há razões históricas para tais demandas: em seu imperdível livro *Cidadania no Brasil: o longo caminho*, José Murilo de Carvalho nota que o processo de constituição da nossa cidadania seguiu lógica inversa à do caso clássico, a sequência inglesa, "na qual as liberdades civis vieram primeiro, garantidas por um Judiciário cada vez mais independente do Executivo. Com base no exercício das liberdades, expandiram-se os direitos políticos, consolidados pelos partidos e pelo Legislativo. Finalmente, pela ação dos partidos e do Congresso, votaram-se os direitos sociais, postos em prática pelo Executivo".

Aqui no Brasil, mostrou José Murilo, "primeiro vieram os direitos sociais, implantados em período de supressão de direitos políticos e de redução dos direitos civis por um ditador que se tornou popular. (...) Depois vieram os direitos políticos de maneira também bizarra: a maior expansão do direito de voto deu-se em outro período ditatorial". Finalmente, vieram os direitos civis.

O autor observa que seria tolo achar que só há um caminho para a cidadania plena. Seu ponto de vista é que caminhos diferentes afetam o produto final, o tipo de cidadão e de democracia que se gera. Isso é particularmente verdade quando há inversão da sequência. Das várias consequências dessa hipótese, tão bem analisadas no livro, uma é particularmente relevante para nosso debate atual e nossos futuros possíveis. É a que afirma que a "sequência inversa" favoreceu uma visão corporativista dos interesses coletivos desde, pelo menos, o Estado Novo e da clara influência que sobre ele exerceram, por exemplo, os corporativismos italiano e alemão nos anos 1930. Como diz o autor, "o grande êxito de Vargas indica que sua política atingiu um ponto sensível da cultura nacional".

Com a "distribuição dos benefícios sociais por cooptação sucessiva de categorias de trabalhadores, os benefícios sociais não eram considerados direitos de todos, mas fruto da negociação de cada categoria com o governo. A sociedade passou a se organizar para garantir os direitos e privilégios distribuídos pelo Estado". E este passou a ser um distribuidor de recursos públicos, sempre escassos relativamente à miríade de demandas com que se defronta.

O formal discurso de posse, em 1º de janeiro de 2011, da ex-presidente Dilma Rousseff é mais que ilustrativo: "O Brasil optou, ao longo de sua história, por construir um Estado provedor de serviços básicos e de previdência social pública. Isso significa custos elevados para toda a sociedade." Preço a pagar pela "garantia do alento da aposentadoria para todos e de serviços de saúde e educação universais".

A esse respeito vale lembrar o que denomino "paradoxo de Bacha-Schwartzman", os quais assim o expressaram: "Temos, entre nós, uma peculiar, mas disseminada interpretação dos princípios constitucionais da universalidade e da igualdade, segundo a qual as desigualdades dos benefícios sociais não devem ser corrigidos com o redirecionamento dos gastos públicos, e sim pela expansão dos gastos e a extensão, para os demais, dos benefícios já conquistados por uma minoria [dos 20% mais 'ricos'] que são considerados direitos adquiridos." E que geram expectativas — fadadas a se frustrarem — de direitos por adquirir.

Edmar Bacha e Simon Schwartzman notam, corretamente, que "é claro que não há dinheiro suficiente para tal expansão", que boa parte dos gastos sociais já beneficia os 20% mais bem situados (que detêm quase 60% da renda total) e que para poder praticar uma política social que beneficie os 80% mais "pobres" é preciso confrontar os privilégios dos 20% "mais ricos", o que significa enfrentar as corporações que representam seus interesses. O Brasil, já dizia o ex-presidente Fernando Henrique Cardoso, não é um país pobre, é um país injusto.

Mas tentativas de lidar com multifacetadas injustiças *en nuestra America* (aí incluído o Brasil) desfraldando a bandeira do "gasto [público] é vida" não têm dar certo. Ao contrário. E com frequência acabam por impor custos significativos àqueles que pretendiam favorecer, em termos da recessão e do desemprego que geram.

Concluo relembrando uma observação crucial de José Guilherme Merquior: "O bom combate não é contra o Estado, é contra certas formas [espúrias] de apropriação do Estado."

Mães, feliz dia!

DIÁLOGOS NÃO IMPOSSÍVEIS?
11 de junho de 2017

Dez anos antes do início da Operação Lava-Jato e um ano antes da primeira denúncia sobre o chamado "Mensalão", um arguto analista da cena brasileira assim escreveu: "Da Colônia à República, é com o governo que quase sempre foram feitos os melhores negócios. Não é de hoje que boa parte da elite vem sendo formada na crença de que o segredo da prosperidade é estabelecer sólidas relações com o Estado. Vender para o Estado, comprar do Estado, financiar o Estado, ser financiado pelo Estado, apropriar-se de patrimônio do Estado, receber doações do Estado, transferir passivos para o Estado, repassar riscos para o Estado e conseguir favores do Estado" (Rogério Werneck, "Balcão de negócios", *O Estado de S. Paulo*, 7/5/04).

Nossa história mostra que o espaço aberto para essas relações, interações e transações é tanto maior quanto maior é o peso atribuído pelas crenças ou pelos graus do acreditar (*degrees of belief* em Keynes) no poder do Estado, de suas empresas e de seus bancos como agentes primordiais do processo de desenvolvimento econômico e social de um país. Que o digam os anos do Brasil pós-PAC (Programa de Aceleração do Crescimento), nos quais a inflexão ou restauração nacional-desenvolvimentista (fortalecida no final de 2005, decidida ainda em 2006 e explicitada com clareza no início de 2007) foi levada, como nunca antes, a extremos inacreditáveis nos anos pré-2014, em um elusivo "projeto" de permanência no poder.

Governos democráticos, escreveu Raghuram G. Rajan, não são programados para pensar em ações que gerem custos a curto prazo e benefícios de longo prazo. Que de vez em quando o façam é consequência ou de uma liderança incomumente corajosa ou de um eleitorado que compreende os custos de adiar escolhas difíceis. Liderança corajosa é coisa rara. Mas também é raro um eleitorado informado e comprometido. O resultado é que as escolhas políticas acabam seguindo o caminho das linhas de menor resistência — até que a situação se torne insustentável.

Pois bem, após anos de crescimento do gasto público muito acima do crescimento da inflação, do PIB e da arrecadação, chegamos a uma situação insustentável em termos de déficit (fluxos) e de dívida (estoque) do setor público, tanto do governo federal quanto de importantes estados e municípios. Tão insustentável que levou a Câmara e o Senado, em duas votações cada, a aprovar a emenda constitucional que impõe limites à expansão do gasto público, no agregado, por anos à frente.

É importante enfatizar a expressão "no agregado". O Brasil, não só o Congresso, vai ter de aprender a fazer algo que não está na nossa tradição nessa área de gastos públicos: uma operação aritmética que parece simples (afinal, trata-se da soma de todos os planos, intenções e expectativas de gastos). Em seguida, deverá fazer a necessária escolha de prioridades, ou seja, a composição dos gastos, se a soma não for compatível com as receitas disponíveis e com a capacidade de endividamento do setor público.

Nos três artigos anteriores neste espaço procurei sugerir que há fatores operando a longo prazo na raiz da pressão estrutural por maiores gastos públicos e apontar por que essas pressões não deixarão de existir. Mas estamos, talvez, avançando. Entre as lições da crise política e econômica, deve ter vindo para ficar "o abalo da crença de que existem partidos e ideologias capazes de mudar magicamente o Brasil" (Roberto DaMatta). E a verdade da observação de Kenneth Arrow: "A maior parte dos indivíduos subestima a incerteza. Enormes danos têm se seguido a crenças na certeza, seja em inevitabilidades históricas, seja em posições extremas sobre política econômica."

Estamos em meio a um espesso nevoeiro com incertezas de todo tipo, associadas às crises política e econômica e aos desdobramentos dos processos de investigação em curso, ainda longe de terminar. Mas o Brasil não será o mesmo nessa área. Um tema subjacente a meus artigos publicados neste espaço, ao longo de anos, tem sido a visão de que no Brasil convivem, em complexa simbiose, o moderno e o anacrônico. E que o Brasil moderno pode estar, gradualmente, aumentando o seu peso relativo em relação a seu lado anacrônico (que nunca deve ser subestimado). Isso vale tanto para a Lava-Jato quanto para o debate sobre a economia.

Em ambos os casos creio ser possível expressar esperanças não insensatas em diálogos não impossíveis. No caso da Lava-Jato, continuamos tentando construir uma sociedade em que parte expressiva da opinião pública, exatamente porque é a favor da *res publica*, seja também contra a apropriação espúria e o uso indevido de recursos públicos e contra a ocupação e o aparelhamento da máquina pública para servir a interesses eleitorais, corporativistas, partidários e clientelistas. Os próximos 18 meses muito dirão.

No caso da economia, deve ser registrado o que escreveu em seu primeiro artigo como colunista da *Folha de S.Paulo* (26/05/17) o ex-ministro Nelson Barbosa, talvez o mais autorizado defensor (respeitado como tal) da inflexão desenvolvimentista pós-2006. Não deixa de ser encorajador que o ex-ministro tenha assim se expressado: "O que fazer agora? Na economia, há quase um consenso de que o país precisa de reformas estruturais para viabilizar um novo ciclo de desenvolvimento (...). É certo que mudanças são necessárias na previdência e na legislação trabalhista, assim como na tributação, na remuneração dos servidores públicos, no gasto social e também no gasto financeiro do governo (...). A solução da crise atual requer um debate equilibrado e transparente de questões impopulares, inclusive nas campanhas eleitorais, inclusive pela esquerda."

Como escreveu Ken Rogoff, "é lamentável que nesse debate sobre os limites das ações do governo haja muito pouca discussão sobre como fazer do governo um provedor de serviços eficiente. *Aqueles que desejam um papel mais amplo do setor público fortaleceriam sua posição se estivessem preocupados em encontrar formas de fazer o setor público mais eficaz*". Não creio que isso seja impopular.

ENTRE O INCONCEBÍVEL E O INEVITÁVEL

9 de julho de 2017

Em discurso para a militância na presença de Dilma Rousseff, durante a campanha eleitoral de 2014, Lula disse que já se imaginava, em 2022, nas comemorações de nossos 200 anos de Independência defendendo, com Dilma, tudo o que haviam conquistado "nos últimos 20 anos". Assim abri artigo neste espaço em 14 de dezembro de 2014 ("Quadriênios, velhos e novos"), que continuava: "É perfeitamente legítimo a qualquer pessoa expressar de público suas 'memórias do futuro', para usar a bela expressão de Borges para caracterizar desejos, expectativas, sonhos e planos, quer se realizem ou não."

Notei naquele artigo que antes de chegar às eleições de 2022 haveria, óbvio, que passar por 2018. E que não seria fácil explicar, então, as conquistas dos "últimos 16 anos" como se fossem um coerente e singular período passível de ser entendido como um todo, como a marquetagem política tentou na eleição de 2014, com o discurso dos "últimos 12 anos". Por quê? "Porque Lula 1 foi diferente de Lula 2, Dilma 1 foi diferente de Lula 2 e Dilma 2 será diferente de Dilma 1, e também o mais difícil dos quatro quadriênios. Quem viver verá. Ou já está vendo", escrevi então. Muito antes disso eu já tinha observado que a política econômica de Dilma 1 trazia prazo de validade (outubro de 2014) estampado no rótulo e que teria de ser mudada — qualquer que fosse o resultado das urnas.

Volto ao tema do infindável diálogo entre passado e futuro, instigado pelo discurso do ex-presidente Lula na cerimônia de posse dos novos membros do diretório nacional do PT, nesta última semana.

Na ocasião, Lula teria dito: "Pensávamos o Brasil para 2022, mas não conseguimos construir o nosso projeto (...). Tudo que construímos, o direito de greve, as conquistas sociais no trabalho, *eles* estão desmontando (...). Não podemos aceitar que façam o ajuste em cima daqueles que são as maiores vítimas dos erros do governo, os trabalhadores (...). Agora *eles* estão desmontando o nosso país." Era, por suposto, um discurso para animar a militância ali reunida. Mas Lula é hoje maior que o PT, assumidamente o candidato do partido à Presidência da República em 2018 e o único do seu partido atualmente em condições de disputar com alguma chance de vitória.

Como já se escreveu, as próximas eleições serão a oitava campanha presidencial de Lula, quer seu nome esteja na urna eletrônica, quer não. Das sete campanhas anteriores, como se sabe, Lula disputou cinco diretamente (perdendo três e ganhando duas, em ambas tendo de ir a segundo turno) e duas por interposta pessoa. Os termos em que definirá sua participação no debate eleitoral não são irrelevantes para a definição do clima geral da campanha e para o real esclarecimento dos desafios a enfrentar de agora até 2018 — e adiante.

Por exemplo, o plenário do Senado deverá votar nos próximos dias a Reforma Trabalhista aprovada pela Câmara. Em artigo publicado neste jornal ("Incluindo os excluídos", de 4/7/17), o economista José Márcio Camargo mostrou que entre os 40% dos trabalhadores que recebem os menores salários 50% estavam na informalidade e 20%, desempregados. A CLT regia, portanto, apenas 30% desses contratos de trabalho. Por outro lado, dos 20% mais ricos na distribuição de salários, 80% tinham contratos de trabalho regidos pela CLT. A reforma ora em discussão permitiria incluir parte dos excluídos, em particular em setores nos quais a demanda é instável e intermitente. Mulheres (com taxa de desemprego 40% maior que a dos homens) e jovens de 18 a 24 anos (28% de desemprego) seriam beneficiados. Outros podem, legitimamente, discordar. O tempo dirá.

Sobre a divisão "nós x eles": o Brasil é um país extraordinário em sua rica diversidade e enorme potencial, porém complexo de entender e difícil de administrar, como logo se dão conta aqueles que se propõem a fazê-lo. Não prestam muito serviço ao país os que o dividem de maneira simplória e maniqueísta entre um vago "nós" e um não menos vago "eles", recurso retórico destinado a incendiar a militância em discursos de palanque. Que não contribuem em nada para a elevação da qualidade do debate e o entendimento da opinião pública em geral, tratando-a como se ela fosse portadora de uma doença infantil que apenas compreenderia escolhas binárias, do tipo "só existem duas posições sobre qualquer assunto, a nossa e a deles". O mundo e o Brasil são muito, muito mais complicados.

Toda sociedade precisa ter alguma consciência social de seu passado, algum entendimento do presente como história e um mínimo de senso de perspectiva, além de conviver com a inevitável competição entre narrativas sobre como e por que chegamos à situação atual. Mesmo quando sabemos que o que realmente importa é sempre o incerto futuro — e que a história nunca se repete, mas por vezes rima, com frequência ensina e, de quando em vez, a muitos desatina.

Como escreveu Larry Summers em discurso recente: "É preciso estar preparado para observar longas cadeias de causas e consequências (...), pensar e debater sobre um problema, considerar propostas para a sua solução não significa que o problema será rapidamente resolvido. *Mas o debate afeta o clima de opiniões e as coisas podem evoluir da condição de inconcebíveis para a condição de inevitáveis.*"

É o processo pelo qual o Brasil vem passando — e terá de continuar a passar. A Reforma da Previdência, por exemplo, é inevitável: terá de ser feita, talvez em mais de uma etapa, a custos maiores. O próximo governo precisará enfrentar reformas na área tributária. É inevitável repensar e reinventar o Estado brasileiro. Sem maniqueísmos, sem ilusões. Sem busca de atalhos, sabendo que não é fácil lidar com interesses corporativos longamente constituídos.

O país não tem alternativa, se deseja crescer de forma sustentada a taxas mais elevadas, com justiça social, estabilidade macroeconômica e menos ineficiência em seu setor público. Não é fácil. Nunca foi. Nunca será.

LIMITES DO AUTOENGANO?
13 de agosto de 2017

A inimaginável tragédia que expressa o colapso econômico e o caos político da Venezuela de hoje pode constituir um ponto fora da curva, mas o fato é que não faltam experimentos populistas — de "esquerda" e de "direita" — na história da América Latina.

A carta que Juan Domingo Perón, como presidente da Argentina, escreveu em 1953 ao presidente do Chile, general Carlos Ibáñez, é um dos exemplos mais admiráveis da postura que se encontra na raiz da crise venezuelana: "Dê ao povo, especialmente aos trabalhadores, tudo o que possa. Quando lhe parecer que lhes dá demasiado, dê-lhes ainda mais. Verá o efeito. Todos tratarão de assustá-lo com o fantasma de economia. É tudo mentira. Não há nada mais elástico que essa economia que todos temem tanto, porque não a conhecem."

A data da carta é importante. O início dos anos 1950, em parte devido à Guerra da Coreia, foi marcado por extraordinário aumento dos preços de exportação de países produtores de *commodities*, como Argentina, Brasil, Colômbia, Chile e Peru. A melhoria dos termos de troca e do volume da exportação permitiu um crescimento da renda muito superior ao do produto doméstico, dando fôlego a certos experimentos como os sugeridos por Perón em sua carta, na suposição de que "nada é mais elástico que a economia".

Os autores da expressão "efeito voracidade", Aaron Tornell e Philip Lane, em artigo de 1999 publicado na *American Economic Review* que leva esse título, já haviam tentado criar um modelo para explicar por que alguns países não apenas cresciam pouco, mas com frequência respondiam de maneira perversa a choques externos favoráveis — como elevações de termos de troca —, aumentando mais que proporcionalmente a "redistribuição fiscal dissipatória e investindo em projetos ineficientes".

Vimos esse filme recentemente entre nós. Vimos também que a popularidade alcançada com esse tipo de política pode ser transitória, no entanto, sua duração pode ser suficiente para acalentar sonhos de um "projeto" de permanência no poder no longo prazo. Como escreveu Perón na mesma carta: "É incrível até onde se pode ir neste caminho até capitalizar politicamente a massa popular. Uma vez em posse dela, você não terá problema e o governo é uma coisa simples."

Uma suposição endossada por muitos na América Latina nas décadas que se seguiram à carta de Perón. Inclusive no Brasil nesta segunda década do século XXI, em que o governo acreditou (e levou muitos a endossar a ideia) que a aceleração do crescimento poderia ser assegurada por uma política dita "keynesiana" de caráter duradouro. Isto é, tanto pró-cíclica quanto anticíclica, já que nessa visão "gasto público é *sempre* investimento" em alguma coisa e teria *sempre* efeito multiplicador em termos de geração de renda adicional. Ainda há quem acredite nisso, apesar de todas as evidências em contrário. Quem duvida aguarde os discursos de alguns dos candidatos às eleições de 2018.

"A austeridade não é uma fatalidade" foi o mote da campanha vitoriosa de François Hollande à Presidência da França, em 2012. Em artigo nesta página ("Fatalidades e voluntarismo", em 13/5/12), escrevi que "a frase de efeito de Hollande expressava de forma sintética o sentimento, à época, de milhões de europeus. E que deu renovado alento a um falso dilema, mais uma genérica dicotomia entre os defensores da 'austeridade' e seus antípodas, os defensores 'do crescimento', como se essa fosse a fundamental, óbvia — e fácil — escolha europeia". E brasileira, diriam muitos.

Afinal, por que alguém preferiria sofrer as agruras da "austeridade" quando poderia, livremente, escolher maior crescimento, renda e emprego, votando em quem se proponha a trazê-los de volta — pela força de sua vontade e autoproclamada capacidade para tal empreitada? No processo de tentar fazer valer a pura "força da vontade política" em condições muito adversas, governos podem tornar a situação ainda mais insustentável, como bem o sabemos.

E nas inevitáveis respostas a essas situações, governos podem beirar o limite de sua capacidade (de tributar, de bem gastar, de se endividar, de reformar, de gerir, de investir), ficando tentados a seguir cursos indesejáveis de ação. Enquanto os políticos hesitam em empreender ações dolorosas, mas necessárias, para pôr a economia no rumo apropriado para o crescimento de longo prazo, os problemas se agravam e se tornam mais difíceis de resolver, levando ao aumento de encargos da dívida pública e de mais direitos (ou expectativas de direitos) frustrados ou inacessíveis. E a um crescente número de desfavorecidos.

A questão central é se políticas de aceleração do crescimento e de geração de emprego com inclusão social e redistribuição de renda estão *sempre* destinadas ao fracasso. A resposta é, claramente, *não*. Mas isso exigiria uma atenção muito, muito maior para certos riscos para os quais os populistas não estão preparados nem tampouco estão dispostos a aceitar. Especialmente na área fiscal (nível, composição e eficiência dos gastos públicos e da tributação), na dívida pública e na absolutamente necessária elevação da produtividade em seus respectivos países.

O debate sobre austeridade *versus* crescimento, quando generalizado, é um falso debate. Assim concluí meu artigo de 13 de maio de 2012: "Por certo há limites para a austeridade que podem ser de natureza econômica ou político-social, e que sempre dependem do contexto específico de cada país. Também é verdade que há limites para o crescimento, que são ou deveriam ser conhecidos. Governos não decidem, através de atos de vontade política, as taxas de crescimento futuro de uma economia."

Em resumo, há limites para a austeridade, há limites para o crescimento e há limites para o voluntarismo. Nenhum deles é uma fatalidade. Ainda bem. O que pode ser fatal é a recusa a reconhecer realidades (e irrealidades) fiscais, os principais fatores de risco para uma moeda e para o crescimento, na suposição de que "nada é mais elástico que a economia".

PREVIDÊNCIA E SEGURANÇA — O PESO DO PASSADO
10 de dezembro de 2017

> "Os homens fazem sua própria história. Não como bem a entendem, não em circunstâncias por eles escolhidas, mas sob condições dadas e transmitidas pelo passado."
> MARX, 1852

Nosso passado mostra que nunca se deve subestimar a tendência do público de reivindicar, ao mesmo tempo, impostos baixos e governo grande. E tampouco a capacidade de políticos de atender a essas reinvindicações dissimulando a conta e/ou endividando as gerações futuras. É a "tributação dos ausentes", na feliz expressão do economista Gustavo Franco.

Este artigo comenta dois casos exemplares, ainda que não raros, de resistência às reformas indispensáveis para que o país possa crescer de forma sustentada sem o risco de recaídas nas recorrentes armadilhas que armamos, por ações e omissões do governo e/ou da sociedade.

O primeiro exemplo refere-se às longas idas e vindas em torno da votação da Reforma da Previdência. Trata-se de uma entre as várias reformas que teremos de fazer um dia. Os custos da procrastinação — em termos de crescimento, renda, emprego e percepção de investidores sobre finanças públicas — serão crescentes para um país que almeja se tornar rico antes de tornar-se velho. O sistema atual é insustentável — é o que não podem ignorar as pessoas de boa-fé, dotadas de honestidade intelectual, espírito público e algum interesse pela evidência empírica disponível. A população brasileira cresce a uma taxa, *declinante*, de 0,7% ao ano. A população de aposentados, por sua vez, aumenta a uma taxa, *crescente*, cinco vezes maior. A reforma é urgente.

A versão da reforma que se encontra na Câmara, deliberadamente diluída em busca de alguma chance de aprovação, afeta menos de 35% dos trabalhadores; os demais 65% teriam seus "direitos" preservados. O *déficit* do Regime Geral da Previdência, que atende quase 30 milhões de brasileiros, é hoje de R$ 178 bilhões — cerca de R$ 6 mil por aposentado. Já o *déficit* do Regime dos Servidores Públicos — 1 milhão de pessoas e cerca de R$ 78 mil por pessoa — é cerca de *13 vezes superior*. A reforma é uma questão de menor regressividade na distribuição de renda, de justiça social.

Em 2018 os gastos com a previdência deverão crescer R$ 36 bilhões em relação a 2017. Outros gastos primários terão de ser reduzidos em áreas-chave, como educação, saúde, ciência, cultura e... segurança pública.

O segundo exemplo que este artigo comenta tem a ver precisamente com esta área: segurança. Há quase dez anos, o livro intitulado *É possível: gestão da segurança pública e da redução da violência* apontou a viabilidade de redução expressiva da violência armada, da insegurança e da criminalidade que aterrorizavam populações de grandes áreas urbanas do Brasil. É de minha autoria o texto da contracapa do livro:

"Os autores deste livro sabem que (...) não é, nunca foi e jamais será fácil envolver as comunidades, os três níveis do Executivo, o Judiciário, o Legislativo e o Ministério Público em ações estratégicas que se mantenham ao longo do tempo: políticas de Estado e não de governos de turno. Sabem também da importância crucial, em quaisquer ações estratégicas, do grau de preparo, profissionalismo, treinamento, capacidade de processar informações e, principalmente, integridade e eficácia das polícias, por meio dos quais um Estado legalmente constituído exerce o que deveria ser — em nosso caso, não o é — o monopólio do uso da violência armada."

"Hoje, o poder do Estado em muitas áreas urbanas do país é, *de facto*, contestado pela bandidagem criminosa, o verdadeiro 'poder do lugar' em muitas comunidades e espaços que deveriam ser públicos. A retomada, mesmo gradual, de territórios e espaços urbanos ocupados pela bandidagem armada é, portanto, condição necessária, mas não suficiente, para a redução expressiva de nossos ainda alarmantes indicadores de violência e insegurança urbana. Se você não pretende se deixar levar pelo desencanto, pela frustração, pelo ceticismo e pela desesperança, leia este livro. Entenderá, com base em experiências reais, que é possível, sem ilusões voluntaristas, apelos messiânicos e excessos e abusos no exercício da autoridade do Estado, mostrar aos bandidos armados que essa é uma longa guerra de muitas batalhas, mas que, ao fim e ao cabo, eles não só não podem ganhá-la, como a estão perdendo — e a perderão."

Reproduzo esse texto pelas seguintes razões. Primeiro, porque para os cariocas a situação na área da segurança pública é hoje muito pior do que então. Nesse sentido, o título do livro e as últimas palavras reproduzidas acima refletiriam esperanças insensatas. Não penso assim, embora deva confessar que ao escrever "e a perderão" deveria ter adicionado "talvez, um dia". Segundo, e mais importante, o argumento subjacente ao primeiro dos parágrafos reproduzidos continua válido. Não apenas para a área de segurança pública, como também para a maioria das políticas públicas: *ações de Estado e não do governo do dia*. Não apenas do Executivo, mas também dos outros Poderes. Terceiro, porque nunca será demais recordar: o bom combate não é contra o Estado, é contra certas formas espúrias de sua apropriação, de aparelhamento da máquina pública e de uso indevido das instrumentalidades do poder para o benefício de partidos políticos, grupos de interesse e/ou enriquecimento pessoal.

A "falência" da segurança pública no Rio de Janeiro é apenas uma das várias facetas da falência múltipla — econômico-financeira, política e ética — de certos membros dos poderes Executivo e Legislativo do estado. Há muitas lições a aprender. A bandidagem desarmada pode ser tão letal quanto a bandidagem armada, em termos de corrosão do "capital cívico" de um país.

"A sobrevivência da democracia depende da habilidade de um amplo número de pessoas de fazer escolhas realistas com base em informações adequadas", escreveu Aldous Huxley em 1958 revisitando seu clássico *Admirável mundo novo*, de 1932. Sábias palavras. Parece óbvio. Mas não é. E precisa ser reiterado. Não exclusivamente em ocasiões eleitorais.

Um bom 2018 a todos!

2018

2018

JANEIRO

O Indicador de Incerteza da Economia, medido pela Fundação Getulio Vargas, aumenta 2,2 pontos em janeiro.

O TRF-4 (Tribunal Regional Federal da 4ª Região) aumenta a pena de Lula para 12 anos e um mês de prisão no caso do tríplex.

O Standard & Poor's rebaixa a nota de crédito do Brasil de "BB" para "BB-".

FEVEREIRO

O secretário-geral da OCDE (Organização para a Cooperação e Desenvolvimento Econômico), Angel Gurría, diz que, dos seis países que se candidataram a ingressar no organismo, o Brasil é o mais próximo de atingir esse objetivo.

MARÇO

O Banco Central reduz os juros básicos para 6,5% ao ano, a menor taxa desde 1986.

A economia brasileira encolhe 0,13% no primeiro trimestre, segundo o Banco Central.

ABRIL

Lula se entrega à PF em São Bernardo do Campo (SP).

Brasil tem o menor número de trabalhadores com carteira assinada em seis anos, segundo o IBGE.

PT, PDT, PSOL e PCdoB divulgam nota em que afirmam que Lula sofre "perseguição política".

MAIO

Após o aumento dos preços dos combustíveis, uma greve de caminhoneiros faz o governo requerer a Garantia da Lei e da Ordem e acionar o Exército para desfazer bloqueios nas estradas. A greve continua por dez dias, mesmo após Temer atender às demandas das primeiras negociações.

A greve dos caminhoneiros impacta a alta da inflação.

JUNHO

Pedro Parente, presidente da Petrobras, pede demissão em meio à crise dos combustíveis.

REVISÕES DE EXPECTATIVAS PARA O ANO DE 2018

As consequências econômicas da crise de maio aliadas ao quadro de incertezas políticas sobre as eleições de outubro e a um contexto internacional menos favorável nas áreas econômica e geopolítica levam à revisão das expectativas anteriores à crise de maio para a economia brasileira no ano de 2018: redução da taxa de crescimento do PIB, elevação da taxa de inflação e uma taxa de câmbio real/dólar mais desvalorizada.

2018, ANO CRUCIAL PARA 2019-2022 E MUITO ALÉM

14 de janeiro de 2018

Nos últimos 71 anos o Brasil escolheu pelo voto direto oito presidentes: Dutra, Getúlio, Kubitschek e Quadros, antes do regime militar; Collor, Fernando Henrique, Lula e Dilma desde então. Nada menos que quatro deles não concluíram o mandado para o qual foram eleitos. Nos últimos 91 anos, apenas três presidentes civis, eleitos diretamente pelo voto popular, passaram a faixa presidencial a outro presidente também civil e eleito diretamente pelo voto popular: Kubitschek, Fernando Henrique e Lula. Desses três, por fim, apenas um — Lula — não só transmitiu a faixa ao sucessor, como também a recebeu de outro civil, igualmente eleito pelo voto direto.

Seriam as dores do crescimento de uma jovem democracia — que desde 1930 alternou dois períodos centralizadores/autoritários (1930-1945 e 1964-1985) e dois democráticos (1946-1964 e 1985 até o presente)? Segundo o historiador Jorge Caldeira em seus trabalhos, o Brasil teve experiências com eleições desde a Colônia, e o Parlamento funcionou durante o Império e na Primeira República.

O que tornou especialmente tumultuosas as últimas décadas, a meu ver, é o fato de o Brasil ter evoluído vertiginosamente dos anos

1930 até meados dos anos 1980 na direção de tornar-se uma das maiores sociedades de massas *urbanas* do mundo. Hoje, é a terceira maior democracia, após Índia e Estados Unidos, sem qualquer concorrente *democrático* à terceira posição.

Nossa população urbana passou de 36% (de um total de 52 milhões de pessoas) em 1950 para os atuais 86% (de um total de 208 milhões). Trata-se de um aumento, em termos absolutos, de 9,5 vezes, sem paralelo no mundo — nem sequer na China e na Índia. É impossível entender por que o Brasil experimenta há pelo menos três décadas o que venho chamando de *pressão estrutural* por crescentes gastos públicos — que se expressa por meio de um crescimento acima do crescimento do PIB, da inflação e da arrecadação — sem referência a essa transição demográfica e à pressão extraordinária dessas massas urbanas sobre governos em termos de investimentos em infraestrutura física e infraestrutura humana. O debate recente vem mostrando, ademais, que a esses fatores deve ser adicionada a força dos corporativismos dos setores públicos e privados na defesa dos próprios interesses. A conta simplesmente não fecha.

Essa longa introdução vem a propósito da crescente literatura sobre o que Dani Rodrik chamou de "o paradoxo da globalização", expressão que intitula seu livro de 2010, cujo subtítulo a muitos encantou: "Porque mercados globais, o Estado e a democracia não podem coexistir" (assim mesmo, uma afirmação, e não uma pergunta). Entre nós, André Lara Resende e Demétrio Magnoli já escreveram — e muito bem — sobre o tema. É, com efeito, espantoso o crescimento — sobretudo desde Brexit e Donald Trump, de certas eleições europeias e do advento de tiranias variadas no mundo em desenvolvimento — da literatura sobre a relação entre globalização, soberania nacional, democracia e as dificuldades de escolher a combinação adequada entre elas.

Os estudos mais cuidadosos mostram que o fenômeno tem raízes mais profundas e vem sendo gestado há décadas. Em sua raiz estaria o vertiginoso processo de mudanças tecnológicas e de inovação que Joseph Schumpeter já havia denominado de *destruição criativa* e que considerou o elemento essencial do que chamava de *a máquina capitalista*. A natureza do fenômeno afeta profundamente tanto o mercado de trabalho (em detrimento daqueles de menor qualificação) quanto percepções sobre injustiça na distribuição de renda, riqueza e oportunidades — em escala doméstica e na dimensão global (entre países).

Se é verdade que o processo de mudança tecnológica é irreversível e tem dimensão global, ele impõe, necessariamente, restrições ao espaço para o exercício da soberania nacional na dimensão econômica. Não é menos verdade, no entanto, que a *política* permanece, como antes, local, decidida no âmbito do Estado nacional. E nesse campo da política doméstica a questão não é tanto a disputa entre os que almejam o poder, que sempre serão muitos, e sim a ampliação das demandas por aquilo que esses numerosos postulantes ilusoriamente prometem aos que se veem prejudicados, ou relegados, pelo processo de globalização e de mudança tecnológica.

É também impressionante o volume da literatura dedicada à crise da democracia, expressão sem dúvida dessa angústia e desse desalento: *Democracia: o Deus que falhou, Além da democracia, O fim da democracia*. O fenômeno deveria causar estranheza aos que conhecem a famosa frase de Winston Churchill sobre a democracia: "O pior dos regimes com exceção de todos os outros que foram experimentados de tempos em tempos." Afinal, apenas em democracias há a aceitação da diversidade, o reconhecimento da legitimidade do conflito, a absoluta liberdade de opinião, os ideais de tolerância, da não violência e de renovação gradual da sociedade pelo livre debate de ideias. Apenas democracias permitem antepor limites ao poder, mesmo quando esse poder é o da maioria.

O ano de 2018 será absolutamente crucial para o Brasil e para seu futuro — não apenas para o quadriênio 2019-2022, mas para muito além. Quase tão importante quanto o resultado das urnas, em outubro, será o *teor* das narrativas, dos discursos e das promessas dos principais candidatos. Além do compromisso com os valores da democracia *e* da República, espera-se compromisso com a ética e a moralidade na administração pública e ainda nas relações público-privadas. Espera-se dos candidatos a demonstração de que compreendem a natureza dos desafios a enfrentar nas finanças públicas. Não porque equacioná-los constitui um fim em si mesmo, e sim porque sem isso não haverá como o Brasil alcançar as taxas de crescimento da renda e do emprego, que constituem o nada obscuro objeto de desejo da maioria dos brasileiros.

PARALISIA (IN)DECISÓRIA?
11 de fevereiro de 2018

"Falhar em se preparar é preparar-se para falhar", escreveu Benjamin Franklin, um dos pais fundadores da democracia norte-americana. A observação vale para indivíduos e organizações, mas também para países que estejam a viver momentos definidores. Como o Brasil nesta transição de 2018 para 2019 e adiante. Para muitos, o "ano da virada" será 2019 — o primeiro de um governo recém-saído das urnas, dotado de legitimidade e capital político, capaz de tomar decisões difíceis e avançar na agenda de reformas com o Congresso.

Na verdade, para que 2019 seja "ano de virada" é fundamental que 2018 também o seja. Quatro episódios de nossa história recente permitem compreender isso. Em meados de 1993, a inflação caminhava para mais de 2.000% ao ano e o descalabro das contas públicas era evidente; o Brasil não tinha a opção de esperar as eleições de outubro de 1994 e a posse, no começo de 1995, de um novo governo que então decidiria o que fazer. Assim como não podia, em meados de 1998, esperar o início de 1999 para adotar medidas drásticas de ajuste, anunciar seu programa fiscal para o triênio 1999-2001 e sinalizar a decisão de buscar apoio internacional para esse programa. Em meados de 2002, o Brasil não podia esperar o início de 2003; os riscos eram muito claros desde abril/maio e levaram a uma preparação para não falhar que permitiu uma transição civilizada entre o governo que saía e o que entrava — o que fez muito bem a este último e ao país, por vários anos.

O quarto episódio ilustra não um êxito, e sim um fracasso. Em 2014 o Brasil falhou em se preparar — ou preparou-se para falhar —, apesar dos inúmeros alertas de que a política econômica era insustentável e teria de mudar, qualquer que fosse o resultado das urnas de outubro daquele ano, aí incluída a eventual reeleição de Dilma Rousseff. A mudança veio no mês seguinte ao das eleições, quando era tarde demais. A recessão, iniciada em abril de 2014, só terminaria em dezembro de 2016, após quase 10% da queda na renda *per capita* e 13 milhões de desempregados.

Encontramo-nos desde então em modesta porém consistente recuperação cíclica, para a qual contribuiu a condução da política econômica. O ano de 2018 será melhor que 2017, que foi melhor que 2016. Mas está claro que a sustentabilidade dessa recuperação depende fundamentalmente de avanços no processo de mudanças e de reformas, que dependem, por sua vez, de avanços na percepção da opinião pública, antes das eleições, sobre a natureza dos desafios. Quanto mais as dificuldades forem escamoteadas na campanha eleitoral, mais tortuoso será esse processo.

O risco de falhar em nos preparar é especialmente dramático em duas grandes áreas.

A primeira é a das finanças públicas. O equacionamento de sua insustentável situação exige que candidatos a presidente e a governador que se levem a sério se proponham a conhecer o nível e a composição de despesas, receitas e endividamento, respectivamente, do país ou de seus estados. Que mostrem a seus eleitores que estão cientes da gravidade do problema e empenhados em enfrentá-lo, sugerindo linhas de ação e demonstrando disposição de buscar pessoas honestas e tecnicamente competentes para a empreitada. Será impossível evitar um debate sério sobre previdência, a despeito do barulho das corporações.

A segunda grande área é a educação — que constitui o maior desafio na definição de nosso futuro neste século XXI. Com foco no que é fundamental: a redução da desigualdade de oportunidades nos anos iniciais de formação. A exemplo do debate sobre finanças públicas, também aqui tem havido progresso no entendimento dos desafios. Mas tem faltado foco no que importa — a redução das desigualdades na distribuição de renda e de riqueza passa, necessariamente, pela redução das desigualdades na distribuição de oportunidades. Aprendizado de qualidade na idade certa nas áreas de leitura, escrita e noções básicas de matemática e de ciências. Nosso sistema educacional é regressivo do ponto de vista da distribuição de oportunidades. E o problema não se resolve no âmbito do ensino superior ou médio, porque então já é demasiado tarde.

Observações importantes de duas pessoas de diferente formação política ilustram as possibilidades de diálogo sobre essa que é uma das tragédias brasileiras. O atual secretário municipal de Educação do Rio de Janeiro, César Benjamin, responsável por 1.530 escolas, 650 mil alunos, 43 mil professores e 25 mil funcionários, foi direto ao ponto: "Uma criança/adolescente que não aprendeu leitura e escrita e noções básicas de matemática já é um excluído." Na mesma linha se pronunciou Simon Schwartzman, um de nossos mais respeitados especialistas no tema: "Uma criança que chegar aos 10/11 anos de idade em uma escola precária, que não aprendeu a ler nem escrever, não tem futuro." Ambos se referem, naturalmente, a este mundo em que o vertiginoso processo de "destruição criativa" em tecnologia de informação, robotização e inteligência artificial tende a marginalizar pessoas desprovidas das qualificações mínimas requeridas.

É domingo de Carnaval e não quero aborrecer o leitor com números. Basta dizer que as duas observações citadas têm base em amplas evidências empíricas, como a Avaliação Nacional de Alfabetização, que cobre milhares de alunos de oito, nove anos e cerca de 2 mil escolas públicas; e a pesquisa da Organização para a Cooperação e o Desenvolvimento Econômico — OCDE (Programa Internacional de Avaliação de Alunos — Pisa), que cobre alunos de 15 anos em mais de 60 países. Têm amparo também em pesquisa oficial recente que compara pais e filhos em termos dos respectivos níveis de educação e renda e mostram o desastre que é o analfabetismo funcional no Brasil. (Vejam a esse respeito o excelente artigo de João Batista Araújo e Oliveira, "Analfabetismo no século XXI", publicado nesta página em 27 de janeiro de 2018.)

Estamos falhando em nos preparar. Serão crescentes os riscos de esperar o Carnaval de 2019 chegar. E passar.

DO QUERER SER AO CRER QUE JÁ SE É

11 de março de 2018

"A fantasia humana é um dom demoníaco. Está constantemente abrindo um abismo entre o que somos e o que gostaríamos de ser. Entre o que temos e o que gostaríamos de ter." Assim escreveu Mario

Vargas Llosa em *La verdad de las mentiras*. Pode um dom ser demoníaco ou a expressão é apenas um atroz paradoxo produzido pela veia literária do autor?

Dom, afinal, significa qualidade ou característica especial, geralmente positiva. *Demoníaco*, algo negativo, relativo a ou próprio do demônio. A combinação das duas palavras tende a significar algo ruim quando o abismo continuamente aberto pela fantasia humana leva a desalento, anomia, paralisia, inveja, ressentimento, cinismo, raiva. Mas poderia também evocar algo bom: a busca por desenvolver potencialidades, por crescer, enfrentar e superar com coragem as adversidades.

É instigante imaginar que o texto de Vargas Llosa possa aplicar-se também a sociedades e países, como o Brasil de 2018; e às perspectivas de consolidação da democracia nos próximos anos, entre nós e em várias outras partes do mundo, inclusive nas desenvolvidas. Ocorre-me a reflexão porque segue prolífica a temporada de livros sobre "suicídios" de regimes democráticos, alguns já mencionados neste espaço. Acabam de sair *How democracies die*, de Steven Levitsky e Daniel Ziblatt, e *Authoritarianism and the elite origins of democracy*, de Victor Menaldo e Michael Albertus, ambos ainda sem tradução. A maioria das obras procura lembrar como sucumbiram tantas democracias europeias nos anos 1920 e 1930. *Sobre a tirania*, de Timothy Snyder, e *A mente imprudente* e *A mente naufragada*, ambos de Mark Lilla, são belos exemplos de que há lições da história — recente — que não devem ser esquecidas. Afinal, os conflitos em questão provocaram dezenas de milhões de vítimas.

Umberto Eco recuperou o discurso feito em abril de 1938 por um Roosevelt acossado por nacional-populistas-isolacionistas e seus milhões de seguidores: "Ouso dizer que se a democracia americana parasse de progredir como uma força viva, buscando dia e noite melhorar por meios pacíficos as condições de nossos cidadãos, a força do fascismo cresceria em nosso país." Eco sugere que este seja o mote: "Não esqueçam." A literatura recente vem procurando compreender por que desde 1980 houve cerca de 25 casos de transição, não de ditaduras para democracias, mas de jovens democracias para tiranias variadas. Atenção especial tem sito conferida a tentativas não mais de aceder ao poder pela via eleitoral; e sim de assegurar a continuidade no poder para muito além dos mandatos originalmente conferidos pelas urnas, seja por meio de rupturas democráticas, seja por meio de mudanças institucionais, via Legislativo e Judiciário.

Para além de golpes de Estado e de instâncias de fragilidade institucional, há um terceiro fenômeno, insidioso e preocupante, a dificultar a consolidação de democracias estáveis e funcionais. Trata-se da carência de espírito público, de exercício constante de cidadania e de cooperação baseada na confiança mútua entre cidadãos no período que separa uma eleição da seguinte. A eleição não pode constituir álibi para o eleitor só porque ele votou na data aprazada.

Esse é o risco que corre a consolidação da democracia brasileira. O risco do desalento, do ceticismo, do cinismo. Do desinteresse pelo mundo da política — porque "não me sinto representado", porque "meu envolvimento não faz diferença", porque "todos são iguais". Não são. Há gente decente na política. Há que descobri-la, estimulá-la e envolver-se como possível. Quem não gosta de política acaba sendo governado por quem gosta, ou por aqueles que buscam as instrumentalidades do poder e as benesses de compadrios no aparato do Estado.

Na primeira metade do século passado três obras de ficção, imperdíveis, procuraram vislumbrar o futuro décadas à frente e se mostraram premonitórias em sua percepção sobre o desenvolvimento tecnológico e suas consequências políticas e sociais. A peça teatral *R.U.R. — Rossum's Universal Robots*, de 1920, de Karel Čapek, na qual certamente Aldous Huxley se inspirou para escrever seu *Admirável mundo novo* (1932), e *1984*, escrito por George Orwell em 1949 são clássicos que guardam enorme interesse em tempos de inteligência artificial, robotização e conglomerados privados gigantes que conhecem o que compramos, procuramos e compartilhamos. E de governos, como China e Rússia, que se propõem com êxito a controlar o que é postado na internet por seus cidadãos.

Em carta enviada a Orwell em outubro de 1949, em que lhe agradecia o envio de seu *1984*, Huxley reputa o livro "profundamente importante". Mas observa sobre o futuro que, em vez de uma bota oprimindo um rosto humano, as oligarquias dominantes encontrariam meios mais eficientes de satisfazer seus impulsos por poder — meios mais parecidos com aqueles que descreve no seu livro de 1932, ao qual voltou em 1958, em seu *Admirável mundo novo revisitado*.

Retornemos a Mario Vargas Llosa. O Brasil pode, nestas eleições de 2018, e ao longo do próximo quadriênio, utilizar seu *dom demoníaco* para reduzir a diferença abissal entre o que somos e o que gostaríamos de ser, entre o que temos e o que poderíamos ter? Qualquer esforço sério nesse sentido exige evitar voluntarismos e promessas de retorno a passados tidos como gloriosos. Exige paciência, persistência, perseverança, boa-fé e honestidade intelectual para mostrar à população que há escolhas difíceis a fazer e falsos dilemas a evitar. Há que buscar as convergências possíveis, que sempre existem, entre os mais moderados. Para tal é preciso humildade e *prudência-com-propósito*.

Como escreveu Ortega y Gasset em suas *Meditações do Quixote*: "Do querer ser ao crer que já se é vai a distância entre o trágico e o cômico, o passo entre o sublime e o ridículo." Ao empregar seu dom demoníaco, o Brasil não pode incorrer nesse equívoco.

DISPUTAR É UMA COISA, GOVERNAR É OUTRA
8 de abril de 2018

Neste momento especialmente angustiante da história do país, recorro a Italo Calvino para comentar a transição do governo atual para aquele que resultará das urnas de outubro. "A memória só conta realmente — para os indivíduos, as coletividades, as civilizações — se mantiver juntos a marca do passado e o projeto do futuro; se permitir fazer sem esquecer aquilo que se pretendia fazer; tornar-se sem deixar de ser; ser sem deixar de tornar-se."

Essa reflexão se presta a ilustrar os desafios que temos para os próximos anos. O chiste de Ivan Lessa é conhecido: "A cada 15 anos o Brasil esquece o que aconteceu nos últimos 15 anos." Em 2018 o Brasil vai decidir se esquece o que aconteceu nos últimos 15 anos, desde 2003. Ou se espera até 2033 para esquecer o que terá acontecido desde 2018. Ou, ainda, se esquece Lessa e decide que não há razão para tão longo período de esquecimento.

Também não há razão para esperar 2019 e só então começar a avaliar o que se proporão a fazer o presidente e o Congresso a serem eleitos em outubro próximo. Os partidos que se julgam competitivos deverão fazer uma inevitável escolha sobre o teor do seu discurso de campanha — e quanto mais cedo, melhor.

No caso do PT, a disjuntiva foi identificada com clareza por Demétrio Magnoli ("O PT diante da esfinge", *Folha de S.Paulo*, 27/1/18), ao referir-se ao enigma existencial ("ordem" ou "ruptura") que marcou a história do partido e que encontrou até agora apenas em Lula o instável equilíbrio do edifício partidário. O autor escreve: "O manual do marketing eleitoral reza que o nome de Lula deve permanecer numa cédula fictícia, aureolado pela denúncia da 'farsa judicial', até o momento derradeiro da substituição inevitável. Mas como fazer a transição do discurso da ruptura ao da ordem (...) sem fragmentar o campo da esquerda?"

O PT tem quadros e simpatizantes mais moderados que poderiam limitar a nefasta polarização para a qual estamos caminhando, com uma candidatura de extrema direita já posta e aparentemente bem situada. O Brasil só tem a perder com a confrontação de extremos que vem se desenhando. Ela significa que corremos o enorme risco de não discutir os reais desafios que temos à frente, perdendo tempo, em vez disso, com bravatas, acusações retóricas, promessas que não podem ser cumpridas e demagogias baratas. É legítimo que o PT pretenda fazer uma grande bancada no Congresso e alcançar o segundo turno das eleições de outubro com um nome que, substituindo Lula, se beneficie da transferência de votos, como as que deram vitória a Dilma Rousseff em 2010 e 2014. Para tanto seria importante começar desde logo a refletir sobre a própria experiência na transição de 2002-2003 — aquela de FHC 2 para Lula 1.

A história nunca se repete, mas encerra frequentemente lições importantes. O PT havia aprovado em congresso nacional, realizado em dezembro de 2001, o programa de governo intitulado "A ruptura necessária". Antes, em setembro de 2000, havia promovido um plebiscito pela suspensão de pagamentos das dívidas externa e interna. Por fim, havia se declarado contrário à Lei de Responsabilidade Fiscal e se dedicado a derrotá-la na Justiça, onde a reputou "incompatível com a responsabilidade social". Eram importantes pilares da herança que o partido construiu para si e com a qual chegou às eleições de 2002. A qual, como resultado de competente trabalho de marketing político, precisou ser desconstruída a tempo de permitir que partido e candidato fossem vistos como capazes de governar, se eleitos. Perceba-se: não apenas capazes de ganhar as eleições, mas também de efetivamente governar um país da complexidade do Brasil — o que são coisas distintas.

Essa impressionante mudança de discurso, que fez bem ao país, permite chamar a atenção de partidos e candidatos que se acreditam competitivos, e seus respectivos economistas, para uma coincidência relevante. Ocupam hoje os cargos-chave de presidente do Banco Central e de secretário executivo do Ministério da Fazenda, respectivamente, Ilan Goldfajn e Eduardo Guardia, este dado como próximo titular daquela pasta ministerial. O primeiro era diretor do Banco Central em 2002; o segundo, secretário do Tesouro no Ministério da Fazenda no mesmo momento. Ambos têm memórias vívidas — porque vividas e não apreendidas em leituras ou a partir do relato de terceiros — daqueles meses cruciais que se estenderam de abril de 2002 a 1º de janeiro de 2003, quando as excelentes equipes de Antonio Palocci (Fazenda) e Henrique Meirelles (Banco Central) assumiram a responsabilidade pela condução da política econômica.

A exemplar transição nessa área poderia inspirar outras, ao menos da parte daqueles que estejam empenhados não apenas em ganhar as eleições de outubro, mas também em governar bem — com que prioridades, com quem e para quem. As duas coisas são, ou deveriam ser, indissociáveis.

Essas observações — e a reflexão de Calvino — valem, naturalmente, para candidatos, e suas equipes, de todo o espectro político. O Brasil precisa, a meu ver, de um candidato reformista de *centro*, honesto, experiente, que não tenha ilusões — ao contrário, que conheça bem a real situação das contas públicas do país (governo federal, estados e muitos municípios), o drama da educação, a tragédia da corrupção e da violência urbana. E que tenha refletido e se cercado de pessoas experientes, tecnicamente competentes, que conheçam a máquina pública e seus corporativismos; e que sejam capazes de vislumbrar o país no mundo, e não fechado em seu labirinto.

É querer demais? Talvez, mas o Brasil está a exigir nada menos do que isto: gente que saiba para que deseja ser eleita, o que pensa em fazer e com quem pretende formar efetivas equipes de trabalho comprometidas com um Estado a serviço dos brasileiros que seja por estes percebido como tal.

COMO NOS VEMOS? COMO SOMOS VISTOS?

13 de maio de 2018

"O que estabelece a diferença na sorte dos mortais pode ser reduzido a três determinações fundamentais. O que alguém é; portanto, a personalidade no sentido mais amplo. Nessa categoria incluem-se a saúde, a força, a beleza, o temperamento, o caráter moral, a inteligência e seu cultivo. O que alguém tem — a propriedade e posse em qualquer sentido. O que alguém representa: aquilo que se é na representação dos outros, e que, portanto, consiste nas opiniões deles a seu respeito."

Assim escreveu Schopenhauer em 1851. E a propósito dessa reflexão volto a um tema que me é caro: essas determinações fundamentais seriam igualmente aplicáveis à sorte dos países? Aquilo que um país *é* — sua "identidade" no sentido mais amplo; aquilo que um país *tem* — seus recursos naturais, o estoque de capital físico e humano; e por último, o que o país *representa* na percepção de outras sociedades e culturas? Essa percepção condiciona a sua reputação, que não repousa apenas sobre a autoavaliação. Uma pessoa, e talvez um país, precisa também ver-se sob a lente da opinião dos outros.

Como nos vemos a nós, brasileiros? Como somos, vistos por outros? Cada sociedade tem ideias, mais ou menos compartilhadas, precárias que sejam, sobre seu passado, seu presente; bem como vislumbres do futuro possível. Recente pesquisa do Datafolha identificou "valores comuns à grande maioria" dos brasileiros, entre os quais sobressai "a crença no governo, depositário das esperanças nacionais", e "a moral cristã em relação a costumes". Para 76% dos entrevistados, "o governo deve ser o maior responsável pelo investimento e pelo crescimento". Nada menos que 83% dizem que "acreditar em Deus torna as pessoas melhores". No editorial ("Ideologia nacional") em que comenta a pesquisa, a *Folha de S.Paulo* opina que, "com raízes que remetem ao surgimento da nação, tais valores não são imutáveis, mas ainda parecem os guias mais genuínos do que seria uma ideologia brasileira". Ou, pelo menos, de uma certa ideia de Brasil, real ou desejado.

Ocorrem-me duas ilustrações relevantes do enraizamento de certas ideias de Brasil. Joaquim Falcão reuniu em belo livro artigos publicados entre 1982 e 1988 por Raymundo Faoro na revista *Istoé/Senhor*, em que incluiu entrevista com Faoro a propósito da transição do regime militar para a Presidência civil. Ancorado em seu clássico *Os donos do poder*, Faoro argumenta que em 1985 o Brasil tentava encontrar mais uma solução de conciliação intraelite, de longuíssima tradição entre nós. Tratava-se claramente de "uma certa ideia do Brasil". Como a tem, seguramente, José Murilo de Carvalho. Seu recente e belíssimo *O pecado original da república* reúne artigos e ensaios que ajudam a compreender por que, embora uma democracia, tanto nos falte para constituirmos uma verdadeira República. Para Faoro, como para José Murilo, são necessários avanços que exigem mediações e lideranças de forma a conter os inevitáveis conflitos de interesse — e o consequente potencial de instabilidade, polarização e violência. Tancredo Neves era, à sua época, o principal depositário das esperanças de mediação — ele se foi exatamente quando dele e de pessoas como ele mais se precisava. Como precisa o Brasil de agora, com urgência. De muitas pessoas, não de um messias.

Entre os quase 200 países soberanos contam-se nos dedos de uma mão aqueles que estão, simultaneamente, na lista dos 10 maiores em termos de extensão territorial, população e tamanho de sua economia. Uma década antes do surgimento da expressão Brics, George Kennan antecipou que os países em questão — China, Índia, Rússia, Brasil —, além dos Estados Unidos, tinham o que chamou de *hubrys of inor-*

dinate size: "certa falta de modéstia na autoimagem do grande país; um sentimento de que seu papel no mundo deveria ser equivalente à sua dimensão (nas três áreas acima) com a consequente tendência a superlativas pretensões e ambições." Prossegue Kennan: "Em geral, o país grande tem uma vulnerabilidade a sonhos de poder e glória aos quais Estados menores são menos inclinados." Os *países-monstro*, como os designa o autor, "por vezes criam problemas para si próprios, mesmo quando não constituem problemas para outros".

É, inequivocamente, o caso do Brasil. Nossos problemas são autoinfligidos, não somos vítimas passivas de eventos externos fora de nosso controle — essa cantilena que, durante muito tempo, encontrou ampla acolhida entre nós. Não tenhamos dúvida: assim nos veem os outros. E esperam que possamos resolver esses problemas, pelos quais ninguém podemos culpar. O mundo nos olha através de nossos indicadores sociais e econômicos relevantes. Somos a sétima ou oitava economia do mundo, mas em termos do PIB *per capita* há mais de 40 países à nossa frente. Na avaliação internacional da Organização para Cooperação e Desenvolvimento Econômico (OCDE) sobre o aprendizado (alunos na faixa dos 15 anos) em linguagem, matemática e ciências estamos entre os 10 últimos colocados em um universo de quase 70 países, resultado de desigualdades e deficiências de aprendizagem nas idades certas. Outros dados relevantes — sobre a precariedade de nossas finanças públicas, por exemplo — abundam.

Nosso futuro está em nossas próprias mãos, como sempre esteve, e estará. Nas eleições de outubro o eleitorado brasileiro tomará decisão histórica. O próximo quadriênio permitirá avaliar quão correta é a inquietante observação do jornalista Hélio Schwartsman (*Folha de S.Paulo*, 25/3): "Estamos, muito provavelmente, condenados a ser um país de renda média e um pouco menos civilizado do que teria sido possível." Apesar de tudo, e paradoxalmente, também nos vemos, e somos vistos, como um país extraordinário na sua diversidade, de enorme potencial, com recursos naturais, humanos, técnicos, bem como recursos culturais, morais e criatividade, que podem e devem nos levar, talvez, à superação das dificuldades presentes, que são parte real e sofrida — parafraseando Marcos Aguinis — do "atroz encanto" de ser brasileiro.

Apêndice

Tabela 1: Crescimento comparado e diferenciado Brasil e mundo em desenvolvimento (1995-2002); (2003-2010); (2011-2017); (1995-2017)

	1995-2002	2003-2010	2011-2017	1995-2017
Crescimento Brasil média anual (%)	2,43	4,08	0,48	2,41
Crescimento médio anual do conjunto países emergentes (%)	4,19	6,80	5,00	5,34
Diferença em pontos percentuais	1,75 pp	2,72 pp	4,51 pp	2,93 pp
Diferença acumulada no período	15%	24%	36%	96%
Período	(8 anos)	(8 anos)	(7 anos)	(23 anos)

Fonte: FMI, World Economic Outlook April 2018.

Taxa de câmbio nominal R$/US$

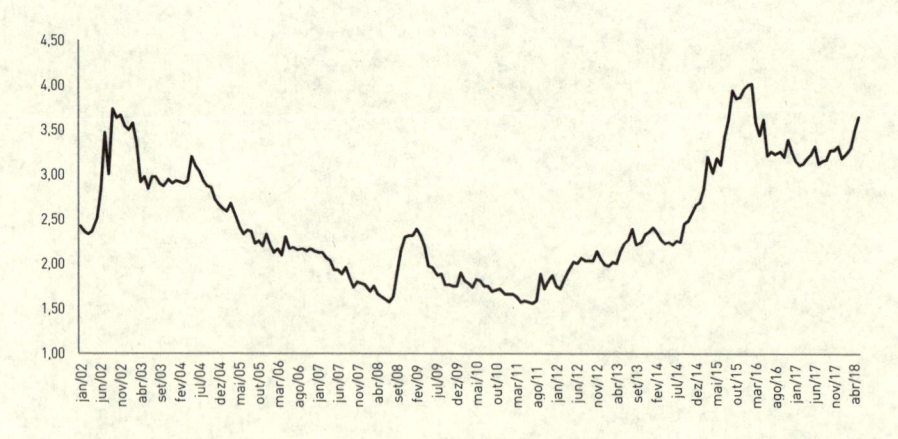

Fonte: BCB

Taxa de câmbio Real R$/US$ (em reais constantes de abril de 2018)

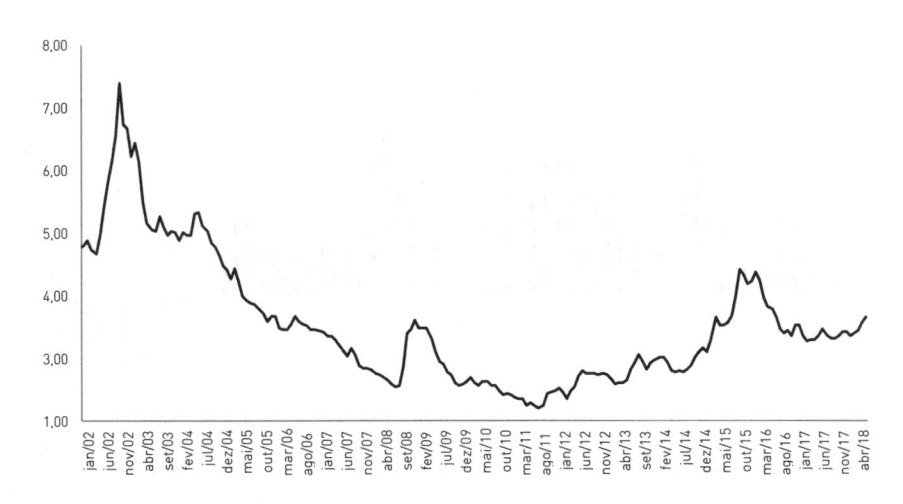

Fonte: BCB, IBGE, Itaú

Taxa de desemprego (PNAD Contínua retroagida)

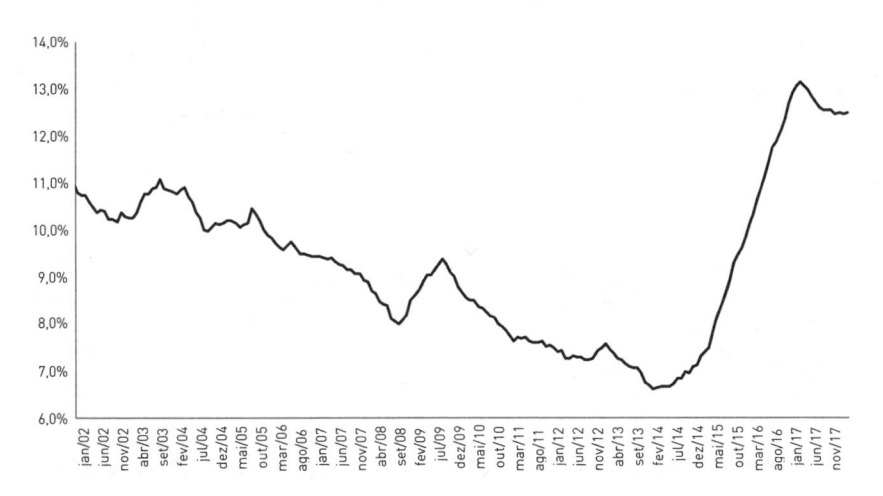

Fonte: IBGE, MCM

Crescimento PIB: variação em 12 meses

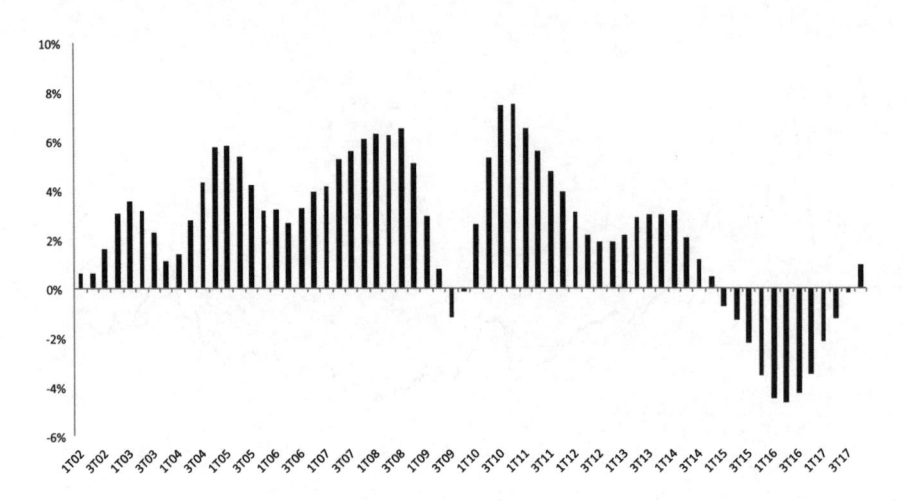

Fonte: IBGE

PIB: índice real com ajuste sazonal (média 1995=100)

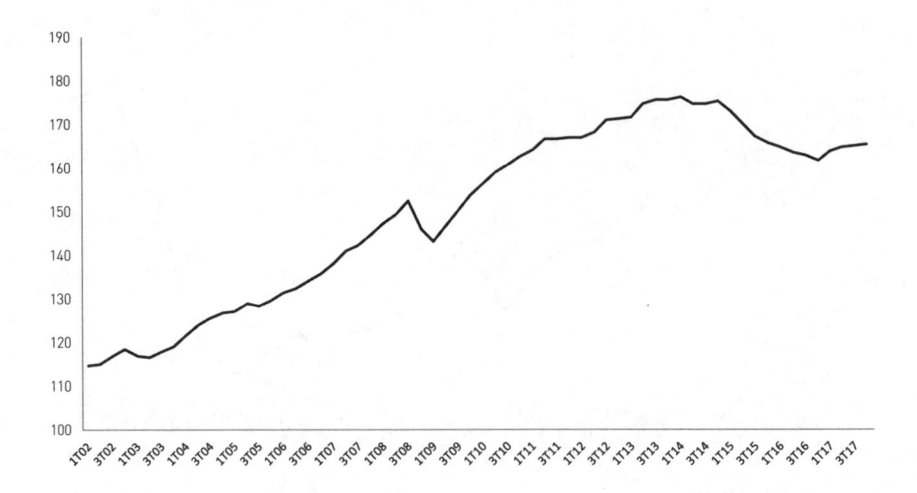

Fonte: IBGE

Taxa Selic (%)

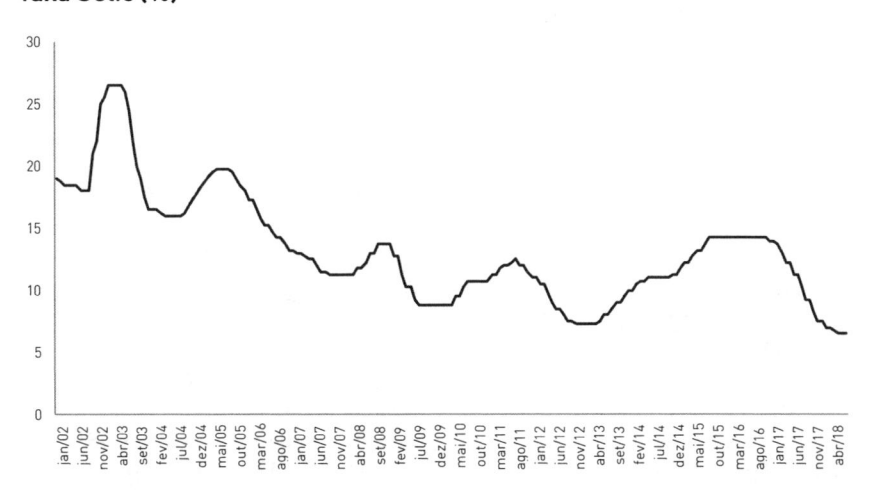

Fonte: BCB

IPCA (Acumulada em 12 meses anteriores)

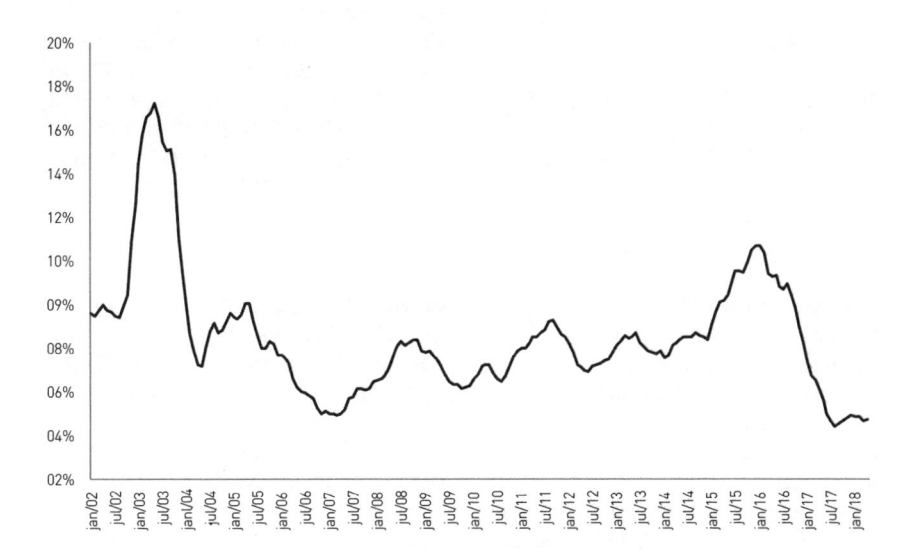

Fonte: IBGE

ÍNDICE ONOMÁSTICO

Abreu, Katia, 450
Acharya, Shankar, 341
Aguinis, Marcos, 134, 500
Albertus, Michael, 493
Alckmin, Geraldo, 140, 141
Alencastro, Luiz Felipe de, 267, 365
Allen, Woody, 154
Andrade, Carlos Drummond de, 91
Annan, Kofi, 127
Arendt, Hannah, 18
Arida, Pérsio, 46, 65, 230
Aron, Raymond, 21, 22, 229, 232, 400, 401, 403, 414, 445
Arraes, Miguel, 113
Aznar, José María, 50

Bacha, Edmar, 7, 13, 14, 16, 46, 47, 65, 230, 469
Bacon, Francis, 60, 191, 194, 197, 198, 294
Barros, Octavio de, 291, 326
Bastos, Márcio Thomaz, 169
Beccaria, Cesare, 198, 270
Beckett, Samuel, 183
Benjamin, César, 493
Bergamo, Mônica, 393
Bernanke, Ben, 260, 329, 352
Bittar, Rosângela, 159, 175, 318
Blair, Tony, 124
Bloom, Harold, 112
Bobbio, Norberto, 22, 35, 40, 47, 50, 52, 84, 106, 118, 125, 186, 187, 198, 229, 232, 233, 294, 320, 330, 400, 403
Bodin, Jean, 198, 294
Bonelli, Regis, 46, 47, 367
Borges, Cesar, 57
Borges, Jorge Luis, 37, 38, 403, 445, 474
Braga, Eduardo, 416
Branco, Humberto de Alencar Castelo, 109

Brizola, Leonel, 299
Bush, George W., 218, 242, 257, 303, 338

Cachoeira, Carlinhos, 56
Caldeira, Jorge, 487
Calheiros, Renan, 98, 181, 408, 435
Calvino, Italo, 17, 19, 495, 497
Camargo, Jorge, 411
Camargo, José Márcio, 156, 475
Camões (Luís Vaz de), 202
Campos, Eduardo, 378
Campos, Roberto, 202
Čapek, Karel, 494
Cardoso, Fernando Henrique (FHC), 13, 19, 24, 26, 27, 28, 29, 34, 70, 74, 76, 88, 91, 110, 122, 143, 144, 152, 162, 171, 209, 230, 259, 275, 282, 286, 290, 291, 299, 303, 316, 319, 320, 338, 349, 369, 375, 376, 396, 417, 470, 487, 496
Cardoso, Ruth, 236, 237
Carr, Eduard Hellet, 73
Carrière, Jean-Claude, 72, 395
Carvalho, Gilberto, 442
Carvalho, José Murilo de, 22, 39, 69, 166, 189, 274, 287, 305, 366, 468, 499
Carville, James, 128
Cascudo, Luís da Câmara, 95, 364, 371
Castelar Pinheiro, Armando, 154
Cavalcanti, Severino, 98, 100
Cela, Camilo José, 268
Cervantes, Miguel de, 124
Cesar, Julio, 109, 111
Chagas, Helena. 121
Chaucer, Geoffrey, 158, 319
Chávez, Hugo, 305
Churchill, Winston, 489
Clinton, Bill, 158

Comandante Marcos, 172
Comparato, Fábio Konder, 201
Confúcio, 196, 294
Costa, Francenildo, 140
Costa, Hipólito da, 48, 121
Costa, Paulo Roberto, 378
Crivella, Marcelo, 434
Cruvinel, Tereza, 59, 130, 149, 151, 285, 302, 306
Cunha, Eduardo, 408, 409, 434

D'Alema, Massimo, 32, 66
DaMatta, Roberto, 130, 143, 189, 191, 266, 286, 372, 472
Daniel, Celso, 24
Dantas, Daniel, 217
Dantas, San Tiago, 38, 123
Darwin, Charles, 212
Diamond, Jared, 372, 412, 413, 453
Dines, Alberto, 419, 420
Diniz, Waldomiro, 56, 150, 306
Dirceu, José, 50, 59, 99, 101, 122, 149, 179, 183, 222, 228, 244, 306, 316, 361
Donne, John, 299
Doria, João, 434
Dornbusch, Rudi, 327
Draghi, Mario, 335, 346, 350, 351, 352, 424
Duarte, Lídio, 99
Dutra, Eurico Gaspar, 487

Eco, Umberto, 419, 420, 493
Eliot, T. S., 109

Falcão, Joaquim, 499
Faoro, Raymundo, 499
Felix, Jorge Armando, 224
Fernandes, Millôr, 7, 77, 78, 80, 84, 111, 165
Figueiredo, João, 110
Fischer, Stanley, 14
Fogaça, José, 58
Fontes, Julia, 367
Foster, Graça, 379
Foucault, Michel, 119
Fraga, Armínio, 27, 161, 289
Franco, Gustavo, 162, 230, 322, 479
Franco, Itamar, 110, 230, 303, 320

Franklin, Benjamin, 490
Freud, Sigmund, 210, 212
Friedman, Milton, 267

Gabeira, Fernando, 29, 47, 48, 49, 124, 210, 399
Gabrielli, Sergio, 357, 458
Galbraith, John Kenneth, 111
Gandhi, Mahatma, 196
Garotinho, Anthony, 25
Gaspari, Elio, 156, 286, 295
Gasset, José Ortega y, 103, 123, 495
Gaulle, Charles de (general), 17, 64
Geisel, Ernesto, 110
Geithner, Tim, 260
Genoino, José, 99, 117, 179, 361
Genro, Tarso, 40, 168, 207
Giambiagi, Fabio, 62, 154, 291, 326, 357, 389, 461
Giannetti, Eduardo, 62, 112, 152, 266, 286, 413, 418, 445, 462
Ginzburg, Carlo, 422, 423
Goebbels, Paul Joseph, 43, 227, 228, 264, 293
Goethe, 226, 227
Gois, Ancelmo, 341, 427, 440
Goldfajn, Ilan, 223, 245, 433, 446, 497
Gomes, Ciro, 25, 230
González, Felipe, 32, 51, 66, 94, 136, 137, 358
Goulart, João, 110
Greenhalgh, Luiz Eduardo, 98
Greenspan, Alan, 187, 241
Guardia, Eduardo, 448, 497
Guimarães, José Nobre, 99
Gullar, Ferreira, 239
Gurría, Angel, 484

Haddad, Fernando, 335
Hartley, L. P., 442
Henrique, João, 58
Hipócrates, 197
Hobsbawm, Eric, 73, 113, 153, 195, 276, 277, 278
Holanda, Sérgio Buarque de, 70, 189, 191, 195, 266, 371
Hollande, François, 477
Huxley, Aldous, 154, 482, 494

Ibáñez, Carlos, 476
Isaías, 212, 213

Jabor, Arnaldo, 94, 95
Jamelão, 158
James, Harold, 127
Janot, Rodrigo, 408
Jefferson, Roberto, 98, 99, 100, 179
Jenkins, Roy, 123, 126, 174
João Paulo II, 112, 113
Jonhson, Samuel, 212
Jospin, Lionel, 32, 66
Judt, Tony, 225, 414
Juncker, Jean-Claude, 345

Keats, John, 451, 452
Kelman, Jerson, 252
Kennan, George, 67, 133, 134, 235, 236, 354, 499, 500
Kermode, Frank, 158
Keynes, John Maynard, 9, 15, 64, 84, 211, 254, 255, 256, 278, 322, 471
Khair, Amir, 314
Khalil, Alexandre, 434
Kindleberger, Charles, 73
Kirchner, Néstor, 391
Klein, Joe, 158
Kolakowski, Leszek, 384
Kramer, Dora, 83
Krauze, Enrique, 195
Krugman, Paul, 367
Kubitschek, Juscelino, 72, 91,121, 131, 144, 171, 204, 259, 275
Kurosawa, Akira, 203

La Rochefoucauld, François, 195
Lagos, Ricardo, 32, 66
Lane, Philip, 477
Lara Resende, André, 65, 230, 254, 324, 373, 374, 384, 422, 424, 451, 488
Leitão, Míriam, 192
Lessa, Carlos, 59
Lessa, Ivan, 18, 84, 227, 495, 496
Levitsky, Steven, 493
Levy, Joaquim, 15, 27, 140, 222, 245, 379, 397, 404, 405, 409, 415, 424, 429, 430, 437, 438, 447
Lilla, Mark, 493

Lisboa, Marcos, 27, 117, 140, 223, 245, 302, 397, 405, 447
Llosa, Mario Vargas, 493, 495
Lucas, Luiz Paulo Vellozo, 357
Lucena, Eleonora de, 318, 396
Lustosa, Isabel, 47, 48

Maciel, Everardo, 400
Madison, James, 233, 265
Magnoli, Demétrio, 488, 496
Malan, Pedro, 13, 14, 509
Mantega, Guido, 14, 15, 59, 140, 159, 318, 396
Maquiavel, 49, 88, 90, 121, 125, 265, 294
Marinho, Mauricio, 98
Marques, Maria Silvia Bastos, 448
Marx, Karl, 38, 479
McCraw, Thomas, 452
Médici, general Emílio Garrastazu, 62
Meirelles, Henrique, 14, 27, 28, 222, 223, 244, 245, 397, 404, 433, 447, 497
Mello, Fernando Collor de, 26, 110, 190, 274, 299, 487, 509
Menaldo, Victor, 493
Mendonça, Duda, 129
Meneguelli, Jair, 86
Mercadante, Aloizio, 86, 426
Merkel, Angela, 352
Merquior, José Guilherme, 119, 266, 470
Micklethwait, John, 440
Mitterrand, François, 32, 66, 125
Moisés, José Álvaro, 306
Montaigne, Michel de, 127, 203, 212, 229, 288
Monti, Mario, 351, 352
Moreira, Marcílio Marques, 13
Moro, Sérgio, 456

Nahas, Naji, 217
Naim, Moisés, 233, 234
Nascimento, Milton, 91
Netto, Delfim, 162, 252, 262, 277, 295, 304, 322, 326, 375, 376, 429, 430
Neumann, John von, 265
Neves, Aécio, 287, 378, 379, 456, 457
Neves, Tancredo, 109, 499
Nóbrega, Maílson da, 376
Nye Jr., Joseph S., 355, 441

O. Hirschman, Albert, 35, 45
O'Neill, Jim, 354
Obama, Barack, 219, 260
Oliveira, João Batista Araújo e, 492
Orwell, George, 494

Palocci, Antonio, 13, 14, 24, 27, 28, 32, 34, 67, 69, 89, 103, 116, 117, 122, 126, 128, 140, 141, 144, 159, 161, 167, 171, 175, 183, 199, 201, 209, 211, 222, 223, 244, 245, 290, 291, 292, 300, 306, 310, 314, 318, 320, 350, 368, 369, 378, 397, 404, 405, 415, 417, 447, 457, 497
Parente, Pedro, 24, 447, 485
Parnes, Beny, 223, 245
Paulo Cunha, João, 28
Paulsson, Henry, 219
Pavlov, Ivan Petrovich, 113
Pedreira, Fernando, 168
Pereira, Merval, 306
Perón, Juan Domingo, 129, 385, 476, 477
Pessoa, Fernando, 192, 257, 448
Pinto, Francisco, 230
Pirandello, Luigi, 84
Pires, Adriano, 363-364
Pitta, Celso, 217
Pont, Raul, 58
Portugal, Murilo, 27, 117, 140, 223, 230, 245, 397, 405, 461
Prado, Geraldo, 38
Prebisch, Raúl, 32
Proust, Marcel, 340

Quadros, Jânio, 190, 204, 274, 487

Rajan, Raghuram G., 243, 244, 471
Rato, Rodrigo do, 51
Reagan, Ronald, 129, 278, 385
Rebelo, Aldo, 100
Reinhart, Carmen M., 296
Reis, José Guilherme, 62
Ricupero, Rubens, 230
Robinson, Joan, 41
Rodrigues, Lupicínio, 62
Rodrigues, Nelson, 120, 129
Rodrik, Dani, 488
Rogoff, Kenneth, 14, 58, 278, 296, 314, 417, 424, 451, 473

Roosevelt, Franklin Delano, 73, 126, 174, 176, 255, 256, 493
Rosa, Guimarães, 112, 118, 119, 120, 189, 191, 203, 221, 237, 270, 315, 321
Rossetto, Miguel, 442
Roubini, Nouriel, 140
Rousseff, Dilma, 10, 14, 15, 19, 99, 249, 283, 305, 310, 311, 316, 317, 318, 319, 320, 321, 326, 331, 332, 335, 339, 341, 347, 350, 356, 357, 358, 360, 361, 364, 370, 378, 379, 281, 385, 389, 391, 393, 396, 397, 399, 400, 401, 402, 403, 404, 405, 406, 408, 409, 413, 415, 417, 418, 421, 423, 425, 426, 428, 429, 430, 432, 433, 434, 437, 438, 439, 441, 442, 444, 445, 446, 447, 450, 456, 469, 473, 474, 487, 490, 496
Rumsfeld, Donald, 111

Sacks, Oliver, 72, 395
Salles, João Moreira, 107
Salm, Claudio, 286
Sampaio, Jorge, 194
Santana, Edvaldo, 252
Santos, Boaventura de Sousa, 38
Santos, Joaquim Ferreira dos, 115
Sarney, José, 28, 110, 248
Sartre, Jean-Paul, 228
Schopenhauer, Arthur, 44, 226, 498
Schumpeter, Joseph Alois, 21, 59, 60, 61, 452, 488
Schwartsman, Hélio, 500
Schwartzman, Simon, 469, 491
Seixas, Raul, 154, 211, 212, 213
Sen, Amartya, 265
Serra, José, 25, 58, 283, 287, 302, 305, 335
Shakespeare, William, 109, 111, 112, 158, 237, 318
Silva, Artur Costa e, 109
Silva, Edmundo Macedo Soares e, 383
Silva, Luiz Inácio Lula da (Lula), 8, 9, 10, 13, 14, 15, 19, 24, 25, 28, 29, 32, 34, 36, 37, 43, 44, 47, 49, 50, 56, 57, 59, 62, 66, 67, 69, 70, 71, 73, 74, 82, 88, 91, 92, 95, 98, 100, 105, 107, 108, 110, 115, 121, 122, 124, 126, 128, 129, 135, 140, 141, 143, 149, 150, 151, 152, 155, 157, 158,

159, 160, 161, 162, 163, 167, 170, 171, 173, 174, 175, 183, 185, 188, 190, 191, 194, 196, 199, 200, 202, 203, 204, 205, 206, 207, 209, 210, 211, 212, 213, 217, 218, 221, 222, 223, 228, 238, 239, 243, 244, 245, 246, 248, 249, 264, 265, 271, 273, 274, 276, 279, 282, 285, 286, 287, 288, 289, 290, 291, 292, 299, 300, 301, 302, 303, 304, 305, 306, 314, 315, 316, 317, 318, 319, 320, 321, 330, 332, 338, 342, 350, 356, 369, 376, 382, 386, 388, 391, 396, 397, 398, 399, 403, 404, 405, 406, 413, 415, 417, 418, 425, 426, 429, 430, 432, 437, 438, 441, 442, 444, 445, 446, 447, 449, 450, 456, 457, 473, 474, 484, 487, 496
Silva, Marina, 217, 302, 378, 379
Silva, Paulo Bernardo, 117, 167, 201, 210, 291, 292, 300, 306, 350, 368, 376
Silveira, José Paulo, 259
Smith, Adam, 262, 265, 266
Snyder, Timothy, 493
Soares, Delúbio, 99, 135, 164-165, 224
Spence, Michael, 262
Stein, Herbert, 260
Stiglitz, Joseph, 76, 77
Summers, Larry, 14, 207, 260, 327, 444, 475
Suplicy, Marta, 57
Swedbeg, Richard, 60

Tafner, Paulo, 461
Tarfon, 273

Tchakhotine, Serge, 113
Temer, Michel, 19, 248, 315, 409, 433, 434, 446, 447, 456, 457, 461, 485
Thatcher, Margareth, 278
Tocqueville, Alexis de, 428
Toledo, Joaquim Eloi Cirne de, 128
Tombini, Alexandre, 379
Tornell, Aaron, 477
Trump, Donald, 451, 488
Twain, Mark, 413

Unger, Mangabeira, 202
Urani, André, 62

Valério, Marcos, 179, 361
Vargas, Getúlio, 180, 274, 275, 469, 493, 495
Velloso, João Paulo dos Reis, 202
Verissimo, Luis Fernando, 80, 121, 124
Villalobos, Joaquín, 95
Volcker, Paul, 110, 127, 260, 261, 328, 355, 439

Wagner, Jacques, 429
Weffort, Francisco, 235
Wells, Herbert George, 113
Werneck, Rogério, 471
Williamson, John, 42, 43
Wooldridge, Adrian, 440

Xiaoping, Deng, 226
Zapatero, José Luis Rodríguez, 51
Ziblatt, Daniel, 493

PEDRO MALAN foi ministro da Fazenda durante o governo de Fernando Henrique Cardoso, presidiu o Banco Central na implementação do Plano Real e foi o negociador responsável pela reestruturação da dívida externa brasileira no início da década de 1990. Representou o Brasil nas Diretorias Executivas do Banco Mundial e do BID em Washington e na ONU, em Nova York. Atualmente é membro de conselhos de empresas no Brasil e no exterior e professor do Departamento de Economia da PUC-Rio, instituição em que se graduou em Engenharia. Malan é ainda ph.D. em Economia pela Universidade de Berkeley, Califórnia.

Foto: SM2 — Solange Macedo

1ª edição	AGOSTO DE 2018
impressão	GEOGRÁFICA
papel de miolo	PÓLEN SOFT 70G/M²
papel de capa	CARTÃO SUPREMO ALTA ALVURA 250G/M²
tipografia	ITC ESPRIT